2_(자식, 땅) + 1_(말씀) + 1_(성령) 로 관통하는

성경 금맥

권기창 지음

쿰란출판사

Tyre   River   Dan

"**누가** 좋은 크리스천"인가를 물으면 많은 사람들이 행위의 목록들—성경, 기도, 전도, 교회 봉사 등—을 말하려 합니다. 틀린 답은 아니지만 그렇다고 정확한 답도 아닙니다. 교회에서 열심히 봉사하던 사람들이 시험에 들어 교회를 영영 떠나곤 합니다. 왜 이런 일이 생겨납니까?

성경적 신앙은 종교적 행위가 아닌 세상을 바라보는 '관점'에서 출발합니다. 무엇을 행하느냐 하는 것은 어떻게 생각하고 바라보는가에 달려 있기 때문입니다. 참된 신앙은 종교적 행위목록(doing)이 아닌 하나님과의 관계(being)에서 시작됩니다. 크리스천들은 여호와 하나님을 '주'(Lord)로 섬기는 자들로, '여호와 렌즈'인 성경 말씀으로 무장해 그분의 뜻을 이 땅에 수행하는 자들입니다. 그들은 그분의 뜻이 이 땅에 이루어지기를 원해 성경이 말씀하는 바에 온통 귀를 기울입니다.

그러나 상당수의 교인들이 교회생활에는 익숙하고 교회 사역에는 능숙하지만 정작 성경이 가르치는 바에 대해서는 잘 알지 못합니다. 그러다 보니 어려움에 봉착할 때 그들은 여호와의 뜻(여호와 렌즈)보다는 인본주의적 관점(인간 렌즈)에서 판단하면서 시험에 들게 됩니다. 두 렌즈 사이에는 많은 괴리가 있습니다. 어느 누구도 '성경 렌즈'로의 변화 없이는 하나님의 뜻을 알 수 없기 때문에 예수님을 기쁘게 할 수 없습니다. 참된 크리스천은 어느 사역보다 먼저 성경을 통해서 그분의 뜻을 찾아야 합니다.

성경은 무려 천오백여 년이란 장구한 시간에 서로 다른 시대를 살았던 사십 명의 저자들이 기록하고 있어 이를 처음 접하는 사람들이 이해하기에는 무척 어렵게 보입니다. 그렇지만 신구약을 자세히 들여다보면 그 안에 큰 산맥이 관통하면서 하나의 일관된 이야기를 담아내고 있으며, 성령 하나님 자신이 원저자이심을 보여줍니다(딤후 3:16).

저자 권기창 목사는 '하나님의 왕국'이란 개념이 성경을 관통하는 큰 산맥임을 찾아냈습니다. 하나님은 인류 가운데 선택한 아브라함에게 '자식과 땅'을 주어 그의 후손을 통해 그분의 왕국을 건설하겠다는 언약을 주셨습니다. 그로부터 시작된 언약의 내용이 어떻게 다음 세대에 계속해서 진행되고 발전되는지와 언제 어떻게 성취되는가에 초점이 맞추어졌습니다. 그는 성경을 관통하는 큰 산맥을 인간에게 주시는 '하나님의 왕국' 메시지로 보고 이를 '2(자식, 땅)+1(말씀)+1(성령)'이란 공식으로 성경의 맥을 잡아 주었습니다. 그는 이를 《2+1+1로 관통하는 성경금맥》으로 이름을 붙였습니다. 이 공식으로 성경을 하나의 통일된 관점으로 풀어 씀으로 성경의 맥을 쉽게 이해하도록 해주었습니다.

    저자가 목회와 선교 현장에서 직접 크리스천들을 가르치면서 이 책
을 기록한 점에서 높이 평가를 받을 만합니다. 그는 그들의 눈높이에
서 성경이 말하는 바를 쉽게 가르치려는 소박한 꿈에서 이 꿈이 잉태
되었다고 말합니다.

    많은 크리스천들이 '2+1+1로 관통하는 성경금맥'을 한눈에 보며
하나님의 뜻을 알아가도록 쓰여 있는 이 책을 통해, 하나님을 더 깊이
알고 참된 삶을 살아가기를 원합니다. 한 영혼을 귀히 여기며 오직 그
리스도만을 드러내기 위해 수고하고 애쓰는 많은 목회와 선교 현장에
서 읽혀질 수 있는 이런 책들이 더 많이 출간되기를 원합니다. 바라기
는 이 책이 평신도 뿐만 아니라 신학도와 목회자들에게까지 읽혀져서
한국 교회가 성경 진리의 반석 위에 영원토록 굳게 세워지기를 바랍
니다.

김의원
(전 총신대학교 총장, 구약학 교수, 현 백석대학원 부총장)

처음 권기창 목사님을 알게 된 것은 누군가를 통해 직접 소개 받은 것이 아니고 《자녀의 권세를 누리라》(권기창 著, 그리심)는 책을 통해서였습니다. 평소에 기독교의 기본 진리에 대해 교인들에게 간단하면서도 가슴에 쉽게 새길 수 있는 교육 자료를 찾고 있던 중이었는데 바로 그런 책이었습니다. 그래서 저자를 만나보고 싶은 마음이 있었는데 놀랍게도 하나님께서 권 목사님을 저희 교회로 보내셔서 빌립보교회의 교육목사로 동역하게 하셨습니다. 교회의 기존 교육 시스템을 권 목사님의 도움을 받아 현재의 제자훈련원 시스템으로 재정비하고 전 교인들을 제자·사역자화하는 꿈을 꾸며 지난 칠 년 동안 부단히 노력해 왔습니다. 그 결과 제자훈련원을 통해 지금까지 수많은 성도가 생짜 교인에서 성장을 거듭해 예수님의 제자가 되고 사역자가 되어 선교에까지 헌신하는 감동스런 일들이 계속 일어나고 있습니다. 하나님께 영광을 돌립니다.

빌립보교회 제자훈련원은 생명반부터 선교반까지 일곱 개의 필수과정이 있는데 한 주에 수십 개의 클래스가 진행됩니다. 그 중에서 가장 인기 있는 과정 중 하나가 바로 이 《2+1+1로 관통하는 성경금맥》입니다. 본서를 제자반의 기본 교재로 사용하고 있는데 수강하는 교우들마다 방황하던 신앙에서 믿음있는 신앙인으로 거듭나는 역사가 비일비

재하고, 성경의 능력을 경험하지 못해 말씀을 잘 읽지 않던 성도들이 말씀을 사모하게 되고, 말씀의 능력을 체험하는 분들이 많이 나오게 되고, 억지로 따라다녔던 믿음에서 이제는 헌신된 믿음으로 변화하는 역사가 넘치는 일들이 계속되어 오고 있습니다. 그래서 우리 교회만 가지고 있기에는 너무 귀중한 내용이어서 교회가 '만사 인스티튜트'를 세우고 이 내용을 한국 교회와 이민 한인 교회가 공유하여 하나님의 나라를 섬기는 데 귀하게 사용하고자 이번에 책으로 출판하기에 이른 것입니다.

저자의 말대로 성경을 올바로 이해하는 일은 쉽지 않은 일입니다. 그런데 하나님께서는 고민하며 믿음을 가지고 신비로운 하나님의 계시의 말씀을 깨닫고자 열심인 성도들에게 무조건 어렵게만 성경을 엮어놓으신 것이 아닙니다. 광산에 맥이 있듯이 그 광맥을 발견하게 되면 진리의 금은 보화가 쏟아지도록 구성해 놓으셨습니다. 그 맥을 잘 짚으면서 성경을 보면 천지창조의 신비와 하나님의 모티프, 그리고 우리의 삶에 적용할 때 넘치는 놀라운 복을 체험할 수 있습니다. 그 맥이 '자식'과 '땅'과 '말씀'의 모티프에서 발견할 수 있는 맥입니다.

이제 독자 여러분들이 직접 이 모티프가 무엇인지, 왜 필요한지, 어떻게 찾을 수 있는지 그것이 구속사의 주인이신 예수님과 연결되어 어떻게 우리에게 복이 되는지를 깊이 있게 공부하게 될 것입니다. 그러면서 자신도 모르게 예수의 제자로 변해 가고 말씀의 능력을 체험하게 될 것입니다. 더 이상 방황하는 일은 없을 것입니다. 하나님이 누구신지 알게 되고 그분께 순종하게 될 것입니다. 드디어 스스로 복이 되어 다른 사람들에게 복을 나누어 주는 사람이 될 것입니다. 이런 은혜가 이 책을 읽는 모든 이들에게 넘치기를 기도드리며, 한국 교회와 한인 교회의 목회자들과 성도들에게 기쁨으로 추천하는 바입니다.

송영선

(현 코스타 미주 공동대표, GMF NA 이사, 《머슴교회》 저자, 빌립보교회 담임 목사)

Tyre   ....ant River   Dan

권기창 목사님은 오늘날 교회에 요구되는, 제자훈련을 겸한 성경교육을 위한 안내서를 집필하는 데 있어서 매우 탁월한 재능을 지니고 계신 분입니다. 이 책이 바로 그러합니다. 그의 첫번째 책인 《자녀의 권세를 누리라》 이후 십 년 만에 성경 전체를 통전적으로 서술하는 귀한 책이 세상에 나오게 된 것을 기쁘게 생각합니다. 오늘날 교회를 출입하는(?) 많은 사람들이 그저 자신들의 귀에 듣기 좋은 방식대로 성경을 알려고 하는 경향이 있습니다. 심지어는 말씀을 강론하는 분들조차도 하나님의 나라와 그 언약의 백성들을 향한 구속의 경륜을 제쳐놓고 말씀을 전하는 경향이 있기도 합니다. 그러나 본서는 이러한 태도를 벗어나게 하면서 성경의 올바른 핵심을 이해하기 위해 성경에 관한 전체적인 안목을 지향하고 있습니다. 동시에 각 권에 나타난 바를 체계적이면서도 그 핵심을 뚫고자 하는 그의 안목을 드러냄에 경의를 표합니다.

현대인들이 성경을 많이 읽기도 하고 듣기도 하면서 범하기 쉬운 오류들은 무수합니다. 개인적인 성향에 따른 왜곡된 이해는 물론이거니와 단지 역사적이면서 문자적인 의미 이해에 따른 이해의 협소함은 오늘날 말씀을 전하는 사람들에게조차도 치명적인 결과를 가져다 주기도 합니다. 그러나 이러한 오류들을 의식하면서 권기창 목사님은 성경의 맥(脈)을 짚어 나감에 있어서 특이한 언어로써 가장 소중한 이해를 지향해 나가고 있습니다. 그것은 성경 전체와 각권을 향한 접근에 있어서 '하나님의 나라'(Kingdom of God)와 '언약과 그 후손들'이라는 기둥을 '말씀'이라는 뿌리에 기초하기 위한 그 맥을 든든하고도 지속적으로 이루고 있다는 것입니다. 즉, 말씀과 그 말씀의 순종에 기초한 하나님의 백성들과 그 백성들이 이루어 나가는 주님의 나라를 향한 변함없음에 성경의 이해를 기초하고자 한다는 것입니다. 창조 후 타락에서부터 다가온 온갖 무질서와 혼돈된 역사 속에서 은은하면서도 변함없이 다가오는 하나님의 언약의 신실성과 그 신실한 언약에 기초한 그 백성들의 순종을 향한 하나님의 사랑이 예수 그리스도의 십자가 사랑으로 이어지고, 그 결국은 요한계시록에서 완성되는 바, 그 나라를 향한 그리스도의 승리를 외치는 소리로서 성경의 맥을 잡고 있습니다.

이 책이 성경을 올바로 파악하고자 하는 목회자들과 신학생 그리고 성도들에게 귀한 안내서가 될 것으로 확신합니다. 권기창 목사님의 수고에 다시 한 번 경의를 표합니다.

문석호

(전 총신대 교수 및 교목실장, 현 총신대학교 명예교수, 현 뉴욕 효신장로교회 담임목사)

Tyre   Bani River   Dan

지난 13년간 주님의 몸 된 교회에서 하나님의 자녀들과 함께 제자훈련에 매진할 수 있었던 것은 저에게는 큰 기쁨이요, 모든 것이 하나님의 은혜였음을 고백합니다. 부족하지만 제자훈련을 통해 주신 은혜는 무엇보다도 주님께서 제자 삼으라고 명하신 그 말씀에 조금이나마 헌신할 수 있었다는 것입니다. 또한 매년 더해가는 제자 삼음의 은혜가 성도들의 환경과 상황을 초월해 역사하심을 경험케 하셨습니다. 말씀이 시대와 상황과 개인의 삶의 자리를 뛰어넘어 역사함이 놀라울 따름입니다. 주님의 명령을 수행하면서 부족한 자가 붙잡았던 원칙 가운데 가장 중요한 것은 어떻게든 예수님의 제자 삼으심의 사역을 흉내내 보고자 하는 것이었습니다. 10년, 20년, 30년 흉내내며 최선을 다하면 어느새 조금이나마, 정말 조금이나마 주님을 따라갈 수 있지 않을까 생각해 보았습니다.

예수님께서 행하신 제자훈련의 원칙은 세 가지로 다가왔습니다. 첫째는 하나님 나라에 대한 비전으로 가득 찼다는 것입니다. 둘째는 하나님 나라의 비전을 이루는 원리로 오직 십자가의 삶을 사셨다는 것입니다. 셋째는 자신과 같은 하나님 나라의 비전과 십자가 도의 원리를 따르는 자들, 곧 말씀과 성령에 사로잡힌 제자들을 세워 가셨다는 것입니다. 예수님의 비전과 원리와 전략 그리고 삶이 이 시대에도 여전히 그의 새로운 백성들이 따라야 할 최고의 본질적 가치임을 깨닫고 훈련교재를 새롭게 만들게 되었습니다.

그러던 중 어느 날 묵상 가운데 놀라운 은혜를 주셨습니다. 그것은 누가복음 24장 44~45절의 말씀이었습니다. "내가 너희와 함께 있을 때에 너희에게 말한 바 곧 모세의 율법과 선지자의 글과 시편에 나를 가리켜 기록된 모든 것이 이루어져야 하리라 한 말이 이것이라 하시고 이에 그들의 마음을 열어 성경을 깨닫게 하시고." 이 말씀은 예수님께서 부활하신 후에 제자들에게 나타나 십자가와 부활의 의미를 깨닫게 하시고 사명을 주시는 장면입니다. 그런데 예수님께서 여기서 제자 삼음의 매우 중요한 부분을 말씀하고 계십니다. "내가 너희와 함께 있을 때에" 곧 3년간 제자 삼으실 때에 예수님은 모세의 율법과 선지자의 글과 시편 곧 구약성경과 자신과의 관계성을 가르쳐 제자를 삼으셨다는 사실입니다. 예수님은 제자훈련 교재로 구약성경 자체를 텍스트로 사용하신 것입니다.

따라서 성경을 단지 주제를 뒷받침하는 구절로 사용하는 것을 지양하고 예수님처럼 텍스트를 성경 그 자체로 삼아 가르쳤습니다. 훈련받는 이가 성경을 단지 구절로만 받아들이면 전체 성경을 통해 주시는 하나님의 메시지를 깨닫기가 쉽지 않기 때문입니다. 성경과 예수님의 관계성을 가르칠 때 그들의 마음을 열어 성경을 깨닫게 하셨다고 했습니다.

바로 이 말씀대로 제자훈련 교재를 성경 자체와 제자도 교재로 구성하여 섬길 때 많은 은혜를 부어 주셨습니다. 진정 성도들이 성경을 깨닫기 시작하고 성경대로 변화되는 역사가 일어나는 은혜를 경험하였습니다. 첫 번째 시간에 창세기부터 요한계시록까지 전체의 맥을 강의할 때부터 놀랍게도 성도들이 변화되기 시작했습니다. 그후 매시간 성경 20장씩 창세기부터 나가던 중 1년 기간일 경우에는 이사야까지, 한 학기일 경우에는 열왕기하에서 역대하까지 나갔습니다. 그러나 그 은혜는 참으로 감사할 뿐이었습니다. '내가 바로 2+1+1 안에 들어 있음을 깨달았다는 고백, 오랜 세월 교회에 나오면서도 구약을 단지 신화로 알았는데 이제는 살아 계신 하나님의 말씀이라고 확신한다는 고백, 구약이 이렇게 재미있냐는 고백, 구약과 신약이 이처럼 언약으로 연결되어 있는 것을 몰랐다는 고백, 구약의 하나님과 신약의 하나님이 다르다고 생각했는데 동일하신 은혜의 하나님임을 알았다는 고백, 옛 언약과 새 언약이 무엇인지 이제야 알았다는 고백, 성경이 놀라울 따름이라는 고백, 이제야 성경을 스스로 읽을 수 있게 되었다는 고백, 내 자신이 왜 언약백성인지 성경을 통해 확실히 알게 되었다는 고백, 구약이 온통 예수님에 대한 메시지라는 고백, 성경이 한눈에 들어왔다는 고백' 들은 제자도와 더불어 진정한 제자의 삶이 어떠해야 하는지 스스로 묻게 했습니다. 말씀의 생명력을 맛보게 되면서 요한계시록까지 성경 전체를 한눈에 깨달을 수 있는 요청이 이어졌고, 이번에 '2(자식, 땅)+1(말씀)+1(성령)로 관통하는 성경금맥'을 발간하게 되었습니다. 바로 이 책이 그 산물로 나오게 된 것입니다. 이 책은 제자훈련 가운데 성경 부분을 창세기부터 요한계시록까지 성경 자체의 흐름을 최대한 지향하여 서술했습니다. 물론 제자훈련 교재도 따로 발간했습니다.

부족하지만 말씀을 섬기는 종으로 부르신 하나님께 감사드리며 우리 주님께 모든 영광을 돌립니다. 이 책이 발간되기까지 머슴의 마음으로 참 목회자의 모습을 보여 주며 격려해 주신 송영선 목사님, 함께 기쁨으로 제자를 세워가는 박춘근 장로님, '만사 인스티튜트'를 섬기며 시간을 재촉해 주신 이재엽 집사님, 늘 기도와 따뜻한 사랑으로 격려해 주며 함께 세워져가는 빌립보교회 모든 성도 여러분들에게 감사를 드립니다. 또한 바쁘신 가운데서도 기꺼이 추천의 글을 써 주신 나의 스승이자 존경하는 김의원 교수님과 문석호 목사님 그리고 귀한 책을 출판해 주신 쿰란출판사 이형규 사장님, 정성을 다해 글을 다듬어준 박경숙 자매님에게도 감사드립니다. 그리고 늘 옆에서 기도와 후원을 아끼지 않는 부모님과 미국의 가족들에게도 감사드립니다. 무엇보다도 사랑으로 섬겨주는 아내의 동역과 주님의 제자로 함께 세워져 가는 아들 세윤, 딸 혜린이 아니었다면 이 책은 빛을 보지 못했을 것입니다. 나의 사랑하는 자녀, 다음 세대에게 이 책을 바칩니다.

2009년 6월 10일
메릴랜드 주 컬럼비아에서
권기창

차 례

제1부

성경의 금맥 잡기

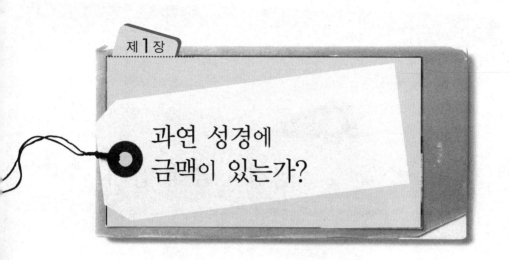

제1장

과연 성경에
금맥이 있는가?

여행으로의 초대

성경이 어려운 데는 여러 이유가 있겠지만 무엇보다도 중요한
것은 맥(脈)을 잡지 못하고 읽기 때문일 것이다. 성경을 읽는 자가
성령의 도우심 가운데 마음으로 깨달으면서 성경 전체의 맥을 잡
아가며 읽을 수만 있다면 어렵지 않게 성경을 읽을 수 있다. 성경
은 마치 66개의 크고 작은 산들이 거대한 하나의 산맥을 이루고 있
는 것과 같다. 그러므로 전체 산맥의 흐름과 각 산들의 위치, 성격
등을 파악하지 못하면 어느 한 구석에 머물러 있다가 포기하기 쉽

다. 창세기부터 요한계시록까지 인간에게 선물로 주신 가장 위대한 영산(靈山)들을 여행하고 싶은가? 당신이 성경의 맥을 발견하는 순간 성경으로의 여행은 쉽고 재미있을 뿐만 아니라 송이꿀보다 단맛을 체험하게 될 것이다. 무엇보다도 성경의 맥을 잡아라! 그것이 출발점이다.

하나의 이야기

과연 성경의 맥이 있는가? 그것은 성경 전체가 스스로 증거하고 있다. 성경은 전체적으로 하나의 이야기다. 성경은 창세기부터 요한계시록까지 모두 66권의 각 권으로 기록되었지만 통시적(通時的), 통전적(通傳的)으로 하나의 메시지를 계시한다. 사실 창세기부터 요한계시록까지 각 성경은 모세로부터 요한까지 시대가 다르고, 상황이 다른 40명의 저자들이 기록했다. 그리고 무려 1,500년이란 장구한 세월의 시간적 차이가 있다. 그럼에도 불구하고 성경은 일관성 있게 하나의 이야기를 계시하고 있다. 얼마나 놀라운 사실인가? 이 세상의 어떠한 유명한 책도 이처럼 놀라운 책은 없다. 어떻게 이처럼 시대를 초월하고, 사람을 초월한 하나의 이야기로서의 성경이 가능한가?

사실 이 질문에 대한 답변은 한 가지뿐이다. 그것은 또 다른 저자가 계시다는 것이다. 성경은 스스로 성령의 감동하심을 입은 저자들에 의해 기록되었음을 증거하므로 성령 하나님 자신이 원저자이심을 선포한다(딤후 3:16). 즉, 성령 하나님께서 시대를 초월해 모든 인류에게 하나님의 계시와 뜻을 밝히 드러내시기 위해 인간 저자들을 통해 기록하신 것이다. 하나님이 인간에게 자신의 뜻을 계시하신 것이 성경이기에 그것은 하나의 이야기다. 과연 하나님께서 시대를 초월해 모든 인간에게 하고 싶으신 말씀은 무엇인가?

하나님의 왕국

하나님께서 성경을 통해 인간에게 주시는 것은 바로 '하나님의 왕국'에 대한 메시지다. 성경은 하나님의 왕국에 대한 이야기다. 하나님의 왕국은 마치 겨자씨 하나가 땅에 심기고, 뿌리를 내리고 줄기를 내어 큰 나무가 되는 것과 같다. 그래서 역사 속에서 보이지 않게 미미하게 시작된다. 그럼에도 불구하고 하나님의 왕국은 세상의 모든 나라가 사라져 없어질 때 마침내 큰 나라를 이루어 영원히 진행될 것이다. 하나님께서는 친히 역사 속에서 이루어가시는 하나님 왕국을 성경의 계시를 통해 모든 인간에게 보이고자 하신다. 이것이 성경의 유일한 통시적, 통전적 메시지다.

인간 나라의 결국은 무엇인가? 그것은 파멸이다. 소위 미래학자들 가운데 인류의 미래를 긍정적으로 보는 낙관주의자들도 있지만, 성경은 인간 나라는 인간의 죄성 때문에 소망이 없음을 선포한다. 죽음과 심판만이 기다리고 있을 뿐이다. 그러므로 진정한 미래의 주인이신 하나님께서 인간 앞에 있는 결과를 아시고 새로운 길, 새로운 왕국을 준비하시는 것이다. 성경은 온통 소망이 없는 인간 나라와 그 안에서 새로운 왕국을 시작하신 하나님 왕국의 계시로 가득 차 있다.

그러므로 성경을 읽는 자는 복이 있다. 그는 하나님 왕국에 가까이 있는 자다. 창세기부터 요한계시록까지 '하나님의 왕국'이란 한 가지 주제로 펼쳐지는 장엄하고 놀라운 하나님의 계시에 눈이 열리는 순간, 그는 이미 하나님 나라 안에 들어온 것이고 영원한 왕과 그의 왕국을 누리게 될 것이다. 만약 누구든지 이처럼 놀라운 성경의 메시지에 다가서게 된다면 그의 발은 아직 소망 없는 인간 나라의 땅을 딛고 있다 할지라도, 그의 눈은 이미 영광스런 하나님 왕국을 바라보고 있는 것이다.

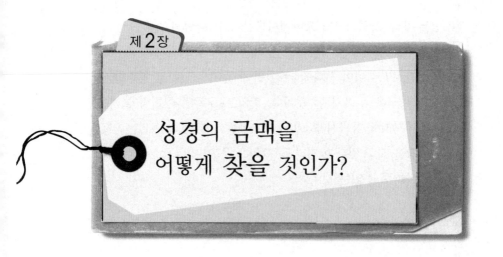

제2장

성경의 금맥을 어떻게 찾을 것인가?

성경 자체에 귀를 기울여라

성경의 맥을 찾는 데 가장 중요한 원칙은 성경 자체에 귀를 기울이는 것이다. 곧 성경의 흐름이 어디서 시작해서 어디로 가는지 연구해 보아야 한다. 그러면 자연스럽게 성경이 말하고자 하는 맥을 찾을 수가 있다. 이미 정경으로 완성된 성경을 전제해 성경의 흐름을 읽어나가는 것이 중요하다. 성경을 읽는 자들이 오류에 빠지기 쉬운 이유는 자신의 이성의 잣대나 가치관 심지어 관심사에 매몰되어 성경 읽기를 하기 때문이다. 그러나 이러한 선입관을 갖고 성경을 대하는 것은 성경 자체의 흐름과 맥을 잡는 데 치명적인 결함이 된다. 그러나 성령의 조명하심을 구하며 하나님께서 주신 지정의를 가지고 성경 자체의 메시지를 부지런히 연구하고 살피면 반드시 성경의 맥을 찾을 수가 있다. 구약의 선지자들이 성령의 감동으로 구원에 대해 직관적으로만 계시받은 것은 아니다. 곧 가만히 있으면 성령이 깨우쳐 주는 차원이 아니다. 그들은 연구하고 부지런히 살폈다(벧전 1:9).

하나님의 언약

성경의 맥을 어떻게 찾을 것인가? 이제까지 말한 것처럼 성경을 읽을 때 통시적, 통전적 시각을 갖는 것이 매우 중요하다. 그래야 성경의 맥을 찾을 수 있다. 하나님께서 계시하시는 '하나님 왕국'의 메시지가 한 흐름이라면 그 왕국을 드러내는 것은 무엇인가? 성경은 그것을 어떻게 표현하고 있는가? 그것은 두말할 나위 없이 하나님이 인간과 맺은 언약(言約)이다. 하나님은 역사 안에서 그의 왕국을 만들어가시고 완성하실 때 인간을 어떻게 그의 왕국에 초청하시는가? 하나님이 언약을 맺으심으로 행하신다. 하나님은 항상 먼저 언약을 체결하시고 그것을 성취하심으로 우리를 '하나님의 왕국' 안에 거하게 하신다. 이 관점에서 보면 언약의 시작부터 언약의 완성이 곧 성경의 메시지다. 사실 성경의 맥은 '하나님 왕국'을 진행케 하는 몇 가지 드러난 언약의 요소들로 구성되어 있다.

점(點)과 선(線)으로서의 언약

언약의 요소들을 살펴보기 전에 하나님의 언약 맺으심 가운데서 유념해야 할 것이 있다. 그것은 점(點)과 선(線)으로서의 언약 개념이다. 점은 곧 어느 시대의 개인을 말하며, 선은 언약의 연속성을 의미한다. 언약은 개별화되어 서로 상관없는 것이 아니라 연속성 가운데서 발전되어 드러나는 성격을 갖고 있다.

따라서 '점'으로서의 언약은 하나님과 그 개인과의 깊은 인격적 관계 속에 놓여있다. 하나님은 어느 시대의 한 개인과 언약을 체결하실 때 하나님 자신의 생명 자체의 무게로 언약을 체결하신다. 쉽게 말하면 하나님께서 한 개인과 언약을 맺을 때 하나님은 자신의 생명 자체로 체결하신다. 그만큼 하나님과 한 개인과의 언약 관계는 너무나 진지하고 확실하다. 그 언약의 효력은 하나님의 생명만큼이나 영원하다. 이 세상 어느 누가 이처럼 우리를 존귀하게 여기는가? 이러한 '점'으로서의 언약은 역사 안에서의 인간의 소외성을 거부하며, 하나님과 개인과 일대일의 깊이 있는 관계성 속에서 자기 정체성을 확보케 한다.

또한 '선'으로서의 언약은 다른 언약의 연속성과 맞닿게 함으로 하나님 왕국의 공동체로서 새로운 비전을 제시하고, 완성의 그림을 보여주는 것이다. 그러므로 언약의 성격을 이해할 때 하나님과 개인과의 생명 관계로서의 접근과 하나님과 공동체 간의 연속적 비전 가운데 드러나는 계시를 놓치지 말아야 한다.

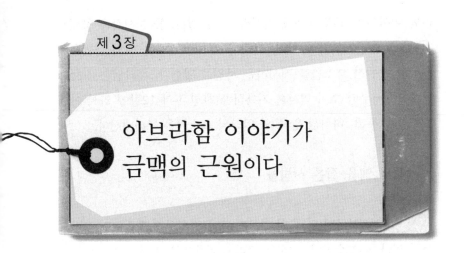

제3장

아브라함 이야기가 금맥의 근원이다

아브라함 이야기의 위치

하나님과 인간의 언약 사건을 계시한 성경 중에서 가장 대표적인 것이 아브라함 이야기다(창 12:1~25:11). 아브라함 이야기는 성경에서 상당히 중요한 위치에 있다. 하나님께서 아브라함과 맺은 언약에서 그야말로 성경의 금맥을 발견할 수 있다. 그러므로 아브라함 이야기를 제대로 이해하면 창세기를 이해하게 될 뿐 아니라 구약성경, 더 나아가서는 성경 전체를 한눈에 볼 수 있는 안목을 갖게 된다. 그만큼 아브라함 이야기가 차지하는 비중이 크다. 아브라함 이야기는 성경 맥의 근원이라 할 수 있다. 물론 시작은 창세기 첫 장에서 시작해야 한다. 그러나 여기서 말하는 맥의 근원은 언약의 근원적 요소들을 계시하는 차원을 말한다. 하나님은 창세기 1장에서부터 초기 역사를 기록하게 하신 후에 12장에 와서 아브라함을 통해 '하나님 왕국'의 언약의 요소들을 드러내신다.

성경의 맥을 잡은 사람들

성경에서 '하나님 왕국'의 역사의 맥을 정확하게 꿰뚫었던 사람들이 있다. 여호수아와 스데반, 그리고 마태와 누가다.

여호수아

여호수아가 이스라엘 모든 지파를 세겜에 모으고 행한 마지막 유언적 연설을 읽어보라(수 24장). 여호수아의 설교의 시작과 끝이 어떻게 이루어지는가? 곧 누구로부터 시작하는가? 옛적의 아브라함 이야기로부터 시작해 당대의 자기 시대까지 맥을 잡아 선포한다. 소위 통시적, 통전적 메시지를 선포하고 있다.

스데반

신약에서는 순교하기 직전의 스데반의 유명한 설교를 보라(행 7장). 스데반 역시 누구로부터 설교를 시작하고 있는가? 그는 조상 아브라함 이야기로부터 시작해 긴 시간을 구약의 맥을 잡아 선포하고 그리스도에게 다다르며 결국 당대 자기 시대까지 같은 맥으로 증거한다.

구약의 여호수아와 신약의 스데반이 성경의 맥의 전형을 보여주고 있다. 둘 다 시작은 아브라함 이야기다. 그러나 끝은 자기 시대다. 이것은 무엇을 가리키는가? 왜 그들은 근원을 아브라함부터 시작하는가? 아브라함이 하나님으로부터 택하심을 입은 최초의 언약 대상자이기 때문이다. 물론 하나님은 이미 아브라함 이전에 노아와도 언약을 체결하셨지만 성경의 맥을 잡아주는 근본적 언약은 아브라함과 맺으셨다. 또한 자기 시대에서 끝나는 것은 언약의 연속성이 자기 시대까지 진행되고 있음을 의미한다. 그러므로 현대의 하나님의 언약 백성 또한 아브라함 이야기로부터 시작해서 구약의 맥을 잡고, 신약의 맥을 잡으며, 자기 시대까지 '하나님 왕국'의 한 흐름을 살피고 말할 수 있어야 한다. 이처럼 성경 계시의 맥 안에서 자신을 재발견할 때 우리는 하나님의 언약선상에 자리매김하게 되는 것이다.

마태와 누가

예수님의 제자인 마태와 누가는 성령의 감동으로 구약의 '자식 모티프'를 따라 성경의 맥을 가장 잘 잡은 사람이다. 우리는 흔히 마태복음 1장의 계보를 보면서 '왜, 낳고, 낳고 하는가?' 하지만 사실 마태의 계보는 구약 전체를 요약하는 동시에 새롭게 신약을 여는 중요한 연결점이다. 곧 구약과 신약의 연속성을 나타내는 매우 중요한 '자식 모티프'를 증거하는 것이다. 누가 또한 그의 복음서

3장에서 예수님으로부터 시작되는 계보를 통해 그 근원이 아담이 아니라 결국 하나님께 이르는 것을 증거함으로 '자식 모티프'가 하나님께 기원을 두고 있음을 명백히 계시한다.

아브라함 이야기의 초점

아브라함 이야기는 과연 언약의 근원적 요소를 어떻게 보여 주고 있는가? 이것을 밝히 알기 위해서는 아브라함 이야기의 구조를 알아야만 한다. 아브라함 이야기는 창세기 12장 1절부터 25장 11절까지다. 그러나 아브라함 이야기를 제대로 보려면 창세기 11장 30절과 31절을 통해 들어가야 한다. 그래야만 아브라함 이야기의 초점을 분명히 알 수 있다.

창세기 11장 30절과 31절은 소위 의도된 진술(programmatic state-ment)이다. 창세기 저자는 12장부터 아브라함 이야기를 시작할 것을 전제하면서 바로 직전에 그 이야기가 어떻게 진행될 것인지 의도적으로 두 구절을 기록했다. 소위 복선이다.

창세기 11장 30절은 이렇게 기록하고 있다.

"사래는 임신하지 못하므로 자식이 없었더라."

그리고 창세기 11장 31절은 이렇게 기록하고 있다.

"……갈대아인의 우르를 떠나 가나안 땅으로 가고자 하더니……."

여기서 중요한 것이 30절의 '자식'과 31절의 '땅'이다. 저자가 지금 아브라함 이야기를 시작하면서 왜 자식과 땅에 대해 언급하는가? 그것은 바로 앞으로 전개될 아브라함 이야기가 '자식'과 '땅'이라는 두 모티프(motif)를 중심으로 진행될 것이란 의미다. 아브라함은 현재 자식이 없다. 그리고 새로운 미지의 땅을 향해 가고 있다. 하나님은 이러한 형편에 있는 아브라함에게 자신이 우주의 주인인 하나님으로서 자식을 주고 새 땅으로 인도해 주겠다는 언약을 체결함으로써, 결핍과 방황의 요소인 '자식'과 '땅'을 왕국의 필수불가결한 가치요소로 승화시킨다. 이 놀라운 언약의 관계에서 아브라함에게 요구되는 것은 오직 한 가지다. 그것은 현재와 미래의 불확실함 가운데도 불구하고 언약을 체결하시는 하나님을 전적으로 믿고, 하나님의 말씀에 전적으로 순종으로 반응하는 것이다.

아브라함 이야기의 구조[1]

아브라함 이야기(창 11:27~25:11)의 구조는 소위 교차 대조의 사이클 구조이다. 이 구조를 자세히 살펴보면 아브라함 이야기가 철저히 언약의 모티프(motif)와 깊이 관련되어 있음을 알 수 있다.

A. 서론 : 의도된 <u>자식과 땅</u> 모티프 진술		11:27~32
B. <u>자식</u>에 대한 약속과 <u>땅</u>에 대한 지시		12:1~9

---

1) 이 구조에 대한 자세한 내용은 김의원,《하늘과 땅, 그리고 족장들의 톨레돗》(총신대학교 출판부, 2004; pp. 241, 246을 보라. 김의원 교수는 그 책에서 필자의 '창 11장 30, 31절을 통해 본 아브라함 싸이클 분석연구' (총신대학교 신학대학원 M. Div. 학위논문, 1994)를 인용하여 전개한다.

아브라함 이야기의 구조를 유의해서 살펴보면 놀라운 사실을 발견하게 된다. 그것은 75세에 부름받은 아브라함이 175세가 되어 죽기까지 수많은 인생의 문제가 있을 것이고, 사건이 있었을 것인데 성경은 오직 아브라함의 '자식' 과 '땅' 을 주제로 하는 이야기만 기록하고 있다. 이것은 무엇을 의미하는가? 성경이 어떠한 의도를 갖고 기록하고 있다는 것이다. 그것은 무엇인가? 하나님 나라의 왕국을 위한 언약이다.

하나님께서 왕국을 이루시기 위해 아브라함이란 한 인물을 선택하셨다. 그리고 그에게 '자식' 을 주시고 '땅' 을 주셔서 그의 후손을 통해 하나님의 왕국을 건설하시겠다는 언약이다. 그러므로 성경의 관심은 아브라함에게만 머물러 있는 것이 아니다. 그로부터 시작된 언약의 내용이 어떻게 다음 세대에 계속해서 진행되고 발전되는지 또한 언제 어떻게 성취되는지 여기에 관심이 있는 것이다. 바로 이것이 성경의 맥이다.

두 개의 모티프(motif)[2] : 두 개의 축

아브라함 이야기는 이와 같이 자식과 땅, 두 개의 모티프를 축으로 삼아 전개된다. 하나님께서 아브라함과 언약을 체결하는 창세기 15장과 17장의 두 언약 내용 모두 동일하게 '자식'과 '땅'이다.

이 두 주제는 마치 작은 겨자씨 하나가 땅에 떨어진 것처럼 지극히 작은 모습으로 역사 안에서 시작되었다. 누구 하나 눈여겨보지 않았다. 그러나 그것은 하나님의 생명 운동의 시작이요, 하나님 왕국의 태동과 건설 그리고 완성을 향해 나아가는 거룩한 씨였다. 바로 성경의 전 역사는 하나님께서 뿌리신 이 씨앗이 어떻게 뿌리를 내렸으며, 어떻게 자랐으며, 어떻게 열매를 맺는지 그 주제에서 벗어나지 않고 묵묵히 시대를 넘어 계시하고 있다. 바로 이것을 여호수아가 보았고, 스데반이 본 것이다. 이렇게 시작된 아브라함 이야기의 '자식'과 '땅' 언약 모티프는 역사 안에서 하나님 왕국의 회복을 향해 도도히 흘러왔다. 그리고 그 왕국이 완성될 그날까지 계속될 것이다. 바로 이 두 개의 모티프가 성경 전체 맥의 두 개의 축이다.

사라 이야기는 자식 모티프

---

2) 모티프(motif)란 이야기(narrative)에 있어 그 흐름을 이끌어 가는 주요 주제를 말한다.

아브라함의 이야기가 두 개의 모티프를 축으로 되어 있는 것을 볼 때 본문의 메시지가 분명하게 드러난다. 한 가지 예를 통해 보자. 가나안 땅에 기근이 왔을 때 아브라함이 애굽으로 내려갔다. 그리고 그곳에서 아내 사라를 누이라고 속인 유명한 사건이 등장한다. 그런데 이와 비슷한 사건이 창세기 20장에 가서 또 등장한다. 성경은 왜 이 비슷한 사건을 두 번이나 기록할까? 이 부분을 어떻게 해석할 수 있는가? 단순하게 '못난 아브라함! 나는 그러지 말아야지!'라는 윤리적 교훈을 주려는 말씀인가? 결코 그것이 아니다.

이 사건의 주제는 철저히 '자식' 모티프다. 왜 그러한가? 사라 이야기는 온통 자식이 주제이기 때문이다. 사라가 바로에게 넘겨졌을 때 사라의 위기는 곧 자식의 위기다. 더 엄밀히 말하면 자식 언약의 위기다. 사라가 위기에 처했다는 것은 하나님이 이미 사라를 통해 자식을 주시겠다는 자식 언약이 위기에 처했음을 의미하기 때문이다. 아브라함은 약속의 땅에 기근이 왔을 때 하나님께 묻지 않고 애굽으로 내려감으로 사라가 위기에 처하게 된다. 그러나 하나님 편에서 보면 이 사건은 아브라함에게 약속하신 자식 언약의 위기다. 따라서 하나님은 자신의 생명과 인격 그리고 영원한 왕국의 계획 가운데 맺은 언약이기에 바로에게서 사라를 구하신 것이다. 그러므로 사라 이야기는 인간의 실수와 무지에도 불구하고 언약을 온전히 지키시는 하나님의 신실하심을 계시한다.

창세기 20장에서 아브라함은 똑같은 실수를 반복한다. 그랄의 아비멜렉에게 사라를 누이라 속여 사라는 또 위기에 처한다. 그럼에도 불구하고 하나님은 아비멜렉에게 경고하시고 사라를 구해 내신다. 자신이 언약을 신실하게 지키시는 것을 다시 보여 주시는 것이다. 이처럼 사라 이야기 속에 담겨 있는 '자식' 모티프는 언약 백성에 대한 하나님의 신실하심을 보여준다. 어제나 오늘이나 영원토록 동일하신 하나님은 역사 속에서 하나님 왕국의 자녀들을 동일한 언약관계의 신실하심으로 대하신다.

아브라함이 약속의 땅을 벗어나 이방 외지로 내려갔을 때 그에게는 언제나 사라의 위기 곧 약속의 자식에 대한 위기가 도래했다. 창세기 12장 1절에서 하나님이 아브라함에게 "내가 네게 보여 줄 땅으로 가라"고 하셨음에도 불구하고 창세기 12장 10절 이하, 그리고 21장에서 약속의 땅이 아닌 애굽과 그랄에 내려가 약속의 땅을 벗어났을 때에는 위기가 찾아왔다. 이것은 땅 모티프와 자식 모티프가 매우 긴밀한 관계를 갖고 있음을 보여준다. 약속의 땅을 벗어나 약속의 자식이 위기에 처할 때 약속의 주체이신 하나님이 직접 개입하신다. 따라서 창세기 저자는 사라 이야기를 통해 하나님이 약속의 성취를 위해 얼마나 철저히 언약의 대상자들의 삶에 간여하는지 보여줌으로써 자기 언약의 성취에 충실하신 하나님을 계시한다. 이렇게 출발하는 자식 모티프가 요한계시록까지 성경 전체의 한 축으로 일관되게 전개된다.

롯 이야기는 땅 모티프

아브라함 이야기 가운데 등장하는 롯과 관련된 사건들은 그 주제가 땅이다. 창세기 13장과 18장의 롯 이야기는 아브라함과 롯 사이에 벌어지는 일들을 기록하고 있다. 아브라함이 애굽에서 돌아와 가나안 땅에 도착했는데 그곳은 아브라함이 가나안 땅에 처음

들어와 단을 쌓았던 벧엘과 아이 사이였다. 그런데 애굽에서 돌아오자 위기가 도래했다. 아브라함과 롯이 거하는 땅이 좁아 함께 거할 수 없게 된 것이다. 여기서 롯은 아브라함의 양해 아래 약속의 땅을 선택할 수 있는 기회를 가진다. 아브라함이 약속의 땅에 대한 선택권을 롯에게 준 것이다. 이것은 아브라함이 약속의 땅에 대해 실기할 수도 있는 상황이다. 곧 약속의 땅의 위기다. 그러나 롯은 눈을 들어 소돔과 고모라 땅을 택했다. 당시 소돔과 고모라는 하나님이 멸하기 전이었기에 에덴동산과 같았고 애굽 땅과 같았다. 그는 동쪽으로 계속해서 이사한다(창 13:11). 롯은 평지 성읍에 머무르며 소돔까지 이르고 결국 소돔 성문에 앉았다(창 19:1).

하나님은 이 사건 후에 아브라함에게 눈을 들어 동서남북을 바라보라고 하신다. 그리고 그 보이는 땅을 아브라함과 그의 자손에게 주겠다고 하신다. 가나안 땅을 온전히 아브라함에게 주신다. 그리고 창세기 14장에서 약속의 땅 주변 나라들 가운데 벌어지는 국제 전쟁 가운데서 땅에 대한 약속을 재확인받은 아브라함이 하나님의 인도로 승리하는 장면이 등장한다. 전쟁은 아브라함과 긴밀한 관계를 갖게 되는데, 그것은 롯이 이 전쟁의 포로로 잡혀가기 때문이다. 아브라함은 자기와 동맹한 마므레, 에스골, 아넬 그리고 길리운 자 318명을 데리고 그돌라오멜의 연합군을 쳐 롯과 소돔 왕을 구출한다. 아브라함은 롯을 구출하기 위해 이 전쟁을 치르지만 결국 이 전쟁은 하나님께서 실제적으로 아브라함에게 가나안 땅을 차지할 수 있는 능력을 주셨음을 보여 주고 있다.

또한 하나님께서 롯이 살고 있는 소돔과 고모라를 심판하시는 것을 통해 '하늘의 하나님'(창 19:24)의 주권으로 롯을 구원하심을 대비시킴으로 하나님이 온 땅의 주인이심을 밝히 드러내고 있다. 이 것은 땅에 대한 언약이 천지의 주재이신 하나님에 의해서 신실하 게 지켜질 것임을 명시하는 것이다. 이처럼 롯 이야기는 약속의 땅 과 관련해 매우 시사하는 바가 크다. 하나님은 사라의 위기 곧 자 식의 위기를 축복으로 바꾸셨듯이 땅의 위기와 문제들을 통해 천 지의 주재이신 하나님만이 이 땅의 주인이심을 드러내고 자식과 땅의 문제가 모두 하나님의 주권에 있음을 천명하신다.

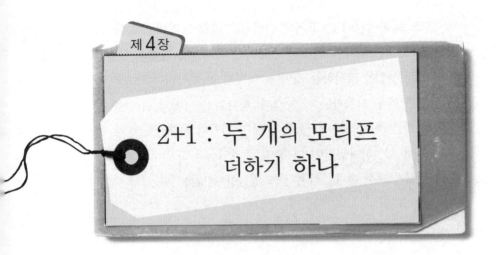

제4장

2+1 : 두 개의 모티프 더하기 하나

하나님 왕국의 3대 요소

하나님의 언약에서 자식과 땅의 모티프는 창세기에서 요한계시록까지 계속된다. 요한계시록 21장은 성경의 결론인 동시에 자식과 땅 모티프의 최절정 장면을 계시한다. 창세기에서 시작된 겨자씨만한 자식과 땅의 언약이 드디어 새 하늘과 새 땅에서 하나님의 새 백성으로 영원토록 완성된다. 그러나 하나님과 인간의 언약관계는 단지 약속의 '자식'이 약속의 '땅'을 차지하는 것으로 끝나지 않는다. 이 개념이 매우 중요하다. 어떻게 보면 성경 전체가 이 메시지를 증거하고 있다고 해도 과언이 아니다.

하나님은 단지 하늘의 별처럼 많은 자식의 숫자만을 원하시지 않는다. 그리고 단지 넓은 땅을 차지하는 것을 원하시지 않으신다. 언약의 '자식'이 언약의 '땅'에 들어가 '언약'의 내용대로 살기를 원하신다. 그것이 무엇인가? 곧 하나님 말씀에 순종하는 삶이다. 그러므로 하나님과 인간 사이의 언약관계에는 사실 두 개의 모티프에 가장 중요한 원리가 하나 더 필수적으로 추가된다. 그것이 '말씀' 모티프다. 이렇게 해서 하나님 왕국의 세 가지 요소가 완성된다. 그것은 하나님의 주권인 '말씀', 백성인 '자식' 그리고 그 백성의 삶의 터전인 영토 곧 '땅'이다. 그러면 과연 자식과 땅의 의미는 무엇인가?

자식(백성)

'자식' 모티프는 4중적 의미가 있다.

첫째, 아브라함의 육신의 아들인 '이삭'을 의미한다. 이것은 일차적 의미다.

둘째, '이스라엘 민족'을 의미한다.

셋째, 근본적으로 아브라함의 자손으로 오시는 '예수 그리스도'를 의미한다.

넷째, 예수 그리스도 안에서 새롭게 거듭나는 '하나님의 새 백성'을 의미한다. 소위 '영적인 아브라함의 후손들'이다.

땅(나라)

'땅' 모티프는 2중적 의미가 있다.

첫째, 이스라엘의 삶의 터전이 될 '가나안 땅'을 의미한다.

둘째, 더욱 중요한 것은 궁극적으로 '하나님이 통치하시는 하나님의 나라'를 의미한다. 그래서 하나님은 아브라함에게 두 언약을 체결하셨고 두 언약 모티프는 비단 창세기뿐 아니라 모든 성경 전체의 중심을 잡는 모티프로 발전한다.

말씀(주권)

'말씀'은 자식과 땅이 온전한 언약 모티프로 세워지기 위해 필수적인 또 다른 모티프다. 이것이 핵심이다. 최초의 에덴 시절을 보라. 하나님은 첫 사람 아담과 하와를 창조하셨고 그의 아버지가 되셨다. 소위 자식 모티프다. 그리고 에덴을 창설하셔서 거기에 거하게 하셨다. 소위 땅 모티프다. 그러나 그것이 전부가 아니다. 거기에는 반드시 창조주요, 아버지이신 하나님의 말씀에 대한 순종이 있어야 한다. 이것이 말씀 모티프다. 아브라함 이야기를 다시한 번 보라. 자식을 주겠다고 하셨고, 거할 땅을 주겠다고 하셨다. 그러나 아브라함은 그 땅을 온전히 차지하기 위해 25년 동안 말씀에 온전히 순종하는 훈련을 받았다. 그리고 그가 이삭을 바치며 하나님 말씀에 절대 순종했을 때 비로소 믿음의 조상이 된 것이다.

하나님께서 원하시는 것이 무엇인가? 단지 자식과 땅의 두 언약 요소가 성취되는 차원인가? 그것이 아니다. 성경은 분명히 선언한다. 신명기 28장 62절을 보라.

"너희가 하늘의 별같이 많을지라도 네 하나님 여호와의 말씀을 청종
하지 아니하므로 남는 자가 얼마 되지 못할 것이라."

이 구절은 모세오경 전체의 요절이다. 하나님은 아브라함에게
하늘의 별과 같이 많은 자식을 주겠다고 하셨다. 그리고 그들이 살
땅을 주겠다고 하셨다. 그러나 그것으로 끝이 아니다. 약속의 백성
은 약속의 땅에 들어가 약속대로 살아야만 한다. 하나님은 왕의 말
씀을 따라 사는 자들을 원하신다.

제 5 장

성경의 금맥으로
들어가는 첫문

하나님과 아브라함 사이의 언약의 관계는 하나님과 모든 영적 아브라함의 자손들과의 관계로 이어진다. 언약관계의 완성은 예수 그리스도의 재림을 통해 완성된다. 그리고 그 관계는 영원토록 계속된다. 이것이 성경의 주제다. 왕이신 하나님과 왕의 자녀들, 그들이 통치하는 땅들, 그리고 왕의 나라의 주권과 원리로서의 말씀, 이 세 개의 모티프가 하나의 큰 산맥을 이루어 창세기부터 요한계시록까지 인간의 실패와 배교, 하나님의 징계와 구원의 내용으로 전개된다.

여자의 후손

'자식' 모티프의 기원은 사실 아브라함 이전에 계시되었다. 하나님은 인간이 범죄한 후 사탄을 저주하면서 소위 원시복음을 말씀하신다. 그것은 여자의 후손과 뱀의 후손의 싸움이 인류 역사의 중심에 있음을 말한다. 결국 하나님은 여자의 후손이 뱀의 후손의 머리를 상하게 함으로 사탄은 패하고 예수 그리스도가 승리할 것을 미리 계시하셨다. '여자의 후손'이 역사 속에서 오시는데 그분은 메시아다. 성경은 메시아인 여자의 후손, 곧 예수 그리스도가 언약관계 속에서 이 땅에 오셔서 하나님의 왕국을 회복하고 건설하고 완성하는 것을 기록하고 있는 것이다. 그러므로 성경 전체의 맥으로 들어가는 첫 관문은 창세기 3장 15절이다. 이 구절을 통해 역사의 중심 안으로 들어가는 것이다. 이 역사적 구절은 사실 사탄을 저주하는 가운데 주신 말씀이다. 곧 저주 속에 은혜가 있다. 이것이 복음이다. 인간은 범죄함으로 모두 저주 아래 놓이게 되었지만 하나님은 예수 그리스도를 통해 역사의 모든 저주 속에서 인류에게 소망과 위로를 주신다.

은혜의 맥을 찾아서

창세기부터 요한계시록까지의 인간의 역사는 아담의 범죄 이후 저주 아래 놓여 있다. 그러나 하나님은 여자의 후손이신 메시아 곧 예수 그리스도를 역사 속에 보내셔서 하나님의 왕국을 회복하시는 것이다. 그러므로 성경 전체의 맥은 저주 속에서 멸망을 향해 가는

인류에게 메시아를 통해 구원하시는 하나님의 은혜의 맥과 일맥상
통한다. 이제부터 성경의 맥을 따라 영적 여행을 시작해 보자!

제 2부

2+1 모티프를 통해
한눈에 보는
성경 전체의 금맥

제1장

한눈에 보는 성경의 금맥

자식과 땅 그리고 말씀, 이렇게 세 가지 언약의 맥을 통해 성경 전체를 개관하면 성경 전체가 한눈에 새롭게 전개된다. 자식, 땅, 말씀은 성경 전체의 내용의 맥이다. 형식적으로는 육십육 권의 책으로 되어 있으나 내용적으로는 이 세 개의 맥으로 전개된다. 특히 이 언약의 맥은 아담으로부터 시작해서 노아, 아브라함, 이삭, 야곱, 모세와 이스라엘, 여호수아와 이스라엘, 다윗 그리고 예수 그리스도로 발전한다.

2+1+1 성경의 금맥

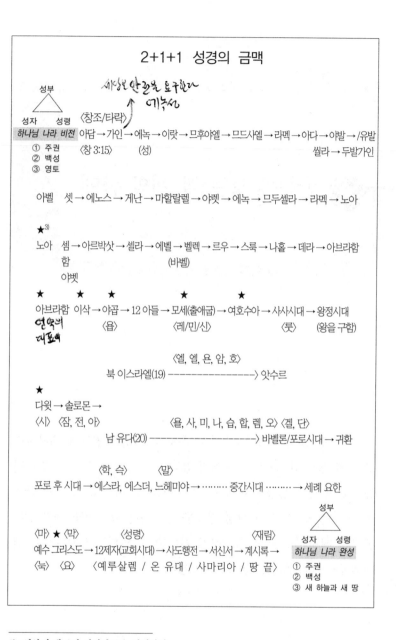

성부

성자   성령   〈창조/타락〉   세상은 안전을 요구한다
하나님 나라 비전 아담 → 가인 → 에녹 → 이랏 → 므후야엘 → 므드사엘 → 라멕 → 아다 → 야발 → /유발   메시아
  ① 주권   〈창 3:15〉   (성)   씰라 → 두발가인
  ② 백성
  ③ 영토

     아벨   셋 → 에노스 → 게난 → 마할랄렐 → 야렛 → 에녹 → 므두셀라 → 라멕 → 노아

  ★³⁾
  노아   셈 → 아르박삿 → 셀라 → 에벨 → 벨렉 → 르우 → 스룩 → 나홀 → 데라 → 아브라함
     함   (바벨)
     야벳

  ★   ★   ★   ★   ★
  아브라함 이삭 → 야곱 → 12 아들 → 모세(출애굽) → 여호수아 → 사사시대 → 왕정시대
  언약의   〈욥〉   〈레/민/신〉   〈룻〉   (왕을 구함)
  대표에

                                    〈엘, 엘, 욘, 암, 호〉
                    북 이스라엘(19) ----------------〉 앗수르

  ★
  다윗 → 솔로몬 →
  〈시〉 〈잠, 전, 아〉   〈욜, 사, 미, 나, 습, 합, 렘, 오〉 〈겔, 단〉
            남 유다(20) ----------------〉 바벨론/포로시대 → 귀환

          〈학, 슥〉   〈말〉
  포로 후 시대 → 에스라, 에스더, 느헤미야 → ……… 중간시대 ……… → 세례 요한

                                                     성부

                                                  성자   성령
  〈마〉 ★ 〈막〉   〈성령〉   〈재림〉   하나님 나라 완성
  예수 그리스도 → 12제자(교회시대) → 사도행전 → 서신서 → 계시록 →   ① 주권
  〈눅〉 〈요〉 〈예루살렘 / 온 유대 / 사마리아 / 땅 끝〉   ② 백성
                                                     ③ 새 하늘과 새 땅

---

3) 언약의 대표적 체결자들을 의미한다.

제2장

한눈에 보는 열 개의 산맥

자식, 땅 그리고 말씀 세 가지 맥을 통해 성경 전체를 개관하면
크게 열 개의 산맥으로 이루어져 있다. 2+1의 맥이 성경 전체를 관
통하고 있기에 성경의 어느 면, 어느 시대를 펼쳐도 그 맥의 단면
이 드러난다.[4] 따라서 성경 전체를 관통하는 맥을 따라가면 성경
본문의 메시지를 더욱 명확하게 이해할 수 있다. 이제부터 이 열
개의 큰 산맥으로 성경을 보고자 한다.

---

4) 부록의 '김밥의 원리'로서 성경을 보라.

❶ 아담→가인→에녹(성)→이랏→므후야엘→므드사엘→라멕→아다→야발/유발

씰라→두발가인

창 3:15→셋→에노스→게난→마할랄렐→야렛→에녹→므두셀라→라멕→노아

노아→셈→아르박삿→셀라→에벨→벨렉→르우→스룩→나홀→데라→아브라함

－여자의 후손 계보의 근원 : 자식 모티프의 시작

❷ 아브라함→이삭→야곱→12아들(야곱공동체)－창세기의 자식 모티프의 연속성

❸ 야곱공동체(70명)→모세의 이스라엘 공동체의 출애굽기(200만 명)/ 자식 모티프의 성취

출, 레, 민, 신

❹ 여호수아→사사시대→룻기 / 자식과 땅 언약 모티프의 성취와 말씀 모티프의 위기

❺ 삼상, 삼하, 왕상, 왕하, 포로 전 선지서 / 자식과 땅의 패역의 역사와 하나님의 비전

욥기, 시편, 잠언, 전도서, 아가는 말씀 모티프

❻ 에스라, 느헤미야, 포로 후 선지자 / 자식과 땅 그리고 말씀의 회복의 역사

❼ 4복음서 : 아브라함과 다윗의 자손 예수 그리스도 / 언약의 성취 : 자식과 땅이 하나님의

백성과 하나님의 나라로 발전, 말씀의

성육신

❽ 사도행전 / 성령에 의한 하나님 나라(땅), 하나님의 백성(자식), 하나님의 주권(말씀)의 폭발

❾ 서신서 : 롬~유/ 성령에 의한 하나님의 나라(땅)와 하나님의 백성(자식) 그리고
　　　　하나님의 주권(말씀)의 세움

❿ 요한계시록 / 성령에 의한 하나님의 나라(땅)와 하나님의 백성(자식) 그리고 하
　　　　나님의 주권(말씀)의 완성

제3부

2+1 모티프에 따른
구약의 금맥

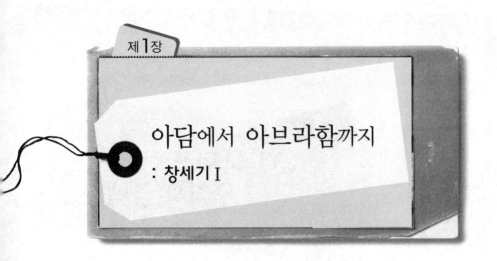

제1장

아담에서 아브라함까지

: 창세기 I

1. 아담에서 노아까지

아담 → 가인 → 에녹(성) → 이랏 → 므후야엘 → 므드사엘 → 라멕 → 아다 → 야발/유발
씰라 → 두발가인
아벨
셋 → 에노스 → 게난 → 마할랄렐 → 야렛 → 에녹 → 므두셀라 → 라멕 → 노아

하나님 왕국의 모형

에덴동산은 하나님 왕국의 모형이다. 하나님은 에덴동산을 통해

이 세상에 어떻게 하나님의 왕국이 건설될 것인지 모형으로 보여 주신다. 그 모형의 요소는 무엇인가? 첫째는 왕이신 하나님의 존재이다. 그분은 창조주이시며, 아버지이시다. 그분이 만왕의 왕이다. 둘째는 자식으로서 아담과 하와이다. 하나님은 자기의 형상대로 자녀를 지으심으로 그들을 왕의 자녀로 창조하셨다. 이것이 자식 모티프의 모형이다. 셋째는 땅이다. 에덴은 왕의 자녀들이 다스리고 통치하는 하나님의 나라이다. 이것이 땅 모티프의 모형이다. 넷째는 말씀이다. 이것이 핵심이다. 왕의 형상을 갖고 창조된 왕의 자녀들이 왕의 영토에서 사는 유일한 원리는 왕의 말씀대로 사는 것이다. 이것이 하나님 왕국의 원리요, 법이다. 왕이신 하나님은 자신의 인격과 전능하심에서 나온 말씀을 통해 만물을 통치하신다. 왕의 자녀들도 왕국에서는 말씀에 순종하는 원리 안에서 온갖 자유와 평강을 누리는 것이다.

타락의 원리

인간 타락의 원인은 무엇인가? 그것은 명료하다. 왕의 말씀을 떠났기 때문이다. 하나님 왕국에서 왕의 말씀은 생명 자체요 곧 생명의 젖줄이다. 그런데 이것을 버리고 떠난 것이다. 그러므로 타락한 인간은 하나님과 그의 왕국으로부터 추방되었고 그 결과는 고통과 죽음이다. 큰 나무가 대지에서 뽑혀 쓰러져 있는데 그 나무에는 아직 수분도 있고 영양분도 있다. 잎도 아직 푸르다. 그러나 이 나무는 살아 있으나 이미 죽은 나무에 불과하다. 하나님과 그의 왕국을 떠난 인간의 모습이 그러하다. 세상의 다른 것으로 아무리 공급하려 해도 일시적일 뿐이다. 다시 살 길은 무엇인가? 그것은 나무를 다시 땅 속 깊이 묻는 것뿐이다. 하나님과의 회복, 왕에게로 돌아감을 통해서만 살 수 있다.[5]

최초의 복음

하나님은 죄로 말미암아 깨진 하나님의 왕국을 회복하고, 건설하시려고 여자의 후손을 보내기로 결정하셨다. 여자의 후손은 메시아 곧 예수 그리스도를 의미한다. 따라서 창세기 3장 15절은 원시복음 곧 최초의 복음이다. 하나님께서는 뱀을 저주하는 가운데 인간의 역사가 뱀의 후손과 여자의 후손의 싸움이 될 것을 분명히 계시하셨다. 여자의 후손은 뱀의 머리를 상하게 하고, 뱀의 후손은 여자의 후손의 발꿈치를 상하게 할 것이라고 하셨다. 이것은 예수 그리스도의 십자가와 부활의 사건을 의미한다.

하나님은 이미 역사의 흐름, 곧 사탄의 권세 아래 놓인 세상, 하나님 나라가 인간의 타락과 죄로 말미암아 깨진 이 세상을 여자의 후손 곧 메시아를 보내심으로 사탄과 싸우고 승리해 하나님 나라를 회복하고, 건설하며, 완성할 것을 예언하고 계신다. 그러므로 이 구절이야말로 성경의 맥을 찾아 들어가는 첫 관문이다. 이 첫 관문을 따라 주의깊게 성경을 따라가면 성경 전체가 스스로 역사 속에서 어떻게 이 놀라운 예언의 말씀이 성취되어 왔는지 그리고 어떻

---

5) 김세원 교수는 이 타락에 대한 뽑힌 나무의 비유를 통해 하나님을 떠나 타락한 인간의 제한성과 결핍성이 곧 죽음의 권세 아래 놓이게 된 것이라고 설명한다(《복음이란 무엇인가?》 두란노, 2003).

게 완성될 것인지 일관성 있게 계시하고 있음을 발견하게 된다.

누구를 통해 오는가?

여자의 후손은 누구를 통해서 오는가? 여자의 후손이란 메시아
가 인간으로 오심을 의미한다. 따라서 여자의 후손이라는 말 자체
가 메시아 도래의 역사성을 전제하고 있다. 메시아는 어느 날 갑자
기 나타나는 것이 아니고 역사 속에서 여자의 후손들 가운데서 예
언의 성취로 오신다. 바로 창세기 3장 15절 이후 성경의 흐름이 이
관점에서 전개된다. 그 흐름을 창세기 4장 이후에 본격적으로 다루
고 있다.

두 계보 두 흐름

창세기 4장부터 아담 이후 두 계보 두 흐름이 전개된다. 왜 성경
이 두 족보를 기록하고 있는가? 여자의 후손이 어떻게 이 땅에 오
시는가를 보여 주기 위함이다. 먼저 창세기 4장에 가인의 계보가
등장한다. 그리고 창세기 5장에서는 가인의 계보와 대치되는 아벨
곧 셋의 계보로 전개된다.

가인의 계보

가인의 계보는 아담의 타락 이후 세상에 들어온 죄가 얼마나 빠
르게 전염되어 가는지 보여 주고 있다. 가인의 계보는 그의 아들

에녹으로부터 이랏, 므후야엘, 므드사엘, 라멕과 그의 아들들인 야발, 유발, 두발가인으로 이어진다. 성경은 가인으로부터 7대까지 이어지는 계보를 다루면서 몇 가지 중요한 인물의 사건을 다룬다.

가인과 에녹 성

가인은 아벨을 살해한 후 유리 방황하는 신세로 전락한다. 그리고 후에 아들을 낳아 에녹이라 칭하고 그의 이름을 따 에녹 성(城)을 짓는다. 가인이 지은 에녹 성은 인류 최초의 도시다. 이 성의 의미는 무엇인가? 그것은 하나님께 범죄해 왕국에서 떠나 유리하는 인간의 전형적인 모습을 보여준다. 만물의 공급자와 보호자 되신 하나님을 떠나 유리하며 홀로 살아가야 하는 인간 존재, 그가 추구하는 것은 무엇인가? 그것은 안전이다. 이것이 인간의 문제요, 모든 인류의 문제다. 하나님을 떠난 가인은 안전을 담보받기 위해 성을 쌓는다. 하나님을 떠난 인간의 모습은 가인과 같다. 그는 소유를 통해서만 안전을 보장받을 수 있다고 생각하므로 세상의 물질이 곧 하나님이 되는 것이다.[6] 그러나 성경은 다윗의 노래를 통해 하나님만이 진정한 성이요, 요새요, 반석이심을 천명한다(시 18:2).

라멕

가인의 6대 후손인 라멕은 가인 계보의 정황을 극명하게 보여준

---

6) Zacques Ellul, 최홍숙 역, 《도시의 의미》 (한국로고스연구원, 1992).

다. 라멕은 소년을 살해한 자로 가인보다 더 잔인한 자다. 또한 인류 역사상 일부다처의 죄악을 첫 번째로 저지른 자다. 그는 아다라는 여인을 통해 야발과 유발을 낳았는데 야발은 육축 치는 자의 조상이 되었다. 그의 동생 유발은 수금과 퉁소를 잡는 모든 자의 조상이 되었다. 또한 씰라라는 여인을 통해서는 두발가인을 낳았는데 그는 동철로 각양 날카로운 기계를 만드는 자가 되었다. 이처럼 라멕의 자녀들은 각기 육축 치는 자의 조상, 음악의 조상, 초기 기계 문명의 조상이 된 것이다. 세상의 초기 문화, 문명이 가인의 계보에서 시발되었음을 명백히 드러내고 있다.

아벨의 계보

성경은 이처럼 창세기 4장에서 가인의 계보를 다룬 후에 곧이어 아벨의 계보를 대조시킨다. 그런데 창세기 5장 1절을 보면 "이것은 아담의 계보를 적은 책이니라"고 하면서 아담 계보의 적자를 가인이 아닌 아벨의 계통 곧 아벨이 죽은 후 하나님께서 다시 주신 셋을 통해 전개한다. 이것은 무엇을 의미하는가? 성경은 하나님께서 가인의 계보와 상반되는 셋의 후손 가운데서 약속하신 여자의 후손을 보내실 것을 암시한다. 그러므로 아벨의 계보를 곧 셋의 계보로 이어지게 하심으로 여자의 후손인 메시아가 경건한 순교자의 후손 가운데서 나오게 하신 것이다. 이러한 경건성의 특징을 갖는 셋의 계보는 그의 아들 에노스, 게난, 마할랄렐, 야렛, 에녹, 므두셀라, 라멕, 노아로 이어진다. 성경은 아담을 1대로 언급하면서 10대 노아에 이르기까지의 계보와 인물 사건을 다룬다.

순교

가인이 동생 아벨을 죽인 사건은 단순한 살인사건이 아니다. 그것은 창세기 3장 15절의 뱀의 후손과 여자의 후손과의 싸움이 본격적으로 시작됐음을 알리는 신호탄이다. 성경은 분명히 아벨의 피를 순교의 피로 선언한다(마 23:35). 이렇게 시작된 피 흘림의 순교는 하나님의 왕국이 완성되는 재림의 날까지 계속된다. 마치 여자의 후손이 이 땅에 와서 인류 구원의 사명을 감당하기 위해 순교할 것을 창세 초기에 아벨의 순교를 통해 예시하고 있는 것이다.

에노스

성경은 셋의 아들인 에노스 시대에 와서 "그때에 사람들이 비로소 여호와의 이름을 불렀더라"(창 4:26)고 밝히고 있다. 여기서 여호와의 이름을 불렀다는 것은 예배를 드렸다는 것이다. 최초의 예배자들이 등장한다. 예배하다 순교한 아벨에 이어 그의 후손들이 하나님께 예배를 드리는 것이다. 가인의 후손은 성을 쌓고, 소유로 안전을 구하며, 문화와 문명에 도취해 갈 때 셋의 후손들은 예배자로 하나님을 경외하고 있다. 두 계보가 전혀 다른 흐름으로 나아간다.

에녹

아담의 7대 후손인 에녹은 셋 계보의 경건성을 나타내는 대표적 인물이다. 그는 365년을 살았는데 65세에 므두셀라를 낳은 후부터

300년 동안 하나님과 동행했다. 아마도 므두셀라를 낳으면서 무엇인가 하나님과 깊이 만나고 동행하는 계기가 되었던 것 같다. 에녹은 하나님과 친밀하게 동행했을 뿐 아니라 이 땅에서 죽음을 보지 않고 승천한 자가 되었다. 가인의 계보에 비해 얼마나 대조적인가? 하나님과 그의 왕국 안에 있는 계보와 죄를 따라 스스로 왕 노릇하는 어리석은 인간의 모습이 극명하게 대비된다.

므두셀라

므두셀라는 인류 역사상 가장 장수한 인물이다. 성경은 그가 969세까지 살았다고 했다. 천 년의 세월을 산 사람이다. 므두셀라가 이렇게 장수할 수 있었던 이유는 무엇일까? 성경은 "네 아버지와 어머니를 공경하라 이것은 약속이 있는 첫 계명이니 이로써 네가 잘되고 땅에서 장수하리라"(엡 6:2~3)고 했다. 이 말씀에 비추어 볼 때 므두셀라는 부모를 공경했음에 틀림없다. 따라서 장수의 약속을 하나님께로부터 복으로 받은 것이다. 아버지 에녹은 하나님과 동행했고 그 모습을 보고 자란 므두셀라는 아버지를 공경하며 섬겼을 때 하나님께서는 그에게 세상에서 가장 장수하는 복을 주신 것이다.

노아

아담의 10대 후손인 노아는 그야말로 경건의 후손이다. 성경은 에녹에 대해서는 하나님과 동행했다고 소개하지만 노아는 의인이요, 당세에 완전한 자라고 평가했다. 그리고 하나님과 동행했다고 기록하고 있다. 그러나 성경은 이 모든 것이 노아 자신의 의가 아니라 하나님으로부터 온 은혜를 입은 것이라고 선언한다(창 6:8~9). 노아는 철저한 순종의 사람이다. 하나님께서 방주를 지으라고 말씀하셨을 때부터 시작해 방주를 완성할 때까지 노아는 철저히 하나님의 말씀에 순종했다. 모든 사람이 세상의 쾌락에 빠져가면서 방주 짓는 노아를 조롱했음에도 불구하고 그는 왕이신 하나님의 말씀에 온전히 순종한 자다.

노아시대의 불행

창세기 6장 곧 노아의 시대에 와서 인간 세상의 참담한 역사가 기록된다. 그것은 무엇인가? 창세기 6장 1절과 2절은 이렇게 기록하고 있다.

"사람이 땅 위에 번성하기 시작할 때에 그들에게서 딸들이 나니 하나님의 아들들이 사람의 딸들의 아름다움을 보고 자기들의 좋아하는 모든 여자를 아내로 삼는지라."

이 구절은 매우 중요하다. 여기서 '하나님의 아들들'과 '사람의 딸들'은 누구인가? '하나님의 아들들'은 셋의 후손 곧 경건한 후손들이다. '사람의 딸들'은 하나님을 떠난 가인의 후손들을 말한다. 아벨의 순교, 최초의 예배자들, 하나님과 동행한 자들의 경건한 후손들이 노아시대에 와서 세상 곧 도시와 문화와 문명 그리고 화려

함으로 치장한 가인 후손의 딸들의 아름다움에 취하는 것이다. 경건한 후손과 타락한 후손이 결혼이라는 이름으로 세속화된다. 이것이 노아시대 심판의 전조다.

심판의 원리

성경은 하나님께서 사람의 죄악이 세상에 관영함과 그 마음의 생각의 모든 계획이 항상 악할 뿐임을 보시고 공의로 심판하시게 됨을 밝히고 있다(창 6:5). 노아시대의 심판은 재림 때의 심판과 동일하다. 노아시대의 심판은 세상에 하나님의 심판이 임하는 원리를 보여준다(눅 17:26~27). 그것은 언제나 하나님의 경건한 후손들이 세상의 타락한 후손들과 어울리는 세속화(secularization)로부터 시작한다.

세속화는 세상과 어울리고 세상을 닮아가는 과정이다. 이러한 세속화는 혼합주의(syncretism)로 나아간다. 혼합주의는 세속화에서 한 단계 진전된 상황으로 서로 혼합되는 단계이다. 노아시대 셋 후손의 아들들이 가인 후손의 딸들의 아름다움을 보고 아내를 삼은 것은 혼합주의의 전형이다. 그러나 이러한 혼합주의는 결국 동일화(identification)로 나아간다. 경건한 후손과 타락한 후손이 구분이 안 되는 것이다. 이 단계로 접어들면 하나님의 심판이 임한다. 아담 이후 10대 곧 노아시대에 이르러서 경건한 후손들은 노아의 가족을 제외하고 모두 세속화되고 혼합화 그리고 세상과 동일화되어 심판을 면할 수 없게 된 것이다. 이 모든 사건은 죄의 전염성, 심각성, 파멸성을 보여 준다.

심판과 구원

하나님은 왜 노아를 구원하셨는가? 그것은 전적으로 하나님의
은혜다. 하나님은 여자의 후손을 보내시기 위해 노아를 택하셨다.
그리고 노아를 통해 새로운 경건한 계보를 열고자 하셨다. 심판과
더불어 구원을 계획하셨고 이루신 것이다. 심판은 항상 구원을 동
반하고, 구원은 항상 심판을 동반한다.

무지개

하나님은 홍수로 세상을 심판하신 후 노아와 생물들에게 무지
개 언약을 주셨다(창 9:12~17). 다시는 온 세상을 홍수로 심판하시지
않겠다는 언약이다. 여기서 무엇보다 중요한 것이 언약의 증표로
주신 무지개의 의미다. 무지개는 히브리어로 '케쉐트'다. 원래 사
냥꾼의 활을 의미한다. 활 모양을 한 무지개는 어디를 향해 조준되
어 있는가? 하늘이다. 이 개념이 중요하다. 하나님께서 노아와 언
약을 맺으실 때 만약 그것을 파기하면 하나님 자신에게 활을 쏘시
겠다는 의미다. 하나님의 언약의 신실성을 단적으로 드러내는 증
표다. 이것을 소위 자기 저주의 맹세라고 한다. 하나님께서 피조물
인 인간과 언약할 때에 자신의 생명을 담보로 체결하시는 것이다.
이처럼 확실하고 분명한 언약이 어디 있겠는가? 따라서 노아 이후
의 모든 인간은 하나님께서 맺으신 언약의 진정성을 깊이 생각해
야만 한다.

2. 노아에서 아브라함까지

노아→ 셈→ 아르박삿→ 셀라→ 에벨→ 벨렉→ 르우→ 스룩→ 나홀→ 데라→ 아브라함
　함　　　　　　　　　　　　　(바벨)
　야벳

새로운 시작

성경은 창세기 6장에서 시작된 노아시대 이야기를 창세기 9장에서 마친다. 그리고 창세기 10장부터는 노아의 가족을 통해 새로운 시대가 열린다. 노아의 세 아들 셈, 함, 야벳은 각각 족속을 이루며 번성해간다. 성경은 10장에서 야벳의 계보, 함의 계보, 셈의 계보를 서술한다. 왜 성경이 장손인 셈의 계보를 가장 마지막에 다룰까? 그것은 셈의 후손에서 여자의 후손인 메시아가 오시기 때문이다. 셈의 후손 이야기를 본격적으로 다루기 위해 이야기의 전개상 동생들의 계보를 먼저 다루고, 자연스럽게 셈의 계보를 다룬다.

바벨탑

노아 이후 5대까지 곧 셈의 후손인 아르박삿, 셀라, 에벨에 이르기까지 노아의 후손들은 함께 산 것이 틀림없다. 그러나 에벨의 아들 벨렉의 시대에 세상이 나뉘었다. '벨렉'의 이름은 '나뉜다'는 의미이다. 이 말은 무엇인가? 노아의 후손들은 몇 대 내려가지 않아 바벨탑을 쌓았다. 이것이 창세기 11장의 내용이다. 그들은 동방으로 옮겨가다가 시날 평지에서 바벨탑을 쌓고 "……성읍과 탑을

건설하여 그 탑 꼭대기를 하늘에 닿게 하여 우리 이름을 내고 온 지면에 흩어짐을 면하자……"(창 11:4)라고 했다. 바벨탑은 심판으로 새로 시작된 세대가 몇 대 가지 못해 여전히 죄성을 드러내고 있음을 적나라하게 보여준다.

바벨탑은 하나님과 동등해지려는 인간의 교만을 나타낸다. 동시에 인간의 힘으로 무엇이든 할 수 있다는 인본주의의 전형이다. 이것은 가인이 쌓았던 에녹 성이 변형되어 바벨탑으로 나타난 것에 불과하다. 인간의 죄성이 도도히 흐르고 있음을 보여준다. 하나님께서 이것을 보고 그들의 언어를 혼잡하게 하심으로 혼돈이 왔고 지면에 흩어지게 하셨을 때 그들은 비로소 성 쌓기를 그쳤다. 바로 이 시대가 셈의 후손인 벨렉의 시대다. 에벨은 세상의 혼돈과 나누어짐을 반영해 아들을 낳고 이름을 벨렉이라 지은 것이다.

다시 이어지는 계보

성경은 창세기 11장 초반에서 바벨탑 사건을 다루면서 홍수 후에 전세계로 각 족속이 흩어지게 된 배경을 다룬다. 그리고 곧 이어 그중 한 족속 곧 셈의 계보 중에서도 한 족속의 계보에 초점을 맞춘다. 이미 노아의 후손이 수많은 족속으로 번성해 뻗어 나가는데 왜 셈의 계보에 초점을 맞추는가? 하나님께서 약속하신 여자의 후손 곧 메시아가 셈의 후손을 통해 오실 것이기 때문이다. 셈의 후손은 벨렉 이후에 르우, 스룩, 나홀, 데라 그리고 아브라함에게로 이어진다. 창세기 6장에서 시작된 노아를 새로운 세대의 1대로 보면 11대 아브라함까지 성경의 흐름이 초점을 맞추고 있다.

제2장

아브라함에서 야곱까지
: 창세기 II

창세기의 구조

아브라함 → 이삭 → 야곱 → 12아들 (70명의 언약공동체)

창세기의 구조를 살펴보면 창세기 저자의 의도가 확연히 드러난다. 창세기는 1장부터 11장까지 창조에서부터 아브라함 직전까지 초기 역사를 다루고 있다. 그리고 12장부터 50장까지는 세 사람 이야기를 기록한다. 아브라함과 이삭 그리고 야곱 이야기다. 1장에서 11장까지는 아담부터 아브라함까지 모두 20대의 계보를 다루었는데, 12장부터 50장까지는 단지 세 사람의 이야기를 다루고 있다. 창세기 1장의 천지창조로 시작된 수많은 인류 가운데 12장에서 단 한 사람에게 초점을 맞춘다. 그리고 그의 아들, 손자에게 초점을 이어간다. 창세기가 그 많은 분량을 한 사람 아브라함과 그의 가족에게 초점을 맞추는 의도는 세 사람의 전기를 써 내려가는 것이 아니다. 그것은 하나님이 셈의 계보 중 아브라함을 선택해서 그와 언약을 체결하고, 그 언약을 어떻게 이루어가는지 다루는 것이다. 곧 하나님 나라의 비전을 언약을 맺은 당사자들을 통해 어떻게 이루어가는지 보여주는 하나님의 이야기다.

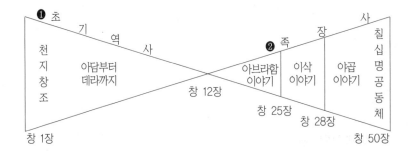

자식과 땅 모티프

아브라함 이야기는 서론에서도 밝혔거니와 자식과 땅 모티프로 전개된다. 이것이 핵심이다. 아브라함 이야기는 창세기 12장부터 25장 11절까지인데 12장에서 하나님은 무자한 아브라함에게 자식과 땅을 주겠다고 약속하신다. 이 약속은 15장과 17장에서 언약으로 발전한다. 약속과 언약의 차이는 무엇인가? 약속은 구두로 하는 것이고 언약은 그 약속을 확증적으로 계약하는 것이다. 하나님은 아브라함에게 직접 약속의 당사자도 되시고, 언약의 대상도 되신다. 아담부터 이제까지 누구에게도 이런 약속과 언약은 없었다. 하나님은 아벨의 계보, 노아의 계보를 잇고 있는 후손 중 아브라함을 선택하셨고 그와 신적 언약을 체결하신다. 하나님은 아브라함의 후손 가운데서 여자의 후손을 보내기로 계획하시고 그것을 언약을 통해 이루어 가시려는 것이다.

쪼갠 고기 언약과 할례

하나님과 아브라함과의 언약 장면이 창세기 15장에서 나타난다. 하나님은 아브라함에게 당시 고대 근동의 계약방법대로 고기를 쪼개놓으라고 하셨다. 아브라함은 하나님의 말씀대로 삼 년 된 암소, 삼 년 된 암염소, 삼 년 된 숫양을 취해 그 중간을 쪼개고 그 쪼갠 것을 마주 대해 놓았다. 산비둘기와 집비둘기 새끼는 마주 놓았다. 이것은 당시 언약의 형식이다. 하나님은 아브라함이 이해할 수 있도록 아브라함 시대의 언약체결방법을 사용하셨다. 아브라함은 이 언약의 의미를 너무나도 명쾌하게 이해하고 있었을 것이다. 당시 계약법에는 언약 당사자가 언약의 내용을 확인한 후 함께 쪼갠 고기 사이로 지나감으로 언약이 체결되었다. 만약 언약 당사자 중 한편 사람이 맺었던 언약을 어기면 쪼갠 고기처럼 죽임을 당할 것을 의미한다.

하나님은 아브라함에게 다음과 같은 언약을 체결하신다.

"여호와께서 아브람에게 이르시되 너는 반드시 알라 네 자손이 이방에서 객이 되어 그들을 섬기겠고 그들은 사백 년 동안 네 자손을 괴롭히리니 그들이 섬기는 나라를 내가 징벌할지며 그 후에 네 자손이 큰 재물을 이끌고 나오리라 너는 장수하다가 평안히 조상에게로 돌아가 장사될 것이요 네 자손은 사대 만에 이 땅으로 돌아오리니 이는 아모리 족속의 죄악이 아직 가득 차지 아니함이니라"(창 15:13~16).

이것이 하나님이 아브라함과 언약을 체결하신 내용이다. 여기에 구원과 심판 그리고 '자식'과 '땅' 모티프가 언약의 주요 내용과 요소로 등장한다.

그리고 곧이어 성경은 해가 져서 어둘 때에 연기나는 풀무가 보이며 타는 횃불이 쪼갠 고기 사이로 지나더라고 했다. 놀랍게도 하나님을 상징하는 타는 횃불만이 쪼갠 고기 사이로 지나갔다. 아브라함은 지나가지 않고 멈추어 서 있었다. 이것은 하나님의 일방적인 언약을 의미한다. 앞서 본 노아의 무지개 언약과 마찬가지로 하나님은 소위 자기 저주의 맹세를 하신다. 만약 위의 언약의 내용을 하나님께서 지키지 않으신다면 쪼갠 고기처럼 하나님 자신이 쪼개질 것을 의미한다. 하나님 자신의 생명으로 언약을 체결하신 것이다. 하나님이 인간과 언약을 맺으실 때 그 언약의 성격은 하나님의 생명을 담보로 하는 것이다.

그러면 아브라함에게는 아무런 언약적 책임이 없는 것인가? 그렇지 않다. 하나님은 창세기 17장에서 아브라함에게 다음과 같이 언약을 체결하신다. 창세기 15장이 하나님 편에서의 언약체결이라면 창세기 17장은 인간 편에서의 언약체결이다. 이로써 언약이 완성된다.

"······나는 전능한 하나님이라 너는 내 앞에서 행하여 완전하라 내가 내 언약을 나와 너 사이에 두어 너를 크게 번성하게 하리라 하시니······보라 내 언약이 너와 함께 있으니 너는 여러 민족의 아버지가 될지라······내가 너로 심히 번성하게 하리니 내가 네게서 민족들이 나게 하며 왕들이 네게로부터 나오리라 내가 내 언약을 나와 너 및 네 대대 후손 사이에 세워서 영원한 언약을 삼고 너와 네 후손의 하나님이 되리라 내가 너와 네 후손에게 네가 거류하는 이 땅 곧 가나안 온 땅을 주어 영원한 기업이 되게 하고 나는 그들의 하나님이 되리라······그런즉 너는 내 언약을 지키고 네 후손도 대대로 지키라 너희 중 남자는 다 할례를 받으라 이것이 나와 너희와 너희 후손 사이에 지킬 내 언약이니라 너희는 포피를 베어라 이것이 나와 너희 사이의 언약의 표징이니라"(창 17:1b~11).

하나님은 아브라함에게 언약의 증표로 그 후손이 할례를 받게 하셨다. 할례는 무엇을 의미하는가? 할례는 남자의 포피를 베는 것으로 '벤다'는 의미가 있다. 쪼갠 고기와 똑같은 의미다. 언약 당사자가 언약을 어길 시에 베임을 받게 된다는 의미이다. 그러면 하나님은 왜 쪼갠 고기 사이로 아브라함과 함께 지나가심으로 쌍방간의 언약을 체결하지 않으시고, 할례의식을 통해 인간 편의 언약을 체결케 하셨는가? 무엇보다도 할례는 사람의 몸에 행하는 것이다. 만약 쪼갠 고기 사이로 지나가는 언약 형식으로 끝났다면 아브라함 이후의 후손들은 언약의 자손 됨을 더욱 빠르게 상실했을 것이다. 하나님은 인간 몸에 언약의 증표를 지니게 하심으로 그들이 날마다 하나님의 언약을 상기하게 하신 것이다. 그러나 무엇보다도

언약은 마음과 마음, 인격과 인격의 만남을 통해 삶 가운데 이루어
지는 것이다. 이것이 하나님이 원하시는 언약의 성격이다.

언약의 성취 : 자식·땅·말씀

창세기 20장에서 아브라함과 사라는 하나님의 말씀대로 이삭을
낳는다. 무려 25년의 세월이 흐른 후에 하나님의 언약이 성취된다.
자식 언약이 성취된 후 아브라함의 하나님에 대한 생각과 태도는
어떠했을까? 아브라함은 이삭을 낳은 사건을 통해 그 후로는 하나
님의 말씀을 전적으로 믿고 순종하는 자가 된다. 곧 믿음의 조상,
말씀의 사람이 되는 것이다.

연대 계산

아브라함과 이삭 그리고 야곱의 나이를 계산해 보면 성경의 흐
름과 초점이 명백히 드러난다.

	아브라함	이 삭	야 곱
부름 받음	75세		
이삭 출생	100세	1세	
야곱 출생	160세	60세	1세
아브라함 죽음	175세	75세	15세(년)

연대를 계산하면 아브라함과 이삭과 야곱은 15년 동안 함께 살

았다는 결론이 나온다. 그러나 창세기를 읽으면서 세 족장이 함께 살았다는 생각을 떠올리기는 쉽지 않다. 왜 그럴까? 아브라함 이야기는 이삭이 출생(창 20장)한 후에는 아브라함이 이삭을 바치는 사건(창 22장)만 다루고 곧 이삭의 결혼 이야기(창 23~24장)로 넘어간다. 더 이상 아브라함에 대해 언급을 하지 않는다. 단지 창세기 25장 11절에서 아브라함이 175세를 살고 죽었다고 기록한다. 그러나 아브라함은 이삭의 결혼 이후 무려 35년이나 생존해 있었다. 이것은 성경이 더 이상 아브라함의 후반부 삶에 관심이 없다는 것을 의미한다. 성경의 관심은 곧 이삭에게로 넘어가며 더 나아가서는 야곱과 그의 아들들 이야기로 전개된다.

그러면 성경이 의도하는 것은 무엇인가? 그것은 창세기가 아브라함의 전기(傳記)가 아니라 하나님께서 체결하신 언약이 아브라함, 이삭, 야곱에게서 어떻게 성취되어가는가에 유일한 관심이 있음을 나타내는 것이다. 곧 언약 성취의 흐름에 초점을 맞추고 있는 것이다. 히브리서 기자는 이 점을 꿰뚫고 있다. 히브리서 기자는 아브라함이 "동일한 약속을 유업으로 함께 받은 이삭 및 야곱과 더불어 장막에 거하였으니"라고 분명히 밝힌다(히 11:9b).

언약의 연속성

아브라함 이야기는 분명한 방향이 있다. 창세기 3장 15절의 여자의 후손 곧 자식 모티프가 역사 속에서 어떻게 성취되어 가는가를 세 족장 이야기를 통해 보여주는 것이다. 따라서 하나님은 아브라함에게 언약을 체결하신 것처럼 이삭과 야곱에게 동일한 언약을 체결하신다. 이것이 소위 점(點)과 선(線)으로서의 언약이다. 히브리서 기자는 아브라함, 이삭, 야곱 세 족장이 한 장막에 거했는데 그들이 하나님으로부터 동일한 약속을 유업으로 함께 받았다고 증거하고 있다(히 11:9~10).

이삭과 맺은 언약

하나님은 아브라함과 언약을 맺으신 것같이 그의 아들 이삭과 언약을 맺으신다. 이것은 언약의 연속성과 지속성을 의미한다.

> "여호와께서 이삭에게 나타나 이르시되……내가 네게 지시하는 땅에 거주하라 이 땅에 거류하면 내가 너와 함께 있어 네게 복을 주고 내가 이 모든 땅을 너와 네 자손에게 주리라 내가 네 아버지 아브라함에게 맹세한 것을 이루어 네 자손을 하늘의 별과 같이 번성하게 하며 이 모든 땅을 네 자손에게 주리니 네 자손으로 말미암아 천하 만민이 복을 받으리라"(창 26:2~4).

야곱과 맺은 언약

하나님은 이삭의 아들인 야곱과도 언약을 체결하신다. 언약은 계속적으로 연속성을 갖는다.

> "또 본즉 여호와께서 그 위에 서서 이르시되 나는 여호와니 너의 조부 아브라함의 하나님이요 이삭의 하나님이라 네가 누워 있는 땅을

내가 너와 네 자손에게 주리니 네 자손이 땅의 티끌같이 되어 네가
서쪽과 동쪽과 북쪽과 남쪽으로 퍼져나갈지며 땅의 모든 족속이 너
와 네 자손으로 말미암아 복을 받으리라"(창 28:13~14).

세 족장 이야기의 초점

아브라함 이야기(창 12장~25:11)에 이어 이삭 이야기(창 25:12~27
장)와 야곱 이야기(창 28~50장)는 철저히 하나님과 세 족장 간의 언
약관계를 중심으로 전개된다. 언약이 그들의 삶 가운데 어떻게 진
행되었는지 그 과정에 대한 내용으로 구성되어 있다. 특히 창세기
후반부에서는 언약의 한 요소인 자식 모티프가 야곱에게서 열두
아들로 발전되어가는 것을 자세히 기록한다. 그리고 야곱이 공동
체를 이루어 약속의 땅으로 돌아온다. 이것이 땅 모티프다. 후에
요셉이 중심이 되어 야곱 공동체 전체가 애굽으로 내려가는 사건
은 창세기 15장에서 하나님께서 이미 아브라함에게 언약하신 내용
이 성취되기 위한 전조이다.

사실 야곱 이야기는 창세기 28장부터 50장까지 가장 많은 부분
을 차지한다. 그 중 28장부터 35장에는 야곱이 약속의 땅을 떠나
삼촌 라반의 집에서 머물다 가정을 이루고 약속의 땅으로 돌아오
는 장면이 기록되어 있다. 하나님께서 약속하신 땅의 티끌같이 많
은 자손의 조상들이 형성되는 시기였다. 창세기 35장 28~29절은
이삭이 180세를 살고 죽음을 보고하고, 36장은 에서의 후손에 대
한 기록이다.

그리고 37장부터 본격적으로 요셉을 중심으로 한 열두 형제의

이야기가 전개된다. 물론 요셉을 중심으로 이야기가 전개되지만 성경은 그것이 야곱의 족보라고 기록한다(창 37:2). 요셉이 형들의 미움을 사서 애굽으로 팔려가 큰 시련 가운데도 꿈과 믿음을 온전히 붙잡고 하나님의 섭리로 총리가 된다. 가나안의 기근으로 야곱은 곡식을 구하러 형들을 애굽으로 보내고 총리가 된 요셉은 이들을 맞이하며 하나님의 꿈을 기억한다. 그리고 자신을 소개하고 아버지 야곱을 모시고 애굽으로 내려오게 한다. 칠십 명의 야곱 공동체 곧 하나님의 언약 백성이 애굽 땅으로 내려온다. 이 사건은 창세기 15장에서 하나님께서 아브라함에게 하신 언약을 이루기 위한 하나님의 섭리이다. 하나님은 아브라함에게 그의 후손이 이방의 객이 되어 사백 년간 그들을 섬길 것이라고 하셨다. 이방은 그들을 괴롭힐 것이다. 그러나 사백 년 후에 하나님께서 이방의 죄악의 관영함을 인해 그들을 심판하심으로 언약 백성을 이방에게서 이끌고 나올 것이라고 하셨다.

창세기의 가장 많은 부분을 차지하는 세 족장의 이야기의 초점은 하나님의 언약의 전개와 성취에 맞추어져 있다(창 15:12~17, 45:7~8 참조). 그것은 곧 하나님의 언약의 자식 공동체를 출애굽시키는 구원과 깊은 관련이 있다. 그러나 이 구원은 단지 아브라함, 이삭, 야곱의 육신의 후손에게만 머무는 것이 아니다. 하나님은 그 언약의 대상을 이미 천하만민이라는 꼭지점에 두고 계신다(창 12:3b, 26:4b, 28:14b).

야곱 이야기 속의 유다 이야기

특히 창세기 38장이 중요하다. 38장은 37장에서 요셉을 중심으로 전개되는 사건과 어울리지 않다. 갑작스럽게 야곱의 아들들 가운데 넷째 아들인 유다의 족보를 기록하고 있다. 왜 성경은 야곱의 열두 아들 가운데 네 번째인 유다의 족보를 여기서 기록하는가? 그것은 유다에게서 여자의 후손 곧 메시아가 오시기 때문이다. 소위 메시아 자식 모티프다. 요셉을 통해서는 하나님께서 언약의 백성을 이방 가운데서 어떻게 구원하시는가를 역사적으로 계시하신다. 반면에 유다의 이야기는 그 역사적 구원이 결국 메시아를 통해 이루어지는 것임을 드러내 보이는 것이다. 그러므로 현상적으로 진행되는 표면적 구속역사와 메시아를 통해 진행되는 이면적 구속역사를 함께 성경이 전개하고 있음을 놓쳐서는 안 된다. 더욱이 38장에 유다가 자신의 며느리 다말을 통해 베레스를 낳는 사건이 적나라하게 기록된 것은 무엇을 말하는가? 그것은 죄의 역사 가운데 여자의 후손 곧 인간으로 오셔서 그 죄에서 자기의 언약 백성을 구속하시는 메시아의 정체성을 극적으로 계시하는 것이다. 그러므로 창세기 38장은 반드시 성경에 기록되어야 했다.

창세기 38장에서 등장한 메시아 자식 모티프는 창세기 49장에서 좀더 구체적으로 예시된다. 야곱이 죽기 전에 열두 아들의 미래에 대해 예언하는 장면 중에서 유다에 대한 예언 부분이다.

"유다가 미래에 형제의 찬송이 될 것이며, 유다의 손이 원수의 목을 잡을 것이고, 유다의 형제들이 유다에게 절할 것이다. 유다는 사자 새끼다. 그가 움킨 것을 찢고 올라갈 것이다. 그의 엎드리고 웅크림이 수사자 같고 암사자 같으니 아무도 그를 범할 수 없을 것이다. 홀

이 유다를 떠나지 아니할 것이다. 치리자의 지팡이가 그 발 사이에서
실로-화평을 가져오는 자-가 오시기까지 떠나지 아니할 것이다.
그에게 모든 백성이 복종할 것이다"(창 49:8-10).

유다의 미래에 대한 야곱의 예언은 철저히 메시아 예수에 대한
예언이다. 이 메시아 자식 모티프가 언약 역사의 한가운데를 관통
하고 있다. 때가 되면 표면적 역사 위로 등장할 것이다.

요셉의 유언으로 끝나는 창세기

창세기는 요셉의 유언으로 끝난다. 17세에 하나님의 꿈을 꾸고
110세까지 산 요셉의 마지막 유언은 무엇이었을까?

"……나는 죽을 것이나 하나님이 당신들을 돌보시고 당신들을 이 땅
에서 인도하여 내사 아브라함과 이삭과 야곱에게 맹세하신 땅에 이
르게 하시리라"(창 50:24).

요셉의 유언은 놀랍게도 하나님의 언약 그 자체다. 자신은 죽지
만 하나님께서 그의 후손을 약속의 땅으로 인도하실 것을 천명한
다. 곧 그 언약은 아브라함과 이삭과 야곱 그리고 요셉을 이어 그
의 후손에게 여전히 동일한 것임을 나타낸다. 이것은 단지 요셉의
유언이 아니라 창세기의 결론이다. 그리고 그 언약의 성취가 출애
굽기를 통해 이어진다.

제3장

칠십 명에서 이백만 명까지

: 출애굽기, 레위기, 민수기, 신명기

모세가 오경을 기록했는데 사실 오경은 한 권의 책이다. 후대 사람들이 오경으로 분류했다. 그 중 창세기는 첫 번째 책인 동시에 시작의 책이다. 만약 오경이 한 권의 책임을 인정한다면 오경이 하나의 일관성 있는 메시지로 흘러가고 있음도 받아들여야 한다. 창세기, 출애굽기, 레위기, 민수기, 신명기로 이어지는 오경의 산맥이 각각 선포하는 메시지를 따라가 보라.

1. 자식 모티프의 성취와 땅 모티프의 비전 : 출애굽기

> 열두 아들(칠십 명의 야곱 공동체) → 모세와 이스라엘 민족 (출애굽)

같은 흐름으로 가는 출애굽기

창세기와 출애굽기는 연결되어 있는 하나의 책이다. 그러므로 출애굽기 1장은 창세기 51장과 마찬가지이다. 창세기 50장은 칠십 명의 야곱 공동체가 애굽에 내려가 요셉을 만나고 애굽에서 새롭게 정착하는 자식 모티프로 끝난다. 그러면 출애굽기 1장은 어떻게 시작하는가?

> "야곱과 함께 각각 자기 가족을 데리고 애굽에 이른 이스라엘 아들들의 이름은 이러하니 르우벤과 시므온과 레위와 유다와 잇사갈과 스불론과 베냐민과 단과 납달리와 갓과 아셀이요 야곱의 허리에서 나온 사람이 모두 칠십이요 요셉은 애굽에 있었더라"(출 1:1~5).

출애굽기의 첫 시작이 자식 모티프다. 성경의 관심은 여전히 자식 모티프에 있다. '아브라함에게 약속하신 자식 언약이 어떻게 역사 속에서 이루어져 가는가?' 가 성경의 일관된 관심사다.

출애굽기의 초점

칠십 명의 약속의 자손으로 시작한 출애굽기의 초점은 무엇인가?

출애굽기 1장 6절을 보면 "요셉과 그의 모든 형제와 그 시대의 사람은 다 죽었고"라고 기록했다. 이 한 구절의 의미는 너무도 크다. 성경 저자는 출애굽기 1장 6절이라는 짧은 한 구절에 이스라엘 백성의 애굽생활 430년을 뛰어넘고 있는 것이다. 곧이어 7절에서는 이스라엘 자손이 430년 동안 어떻게 되었는가에 관심을 집중시킨다.

"이스라엘 자손은 생육하고 불어나 번성하고 매우 강하여 온 땅에 가득하게 되었더라."

갑자기 성경의 시간적 흐름이 430년을 뛰어넘어 모세 시대로 넘어온다. 왜 그런가? 무엇을 말씀하는 것인가? 만약 430년 동안의 애굽 시절 역사를 다 기록한다고 생각해 보라. 요한이 말한 대로 "만일 낱낱이 기록된다면 이 세상이라도 이 기록된 책을 두기에 부족"(요 21:25)하지 않겠는가? 그리고 성경 자체가 이야기하려는 메시지를 전하지도 못할 것이다. 그러므로 성경의 의도가 있는 것이 분명하다. 출애굽기의 초점은 창세기 15장의 언약이 어떻게 성취되어 가는가에 있다.

자식 모티프의 성취와 땅 모티프의 비전

출애굽기는 하나님께서 아브라함에게 하늘의 별과 같이 많은 자손을 주겠다고 언약하신 자식 모티프의 성취로부터 시작한다. 창세기 50장에서 애굽으로 이주한 아브라함의 자손들 70명이 출애굽기 1장에서 430년 동안 약 200만 명으로 번성했다. 그리고 모세시대가 되었을 때 이스라엘은 애굽 내에서 감당할 수 없을 정도의 세력으로 성장했고 애굽의 왕들은 그들을 통치하기 위해 노예정책을 취했다. 이스라엘 백성은 하나님께 부르짖었다. 성경은 하나님께서 그들의 부르짖음을 들으시고 '그의 언약'을 기억하셨다고 했다(출 2:24). 그의 언약은 바로 아브라함과 이삭과 야곱에게 하신 언약으로 하늘의 별처럼 많은 자식을 주시겠다는 것이며, 그 자손들이 살 약속의 땅을 주시겠다는 것이다. 하나님은 '그의 언약'을 지키시기 위해 지도자 모세를 세우시고 출애굽시켜 약속의 땅을 향해 나아가게 하신 것이다. 이것이 출애굽기의 핵심 내용이다. 출애굽기는 이 핵심 내용을 중심으로 애굽에서의 해방과 유월절 제정, 홍해사건, 40년의 광야생활, 시내 산 언약과 성막 세움으로 전개된다.

정체성과 방향성

출애굽기에서 놓치지 말아야 할 가장 중요한 메시지 중 하나가 정체성과 방향성의 문제다. 애굽에서 나온 이후 광야에서 태어난 세대의 문제는 무엇인가? 바로 자신들의 정체성과 방향성의 문제다. 그들은 태어나면서부터 나라가 없고 어디론가 여행 중이기에 '우리는 누구인가?', '어디로 가고 있는가?'라는 두 문제에 직면해 있다. 하나님은 모세에게 창세기를 기록하게 하심으로 이 문제를 해결하신다.

창세기의 1차 독자는 누구인가? 광야에서 태어난 신세대다. 그들은 '자신들이 누구이며, 어디에서 와서 어디로 가고 있는가?'라는 심각한 질문 앞에서 고민한다. 그러나 그들은 모세가 기록한 창세기를 읽음으로 우주 만물을 만드신 창조주 하나님께서 조상 아브라함과 언약하신 것을 알게 되고, 자신들이 바로 그 언약의 백성이라는 정체성을 확인하게 된다. 또한 창세기의 아브라함 이야기를 읽음으로써 자신들이 하나님께서 이미 '그의 언약'을 통해 주시기로 한 약속의 땅을 향해 가고 있는 것임을 확인하게 되는 것이다. 곧 방향성을 갖게 되는 것이다. 그러므로 자식 모티프를 통해서는 정체성이 세워지고, 땅 모티프를 통해서는 방향성이 세워진다.

그러면 창세기의 2차 독자는 누구인가? 두말할 나위 없이 창세기의 1차 독자인 광야에서 태어난 신세대 이후부터 예수님 재림까지의 모든 인류다. 2차 독자의 문제는 무엇인가? 1차 독자와 별반 차이가 없다. 2차 독자의 문제도 '나는 누구인가?'라는 정체성의 문제이며, '인생이 어디로 가고 있는가?'라는 방향성의 문제다. 그러므로 2차 독자인 모든 인류 또한 창세기를 읽을 때에만 진정한 삶의 '정체성'과 '방향성'을 발견하게 된다.

유월절 어린 양 : 자식 모티프의 전형

하나님께서 창세기 15장에서 아브라함에게 "네 자손이 이방의 종이 되었다가 약속의 땅으로 돌아오리라"는 출애굽의 역사를 언약의 내용으로 삼으신 이유는 무엇일까? 그것은 하나님의 언약 백성으로 하여금 구원을 실제적으로 경험하게 하심과 후에 여자의 후손을 통해 구원하심에 대한 예표를 주시기 위함이다. 하나님은 죄악된 세상을 의미하는 애굽에서 종살이하던 약속의 자손들을 특별한 사건을 통해 구원해 내신다. 그것이 유월절이다. 애굽 왕 바로는 모세를 통해 출애굽하려는 약속의 백성을 아홉 가지의 감당할 수 없는 재앙이 임하는데도 붙잡고 있다. 세상이 이처럼 약속의 자녀들을 죄 가운데서 붙잡고 있다. 그러나 열 번째 재앙을 맞아 바로와 애굽은 약속의 백성들을 놓아 보낸다.

하나님께서는 왜 애굽의 장자들을 죽이는 재앙을 통해 이스라엘 백성을 구원하시는가? 하나님은 이스라엘 백성의 각 가정 식구의 수대로 어린 양을 잡아 집 좌우 문설주와 인방에 피를 바르게 함으로 하나님께서 그 피를 보고 건너가겠다고 하셨다. 그러나 피를 바르지 않은 애굽 집에는 하나님께서 들어가 그들 장자와 처음 난 짐승을 거두어갔다. 이것이 유월절이다. 유월절 어린 양은 여자의 후손으로 오셔서 자기 백성을 위해 십자가에서 피를 흘림으로 구원하시는 예수 그리스도다. 하나님은 아브라함에게 하신 출애굽의 언약을 유월절 어린 양의 피로 성취하심으로 자식 모티프의 구원이 여자의 후손의 사역과 필연적 관계가 있음을 계시하신다.

장자 재앙 : 이스라엘의 의미

왜 하나님은 유월절에 애굽의 장자들에게 재앙을 내리셨는가? 그 이유는 무엇인가? 성경은 출애굽기 4장 22~23절에 그것에 대해 명백히 밝히고 있다.

"너는 바로에게 이르기를 여호와의 말씀에 이스라엘은 내 아들 내 장자라 내가 네게 이르기를 내 아들을 보내 주어 나를 섬기게 하라 하여도 네가 보내 주기를 거절하니 내가 네 아들 네 장자를 죽이리라 하셨다 하라 하시니라."

하나님은 이스라엘을 향해 '내 아들, 내 장자'라고 하셨다. 내 장자라는 말은 무엇인가? 하나님은 아브라함에게 이미 복의 근원이 될 것이라고 하셨고, "땅의 모든 족속이 너로 말미암아 복을 얻을 것이라"(창 12:3b)고 하셨다. 또한 "네 씨로 말미암아 천하 만민이 복을 받으리니"(창 22:18)라고 하셨다. 뿐만 아니라 이삭에게도 "네 자손으로 말미암아 천하 만민이 복을 받으리라"(창 26:4b)고 하셨다. 야곱에게도 "땅의 모든 족속이 너와 네 자손으로 말미암아 복을 받으리라"(창 28:14b)고 하셨다. 세 족장 모두에게 복의 근원이 되어 천하 모든 민족이 그 약속 안에 거하게 하신 것이다. 이것이 자식 언약의 결과다. 하나님은 아브라함에게 주시겠다는 자식 모티프를 '씨'로 표현하심으로 그 씨가 뿌리 내리고 자라 수많은 열매를 맺을 것을 계획하신 것이다. 그러므로 아브라함의 후손 이스라엘이 하나님의 장자가 되는 것이다.

장자라고 하는 것은 차자, 삼자 등 수많은 형제를 염두에 둔 개념이다. 하나님은 수많은 민족을 하나님 왕국의 백성으로 부르기를 원하시는데 그중 이스라엘 민족을 장자로 삼으셨다. 그런데 이 장자를 붙잡고 종살이시키며 놓아 주지 않은 자가 애굽 왕 바로다. 하나님은 애굽 왕 바로가 아홉 번의 전무후무한 재앙이 내려도 자신의 장자를 종으로 삼고 놓아주지 않자 결국 유월절에 애굽의 장자를 치심으로 자신의 장자를 해방시키셨다. 그래야 하나님의 자식 언약이 장자 이스라엘을 넘어 만민에게 다다를 것이기 때문이다.

유월절 제정

애굽의 장자들을 치시고 하나님의 장자인 이스라엘을 구원하시는 것을 유월절 어린 양의 피를 통해 하심으로 오직 예수 그리스도의 십자가의 은혜로만 천하 만민이 하나님의 새 백성이 될 수 있음을 계시하신다. 따라서 유월절 제정은 창세기 15장의 아브라함 언약이 유월절을 통해서만 성취되는 것임을 증거한다. 하나님과 아브라함의 언약이 유월절 어린 양의 죽음과 직접적으로 관계를 맺게 되는 것이다. 그러므로 언약과 유월절을 이해하는 것은 매우 중요하다. 언약을 성취하는 것이 유월절을 통해서이기 때문이다.

하나님은 아브라함에게 "너는 반드시 알라 네 자손이 이방에서 객이 되어 그들을 섬기겠고 그들은 사백 년 동안 네 자손을 괴롭히리니, 네 자손은 사대 만에 이 땅으로 돌아오리니"(창 15:13, 16)라고 언약하셨다. 이 언약의 성취가 바로 유월절을 통해서 이루어진 것이다. 이것은 구약의 옛 언약이 신약의 예수님의 십자가의 새 언약을 통해서 성취될 것임을 앞서 증거하는 것이다. 이것이 진정한 유월절 제정의 의미다.

시내 산 언약

이스라엘은 하나님과 아브라함, 이삭, 야곱 사이에 맺은 자식 모티프 언약의 성취다. 그러므로 출애굽 후 모세와 이스라엘 백성들에게 하나님은 또다시 언약을 맺으신다. 출애굽기 24장에 소위 시내 산 언약 장면이 등장한다.

"모세가 여호와의 모든 말씀을 기록하고 이른 아침에 일어나 산 아래에 제단을 쌓고 이스라엘 열두 지파대로 열두 기둥을 세우고 이스라엘 자손의 청년들을 보내어 여호와께 소로 번제와 화목제를 드리게 하고 모세가 피를 가지고 반은 여러 양푼에 담고 반은 제단에 뿌리고 언약서를 가져다가 백성에게 낭독하여 듣게 하니 그들이 이르되 여호와의 모든 말씀을 우리가 준행하리이다 모세가 그 피를 가지고 백성에게 뿌리며 이르되 이는 여호와께서 이 모든 말씀에 대하여 너희와 세우신 언약의 피니라"(출 24:4~8).

하나님은 이처럼 시내 산에서 이스라엘 민족과 피의 언약을 세우심으로 생명 관계를 확증하신다. 하나님은 자신의 생명을 걸고 이스라엘과 하신 언약을 지키시겠다는 것이고, 이스라엘 백성들도 생명을 걸고 하나님 말씀을 지키며 살겠다는 언약을 체결한다. 이것은 피의 언약이요, 생명의 언약이다.

특히 시내 산 언약은 '말씀 모티프'에 중점을 두고 있다. 하나님과 이스라엘 백성 사이의 언약 곧 말씀 지킴에 대한 피의 맹세다. 그만큼 하나님과 그의 언약백성의 관계는 상호간 언약의 말씀을 지키는 것이 가장 중요하다. 하나님은 생명의 언약을 통해 이스라엘을 하나님 왕국의 백성으로 삼아 주시겠다는 것이고, 이스라엘은 왕께 온전히 순종하는 삶을 살아 충성하겠다는 것이다. 이처럼 하나님은 시내 산에서 이스라엘 백성과 언약을 체결하심으로 그들이 언약의 후손이요, 당사자이며, 언약의 땅을 향해 나아가는 비전을 가진 자들임을 알게 하신다.

시내 산 일정

출애굽한 이스라엘 백성이 시내 산에 머문 기간 동안 있었던 사건을 이해하는 것은 출애굽기와 레위기 그리고 민수기를 이해하는 데 매우 중요하다. 시내 산에 머문 기간은 애굽에서 나온 지 3개월(출 19:1) 후부터 제이년 이월 이십일(민 10:11)까지다. 약 10개월 19일 동안 시내 산에 머물렀다. 이곳에서 머물며 진행된 사건이 출애굽기 19장 1절부터 레위기를 거쳐 민수기 10장 10절까지 이른다. 그리고 시내 산에서 머무는 동안 하나님은 이스라엘 백성들과 피의 언약 곧 이제부터 함께 사시겠다는 소위 결혼 언약을 체결한다(출 19~24장; 레 31:32). 그리고 함께 살기 위해 이스라엘의 장막들 가운데 자신을 위해 구별된 장막을 세우게 한다. 이것이 성막이다. 그리고 하나님은 매우 구체적으로 성막의 설계도를 계시한다.

하나님은 모세를 따로 시내 산에 올라오게 해서 1차 사십 일 금식기도 가운데 십계명과 함께 성막 설계도를 주신다(출 25~31장). 그러나 시내 산 밑에서는 모세가 더디 내려오자 아론과 이스라엘 백성들이 금송아지를 만드는 사건이 일어난다. 시내 산 언약을 체결한 지 얼마 안 된 시점에 벌써 언약을 어기는 행위가 일어난다(출 32~33장). 2차 사십 일 금식기도가 34장에 나오고 35~40장은 하나님의 명령대로 성막을 만드는 장면이다. 그리고 40장에서 드디어 성막이 완성되고 하나님의 영광이 임한다. 즉 시내 산에 머무는 동안 언약 체결, 두 번에 걸친 사십 일 금식기도, 십계명과 성막 설계도, 성막 완성 및 하나님의 임재하심이 나타나고 레위기로 넘어간다. 따라서 자연히 레위기에는 성막 완성 후의 내용이 전개된다.

레위기는 성막에 임재하시는 하나님과 죄인과의 만남, 그리고 두 주체가 함께 사는 것을 전제함으로 자연스럽게 인간의 죄의 처리에 초점이 맞추어진다. 거룩하신 하나님과 죄인이 함께 거할 수 없기 때문이다. 거룩한 만남의 방법과 하나님과 함께 사는 거룩한 생활이 레위기의 중심 주제이다. 그러므로 레위기는 거룩한 자식 모티프가 맥이다. 레위기 이후 하나님은 약속의 땅을 향해 출발할 준비를 시키신다. 출발을 위해 첫 번째 인구조사를 지시하고, 유진할 때의 대형과 행진할 때의 대형을 훈련시키신다. 모든 것이 준비된 후 드디어 하나님은 자기 백성에게 오랫동안 머물렀던 시내 산을 떠나 약속의 땅을 향해 출발할 것을 명하신다. 이것이 민수기 10장 10절까지의 내용이다.

〈시내 산 일정 도표〉

일 정	본 문	
시내 산 도착 및 언약 체결 준비	출 19:1~19:25	출애굽기
십계명 및 율법의 언약 제시	출 20:1~23:33	
언약 체결	출 24:1~8	
잔치	출 24:9~11	
성막 설계도 계시 및 제작	출 24:12~40:16	
성막 완성과 하나님의 임재	출 40:17~37	
5대 제사법 제정	레 1:1~7:38	레위기
제사장 위임식	레 8:1~8:36	
첫 제사 시행과 실패	레 9:1~10:20	
거룩한 삶의 원리와 적용들	레 11~27장	
1차 인구조사	민 1:1~54	민수기
유진 및 진행방법	민 2:1~10:10	
시내 산 출발	민 10:11	

2. 구별된 자식 모티프 : 레위기

레위기의 초점

출애굽기 다음에 레위기가 기록된 이유는 무엇인가? 출애굽기
가 죄악된 애굽에서 하나님의 백성을 탈출시킨 기록이라면 이제
레위기를 통해 그들을 거룩하게 하신다. 하나님께서는 이미 성막
을 통해 자기 백성과 함께 텐트를 치고 사시겠다고 했다. 거룩하신
하나님께서 죄 가운데 있는 백성들 가운데 오셔서 함께 사시기에
그 백성들 또한 반드시 거룩해져야만 한다. 이 거룩이 레위기의 핵
심 메시지다.

거룩에는 두 가지 핵심적 내용이 있다. 첫째는 하나님과의 관계
속에서의 거룩이다. 곧 수직적 거룩이다. 거룩하신 하나님께서 인
간과 대면하실 때 인간은 반드시 죄를 처리해야만 한다. 하나님 앞
에서의 거룩 때문에 제정하신 것이 제사다. 둘째는 세상과의 관계
속에서의 거룩이다. 곧 수평적 거룩이다. 인간관계와 사회 속에서
의 거룩을 의미한다. 생활 속의 거룩을 말한다.

제사의 제정

거룩하신 하나님과 만나 그분의 임재 가운데 살아가야 할 인간
에게 당연히 따라오는 것은 죄의 처리다. 누구도 죄를 갖고 있는
한 하나님과의 만남과 교제를 할 수 없기 때문이다. 거룩하신 하나
님 앞에 죄인이 서면 하나님의 성결과 빛 때문에 죄인은 그 자리에

서 죽을 수밖에 없다. 반드시 죄를 처리해야만 하나님과 더불어 살 수 있다. 따라서 하나님께서 죄의 처리 방법으로 제정하신 것이 '제사' 다. 제사는 인간의 죄를 처리하고 하나님께 나아가는 필연적 방법이다.

하나님은 인간이 하나님께 나올 수 있는 방법으로 다섯 가지의 제사를 제정하셨다. 5대 제사는 번제, 소제, 화목제, 속죄제, 속건제다(레 1~7장). 번제는 제물의 전체 곧 내장까지 모두 불살라 화제로 드리는 것이다. 소제는 유일하게 피가 없이 드리는 제사이다. 따라서 다른 제사와 함께 드려졌다. 특히 소제는 고운 가루로 예물을 삼아 드렸다. 화목제는 하나님과 인간 사이 또는 인간과 인간 사이의 화목을 위해 드리는 제사다. 따라서 다른 제사와 달리 바쳐진 제물의 고기를 이웃과 나누어 먹게 했다. 속죄제는 주로 하나님께서 금지한 명령을 어겼을 때 드리는 제사다. 속죄제는 제사장, 회중, 관원, 평민들을 위해 드려졌다. 속건제는 성물에 관한 죄, 부지중에 하나님의 금지된 명령을 어긴 죄, 남의 물건을 부당하게 취한 죄, 특히 나실인이 부정한 허물을 용서받기 위한 경우에 드려졌다.

제사장 위임

하나님은 시내 산에서 결혼 언약을 체결하신 후에 함께 살 성막을 만들게 하시고, 거룩한 만남과 삶을 위한 제사법을 제정하신다. 그리고 제사를 주관할 대제사장과 제사장을 세워 위임하신다. 제사장은 백성을 대표해서 하나님께 나아가 중보자 노릇을 하는 자다. 제사장 직분은 하나님과 사람 사이에 반드시 있어야 하는 중보의 자리다. 그러나 제사장이라도 자기의 죄를 처리하지 않으면 직분을 감당할 수가 없다. 따라서 하나님은 아론과 그 아들들을 구별해 제사장으로 세우기 위해 위임식을 거행케 하신다.

위임식 또한 제사를 통해 이루어지는데 아론과 그 아들들이 숫양의 머리에 안수를 하고, 그 피를 취해 그들의 오른쪽 귓부리와 오른손 엄지가락과 오른발 엄지가락에 바른다. 그리고 관유와 단 위의 피를 취해 그들의 옷에 뿌린다. 이러한 위임식을 통해 아론과 그 아들들은 이제 거룩한 제사장으로 하나님 앞에 나아가서 성막을 관리하고 제사를 주관하며 하나님과 백성 사이의 중보적 사명을 감당한다. 이런 일련의 언약 체결, 성막 설계도 계시, 성막 완성, 제사법 제정, 제사장 위임식 절차가 마무리됨으로 드디어 첫 제사를 드릴 수 있게 된다.

첫 제사의 실패

아론과 그의 두 아들 나답과 아비후는 하나님의 명대로 완성된 성막에서 드디어 첫 번째 제사를 드린다. 그러나 온 이스라엘의 관심이 집중된 첫 제사에서 두 제사장은 하나님이 명하신 번제단의 불이 아닌 다른 불을 향단에 드리다가 여호와 앞에서 나온 불이 그들을 삼켜 죽고 만다. 시내 산에서의 결혼 언약 이후 모든 것이 잘 진행되다가 뼈아픈 실패를 당하게 된 것이다. 이들이 다른 불을 드린 이유는 무엇인가? 그것은 레위기의 본문을 잘 읽어 보면 알 수 있는데 하나님의 첫 제사에 임하면서 술에 취해 있던 것이 틀림없다(레 10:9~10). 그들은 하나님의 제사장으로서 하나님의 말씀에 순종한 것이 아니라 술에 취해 불순종함으로 거룩함을 상실해 죽임을 당한 것이다. 나답과 아비후는 이백만 자식공동체 가운데서 모세와 아론 다음의 세 번째, 네 번째 지도자였다. 그들은 시내 산의 결혼 언약 후 잔치 중에 하나님을 본 자들이다. 하나님을 보고도 죽지 않는 체험을 한 자들이다(출 24:9~11). 그러나 그 체험은 하나님께 순종하는 것으로 나타나야 의미가 있다. 체험보다 중요한 것이 하나님 말씀에 순종하는 것이다.

제사의 원리

제사법과 관련되어 무엇보다 중요한 것은 제사의 원리를 이해하는 것이다. 제사의 본질을 아는 것이 중요하다. 왜냐하면 하나님은 본질과 원리를 상실하고 형식에 갇힌 제사를 외면하시기 때문이다(사 1:11~17). 그러면 제사의 원리는 무엇인가? 그것은 무엇보다도 제사를 드리는 자와 제물과의 관계에 있다. 제사를 드리는 자는 자신에게 합당한 제물을 가져와 그 제물 위에 안수 한다. 안수의 의미가 중요하다. 안수의 의미는 첫 번째가 죄의 전가(transfer)이다. 제사자의 죄가 제물에 전가되는 것을 의미한다. 그러나 이 전가의 의미에만 머물면 그야말로 형식적 제사의식에만 머물게 된다. 전가로 끝나서는 안 되며 일치(identify)의 원리까지 나아가야 한다. 제물과 제사자가 하나가 되는 단계이다. 제사자는 제물 위에 안수한 후 자신이 직접 그 제물의 각을 뜬다. 그것은 무엇인가? '자신이 곧 제물이 되어 죄값을 치르고 죽었음'을 의미한다. 그러므로 제사를 통해 제사자는 날마다 죽는다. 그 죽음의 원리를 통해서 제사자는 하나님 앞에 겸손과 온전함의 원리로 나아가는 것이다. 이 죽음의 원리가 곧 생명의 원리이며 진정한 제사의 본질이다.

위에서 이미 살펴본 5대 제사의 특징에도 이 원리가 잘 나타나 있다. 번제는 제물의 모든 부분을 하나도 남김없이 태우는 것이다. 제사자가 제물과 같이 완전히 태워져야 함을 의미한다. 소제는 '고운 가루'가 예물의 핵심이다. 고운 가루는 곡식이 알갱이 없이 빻아져야 하는 것처럼 제사자가 완전히 하나님 앞에서 빻아지는 것을 의미한다. 곧 죽음을 의미한다. 하나님 앞에서 죄인은 죄값을 치르고 죽는 방법 외에는 살 길이 없다. 그러므로 제물에게 죄만 전가한 것으로, 제물만 죽는 것으로 만족하고 자신이 죽고 빻여지지 않으면 그 제사는 형식적 제사에 머물고 마는 것이다. 따라서 제사자는 제사의 본질을 잊지 말고 하나님 앞에 나아가야 한다. 이미 살펴본 나답과 아비후의 첫 제사의 실패 원인은 바로 제사의 본질을 상실한 채 불순종의 불을 드렸기 때문이다.

거룩의 의미

레위기의 주제는 '거룩'이라 해도 과언이 아니다. 그러면 거룩은 무엇인가? 거룩의 본뜻은 '구별되다'이다. '구별되다'에는 여러 가지로부터 한 가지를 따로 떼어내는 상대적 의미가 있다. 그러면 하나님께서는 이스라엘 공동체가 어디로부터 구별하기 원하셨을까? 레위기 19장 2절에서 하나님은 여전히 시내 산에 머물러 있는 모세에게 이스라엘 회중에게 명할 것을 지시하신다. 그것은 "너희는 거룩하라 이는 나 여호와 너희 하나님이 거룩함이니라"란 명령이다. 다시 말하면 "너희는 구별되어라 나 여호와 너희 하나님이 구별됨이니라"란 말씀이다. 그러면 어디로부터 구별되라는 말씀인가? 레위기 18장이 이 구별을 정확히 설명해 준다. 레위기 18장 3절에 "너희는 너희가 거주하던 애굽 땅의 풍속을 따르지 말며 내가 너희를 인도할 가나안 땅의 풍속과 규례도 행하지 말고"라고 하신다. 하나님은 자기 백성에게 과거의 애굽 땅과 미래의 가나안 땅의 풍습으로부터 구별되라고 명하신다.

도대체 애굽 땅과 가나안 땅의 풍습이 어떠하기에 그들로부터 구별되라고 하시는가? 그들의 풍습이 레위기 18장 6절부터 23절까지 기록되어 있다. 이들 풍습에 대한 기록은 당시 애굽과 가나안 문화의 성적 타락의 극치를 보여 주고 있다. 한마디로 애굽과 가나안은 타락한 백성과 그로 인해 더럽혀진 땅 곧 죄악 가운데 있는 세상을 의미한다. 바로 하나님은 범죄한 백성과 땅으로부터 새로운 자기 백성과 새롭게 개혁될 땅을 구별하려 하는 것이다. 따라서 하나님은 레위기 18장 30절에 결론으로 "그러므로 너희는 내 명령을 지키고 너희가 들어가기 전에 행하던 가증한 풍속을 하나라도 따름으로 스스로 더럽히지 말라 나는 너희의 하나님 여호와니라"고 하시면서 하나님이 거룩하니 너희도 거룩하라고 명하신다.

2+1 : 거룩한 생활

과거에 거하던 애굽 땅과 미래에 도착할 가나안 땅 사이 곧 광야 시내 산에서 하나님은 자기 백성에게 거룩할 것을 명령하신다. 애굽 땅과 가나안 땅 곧 세상의 타락한 풍습을 떠나 어떻게 거룩한 삶을 살 수 있을까? 하나님은 그들의 풍습과 규례를 행하지 말고 "너희는 내 법도를 따르며 나의 규례를 지켜 그대로 행하라 나는 너희의 하나님 여호와이니라 너희는 내 규례와 법도를 지키라 사람이 이를 행하면 그로 말미암아 살리라 나는 여호와이니라"(레 18:4~5)고 하신다. 하나님은 자기 백성의 거룩한 삶은 세상의 가치와 풍습을 따르는 것이 아니라 오직 하나님의 말씀을 지키며 사는 것임을 분명히 밝히신다. 이 세상에서 하나님의 백성이 사는 길은 하나님의 말씀을 좇아 행하는 것밖에 없다.

이처럼 말씀을 따라 사는 거룩한 생활이 레위기 19장에서 구체적으로 나타난다. 이 본문은 마치 정형화되지 않은 십계명을 보는 듯하다. 하나님을 섬기는 생활과 이웃을 섬기는 삶이 거룩한 삶임을 천명한다. 특히 거룩한 삶의 최절정이 등장하는데 그것은 "원수를 갚지 말며 동포를 원망하지 말며 네 이웃 사랑하기를 네 자신과 같이 사랑하라 나는 여호와이니라"(레 19:18)는 말씀이다. 하나님은 이처럼 출애굽한 자기 백성을 세상과 구별하시면서 계속해서 구체적인 여러 규례로 거룩한 삶을 살아갈 것을 명하신다(레 27:34).

3. 하늘의 별같이 많은 자식과 말씀 : 민수기

시내 산 출발 준비

출애굽기 19장에서 시작된 시내 산 언약은 레위기 전체를 관통해 민수기 10장 10절까지 이른다. 출애굽한 지 3개월 후 시내 광야에 도착해 제이년 이월 이십일에 구름이 증거막에서 떠올라 출발하니 약 10개월 19일간 시내 광야에 머물러 있었다. 하나님께서는 이 기간 동안 모세와 이스라엘 백성들에게 언약 체결 준비, 십계명 및 율법의 언약 제시, 언약 체결, 성막 설계도 계시, 성막 완성, 제사법 제정, 제사장 위임식, 첫 제사를 시행케 하신다. 그리고 민수기에 넘어와 본격적으로 가나안 땅을 향해 출발할 준비를 시키신다. 그때가 출애굽한 지 1년 보름이 되는 날이다. 하나님께서는 모세에게 이스라엘 회중 가운데 이십 세 이상 싸움에 나갈 만한 모든 자를 계수하게 하신다. 레위 지파를 제외한 열두 지파를 계수한 총계가 육십만 삼천오백오십 명이었다. 전형적인 자식 모티프다. 431년 전 칠십 명에 불과했던 이들이 장정만 육십만 명이니 이스라엘 전체를 세면 약 이백만 명이 되었을 것이다.

이 거대한 공동체가 진행하기 위해서는 무엇보다도 질서가 중요하다. 그러나 하나님의 공동체는 무엇보다도 하나님 중심의 공동체가 되어야 했다. 그래서 하나님께서는 가장 중심에 성막을 두게 하셨다. 그리고 레위 족속이 사방으로 성막을 에워 진을 친다. 그 다음으로 세 지파씩 한 팀이 되어 동서남북으로 유진한다. 이것은 이스라엘 공동체가 철저히 하나님 중심의 공동체임을 보여준다. 이스라엘 공동체는 이제 약속의 땅을 향해 출발할 때 중심에 계신 하나님의 말씀과 인도하심에 전적으로 순종하고 따르는 언약 공동체로 체제를 잡은 것이다. 이처럼 유진해 있다가 진행할 때는 하나님의 언약궤가 가장 앞서 나간다. 하나님께서 인도하는 공동체를 의미하는 것이다. 그리고 각 팀이 진행하고 그 사이사이에 레위 족속의 성막 물품과 성막 기구들이 보호하심 가운데 진행된다. 이제까지 전혀 세상에서 볼 수 없던 새로운 하나님의 공동체의 유진하는 모습과 행진하는 모습이다. 하나님의 새로운 공동체 안에서 레위 족속의 역할은 매우 독특하다. 따라서 하나님께서는 레위인에 대한 인구조사, 레위 인의 임무, 제사장의 책무, 새로운 제도에 대한 공동체의 봉사, 레위인의 정결의식을 명하신다(민 3~8장).

유월절 출발

하나님은 새로운 공동체가 모든 준비를 마치고 약속의 땅을 향해 출발하는 시점을 유월절로 잡으셨다. 출애굽도 유월절에 이루어진 것처럼 시내 광야에서 새로운 공동체로서의 모든 것을 준비시킨 후 출발하는 기점도 유월절로 삼으신 것이다. 사실 위의 인구조사는 이 유월절 보름 이후에 진행된 것이다(민 1:1, 9:3). 그러나 민수기 저자인 모세는 여기서 연대기를 따르기보다는 하나님의 새로운 공동체의 새출발의 시점에 초점을 맞춘 것이 틀림없다. 모든 것이 준비된 유월절에 출발하는 것으로 초점을 맞추어 전개하고 있는 것이다. 그 의도는 무엇인가? 하나님의 공동체는 유월절의 어린 양의 피로 항상 새롭게 출발해야 함을 의미한다.

그런데 문제는 부정케 된 자들, 여행 중에 있던 자들, 외국인들이었다. 이런 사람들은 출애굽한 지 꼭 일 년 만에 드리는 유월절에 참여하지 못했다. 하나님께서는 이들도 반드시 유월절을 지키고 떠나야 한다고 말씀하시면서 놀라운 지시를 하신다. 이들을 위해 소위 두 번째 유월절을 명하신다. 소위 제2유월절은 정기 유월절 한 달 후인 출애굽 후 제이년 이월 십사일 저녁부터 시작된다(민

9:11). 이것은 무엇을 의미하는가? 형식적인 절기보다 새로운 공동체의 근거와 출발의 본질이 더 중요함을 말한다. 하나님은 이미 율법의 형식을 넘어서는 율법의 정신과 본질을 보이고 계신다. 새로운 공동체가 유월절을 기점으로 새롭게 회복해 출발하는 사건은 이후 길갈에서 또 이루어진다. 하나님의 공동체의 새로운 역사의 출발은 항상 출애굽의 근원인 유월절을 통해서만 의미가 있기 때문이다.

약속의 땅으로 출발

시내 산에서 모든 준비를 마친 후에 하나님의 새로운 자식공동체는 드디어 가나안 땅을 향해 출발한다. 민수기 10장 11절 이하에는 "둘째 해 둘째 달 스무날에 구름이 증거의 성막에서 떠오르매 이스라엘 자손이 시내 광야에서 출발하여"라고 밝히고 있다. 애굽에서 나와 하나님 중심의 새로운 자식공동체로 준비되는 데 1년이란 세월이 필요했던 것이다. 이 기간 동안 이스라엘 백성은 아브라함에게 언약하셨던 자식 모티프의 구체적인 모습을 갖추게 하신다. 성막 중심 곧 하나님 중심의 체계적 공동체로 전혀 새로운 모습을 갖는 것이다. 그리고 언약의 땅인 가나안을 향해 마침내 나아간다. 자식 모티프가 땅 모티프를 향해 나아가는 것이다.

새로운 자식공동체의 행진 원리

하나님의 언약 백성으로 새로운 공동체가 된 이스라엘은 철저히 하나님의 인도함을 받는 자들이 되었다. 새로운 자식공동체가 유진할 때는 성막을 중심에 두고 사방으로 각 지파가 질서 있게 머물렀다. 그러나 행진할 때에는 언약궤 곧 증거궤가 가장 앞서 진행했다. 하나님 중심, 하나님 선행의 공동체가 된 것이다. 그것은 언약 때문이다. 이제 피의 언약을 통해 하나님은 이스라엘과 생명을 함께하고 삶을 함께하는 공동운명체가 되었다. 따라서 이스라엘은 하나님의 주권에 철저히 순종하고 따르는 순복의 공동체가 된 것이다. 그러므로 새로운 공동체는 유진하든지 행진하든지 철저히 하나님의 명령을 따르는 공동체가 되었다. 하나님이 친히 그들을 약속의 땅으로 인도하시는 것이다.

성막을 세운 날부터 구름이 성막 곧 증거막을 덮었고 저녁이 되면 성막 위에 불 모양 같은 것이 나타나서 아침까지 이르렀다. 구름이 성막에서 떠오르면 이스라엘 공동체가 구름을 따라 행진했다. 구름이 멈추는 곳에서는 이스라엘 백성들도 유진하며 머물렀다. 구름을 따르는 것이 곧 여호와의 명령을 따르는 것이었다. 하루든지, 이틀이든지, 한 달이든지, 일 년이든지 구름이 성막 위에 머물러 있는 동안에는 유진했다가 떠오르면 진행했다. 하나님은 이 진행 원리를 통해 하나님 중심의 새로운 자식공동체가 철저히 하나님의 말씀에 순종하는 공동체로 세워지기를 원하신 것이다.

이스라엘 공동체는 출애굽한 지 1년 만에 시내 광야에서 구름을 따라 떠나 40년째 되는 해 마지막 모압 평지에 진칠 때까지 삼십 곳에 머문다(민 33:16~49). 출애굽을 기준으로 하면 모압 평지까지 사십 곳을 머문다. 그들이 멈추고 유진할 때에는 모세를 통하여 전하신 하나님의 명을 따라 하나님의 직임을 지켰다(민 9:23). 행진할 때와 행진을 멈출 때에 모세는 "여호와여 일어나사 주의 대적들을 흩으시고 주를 미워하는 자가 주 앞에서 도망하게 하소서 하였고 궤가 쉴 때에는 말하되 여호와여 이스라엘 종족들에게로 돌아오소서"(민 10:35~36)라고 함으로 철저히 하나님의 주권과 인도하심에 공동체를 의탁했다.

원망 시리즈

시내 산에서 하나님과 언약을 맺고 모든 준비를 마치고 출발한 새로운 공동체가 얼마 가지 않아 심각한 위기에 이른다. 백성이 하나님께 원망하기 시작한 것이다. 그뿐 아니라 함께 출애굽한 섞여 사는 무리들이 탐욕을 품자 이스라엘 백성들도 울며 원망한다. 시내 산에서 그토록 준비시키고 떠났지만 그들의 원망 시리즈가 전개되는 것이다. 그들은 애굽에 있을 때 먹었던 음식들을 생각하면서 하나님께서 주신 만나에 대해서마저 불평한다. 원망은 무서울 정도로 전염성이 강하다. 온 백성이 각기 자신의 장막에서 원망해 울므로 자녀들까지 영향을 받는다. 원망은 주로 장막 안에서 이루어졌으며 위로는 하나님이 듣고 아래로는 자녀들이 듣는 특징이 있다.

모세는 이 원망에 대해 하나님 앞에 무거운 책임을 느끼고 감당할 수 없다고 호소한다. 하나님은 칠십 인의 장로를 세워 동일한 비전을 주심으로 모세의 짐을 덜어 주시고 한 달간 메추라기를 보내 주심으로 그들에게 은혜를 베푸신다. 그러나 이처럼 하나님의 역사를 경험하면서도 원망은 계속된다. 특히 바란 광야 가데스에서 열두 명의 정탐꾼의 보고 이후 원망은 최절정에 이른다.

원망과 믿음의 두 모델

'삼무아, 사밧, 이갈, 발디, 갓디엘, 갓디, 암미엘, 스둘, 나비, 그우엘'. 이들은 이스라엘 차세대 지도자로서 열 지파의 지도자들이다(민 13:1~16). 그러나 이들의 이름이 낯설게 느껴지는 것은 무슨 까닭일까? 그것은 성경에 이들의 이름이 기록되어 있음에도 불구하고 전혀 후대에 영향을 끼치지 못했기 때문이다. 반면에 여호수아와 갈렙은 너무나 유명하다. 앞의 열 사람이나 뒤의 두 사람이나 당시에는 똑같은 모세 이후의 차세대 지도자 그룹에 속했던 자들이다. 그러면 왜 열 명의 이름은 기억조차 못하고, 두 명의 이름은 그렇게도 존경받는 자들로 극적인 결과를 가져왔는가? 그것은 한마디로 하나님에 대한 믿음의 결과다.

열 명의 지도자는 무엇보다도 하나님에 대한 믿음이 없었다. 시내 산에서 맺은 피의 언약의 의미조차도 몰랐다. 물론 아브라함에게 자식을 주시고 땅을 주시겠다는 전통적 비전조차도 그들에게는 의미가 없었다. 오직 그들이 갖고 있었던 것은 현실에 대한 합리적 생각만 가득했다. 그러므로 '자기들보다 강하게 보이고, 견고해 보이며, 크게 보이는 가나안의 성들을 어떻게 치겠는가?' 하여 자기들 스스로가 메뚜기와 같다는 가장 낮은 자존감으로 전락한다. 메뚜기 의식으로 가득 차서 거기에 스스로 갇히고 만 것이다. 10대 2의 다수결에 따른 메뚜기 의식은 온 회중에게 순식간에 전염된다. 하나님은 가장 강한 군사 공동체로 이끌어 오셨지만 그 순간 이들은 낮은 자존감에 사로잡혀 밤새 울며 탄식한다. 애굽에서 나와 드디어 가나안 땅 앞에 도착한 결과가 원망과 부정에 묻혀 비전과 꿈은 사라지고 탄식과 통곡의 메아리만 울리고 있는 것이다.

이것이 하나님이 꿈꾸던 자식공동체의 모습인가? 그렇지 않다. 여호수아와 갈렙 바로 이 두 지도자는 옷을 찢으며 공동체가 하나님을 거역하지 말 것을 호소한다. 그리고 가나안에 대해 그들은 우리의 밥이라고 선포한다. 이 소수의 신실한 자들만이 진정으로 하나님과 맺은 피의 언약의 의미와 성막의 의미, 구름으로 이스라엘을 인도하시는 의미를 아는 자들이다. 하나님께서 함께 사심을 아는 자들이다. 그러나 회중은 돌을 들어 하나님의 뜻을 선포하는 자들을 죽이려 했다.

원망의 열매

이스라엘 공동체의 불신앙과 원망의 최절정은 하나님으로 하여금 전혀 다른 마음을 갖게 했다. 그것은 피의 언약에 따라 언약을 어긴 이들을 전멸하고 모세를 통해 새로운 백성을 건설하고자 하신 것이다. 하나님은 그동안 수없이 행하신 모든 이적에도 불구하고 이들의 믿음 없음을 탄식하면서 모세에게 자신의 뜻을 알리신다(민 14:12). 모세는 하나님의 진노가 임하면 열국이 하나님께서 이 백성에게 주시기로 맹세한 땅에 인도할 능력이 없어서 광야에서 죽였다고 할 것이라며 하나님께서 이제까지 용서하신 것처럼 이번에도 광대하심으로 용서하실 것을 간구한다. 모세의 중보기도를 통해 이스라엘은 전멸될 위기에서 벗어난다.

그러나 하나님께서는 진노의 수위는 낮추시지만 세 가지 징계를 내린다. 첫째는 애굽과 광야에서 행하신 하나님의 영광과 이적을 보고도 열 번이나 하나님을 시험하고 청종치 아니한 이들이 결코 약속의 땅을 보지 못할 것이라고 했다. 그러나 마음이 달랐던 여호수아와 갈렙은 그 땅을 차지할 것이다. 둘째는 원망의 소리가 하나님의 귓전에 들린 그대로 실행하겠다는 것이다. 곧 하나님을 원망하며 '광야에서 죽을 것 같다'고 말한 대로 20세 이상 원망한 모든 자들이 광야에서 엎드러질 것이다. 이것이 실현되기 위해서 불신앙의 원인이었던 정탐 기간 40일의 하루를 1년씩 환산해 40년간 광야 방황생활에 들어갈 것이라고 했다. 자녀들 또한 부모 세대의 죄를 지고 광야 기간을 지낼 것이다. 셋째는 부정적 원망의 촉매 역할을 한 열 명의 지도자들이 재앙으로 죽임을 당한다는 것이었다.

실패의 원인

하나님의 공동체는 약속의 땅 바로 앞에서 처절한 실패를 한다. 그 원인은 무엇인가? 그것은 무엇보다도 하나님과의 언약관계에서 오는 비전을 상실했기 때문이다. 하나님은 이미 사백여 년 전에 아브라함에게 언약하신 대로 신실하게 이행하고 계신데 그들은 하나님의 비전을 놓친 것이다. 꿈이 없는 백성은 망한다는 말씀처럼 비전을 상실한 이스라엘 공동체는 마치 나침반을 잃은 배처럼 방향성을 상실한다. 그러나 그것은 무엇보다도 하나님을 믿지 못한 것이다. 하나님에 대한 믿음 없이는 하나님의 비전을 가질 수 없다. 하나님을 믿지 못하고 하나님의 비전도 볼 수 없다면 현재의 삶의 고달픔 속에서 아무런 소망도 가질 수 없다. 단지 원망과 탄식뿐이다. 그 결과 패망의 길로 들어서고 마는 것이다.

38년을 뛰어넘음

민수기 19장과 20장 사이에는 놀랍게도 광야 유리 38년간의 간격이 있다. 19장은 10장 11절에서 시내 광야를 떠나 약속의 땅을 향해 출발한 이후 이 년째 되는 기간을 기록한다. 그리고 출애굽한 세대가 광야에서 40년간 유리하고 20세 이상의 세대가 다 죽게 되는 원인을 밝힌다. 그리고 20장에서는 40년째 되는 시점으로 옮겨간다. 성경은 감추어진 38년을 기록하지 않음으로 독자들로 하여금 성경이 의도하는 메시지를 따르도록 무언으로 인도한다. 38년 동안에 벌어진 일들을 다 기록한다면 성경을 둘 곳이 어디 있겠는가? 따라서 성경은 의도적으로 반드시 기록해야 할 것은 기록하고 삭제하거나 축소할 것은 과감하게 축소한다.

민수기 20장에서는 모세가 가나안 땅에 들어갈 수 없는 원인을 밝힌다. 40년을 참아온 모세가 다시 반복된 이스라엘 백성들의 원망 앞에 혈기를 내며 불신앙의 행위를 함으로 하나님의 진노를 산다. 반석에게 명령하라고 했는데 혈기를 내며 지팡이로 반석을 두 번 쳤다. 하나님은 모세와 아론에게 "너희가 나를 믿지 아니하고 이스라엘 자손의 목전에서 내 거룩함을 나타내지 아니한 고로 너희는 이 회중을 내가 그들에게 준 땅으로 인도하여 들이지 못하리라"(민 20:12)고 하심으로 모세는 그토록 들어가고 싶었던 약속의 땅을 목전에 두고 죽게 된다. 그런데 이 사건 바로 전 모세의 누이

이며 여성 지도자였던 미리암이 죽는다. 그리고 아론마저 호르 산에서 죽음으로 출애굽의 1세 지도자들이 약속의 땅을 목전에 두고 모두 떠나게 된다.

호르마의 승리와 놋뱀 사건

민수기 21장에서 기록하고 있는 호르마 전쟁의 승리는 매우 중요한 의미를 갖는다. 남방에 거하는 가나안 사람 곧 아랏의 왕이 이스라엘을 쳐서 몇 사람을 사로잡은 사건이 발생한다. 이스라엘이 이들을 그 손에 붙여달라는 서원을 하자 하나님께서 그 소리를 들으시고 가나안 인들과 그 성읍을 다 멸하게 하신다. 호르마는 어디인가? 40년 전에 하나님께 불순종해 광야에서 유리하게 되는 징계를 받자 다시 올라가겠다며 호르마로 갔다가 대패한 곳이다(민 14:39~45). 그러나 하나님은 부모 세대의 패배의 현장을 승리로 바꾸어 주심으로 첫 가나안과의 싸움에서 승리를 주신다. 이것은 본격적인 가나안 정복에 대한 승리를 상징했다.

호르 산에서 진행해 가나안 땅으로 가려면 에돔 땅을 통과해야 속히 갈 수 있는데 에돔은 자신들의 영토를 통과하는 것을 허락하지 않았다(민 20:14~21). 할 수 없이 이스라엘은 에돔을 돌아가야 했고 백성들은 길로 인해 마음이 상해 하나님과 모세를 향해 원망했다. 그들의 원망은 부모 세대의 원망과 같다. 왜 자신들을 애굽에서 인도해 이 광야에서 죽게 하는가? 이곳에는 식물도 물도 없다는 것이었다. 하나님께서 원망하는 백성들에게 불뱀을 보내 물게 하심으로 원망한 많은 이들이 죽었다. 그들이 회개하자 하나님은 모세에게 놋으로 불뱀을 만들어 장대 위에 달라고 하셨다. 그리고 뱀에게 물린 자마다 그것을 보면 살리라고 하셨다. 말씀대로 물린 자마다 장대에 달린 놋뱀을 쳐다봄으로 살았다.

이 사건은 예수의 십자가 사건을 직접적으로 예표한다. 창세기 3장에서 뱀의 유혹에 빠져 원망과 불평 가운데 살아가는 자들이 십자가에 달려 돌아가신 예수를 바라봄으로써 살아나는 놀라운 예표이다. 따라서 예수도 모세가 광야에서 뱀을 든 것같이 인자도 들려야 한다고 말씀하시고 친히 성취하신다(요 3:14~15).

물을 주시는 하나님

이스라엘 공동체는 가장 가까운 친족인 에돔에게 거절당한 후 오봇, 이예아바림, 세렛 골짜기, 아르논 건너편을 거쳐 브엘에 이른다. 모세는 가데스에서 에돔 왕에게 왕의 대로로 통과하게 해줄 것을 요청하면서 만약 자기 백성이 에돔 도로의 우물물을 마시면 값을 치르겠다고 했다. 그러나 에돔 왕은 단호히 거절했다. 그리고 백성들은 물이 없다고, 길이 멀다고 원망했다. 그러나 하나님은 브엘까지 그들을 인도하셨고 모세에게 "백성을 모으라 내가 그들에게 물을 주리라"(민 21:16)고 하셨다. 하나님은 척박한 길에서 놋뱀을 바라봄으로 구원을 경험하고 묵묵히 순종해 따라온 자들에게 물을 주셨다. 이 물은 예전에 하나님이 주신 물과는 다르다. 왜냐하면 예전에는 원망이 넘칠 때 징계 후에 주신 물이지만, 브엘의 물은 구원 이후 순종하며 인도함을 받을 때 하나님이 친히 백성을 모으시고 주신 물이기 때문이다. 그 결과 이스라엘은 노래한다.

"우물물아 솟아나라 너희는 그것을 노래하라 이 우물은 지휘관들이 팠고 백성의 귀인들이 규와 지팡이로 판 것이로다"(민 21:17~18).

시혼과 옥을 물리침

하나님의 자식공동체인 이스라엘이 약속의 땅 가나안에 들어가기 위해서는 네 족속을 통과해야 했다. 에돔, 모압, 아모리, 바산이다. 민수기 21장은 이미 에돔을 우회해서 모압 평지에 도착한 시점이다. 그곳 비스바 산 꼭대기에서 요단 강 우편의 광활한 광야를 내려다보던 모세가 아모리 왕 시혼에게 사자를 보낸다. 이스라엘 백성으로 하여금 오직 왕의 대로로만 통과해 가도록 요청했다. 그러나 아모리 왕 시혼은 군대를 거느리고 와서 이스라엘의 통과함을 용납하지 않고 오히려 이스라엘을 친다. 그러나 하나님께서 이스라엘을 도우심으로 아모리 왕 시혼을 쳐 죽이고 아르논 강에서부터 얍복 강까지 아모리 족속의 땅을 정복한다.

얼마 후에 모세는 가나안 북동쪽에 자리한 바산 길로 올라가서 대적하는 바산 왕 옥마저 정복한다. 두 왕 시혼과 옥 그리고 그들의 땅을 정복한 사건은 약속의 땅에 들어가기 위한 준비단계의 완성을 의미한다. 요단 강을 기준으로 동편의 모압 광야에서부터 바산까지 이스라엘이 평정해 드디어 가나안 땅 정복의 교두보를 확보한 것이다. 이스라엘은 바산을 정복한 후 다시 요단 동편 모압 평지라고 불리던 것에 내려와 진을 친다. 하나님께서 시혼과 옥 두 왕과 두 족속을 자식공동체인 이스라엘의 손에 붙이신 것이다.

저주로부터 자식공동체를 보호하심

에돔과 암몬 사이에 모압이 있었다. 당시 모압은 아모리 족속의 왕 시혼에 의해서 전왕이 죽고 모압의 많은 땅을 빼앗긴 상태였다 (민 21:26). 그런데 자신들을 쳤던 아모리 왕과 그 족속을 애굽에서 나온 이스라엘 민족이 전멸한 것을 보고 크게 두려워했다. 당시 족속들 가운데 세력이 비교적 약했던 모압 왕 발락은 전쟁으로는 도저히 이스라엘 민족을 이길 수 없음을 알고 다른 방법을 찾는다. 발락은 미디안에 있는 발람 선지자를 초청해 모압 평지에 진을 친 이스라엘을 저주하게 함으로 주술을 통해 멸망시키려 했다. 모압 왕 발락은 모압의 장로들과 미디안의 장로들을 복술의 예물과 함께 발람 선지자에게 보낸다. 그러나 하나님은 단호하게 그들과 함께 가지도 말고, 애굽에서 나온 하나님의 백성을 저주하지도 말라고 하신다. 그들은 복을 받은 자들이기 때문이다. 하나님은 이스라엘 백성이 범죄했을 때는 그에 상응하는 징계를 내리시지만 외부의 죄악된 세력이 그들을 공격하고 대적할 때 심지어 저주할 때라도 그들을 지키시고 보호하신다. 왜냐하면 그들은 피로 언약 관계를 맺은 자식공동체이기 때문이다.

발락은 다시 발람에게 더 높은 귀족들을 보냈다. 하나님의 뜻은 이미 명백히 나타났음에도 불구하고 발람은 하나님의 말씀을 들어보겠다고 한다. 사실 발람은 더 이상 하나님께 물을 필요가 없다. 하나님의 응답은 이미 명백히 나타났기 때문이다. 그럼에도 그가 묻겠다는 것은 물질에 미혹되었기 때문이다. 하나님은 발람을 깨우치고 그가 저주하려는 이스라엘을 오히려 복 주시기 위해 가라고 명하신다. 돈에 눈이 어두워 하나님의 말씀을 따르지 않던 발람은 자신이 평생 타던 나귀를 통해 하나님의 경고를 받는다. 물질에 눈이 먼 선지자의 영성이 짐승보다 못한 수준으로 떨어진 것이다. 하나님은 나귀의 입을 통해 경고하시면서 그들과 함께 가지만 자신이 이르는 말만 하라고 명하신다.

하나님은 발람 선지자의 입을 축복의 통로로 바꾸셔서 모압 왕 앞에서 자신의 언약 백성을 마음껏 축복하신다. 발락은 발람에게 이스라엘을 저주하기 위해 불렀더니 세 번이나 축복했다며 노를 발한다. 발람은 떠나기 전 마지막으로 발락에게 예언을 하는데 놀랍게도 한 별과 한 홀 그리고 주권자가 야곱에게서 나오는 것을 선포함으로 이스라엘 가운데서 왕권을 가진 메시아가 오실 것을 선언한다.

미혹되는 자식공동체

하나님은 발람의 입을 축복의 통로로 바꾸셔서 자신의 언약공동체를 보호하고 축복하셨다. 그러나 발람은 자기 길로 돌아가면서 모압 왕 발락에게 한 가지 제안을 한다. 그것은 모압이 그 신들에게 제사하는 축제 때에 이스라엘 공동체 중 일부를 초청하라는 것이었다. 이스라엘의 자식공동체 중 일부는 그 꾀에 넘어가 모압의 여자들과 음행하고 먹고 그들의 신들에게 절하며 언약을 어기는 사건이 일어난다. 하나님의 언약공동체가 언약을 깨고 우상을 숭배하고 범죄한 것이다.

특히 시므온 종족의 한 족장이었던 시므리의 범죄는 매우 심각했다. 미혹된 많은 자들이 모압으로 건너가 범죄를 행한 것과 달리 시므리는 미디안 한 족장의 딸인 고스비를 데리고 하나님의 거룩한 공동체 안에 들어왔다. 하나님의 성막이 중앙에 있고, 백성들은 하나님의 진노로 탄식할 때, 모세와 온 회중의 앞에서 고스비를 데리고 와서 자기 장막에 들어가 음행을 저지른 것이다. 죄가 언약공동체 안에 침투한 것이다. 이때 아론의 증손자인 비느하스가 창을 들고 들어가 범죄한 두 사람을 죽인다. 하나님께서는 비느하스의 의로운 행위를 자신의 질투심을 대변한 것으로 인정하심으로 염병을 그치게 하신다. 염병으로 죽은 자가 이만 사천 명이었다. 하나님은 거룩한 공동체를 지키려 한 비느하스를 축복하고 그에게 평화의 언약을 주신다. 후에 하나님의 거룩한 공동체를 미혹한 거짓 선지자 발람은 하나님의 진노로 죽임을 당한다(민 31:8, 16).

2차 인구조사 : 자식공동체 점검

하나님은 이 사건 후에 모압 평지에 유진하고 있는 이스라엘에게 20세 이상 전쟁에 나갈 만한 자를 계수하라고 하시며 본격적으로 가나안 정복을 준비시키신다. 모세와 제사장 엘르아살은 하나님의 명대로 계수한다. 이 조사는 민수기 1장에 나오는 시내 광야에서의 1차 조사와 비교해 볼 수 있다. 시내 광야의 조사는 출애굽한 부모 세대의 수다. 반면에 2차 조사는 모압 평지에서 이루어진 새로운 자식 세대의 인구수다(민 1:1~46, 26:1~51).

1차, 2차 인구조사를 비교해 보면 몇 가지 중요한 점을 발견하게 된다. 첫째는 40년 동안 자식공동체의 숫자가 거의 고정되어 있

	1차 인구조사 시내 광야 출애굽 1세대(2년째)	2차 인구조사 모압 평지 신세대(40년째)	증감
1. 르우벤 자손	46,500	43,730	-2,770
2. 시므온 자손	59,300	22,200	-37,100
3. 갓 자손	45,650	40,500	-5,150
4. 유다 자손	74,600	76,500	+1,900
5. 잇사갈 자손	54,400	64,300	+9,900
6. 스불론 자손	57,400	60,500	+3,100
7. 므낫세 자손	32,200	52,700	+20,500
8. 에브라임 자손	40,500	32,500	-8,000
9. 베냐민 자손	35,400	45,600	+10,200
10. 단 자손	62,700	64,400	+1,700
11. 아셀 자손	41,500	53,400	+11,900
12. 납달리 자손	53,400	45,400	- 8,000
총 수	603,550	601,730	-1,820

었다는 점이다. 이것은 부모 세대의 범죄로 광야에서 그 세대가 다 죽게 되면서 더 이상 증가가 없었다는 것을 의미한다. 현상 유지만 한 것이다. 둘째는 열두 자손 중 특히 한 족장 계열의 인구 감소폭 이 너무 크게 나타난다는 점이다. 시므온 자손이 무려 37,100명이 나 줄었다. 나머지 다른 자손들에 비하면 매우 독특한 현상이다. 왜 이런 현상이 일어났을까? 그것은 모압의 바알에 부속된 자들이 바 로 시므온 자손이었기 때문이다. 염병으로 죽은 자가 무려 이만 사 천 명이라고 했다. 모압의 미혹에 시므온의 지도자들이 넘어가 그 자손이 크게 줄어든 것이다(민 25:14 참조). 셋째는 하나님은 언약 백

성의 실수와 실패에도 불구하고 전체 총수를 섭리 가운데 맞추시면서 언약의 땅을 주기 위해 그들을 준비시키심을 알 수 있다. 넷째는 1차 시내 광야에서 계수되었던 사람 중에 오직 여호수아와 갈렙만이 2차 모압 평지에서도 계수되었다는 점이다. 하나님께서 말씀하신 것이 신실하게 성취됨을 의미한다(민 26:64, 65; 민 32:11). 다섯째는 계수된 명수대로 땅을 제비뽑아 나누어 줌으로 자식의 번성에 따라 땅을 차지하게 하셨다는 점이다. 범죄로 인해 자식의 숫자가 줄어든 족속은 그만큼 적은 땅을 차지하게 되었다(민 26:53, 33:54).

모압 평지의 경고

출애굽한 1차 세대의 베이스캠프가 시내 광야였다면 가나안 정복을 눈앞에 둔 2차 신세대의 캠프는 모압 평지다. 이미 보았듯이 이스라엘은 아모리 왕 시혼과 바산 왕 옥을 치고 모압 평지에 유진한다. 하나님은 이곳에서 전열을 정비하고 가나안 땅 정복을 준비시키신다. 그런데 발람의 미혹으로 크게 상심케 되는 사건이 벌어진다. 하나님은 이 사건을 수습하시고 이스라엘이 행해야 할 제사와 제물에 대한 규례를 다시 명하신다. 모든 준비를 다 마친 후에 하나님은 가나안 땅에 들어가서 주의할 점을 선포하신다. 가나안 땅에 들어가 그 땅 거민을 다 몰아내고 그 새긴 석상과 우상을 다 파멸하고 산당을 훼파하라고 하셨다. 그 땅을 거룩한 백성에게 주셨기 때문이다. 그러나 만약 그들을 몰아내지 않으면 남겨 둔 자들이 너희 눈엣가시와 옆구리의 찌르는 것이 될 것이라 하셨다. 그들에게 행하기로 생각한 것을 너희에게 행하겠다고 하셨다. 이스라엘은 모압 평지에서 주신 하나님의 경고를 진지하게 받아들여야만 했다. 그것이 자식공동체가 약속의 땅에 들어가 사는 길이다.

4. 미래의 자식과 땅 그리고 말씀 모티프 : 신명기

하나님께서 진정으로 원하시는 자식과 땅

신명기는 자식공동체가 약속의 땅에 들어가기 직전 모압 평지에서 모세가 유언적으로 선포한 세 편의 설교다. 그러나 신명기는 단순한 설교가 아니라 언약의 말씀이다. 곧 하나님께서 출애굽 1세대가 다 죽은 후 새로운 신세대 곧 가나안 입성 1세대에게 언약을 갱신하고 언약을 체결하시는 것이다. 이것이 모세의 마지막 사명이다. 따라서 신명기는 자식 모티프와 땅 모티프 그리고 미래의 말씀 모티프가 만나는 현장이다. 약속의 자식이 약속의 땅에 들어가 약속의 말씀대로 살아야 함을 선포하고 언약하는 것이다. 그러므로 신명기는 엄격히 말하면 '말씀' 모티프다. 창세기 15장 16절에서 "네 자손은 사대 만에 이 땅으로 돌아오리니"라고 하신 대로 출애굽기, 레위기, 민수기가 자식 모티프를 주로 다루며 땅을 향해 나아가는 것을 다룬다면 신명기는 이제 그 땅 앞에 다다른 신세대에게 그 땅에 들어가서 어떻게 살 것인지에 대한 하나님의 말씀을 전하고 자식공동체가 그 말씀대로 살겠다는 언약을 체결하는 말씀 모티프 중심의 메시지다.

누가 누구에게

신명기는 과연 누가 누구에게 주신 메시지인가? 그것은 모세가 광야에서 태어난 신세대에게 주는 메시지다. 하나님께서 모세를 통해 출애굽 부모 세대에게 하신 것처럼 가나안 정복을 앞둔 세대에게 하나님의 언약과 말씀을 전하신다. 특히 서론격인 신명기 1장 5절에서 "모세가 요단 저쪽 모압 땅에서 이 율법을 설명하기 시작하였더라"고 기록함으로 출애굽한 사십 년째 해에 모세가 새로운 세대에게 요단 동편 모압 땅에서 언약의 말씀을 설명하였음을 증거하고 있다.

왜 모세는 이들에게 34장에 걸친 언약의 말씀을 선포하는가? 그것은 무엇보다도 약속의 자손이 약속의 땅에 들어가 약속의 말씀으로만 살아야 함을 온전히 증거하는 것이다. 그것이 하나님의 말씀대로 창조된 백성이 죄악된 세상을 상징하는 애굽으로부터 회복되는 유일한 길이기 때문이다. 하나님은 아브라함, 이삭, 야곱, 칠십 인, 이백만의 출애굽 세대, 가나안 정복 세대와 모두 동일한 언약을 맺으신다.

과거, 현재, 미래의 구조

모세는 신명기의 말씀을 어떤 방법으로 선포하는가? 이것을 이해하는 것이 신명기의 메시지를 바르게 살피는 데 많은 도움을 준다. 모세는 과거를 추억하며 언약을 현재화시키고, 미래를 대비하게 하는 구조로 나아간다. 이것이 다른 오경에 비해 독특한 점이다. 특히 모세는 말씀을 전하는 대상을 모두 '너희'로 동일시한다. 물론 과거를 추억하며 교훈을 줄 때의 '너희'는 부모 세대다. 그러나 가나안 땅을 정복할 세대들도 동일하게 '너희'라고 하므로 독자들이 혼돈할 수 있다. 하지만 모세에게 있어서 언약의 대상은 부모 세대나 자식 세대나 동일하다. 신명기의 '과거'는 항상 '현재'의 근원을 가르치고 교훈하며 부모 세대와 자녀 세대를 동일화시킨다. 따라서 '현재'는 자기 정체성을 갖게 하며 '미래'를 대비하게 한다. 이러한 시제구조를 전체적으로 살펴보면 많은 도움을 얻을 수 있다.

과 거(추억)	현 재	미 래
	1:1~5 아브라함 언약 전제	
1:6~3:29 호렙 산 출발 불순종 회진, 시혼/옥 정복		
	4:1~9 말씀과 기도	
4:10~14 호렙 산의 교훈		
	4:15~4:43 우상숭배 경고	
4:44~5:31 호렙 산 언약		
	5:32~33 순종 명령	
	6:1~9 쉐마 이스라엘	
		6:10~25 여호와를 잊지 말라
		7:1~26 이방과 언약하지 말라
8:1~6 40년 광야 훈련		8:7~20 여호와를 잊지 말라
		9:1~5 자기 의로 얻음이 아니다
9:6~10:11 호렙 산 우상 사건	10:12~22 하나님의 요구	
11:1~7 하나님의 행하신 사역		11:8~32 순종의 결과

		12:1~26:19 가나안 땅에서 지켜야 할 규례와 법도
	27:1 현재적 명령	27:2~26 건넌 후 지켜야 할 명령
		28:1~28:68 복과 저주의 조건
	29:1~31:29 모압 언약	
	32:1~32:52 모세의 노래	
		33:1~29 12지파 축복
	34:1~12 모세의 죽음과 여호수아의 계승	

세 개의 언약

과거, 현재, 미래의 시제구조는 동시에 세 편의 설교로 구성되어 있다. 첫 번째 설교는 1장 1절부터 4장 43절까지다. 두 번째 설교는 4장 44절부터 28장 68절까지다. 세 번째 설교는 29장 1절부터 34장 12절까지다. 그런데 세 편의 설교는 놀랍게도 한 흐름과 진전을 갖고 있다. 그것은 각각 언약을 근거로 전개된다는 것이다. 첫 번째 설교는 아브라함 언약이 근원을 이루며 출발한다(신 1:6~7). 두 번째 설교는 호렙 산 언약(신 5:2)을 추억하며 전개된다. 세 번째 설교는 모압 언약(신 29:1)을 세우심으로 전개된다. 신명기는 세 편의 설교가 모두 아브라함 언약, 호렙 산 곧 시내 산 언약, 모압 언약으로 구성되는 전적인 말씀 모티프의 중심을 이룬다.

세 편 설교의 핵심 메시지

신명기의 히브리어 본래의 제목은 "다음은……의 말이다"라는 신명기의 서두에서 취한 것으로, 약속의 자손이 약속의 땅에 들어가기 직전에 모세가 그들에게 전한 하나님의 말씀을 의미한다. 수많은 세대가 역사 속에 존재하다 사라졌지만 지금 이 세대는 약속의 땅을 목전에 두고 있는 성취의 세대다. 그러므로 하나님은 모세를 통해 그들이 약속의 땅에 들어가 어떻게 살아가야 할 것인지 진지하고 자세하게 말씀하신다. 그러면 신명기 세 편 말씀의 핵심적 메시지는 무엇인가?

아버지 세대를 교훈 삼아라

모세는 신명기의 독자인 광야 신세대에게 40년 전의 아버지 세대를 교훈 삼으라고 한다. 아버지 세대 곧 출애굽 세대를 통해 얻을 수 있는 가장 큰 교훈은 무엇인가? 그것은 말씀에의 순종이다. 곧 믿음의 도전이다. 모세는 40년 전에 가데스바네아에서 약속의 땅으로 올라가라고 하실 때 그들이 아이디어를 냈다고 한다. 그들의 아이디어가 무엇인가? 사람을 보내어 그 땅을 정탐하자는 주장이었다(신 1:22). 하나님께서는 수백 년 전에 이미 아브라함에게 그 땅을 주겠다고 약속하시고 언약까지 체결하고 그 현장에 이르게 하셨는데 언약의 성취를 맛볼 수 있었던 최고의 세대였던 그들의 아이디어가 결국 불순종의 결과에서 나왔던 것이었다.

합리적인 아이디어보다 앞서는 것이 하나님께 대한 전적인 믿음과 순종이다. 이것이 아버지 세대의 결정적인 교훈이다. 모세는 부모 세대의 불순종의 결과를 추억하면서 이들에게 말씀에 순종하는 것이 무엇보다 중요함을 강조한다. 이처럼 신명기의 과거 시제의 모든 내용들은 말씀에 순종하라는 강력한 교훈을 갖고 있다.

언약의 현재성

모세는 모압 평지에서 온 이스라엘 백성들을 불러 모은다. 그리고 40년 전에 하나님께서 호렙 산에서 언약을 맺으셨다고 선포한다. 그런데 모세는 하나님께서 언약을 선포하신 대상이 부모 세대가 아니라 바로 '너희들' 곧 여기 살아 있는 우리와 맺으신 것임을 강조한다(신 5:2~3). 호렙 산의 언약은 분명히 부모 세대와 맺은 것임이 틀림없는데 왜 모세는 그 자녀 세대들과 맺었다고 선언하는가? 그것은 언약의 대표성과 현재성을 동시에 가리킨다. 언약은 단지 당사자들에게만 해당되는 것이 아니다. 언약은 언약의 관계 속에 들어와 있는 모든 이들을 포함한다. 그래서 세대가 흘러도 언약의 대상자들은 늘 언약의 현재성 속에서 하나님과의 관계를 유지하는 것이다. 아브라함의 언약은 모압 평지에 있는 그 자손들에게 여전히 유효한 것이고, 오늘날 우리에게도 여전히 유효하다. 다만 언약의 성취와 완성 차원에서 각 대상자들에게 다가오는 것이다.

가나안 정복을 앞둔 이 세대에게 모세는 무엇보다도 언약의 현재성과 미래성을 강력히 선포함으로 이들이 철저히 하나님과의 언약 관계 속에서 성취적 누림을 갖기를 소망한다. 그 누림은 무엇을 통해서 오는가? 그것은 오직 말씀에 순종함으로만 가능하다.

말씀이 곧 생명이다

왜 말씀에 순종해야 하는가? 말씀이 곧 생명이기 때문이다. 하나님의 말씀은 하나님의 인격 곧 하나님의 생명에서 나온 것이다. 세상이 모두 하나님의 말씀으로 창조되었다는 것은 말씀이 곧 세상의 생명들을 존재케 하는 근원임을 의미한다. 그러므로 말씀에 순종하는 것이 인간의 본분인 동시에 인간이 사는 길이다. 신명기는 무엇보다도 말씀의 위치와 본질 그리고 말씀의 결과를 명확히 제시한다. 약속의 자손이 약속의 땅에 들어가 약속의 말씀대로 살 때 진정한 하나님 왕국의 축복을 생명적 관계에서 누릴 수 있음을 말한다. 그래서 모세는 하나님께서 40년간 부모 세대를 훈련시키신 유일한 이유가 그들의 마음이 어떠한지 하나님의 말씀에 순종하는 여부를 알기 위함이라고 했다. 그리고 사람이 떡으로만 사는 것이 아니라 하나님의 입에서 나오는 모든 말씀으로 사는 줄을 알게 하려고 훈련시키셨다고 했다(신 8:2~3).

40년 광야 유랑의 원인이 말씀에 대한 불순종이고, 40년 훈련의 목적이 말씀으로 사는 것을 알게 하심임을 볼 때 얼마나 말씀이 중요한지 알 수 있다. 말씀이 곧 생명이란 말이다. 그래서 하나님은 "오늘 내가 네게 명하는 이 말씀을 너는 마음에 새기고 네 자녀에게 부지런히 가르치며 집에 앉았을 때에든지 길을 갈 때에든지 누워 있을 때에든지 일어날 때에든지 이 말씀을 강론할 것이며 너는 또 그것을 네 손목에 매어 기호를 삼으며 네 미간에 붙여 표로 삼고 또 네 집 문설주와 바깥 문에 기록할지니라"(신 6:6~8)고 하셨다. 하나님께서는 "너와 네 아들과 네 손자들이 평생에 네 하나님 여호와를 경외하며 내가 너희에게 명한 그 모든 규례와 명령을 지키게"(신 6:2) 하심으로 말씀이 삼 세대에 걸쳐 계속해서 전수되는 삶을 명하신다.

진정한 자식공동체의 모습

신명기는 무엇보다도 약속의 땅을 차지할 약속의 자손을 향한 하나님의 뜻을 명백히 드러낸다. 그것이 명백히 나타난 말씀이 신명기 28장 62절이다. 신명기 28장은 언약의 장이라 할 수 있다. 언약이 지켜질 때 오는 복과 언약을 파기할 때 오는 저주가 기록되어 있다. 이 가운데 특히 62절에 하나님께서 원하시는 자식공동체에 대한 핵심적 메시지가 있다. 그것은 "너희가 하늘의 별처럼 많을지라도 네 하나님 여호와의 말씀을 청종하지 아니하므로 남는 자가 얼마 되지 못할 것이라"는 것이다. 하나님께서는 무자한 아브라함에게 하늘의 별처럼 많은 자손을 주겠다고 하셨다. 그리고 그 약속은 신명기를 기록하고 있는 시점에 이미 이루어졌고, 이들은 자신들이 살 약속의 땅을 차지하기 직전에 놓여 있다. 이 시점에 하나님은 진정한 자식공동체의 모습이 어떠해야 하는지 말씀하신다. 그것은 말씀에 순종하는 자식공동체이다.

하나님께서 원하시는 공동체는 단지 숫자만 가득한 하늘의 별과 같은 자들이 아니다. 창조주 하나님과 구원자 하나님 곧 거룩하신 하나님께 순종하는 자식들이 하늘의 별과 같이 많기를 바라신 것이다. 곧 왕이신 하나님께 온전히 순종하는 그의 새로운 자식공동체를 원하신다. 그것이 하나님 나라에 속한 하나님의 백성의 진정한 모습이기 때문이다.

순종의 결단

모세는 약속의 자손이 약속의 땅에 가서 하나님의 모든 말씀에 순종하며 살라고 명한다(신 30:8). 모세는 말씀에 순종하는 삶이 어려운 것이 아니고 먼 것도 아니라고 말한다. 왜냐하면 하나님의 말씀이 하늘에 있는 것이 아니고, 바다 밖에 있는 것도 아니기 때문이다. 하나님의 말씀이 하늘 위나 바다 밖처럼 멀리 있어 누가 가서 가져와야 할 것이 아니다. 그 말씀은 오히려 심히 가까이 있는데 곧 내 입에 있으며 내 마음에 있다. 그러므로 그 말씀대로 순종할 수 있다(신 30:11~14). 모세는 그의 마지막 유언으로 하나님께서 그의 백성을 사랑하시기 때문에 모든 성도가 그 수중에 있다고 선언한다. 그리고 그들이 주의 발 아래 앉아서 주의 말씀을 듣는다고 말한다(신 33:3). 그리고 열두 지파를 축복함으로 오경이 끝난다.

이제 하나님의 약속의 자손에게 요구되는 것은 오직 순종으로 귀결된다. 순종의 삶 곧 이것이 약속의 자손이 약속의 땅에서 살아가는 삶의 원리이다. 지금 약속의 땅을 바라보고 있는 자들에게 가장 요구되는 것은 출애굽을 시키시고, 홍해를 건너게 하시고, 40년 광야 생활을 인도하며 바산 왕 옥과 아모리 왕 시혼에게서 구원하신 전능하신 하나님께 그 말씀대로 살겠다는 순종에의 결단뿐이다. 순종의 삶만이 약속의 땅에서 하나님과 함께 살아가는 비결이기 때문이다.

제4장

자식과 땅의 만남의 역사
: 여호수아, 사사기, 룻기

1. 2+1의 만남 : 여호수아

출애굽 후 → 여호수아와 가나안 정복 → 사사시대 ——— 사무엘상·하	
룻 ——— 사무엘상·하	

새로운 리더의 조건

여호수아서는 모세오경 이후에 성경의 흐름을 이어가는 매우 중
요한 위치에 있다. 여호수아서는 마치 모세오경을 잇는 육경과도

같다. 창세기에서 신명기까지는 아브라함의 언약 가운데 실질적으로는 자식과 관련된 언약만 성취되었다. 그러나 여호수아에 와서야 드디어 약속의 땅을 본격적으로 차지하게 됨으로 땅에 대한 언약이 성취된다. 따라서 여호수아서는 언약의 두 요소인 자식과 땅의 만남을 본격적으로 다룬다. 특히 여호수아서의 서론인 1장 1절부터 9절까지에 '자식'과 '땅'과 '말씀'의 만남이 정확하게 나와 있다. 2절을 보라.

"내 종 모세가 죽었으니 이제 너는 이 모든 '백성'과 더불어 일어나 이 요단을 건너 내가 그들 곧 이스라엘 자손에게 주는 '그 땅'으로 가라."

여기에 '이 모든 백성과 더불어'와 '이스라엘 자손에게 주는 그 땅으로 가라'는 아브라함에게 언약했던 바로 그 자식과 땅이 드디어 만난다. 그런데 놀랍게도 하나님은 여호수아에게 자식이 땅에 들어가는 것만으로 모든 것이 성취된 것이 아님을 알리신다. 그 땅에 들어가는 자식공동체가 가장 명심해야 할 것을 곧이어 강조하는데 그것이 곧 '말씀'이다.

우선 지도자인 여호수아가 모세처럼 하나님의 말씀에 온전히 순종해야 한다. 하나님은 여호수아에게 모세와 함께한 것처럼 그와 함께하겠다고 하시면서 "……모세가 네게 명령한 그 율법을 다 지켜 행하고 우로나 좌로나 치우치지 말라", "이 율법책을 네 입에서 떠나지 말게 하며 주야로 그것을 묵상하여 그 안에 기록된 대로 다 지켜 행하라"(수 1:7, 8)고 하신다. 이처럼 여호수아서는 서론에서 '자식'과 '땅' 그리고 '말씀' 곧 '2+1'의 원리를 강조함으로 가나안 땅 정복의 방향성을 제시한다. 하나님은 모세 이후에 두려움 가운데 있는 여호수아를 친히 만나 주심으로 모세에게 주셨던 리더십을 동일하게 위임하셔서 언약의 성취에 쓰임받게 하신다.

라합의 등장

여호수아는 싯딤에서 두 정탐꾼을 여리고 성으로 보낸다. 두 정탐꾼의 이야기는 자연스럽게 라합을 성경 역사의 무대에 등장시킨다. 라합은 기생으로서 많은 정보를 갖고 있었다. 라합이 이미 갖고 있었던 정보는 이스라엘이 40여 년 전에 출애굽한 사건, 홍해를 건넌 사건, 요단 동편 아모리 왕 시혼과 바산 왕 옥을 전멸시킨 사건 등이다. 그런데 놀랍게도 라합은 그것을 여호와께서 하셨다고 고백한다. 그리고 여호와를 상천하지의 하나님으로 고백한다. 사실 당시 고대 이방인들의 신관은 지역신 개념을 벗어나지 못하고 있었다. 그러나 라합은 이미 하나님을 자신들이 섬기는 신과는 비교할 수도 없는 우주적인 하나님으로 받아들였던 것이다. 그리고 이러한 하나님에 대한 믿음이 정탐꾼을 살려 주는 행위로 나타난다. 이 사건으로 인해 라합은 이스라엘이 여리고 성을 정복할 때 붉은 줄을 달아 표시하고 모든 가족을 구원한다.

라합의 등장은 무슨 의미가 있는 것일까? 그것은 죄악으로 인해 심판에 이른 가나안의 첫 성에서 놀라운 구원의 사건이 일어난 역설적 의미가 있다. 성경은 항상 심판과 구원이 함께 나타난다. 노아 사건, 롯 사건, 라합 사건이 그렇다. 여기서 심판과 함께 나타나는 구원의 사람들은 그야말로 상징성이 매우 큰 사람들이다. 심판 가운데서도 구원을 베푸시는 은혜의 하나님을 계시하는 것이다. 이와 더불어 라합의 등장은 그동안 출애굽기와 민수기 그리고 신명기, 여호수아로 이어지면서 거대한 역사 속에 함몰되는 것처럼 보였던 자식 모티프의 등장을 의미한다. 자식 모티프의 사중의미 가운데 핵심인 여자의 후손으로 오시는 메시아 예수의 맥이 라합을 통해 가나안의 첫 심판에 구원의 줄기로 나타나는 것이다. 따라서 라합은 이방여인이요, 천대받는 여인이었음에도 불구하고 예수 그리스도의 계보에서 중요한 위치를 차지한다(마 1:1).

요단 강이 갈라짐

정탐자들이 돌아온 후 여호수아는 드디어 이스라엘 백성들과 더불어 요단을 건널 준비를 한다. 하나님은 여호수아에게 제사장들이 먼저 법궤를 메고 요단 강으로 들어서라고 하신다. 여호수아는 '온 땅의 주의 언약궤'라고 두 번씩이나 선포함으로 아브라함 언약, 시내 산 언약에 이은 온 땅의 주의 언약의 역사가 요단을 가르게 하시고 약속의 땅으로 나아가게 하심을 증거한다.

요단 강을 건널 때 시점은 매우 중요하다. 하나님은 요단 강물이 가장 수위가 낮을 때 건너게 하신 것이 아니라 오히려 일 년 중 가장 범람할 때 건너가게 하신다. 요단 강이 보리 추수하는 때 곧 레바논의 눈이 녹아 흐르고 비가 많이 와 가장 범람할 때를 택하신 것이다. 이것은 무엇을 말하는가? 출애굽 후 홍해를 건너게 하심으로 하나님께서 언약 성취의 주인인 것을 보이신 것처럼 가장 위험할 때 요단의 물을 가르심으로 여전히 가나안 땅 정복의 성취는 하나님께 달려 있고 하나님께서 함께하심을 보여 주시는 것이다. 또한 요단의 물줄기가 갈라져 길을 내었을 때 요단 건너편 어느 땅으로 길을 내셨는가? 놀랍게도 하나님은 여리고 성 앞으로 바로 건너게 하셨다. 길의 방향까지 온전히 인도해 주신 것이다. 이처럼 요단이 갈라지고 '온 땅의 주' 이신 하나님의 언약궤를 멘 제사장들이 요단 한가운데 멈추어 섰고 모든 약속의 백성이 마른 땅을 건너간다. 하나님께서 약속의 자손에게 드디어 그 땅을 밟게 하시는 것이다.

길갈 베이스캠프

이스라엘 백성이 요단 강을 건너 도착한 곳은 길갈이다. 길갈은 약속의 땅을 정복하는 데 있어 매우 의미있는 장소다. 여호수아는 길갈을 가나안 땅 정복을 위한 베이스캠프로 삼는다(수 10:9, 43, 14:6). 그러나 길갈이 단지 땅을 정복하는 지리적 차원에서만 베이스캠프가 되는 것은 아니다. 여기에는 놀라운 하나님의 역사와 의미가 깃들어 있다. 하나님이 길갈에서 행하게 하신 대표적인 일이 세 가지다.

첫째, 요단 강을 건널 때에 '온 땅의 주' 의 제사장들이 법궤를 들고 멈추었던 그곳에서 열두 돌을 취해 기념비를 세우게 하셨다. 이 길갈의 열두 돌의 기념비는 자손 대대로 '온 땅의 주' 전능하신 하나님을 알리는 증표다. 자손 대대로 그들이 이 열두 기념비를 통해 하나님께서 출애굽 세대를 홍해를 갈라 건너게 하신 것처럼 가나안 정복 세대에게는 요단을 건너가게 하심으로 전능하신 하나님을 전수하라는 의미이다(수 4:22~24).

둘째, 광야에서 태어나 할례를 받지 못한 백성들에게 할례를 받게 하셨다. 할례가 무엇인가? 할례는 하나님과 아브라함이 언약을 맺었을 때 인간 편에서 언약의 증표로 행해야 했던 의식이다. 할례를 통해 하나님은 이스라엘 백성에게 바로 자신들이 아브라함 언약의 후손임을 명백히 밝히시고 그 언약을 하나님께서 여전히 기억하시고 지키시고 계심을 보여 주는 것이다. 사실 할례를 행하면 온 백성이 각기 처소에서 낫기를 며칠 동안 기다려야 했다. 적진 바로 앞에서 군사들이 누워있는 것이다. 그럼에도 불구하고 하나님은 길갈에서 할례를 행하게 하셨고 "오늘 애굽의 수치를 너희에게서 떠나가게 하였다"(수 5:9)라고 말씀하신다. 이처럼 하나님은 길갈에서 할례를 행하게 하심으로 한편으로는 애굽에서 종살이 하던 언약 백성의 과거의 수치를 제거하고, 다른 한편으로는 언약 갱신을 통해 당면한 미래에 가나안 땅을 주실 것임을 확신시켜 주신다.

셋째, 그 달 십사일에 유월절을 지키게 하셨다. 이미 살펴보았듯이 유월절은 항상 새로운 출발의 시점이다. 출애굽도 유월절을 통해서 출발했고, 시내 산에서 출발할 때도 유월절을 지내고 출발했다. 가나안 정복 또한 유월절을 지키고 시작하게 하신다. 유월절은 무엇인가? 십자가를 의미한다. 가나안의 모든 정복이 오직 예수 그리스도의 십자가의 사건을 통해서만 성취되는 영적 의미가 있는 것이다. 따라서 길갈은 열두 돌을 통한 하나님의 전능하심을 전수, 할례를 통한 언약 갱신과 확신, 유월절을 통한 십자가로부터의 출발이라는 의미로서 영적, 지리적 베이스캠프 역할을 한다.

가나안 땅 정복 첫 승리

언약의 자식공동체가 언약의 땅의 첫 성인 여리고 성을 정복한 승리의 비결이 있다.

첫째, 하나님의 승리의 보장이다. 하나님은 군대장관을 여호수아에게 보내심으로 가나안의 첫 성인 여리고 성을 그들의 손에 붙였음을 확신시켜 주셨다. 여호와의 군대장관이 앞서 싸우겠다는 것이다.

둘째, 말씀에 순종하는 것이다. 하나님은 인간의 생각으로는 전혀 이해하기 어려운 방법을 주셨다. 불가능하게 보이는 방법으로 순종할 것을 원하셨다. 여호수아와 이스라엘의 모든 백성들이 열세 번에 걸쳐 순종하고 여리고 성을 돌 때 하나님의 보장은 곧 역사적 현실로 다가왔다.

셋째, 주의사항이다. 하나님께서는 여리고 성을 열세 번 돌라고 하시면서 한 가지 주의사항을 주셨다. 그것은 '음성을 들리게 하지 말라'는 것이다(수 6:10). 왜 하나님께서는 침묵 가운데 여리고 성을 돌라고 하시는가? 만약 말을 하는 것을 허락했다면 분명 이스라엘은 열세 번 돌기 전에 스스로 무너져 내렸을 것이다. 인간의 죄성 때문에 의심하는 말, 부정적인 말이 퍼져 내부적으로 심각한 상황이 되었을 것이다. 그러나 하나님은 40년 광야 생활의 결과로 순종과 침묵 곧 기도 가운데 여리고 성을 돌 것을 명령하셨고 하나님의 언약의 백성은 말씀에 온전히 순종함으로 대역사를 경험하게 된다.

실패의 원인

여리고의 첫 승리에도 불구하고 아이 성 싸움에서 이스라엘은 큰 상처를 입는다. 하나님의 백성이 실패를 맛본 것이다. 실패의 원인은 어디에 있는가?

첫째, 기도가 없었다. 여호수아나 이스라엘이 모두 여리고 성 승리에 들떠 하나님께 묻기보다는 인간의 아이디어를 앞세웠다. 정탐꾼이 모두 올라가 수고롭게 하지 말고 이삼천 명만 올려 보내면 될 것이라는 말에 모두 따랐다. 하나님의 말씀보다는 사람의 말을 따른 것이다.

둘째, 성결을 상실했다. 아간이 가나안의 첫 열매로서 하나님께 바쳐진 여리고 성의 전리품을 훔친 것이다. 하나님의 말씀에 불순종한 아간의 범죄가 결정적 원인이다. 하나님은 여리고 성의 것은 다 하나님께 바치게 하시고 그 다음의 모든 정복의 전리품을 다 나누어 갖도록 하셨는데 하나님의 것을 도적질한 죄를 범하여서 아이 성의 처참한 실패를 가져온 것이다.

셋째, 기도하지 않으니 하나님께로서 오는 전략이 없었다. 여리고 성 싸움에서는 하나님께서 성을 돌라는 전략을 주셨지만 아이 성 싸움에서는 하나님의 전략이 없었다. 기도하지 않으면 인간의 아이디어만이 넘칠 뿐이다. 하나님의 인도하심이 없는 인간의 전략으로는 실패만 있을 뿐이다.

넷째, 최선을 다하는 전력이 없었다. 나중에 울며 회개하고 하나님으로부터 전략을 받고 나아갈 때 하나님은 모든 군사를 거느리고 올라가라고 하신다. 아무리 작은 아이 성이라 해도 최선을 다

하고 온 힘을 다하라는 것이다.

여호수아서는 여리고 성 싸움과 아이 성 싸움을 비중있게 다루면서 모든 가나안 땅 정복의 본보기로 기록한다. 언약의 땅 정복의 성공과 실패의 원인은 한마디로 살아 계신 하나님의 말씀에 순종하느냐 불순종하느냐에 달려있다는 것이다. 이 두 사건을 통해 '자식'과 '땅'과 '말씀'의 관계가 다시 한 번 입증된다.

언약 갱신

아이 성 전쟁 후에 여호수아가 절실히 깨달은 것은 무엇인가? 말씀에 대한 순종이다. 말씀의 중요성이다. 다시 말하면 언약의 갱신이다. 여호수아가 아이 성 패배 후에 행한 일을 보면 확연히 드러난다. 모세는 이스라엘이 요단 동편 모압 평지에 있을 때 모압 언약을 체결토록 했다. 그리고 약속의 땅에 들어가면 에발 산에서 언약을 갱신할 것을 명했다(신 27:1~26). 여호수아가 바로 모세의 이 명령을 기억한 것이다. 그래서 그는 아이 성 싸움을 경험한 후 하나님의 말씀에 순종하는 언약의식을 거행한다. 이스라엘의 절반은 그리심 산에, 절반은 에발 산에 세우고 여호수아가 율법책에 기록된 모든 말씀을 낭독한다. 즉 모세오경을 낭독한 것이다. 이 모든 말씀을 누가 들었는가? 온 이스라엘 회중과 여자들과 아이와 그중에 동행하는 거류자들 모두가 들었다. 소위 이것을 그리심 산과 에발 산 사이인 세겜에서 이루어진 언약이므로 세겜 언약이라고도 한다.

여호수아는 언약의 백성이 언약의 땅에 들어와 첫 승리 후 방심하고 말씀을 어길 때 어떠한 결과가 오는지 아이 성 싸움을 통해 깊이 깨달았다. 그리고 세겜의 언약을 통해 순종 곧 언약대로 지키면 축복이요, 불순종 곧 언약을 파기하면 저주가 임하는 언약을 체결함으로 모압 언약을 완성한다. 이것은 곧 이제 가나안 땅에서의 모든 백성들에게 하나님의 언약의 효력이 본격적으로 임할 것임을 암시하는 것이다(수 8:30~35).

암울한 그늘

언약 갱신 이후 불행하게도 이스라엘 가나안 땅 정복 역사에 암울한 그늘이 드리운다. 성경은 두 가지의 그늘을 말씀하고 있다. 첫째는 기브온 거민 히위 사람들(수 11:19)이 이스라엘 백성을 속이고 화친의 언약을 맺음으로 가나안 땅의 어떤 족속과도 언약을 맺지 말라고 하신 하나님의 명령을 어기게 된다(수 9:3~27). 이 언약은 사울과 다윗 시대까지 영향을 미친다(삼하 21:1~14). 여호수아와 이스라엘은 기도하지 않고 화친을 맺는 우를 범한다. 둘째는 유다 자손이 분배받은 예루살렘 땅의 여부스 거민을 쫓아내지 못하는 사건이 발생한다. 쫓아내지 못하는 사건이 여호수아 시대부터 발생하는 것은 약속의 땅을 정복해 들어가는 데 큰 문제가 된다. 사사기는 이러한 그늘이 실제로 드리워지는 현장이 되고 만다. 하나님은 가나안 땅의 모든 족속의 죄악이 극에 달해 심판을 하는 것인데 쫓아내지 못했다는 것은 얼마 후에 그들이 오히려 이스라엘에게 올무가 될 것임을 예시하는 것이다(수 15:63).

연대 순종

이러한 암울한 그늘이 있음에도 불구하고 여호수아는 하나님께서 약속하신 땅을 온전히 정복해 들어간다. 특히 여호수아는 연대 순종에 탁월한 자다. 하나님은 모세에게 명했고, 모세는 여호수아에게 명했고, 여호수아는 그대로 행해서 하나님께서 무릇 모세에게 명하신 것을 하나도 행하지 아니한 것이 없었다고 했다(수 11:15). 하나님, 모세, 여호수아로 이어지는 '말씀'의 역사는 암울한 그늘을 헤쳐나가는 유일한 길임을 재천명하는 것이다.

땅의 정복과 분배

여호수아는 이처럼 철저하게 하나님께 순종하면서 약속의 땅을 정복하는 성취를 누린다. 여호수아는 북부지방을 정복하고 나이 많아 늙을 때까지 여리고 성 왕으로부터 시작해 서른한 명의 왕들과 성읍들을 정복한다(수 11~12장). 그러나 여호수아 시대에 모든 약속의 땅이 정복된 것이 아니다. 아직도 많은 땅들이 남아 있었다(수 13:1~7). 그럼에도 불구하고 하나님께서는 "그 남은 땅도 다 너희에게 줄 것이니 제비를 뽑아 분배하라"고 명하신다. 이미 요단 동편에서 모세가 분배한 므낫세 반 지파, 갓 지파, 르우벤 지파를 제외한 아홉 지파와 므낫세 반 지파를 나누어 기업을 주신다.

여기서 레위 지파는 제외되었는데 레위 지파에게는 하나님께 드리는 화제물이 기업이 되었기 때문이다. 이 말은 레위 지파에게는 하나님 자신이 기업이 되심을 의미한다(수 13:14, 33). 분배의 방법은 제비뽑기로 하나님께서 각 지파의 가족에 따라 적절하게 지정해 주셨음을 의미한다. 약속의 자손이 약속의 땅을 받는 것은 전적으로 하나님의 주권 아래 있음을 의미한다. 곧 은혜의 선물로 기업을 받는 것이다.

갈렙의 비전

여호수아서에서 돋보이는 사람은 단연 갈렙이다. 그는 여호수아와 함께 유일하게 아브라함에게 약속하신 땅을 들어가 정복하는 사람이다. 그는 2인자로서 끝까지 변하지 않고 자기의 사명에 충실한 자이다. 성경은 약속의 땅을 분배하는 구체적인 사건을 다루면서 가장 먼저 갈렙이 약속의 땅을 요구할 자격이 있음을 밝히 드러낸다. 유다 지파부터 시작되는 분배의 시작에 앞서 갈렙은 당당히 45년 전에 모세를 통해 약속받은 헤브론 땅을 요구함으로써 기업을 받는다(수 14:6~15).

헤브론 땅이 어떤 땅인가? 아브라함이 약속의 땅의 첫 열매로 사두었던 막벨라 굴이 있는 곳이다(창 23:16~20). 이곳은 사실 이스라엘 민족에게 있어서는 예루살렘보다 더욱 의미가 있는 곳이다. 왜냐하면 아브라함과 사라를 비롯한 이스라엘의 조상의 묘실이 있는 곳이기 때문이다. 이 땅을 갈렙이 받은 것이다. 그는 이미 85세의 노인이 되었지만 비전을 잃지 않고 결국 그 비전을 이루고 만다. 갈렙이 이처럼 놀라운 복을 받은 비결은 무엇 때문인가? 그것은 무엇보다도 여호와를 온전히 좇았기 때문이다(수 14:8, 9, 14). 평생에 걸쳐 하나님의 말씀을 온전히 좇은 여호수아와 갈렙 같은 자만이 결국 약속의 땅을 차지하는 것이다.

말씀대로

가나안 땅의 정복과 분배는 어떤 원리에 의해서 이루어지는 것인가? 그것은 하나님의 언약과 성취의 원리다. 여호수아서는 가나안 땅의 정복과 분배를 다 기술한 후(수 11~21장) 결론을 이렇게 맺는다.

> "여호와께서 이스라엘의 조상들에게 맹세하사 주리라 하신 온 땅을 이와 같이 이스라엘에게 다 주셨으므로", "여호와께서 그들의 주위에 안식을 주셨으되 그 조상들에게 맹세하신 대로 하셨으므로", "여호와께서 이스라엘 족속에게 말씀하신 선한 말씀이 하나도 남음이 없이 다 응하였더라"(수 21:43~45).

하나님은 아브라함과 맺은 언약 그대로, 시내 산에서 이스라엘 백성들과 언약을 맺은 그대로, 모압 평지에서 언약을 맺으신 그대로 신실하게 이루어 주신 것이다. 이것이 하나님이 일하시는 원리다. 하나님은 언제나 생명을 다해 약속하시고 그것을 신실하게 성취하심으로 언약 대상자인 그의 백성이 하나님을 경험하게 하신다. 이제 언약의 백성에게 남은 일은 분배받은 땅에서 본인들도 하나님과 맺은 피의 언약 곧 말씀대로 사는 것이다. 그것이 언약 백성들의 삶의 원리이기 때문이다.

1차 고별설교

여호수아서의 결론은 여호수아의 유언적 고별설교다. 고별설교는 1차(수 23장), 2차(수 24장)로 나누어진다. 먼저 1차 고별설교는 지도자들에게 선포된다. 여호수아가 생애 마지막으로 이스라엘의 지도자들에게 당부하는 메시지는 오직 하나다. 하나님께서 말씀하신 대로 너희가 이제 모든 땅을 차지하게 될 것이라고 선언하면서 "그러므로 너희는 크게 힘써 모세의 율법 책에 기록된 것을 다 지켜 행하라 그것을 떠나 우로나 좌로나 치우치지 말라"(수 23:6), 곧 말씀 모티프를 강조한다. 약속의 자손이 약속의 땅에 들어가 약속의 말씀에 순종해 살 때에만 하나님의 선하심과 축복이 임한다는 말씀이다. 만약 남아 있는 자들과 화친하고, 언약을 체결하면 결국 그들이 올무가 되고 덫이 되어 반드시 멸망할 것임을 선포하고 있다. 언약을 지키며 살 것을 유언적으로 명하는 것이다. 여호수아는 아브라함과 시내 산의 언약의 원리에 의해서 살았고 마지막으로 언약의 삶만이 앞으로 가나안 땅에서 살 후세대의 유일한 살 길임을 지도자들에게 천명한다.

2차 고별설교

여호수아는 지도자들에게 가나안 땅에 들어가 오직 하나님을 친근히 하고 말씀 가운데서 살 것을 당부한 후 모든 이스라엘 지파를 세겜에 소집한다. 세겜은 어떤 곳인가? 세겜은 아이 성 전투 패배 경험 후에 여호수아가 이스라엘을 절반은 그리심 산에 절반은 에발 산에 세우고 언약을 체결한 곳이다. 이 역사적 장소에서 여호수아는 이스라엘 모든 백성을 다시 모아 마지막 유언을 한다. 여호수아의 2차 고별설교는 그야말로 이제 가나안 땅에서 살아갈 세대에게 누구를 선택할지를 택하게 하는 도전적 메시지다.

여호수아는 이스라엘 하나님께서 말씀하셨음을 선포한다. 하나님께서 친히 말씀하시기를 조상 아브라함을 가나안 땅으로 이끌어 내어 그 씨를 번성케 하려고 이삭을 주심부터 시작해 요단을 건너 지금 세대에게 이 약속의 땅을 주셨음을 추억한다. 여호수아의 고별설교는 전적으로 언약의 세 요소인 '자식'과 '땅' 그리고 '말씀' 모티프를 중심으로 전개된다. 그후에 여호수아는 이제 이처럼 역사 속에서 인도하시고 함께하신 하나님을 선택하든지 가나안의 아모리 사람의 신을 선택하든지 결단할 것을 촉구한다. 그러면서 "오직 나와 내 집은 여호와를 섬길 것이라"고 선언한다. 이에 대해 백성들은 언약을 세우고(수 24:25) 오직 하나님만을 섬길 것을 결단한다. 그리고 증거의 돌을 세겜에 세운다. 인생의 마지막까지 자신에게 부여된 사명을 온전히 감당하는 여호수아의 사역은 일백십 세까지 계속된다.

2. 2+1의 실패와 승리의 패러다임 : 사사기

반복 구절

창세기부터 여호수아서까지는 언약이 성취되는 과정을 다룬다.

아브라함의 언약이 시내 산 언약으로 이어지고 모압, 세겜 언약으로 진전되면서 언약대로 약속의 자손이 약속의 땅을 차지하게 된다. 그러나 여호수아가 죽은 후에도 약속의 땅은 다 정복된 상태가 아니다. 따라서 각 지파별로 제비를 뽑아 분배받은 땅을 정복해 들어가야 했다. 그래서 이스라엘 백성이 하나님께 어느 지파가 먼저 올라가 가나안 사람들과 싸울 것인지 묻는다. 하나님은 유다 지파가 먼저 올라가라고 하신다. 유다는 넷째였음에도 불구하고 사실상 영적 리더십을 갖게 된다. 하나님은 가나안 정복의 선봉장으로 유다 지파를 세우심으로 유다 지파에서 이스라엘을 이끌 지도자가 나올 것을 예시하신다.

이처럼 여호수아 사후에 새롭게 전개되는 지파별 정복전쟁이 사사기의 시작이다. 그런데 지파별 정복시대에 가장 문제가 되는 장면이 등장한다. 사사기는 그것을 매우 중요하게 다루는데 그것은 반복되는 구절을 통해 알 수 있다. 그러면 사사기 초반부에 가장 많이 반복되는 구절은 무엇인가? 그것은 지파별로 쫓아내지 못했다는 구절이다. 1장에서 무려 아홉 번이나 반복되고 있다.

유　다 - 골짜기의 주민들은 철병거가 있으므로 그들을 쫓아내지
　　　　 못하였으며(삿 1:19)
베냐민 - 예루살렘에 거주하는 여부스 족속을 쫓아내지 못하였으므
　　　　 로(삿 1:21)
므낫세 - 므깃도와 그에 딸린 마을들의 주민들을 쫓아내지 못하
　　　　 매……다 쫓아내지 아니하였더라(삿 1:27~28)
에브라임 - 에브라임이 게셀에 거주하는 가나안 족속을 쫓아내지

못하매(삿 1:29)

스불론 – 나할롤 주민을 쫓아내지 못하였으므로(삿 1:30)

아 셀 – 악고 주민과……아빅과 르홉 주민을 쫓아내지 못하고……

이는 그들을 쫓아내지 못함이었더라(삿 1:31~32)

납달리 – 벧세메스 주민과 벧아낫 주민을 쫓아내지 못하고(삿 1:33)

쫓아냄의 의미

창세기부터 사사기에 이르기까지 어느 한 구절이 이처럼 많이 반복해서 기록된 적은 없다. 그만큼 이 사건이 중요함을 의미한다. 성경에서 반복한 것은 곧 강조하는 것이다. 이스라엘 지파들이 약속의 땅을 정복하면서 가나안의 족속들을 쫓아내지 않았다는 것은 매우 심각한 문제다. 왜냐하면 하나님은 이미 이들의 죄악이 관영하였기에 심판의 도구로 이스라엘을 들어 쓰시겠다고 말씀하셨기 때문이다. 하나님의 언약은 가나안 땅의 죄를 벌하시는 심판이 전제되어 있는 것이다. 그러므로 이스라엘 각 지파는 온전히 이들을 쫓아냈어야만 했다(출 23:31~33). 그러나 그들의 지파별 정복전쟁에서 하나님이 함께하심에도 불구하고 쫓아내지 않는다. 하나님의 말씀보다도 철병거를 두려워하고, 그들과 화친해 노예를 삼고, 타협했기 때문이다. 이렇게 사사기는 대부분의 지파가 말씀에 불순종하는 모습으로 출발함으로 앞으로 약속의 땅의 삶이 대혼란 가운데 빠져들어갈 것을 예고하고 있다.

쫓아내지 못한 결과

사사기 1장에서 벌어진 지파별 정복의 결과는 한마디로 "길갈에서부터 보김으로"라는 결과를 가져온다(삿 2:1). '길갈'은 수치가 굴러간 영광과 회복을 의미하고, 동시에 가나안 땅 정복의 베이스 캠프를 의미한다. 그러나 여호수아 시대를 거쳐 사사기 초기에 접어들면서 '보김'의 암운이 드리운다. 보김은 "우는 자들"이란 뜻이다. 약속의 자손들이 왜 약속의 땅에 들어와 우는 자들이 되었는가? 하나님은 사사기 2장에서 쫓아내지 못한 결과에 대해서 분명하게 말씀하신다.

> "여호와의 사자가 길갈에서부터 보김으로 올라와 말하되 내가 너희를 애굽에서 올라오게 하여 내가 너희의 조상들에게 맹세한 땅으로 들어가게 하였으며 또 내가 이르기를 내가 너희와 함께 한 언약을 영원히 어기지 아니하리니 너희는 이 땅의 주민과 언약을 맺지 말며 그들의 제단들을 헐라 하였거늘 너희가 내 목소리를 듣지 아니하였으니 어찌하여 그리하였느냐 그러므로……내가 그들을 너희 앞에서 쫓아내지 아니하리니 그들이 너희 옆구리에 가시가 될 것이며 그들의 신들이 너희에게 올무가 되리라 하였노라"(삿 2:1~3).

이처럼 그들을 쫓아내지 아니한 것은 곧 하나님과의 언약을 깬 것이다. 언약에는 양면이 있다. 언약을 지키면 복이 임하고, 언약을 깨면 저주가 임한다. 이스라엘은 이 쫓아내지 않은 사건을 통해 가나안 사람들과 화친을 맺음으로 그들이 가시가 되고 올무가 되는 저주 아래 놓이게 됐다.

단절된 세대들

사사기 시대의 문제는 이제 더욱 심각해진다. 그 심각성을 단적으로 나타내는 구절이 바로 사사기 2장 10절이다.

> "그 세대의 사람도 다 그 조상들에게로 돌아갔고 그 후에 일어난 다른 세대는 여호와를 알지 못하며 여호와께서 이스라엘을 위하여 행하신 일도 알지 못하였더라."

여기서 그 세대 사람들과 그 후에 일어난 다른 세대는 누구인가? 그 세대는 여호수아와 함께 약속의 땅을 정복하며 살아계신 하나님을 알고 경험한 세대다. 그러나 그 후의 세대는 하나님을 알지도 못했고, 이스라엘을 위해 하나님께서 하신 사역조차도 모르는 세대였다. 바로 이것이 쫓아내지 못한 결과다. 결국은 언약의 하나님, 역사하신 하나님을 완전히 잃어버린 세대가 된 것이다. 얼마나 기가 막힌 일인가? 약속의 자손이 약속의 땅에 들어와 언약의 성취를 맛보기도 전에 하나님을 모르는 세대가 된 것이다. 이렇게 된 결정적인 원인은 말씀대로 '쫓아내지 않았기에' 가나안의 문화와 죄악이 수평적으로 흡수되는 데 반해 조상 대대로 내려온 하나님과 언약의 말씀은 수직적으로 단절되었기 때문이다.

사사시대의 패러다임

하나님과 말씀이 단절된 결과는 매우 비참하다. 그것은 곧 약속의 자손이 하나님의 눈 앞에서 악을 행하고 가나안의 우상인 바알을 섬기는 것이다. 약속의 자손들이 애굽에서 인도해 내신 조상들의 하나님을 버리고 주위에 있는 쫓아내지 않은 백성들의 신들을 섬기는 것이다. 그러므로 여기서 분명한 점은 약속의 자손이 약속의 땅을 차지하는 것 자체가 중요한 것이 아니라는 점이다. 무엇보다 중요한 것은 약속의 자손이 약속의 땅에서 약속의 하나님을 사랑하며 그의 말씀에 순종함으로써 언약을 지키는 삶을 사는 것이다.

따라서 사사기는 엄밀히 말하면 말씀 모티프에 철저히 실패하고 있는, 실패를 반복하는 자식공동체를 적나라하게 드러내고 있다. 그러나 하나님께서는 여전히 자기의 언약을 지키시기 위해 사사를 보내심으로 자식공동체와 그 땅을 회복시키신다. 이러한 상황은 약 480여 년간 이어지는 사사시대의 독특한 '배교−진노−압제−회개−사사−구원−평화'라는 일곱 가지 형태의 패러다임을 형성한다. 이 사사시대의 패러다임은 오직 하나님의 언약 안에 들어오는 것만이 살 길임을 제시한다.

〈사사시대의 독특한 실패와 구원의 패러다임〉

본문	구조	❶ 배교	❷ 진노	❸ 압제	❹ 회개	❺ 사사	❻ 구원	❼ 평화
1	3:7~11	바알 아스다롯		메소포타미아 구산리사다임 8년간	부르짖음	옷니엘 (갈렙 사위, 유다 지파)		40년
2	3:12~30	악을 행함		모압 에글론 18년간	부르짖음	에훗 (베냐민 지파)		80년
3	3:31			블레셋		삼갈		
4	4:1~5:31	악을 행함	배교에 대한 하나님의 진노	가나안 야빈 20년간	부르짖음	드보라 (여사사)	사사를 통한 구원의 승리	40년
5	6:1~8:28	악을 행함		미디안 7년간	부르짖음	기드온 (므낫세 지파)		40년
6	10:1~2					돌라 (잇사갈 지파)		23년
7	10:3~5					야일		20년
8	10:6~12:7	악을 행함 바알들 아스다롯 아람 신들 시돈 신들 모압 신들 암몬 신들 블레셋 신들		블레셋 암몬 자손 18년간	부르짖음	입다 (기생의 아들, 길르앗 사람)		6년
9	12:8~10					입산 (나사렛 북서쪽의 베들레헴 사람)		7년
10	12:11~12					엘론 (스불론 지파)		10년
11	12:13~15					압돈		8년
12	13:11~16:31	악을 행함		블레셋 40년간		삼손 (단 지파)		20년

사사기의 타락 저점

사사기 후반부에는 사사시대의 타락상을 적나라하게 보여 주는 두 사건이 등장한다. 그것은 미가와 단 지파 사건(17~18장)과 레위 인과 그의 첩 사건을 통한 타락상(19~21장)이다. 이 두 사건이 사사 기 후반부에 기록되었다고 해서 사사시대의 말기 사건으로 단정할 수는 없다. 왜냐하면 첫 번째 사건은 단 지파가 아직 이스라엘 지 파들 중에서 살 땅을 찾지 못했을 때의 사건이기 때문이다(삿 18:1). 특히 두 번째 사건은 아론의 손자이며 엘르아살의 아들인 비느하 스가 제사장으로 있을 때 생긴 사건이다(삿 20:27).

그렇다면 이 두 사건을 기록한 의미는 무엇인가? 그것은 사사시 대의 대표적인 타락상을 명백히 보여 주는 것이다. 미가와 단 지파 사건은 제사장의 타락과 미신화가 개인과 지파에 만연함을 단적으 로 보여 준다. 공적 제사장에서 한 집안의 신당을 섬기는 제사장으 로 타락한 것이다. 더욱이 이처럼 타락한 제사장을 빼앗아 자기 지 파의 제사장으로 삼는 타락은 그야말로 가나안의 풍습을 그대로 받아들인 결과다. 또한 레위 인이 첩을 얻고 그것이 발단이 되면서 이스라엘과 베냐민 지파와의 전쟁으로까지 뻗어가는 일련의 과정 은 더 이상 타락할 지점이 없을 정도로 비참한 상태로 떨어진 일그 러진 백성의 모습이다. 심지어 베냐민의 비류들이 레위 인을 강간 하려는 사건은(삿 19:22) 약속의 백성이 말씀을 떠나 수평적 죄악을 받아들일 때 소돔과 고모라같이 타락할 수밖에 없음을 적나라하게 보여 준다.

이 두 사건은 사사기를 이해하는 데 매우 중요한 사건이다. 약속의 땅에서 하나님의 백성의 타락이 왜 이 지경까지 이르렀는가? 그들 스스로도 "이스라엘 자손이 애굽 땅에서 올라온 날부터 오늘까지 이런 일은 일어나지도 아니하였고 보지도 못하였도다"(삿 19:30)라고 한탄했다. 아브라함 언약 이후에 가장 타락한 시대가 이 시대다. 가나안 땅 정복이 중요한 것이 아니라 말씀으로 그 땅의 삶을 이루어가는 것이 더욱 중요함을 깨달으라는 메시지다.

3. 도도히 흐르는 자식 모티프 : 룻기

룻 시대

룻기는 그 배경을 이해하는 것이 매우 중요하다. 룻기의 시대적 배경은 사사시대다(룻 1:1). 그러면 룻기는 사사시대 중 어느 시대였을까? 룻기 자체에서는 구체적으로 사사시대 중 어느 사사 때임을 밝히고 있지 않다. 그러나 룻이 보아스와 결혼하는 사건을 통해 볼 때 사사시대의 초기와 중기 사이일 가능성이 많다. 왜냐하면 룻의 시어머니는 일반적으로 나오미로 알려져 있지만 보아스와 결혼한 후의 시어머니는 라합이 되어야 하기 때문이다. 라합은 여리고 성에서 정탐꾼을 살려준 여인으로서 구원을 받고 살몬과 결혼해 보아스를 낳았다. 그러나 룻기에서는 라합 이야기는 한마디도 없다. 아마도 당시에 라합이 이미 죽었을 가능성이 많다. 보아스는 나이가 많은 사람이었기 때문이다(룻 3:10). 또한 룻기 후반부에 등장하는 보아스의 족보도 이를 뒷받침해 준다.

룻기의 중요성

사사시대의 수많은 이야기 가운데 유독 룻기를 따로 떼어 기록한 이유는 무엇일까? 그 의도가 무엇일까? 이미 살펴보았지만 사사시대는 약속의 자손이 약속의 땅에 와서 하나님과 언약의 말씀이 단절됨으로 타락으로 치닫는 모습을 보여 주고 있다. 약속의 자손이 약속의 땅에 왔지만 소망이 사라지고 있는 것이다. 특히 사사기 후반부에 기록된 두 사건은 자식공동체가 언약을 깨고 세상의 타락한 모습 이상으로 추해지는 모습을 적나라하게 밝히고 있다. 하나님의 말씀을 떠나 자기의 소견에 옳은 대로 살아가는 시대에 하나님은 진노하시고 이방을 들어 그들을 징계하신다. 그들이 회개하고 부르짖으면 사사를 보내서 구원하시고 평화를 주신다. 룻기는 이러한 사사시대의 패러다임이 400여 년 동안 반복될 때에 하나님께서 여전히 아브라함에게 언약하셨던 피의 언약을 신실하게 지키고 계심을 보여 주는 핵심적 위치에 있다.

자식 모티프의 금맥

룻기는 그야말로 자식 모티프의 금맥이다. 룻기는 창세기 3장 15절의 여자의 후손과 아브라함 언약의 자식 모티프에 따른 메시아 언약의 줄기다. 룻기는 아브라함 언약 요소 가운데 자식 모티프의 의미 곧 '이삭, 이스라엘 민족, 메시아, 영적 이스라엘'이라는 사중 의미 중 단연 메시아를 보내겠다는 언약을 이루시는 하나님의 신실하심을 보여 준다. 좀더 구체적으로 말하면 아브라함과 이삭, 야곱, 유다로 이어졌던 메시아의 줄기가 출애굽기와 여호수아서 그리고 사사시대를 거치면서 이스라엘 민족이라는 자식 모티프의 거대한 흐름 그리고 약속의 땅 정복이라는 역사적 사건 속에 감추어져 있었다. 그러나 그 메시아 줄기가 도도하게 흐르고 있음을 극명하게 드러내는 것이 룻기다.

룻기 시대의 현상적 상황은 최악이다. 약속의 자손이 약속의 땅에 들어왔지만 불순종함으로 타락과 회개를 반복하는 패러다임의 물결이 사사시대 내내 요동친다. 깨진 언약에 소망이 없는 시대다. 이것이 사사시대 밖으로 드러난 모습이다. 그러나 하나님은 바로 그러한 절망의 시대 안에서 룻이라는 이방 여인을 통해 놀라운 일을 행하신다. 아무도 알아주지 않고 처절한 인생의 슬픔 가운데 있는 여인의 상징적 삶을 통해 놀랍게도 메시아의 계보를 잇게 하심으로 생명을 내건 언약을 신실히 지키시는 하나님을 계시한다. 하나님은 이방인 룻을 보아스와 결혼케 함으로 이미 메시아의 구원 계획 속에 이방이 포함되어 있음을 예시하신다. 보아스는 오벳을 낳고, 오벳은 이새를 낳고, 이새는 다윗을 낳으므로 절망적인 사사시대에서 유일한 소망을 갖게 되는 것이다.

이처럼 룻기는 단절되어 보이는 메시아의 줄기를 드러내는 역할을 한다. 곧 창세기 38장의 유다가 다말을 통해 베레스를 낳는 사건 이후에 메시아 자식 모티프를 잇고 있는 것이다. 따라서 룻기를 통해 연결되는 메시아의 줄기는 아브라함, 이삭, 야곱, 유다, 베레스, 헤스론, 람, 암미나답, 나손, 살몬, 보아스, 오벳, 이새, 다윗으로(룻 4:18~22) 이어지는 메시아 자식 모티프의 금맥을 형성한다. 따라서 룻기는 룻이라는 여인과 시어머니인 나오미 그리고 보아스

사이에서 일어나는 일련의 아름다운 이야기이지만 단지 교훈적인 메시지로 이해하는 데 머물러서는 안 된다. 그 시대적 상황과 개인의 깊은 삶 가운데 하나님께서 찾아오셔서 언약의 한 축인 자식 모티프를 어떻게 성취해 가시는가를 극명하게 드러내는 언약 성취의 신실성으로 이해되어야 한다.

제5장

자식과 땅의 패역의 역사

: 삼상, 삼하, 왕상, 왕하,
대상, 대하, 포로 전 선지서

1. 자식과 땅의 주인을 버림 : 사무엘상

사사시대(왕을 구함)→ 왕정시대→ 다윗

창세기부터 룻기로 이어지는 성경의 맥은 마치 하나의 산맥이 뻗어 가듯이 거대한 하나님의 언약의 흐름을 형성하고 있다. 2+1 곧 '자식과 땅 + 말씀'이 성경 흐름의 핵심이다. 창세기의 아브라함 언약으로 시작된 자식에 대한 약속은 이미 이삭, 이스라엘 민족, 메시아의 줄기로 구체적인 성취가 나타났다. 땅에 대한 약속도 약속의 땅을 차지하고 들어감으로 성취되었다. 그러나 문제는 언약의 대전제인 언약대로 살겠다는 계약의 파기다. 이것은 항상 하나님의 말씀에 대한 불순종과 배교 그리고 타락한 가나안의 풍습을 받아들임으로 나타난다.

하나님은 이미 가나안 땅 정복 이전에 반복해서 계약을 파기하지 말 것을 경고하셨지만 이스라엘 백성은 사사시대에 이르러 본격적인 타락의 길을 걷는다. 계약 파기는 곧 계약의 저주가 임해 멸망할 것을 전제하고 있다. 그럼에도 불구하고 약속의 자식공동체는 한 걸음 더 나아간다. 계약의 불이행을 넘어 계약의 당사자인 하나님을 버리는 것이다. 이러한 언약 파기의 절정은 약속의 자손이 약속의 땅에서 하나님의 왕 되심을 버리고 인간 왕을 요구하는데서 나타난다. 자식과 땅의 주인이신 하나님의 말씀을 불순종하는 차원을 넘어 하나님 자신을 버리는 것이다. 이와 같은 자식과 땅의 패역의 역사가 사무엘상, 사무엘하, 열왕기상, 열왕기하, 역대상, 역대하 그리고 포로 전 선지서까지 이어지는 것이다. 이 패역의 역사 속에서 하나님은 아브라함과 맺은 언약을 신실하게 지키기 위해 선지서들을 통해 메시아의 하나님 나라를 본격적으로 계시하신다. 인간 나라와 하나님 나라가 대조되어 성경의 흐름을 형성하는 것이다.

엘리와 사무엘

사무엘상의 시대적 배경은 사사시대의 말기다. 사사시대 말기의 대표적인 제사장 겸 사사는 엘리였다. 그러나 엘리 가문은 사사시대의 전형적인 타락상을 드러낸다. 그의 자식들인 홉니와 비느하스는 제사장이었지만 행실이 매우 나빴다. 그들은 하나님께 드려지는 백성들의 제물들을 자기 배를 위해 가로챈 전형적인 삯꾼이다. 그의 추종자들은 백성들에게 협박하며 제물을 빼앗았다. 심지어 홉니와 비느하스는 회막 문에서 수종드는 여인들과 동침하는 죄까지 저지른다. 그러나 엘리는 이 모든 죄악에 대해 들었으면서도 심각하게 책망하지 않는다. 결국 엘리 가문에 내려지는 형벌은 참으로 처참하다. 그 가문에 노인이 사라지고 전통적인 제사장 직분까지 빼앗기게 된다.

엘리 가문의 근본적 문제는 무엇이었을까? 그것은 엘리가 하나님보다 자기 자식들을 더욱 중히 여겼다는 것이다(삼상 2:29). 엘리는 하나님의 말씀보다 자식을 더욱 사랑했다. 그릇된 사랑은 자기 자식들이 거룩한 제사와 제물을 다 훼손하고 하나님 앞에 씻을 수 없는 큰 죄를 범하는데도 불구하고 나무라는 정도로 머물고 만다. 이 모습이 사사시대 말기의 대제사장 가문의 영적 상태였다.

하나님은 이미 엘리 가문을 버리셨다(삼상 2:25). 그래서 다음 세대를 준비하신다. 곧 한나를 통해서 사무엘을 준비시키셨다. 하나님께서 한나를 성태케 못하시므로 한나는 기도를 통해 사무엘을 서원해 드린다. 그리고 사무엘은 성막에서 자라게 된다. 엘리의 가문은 무너지고 새로운 영적 리더십이 자라가는 것이다. 그래서 엘리의 가문이 무너지는 이야기 사이에 사무엘이 자라가는 모습이 대조되어 나타난다(삼상 2:17, 21, 26, 3:1).

이 대조되는 이야기의 최절정은 하나님께서 사무엘에게 말씀으로 나타나심에 있다. 하나님의 말씀이 희귀한 시대에(삼상 3:1) 사무엘에게 하나님의 말씀이 임한다. 그리고 여호와께서 그와 함께하심으로 그의 말이 권위를 갖게 되고 이스라엘의 영적 지도자의 자리가 대치된다. 약속의 자손이 약속의 땅에서 말씀이 희귀한 시대를 맞이했는데 사무엘을 통해 하나님께서 말씀 회복의 역사를 일으키시는 것이다. 이처럼 사무엘을 통해 새로운 리더십을 세우시는 것은 곧 다윗을 통해 세울 왕국을 예비하시는 하나님의 섭리다.

사울과 다윗

약속의 자손이 약속의 땅에서 범한 가장 큰 오류는 하나님의 왕 되심을 거부하고 이방처럼 인간 왕을 구한 것이다(삼상 8:5, 12:12, 17, 19). 곧 하나님의 신정을 거부한 것이다. 그러나 사무엘은 이스라엘 장로들이 왕을 구할 때 자신을 버린다고 생각해 기뻐하지 않았다. 그러나 사무엘이 기도하는 중에 하나님은 "그들이 너를 버림이 아니요 나를 버려 자기들의 왕이 되지 못하게 함이니라"(삼상 8:7)고 하셨다. 그러면서 하나님은 인간 왕을 세우라고 하신다.

첫 번째로 세움 받은 자가 사울이다. 사울은 왕이 되기 전에는 겸손한 자였으나 왕이 된 후에는 교만해 하나님 앞에 범죄하게 된다. 사울의 결정적인 문제는 무엇인가? 하나님의 말씀을 경홀히 여기고 불순종한 것이다. 사울은 약속의 자식공동체의 대표로서 약속의 땅을 통치하는 첫 번째 왕이 되는 축복을 받은 자다. 그러나 그는 하나님께서 왕에게 주신 책임을 간과했다. 하나님은 이미 신명기 17장에서 왕이 하지 말아야 할 삼불(三不) 정책과 해야 할 것 한 가지를 명하셨다. 삼불은 병마를 많이 두지 말 것, 아내를 많이 두지 말 것, 은금을 많이 쌓는 것을 금하신 것이다. 반면에 유일하게 반드시 해야 할 것이 있는데 그것은 율법서의 등사본 곧 성경을 평생에 자기 옆에 두고 읽어 하나님 경외하기를 배우고 그의 형제 위에 교만하지 아니하고 이 명령에서 떠나 좌로나 우로나 치우치지 아니하는 것이다. 사울은 바로 이 말씀 모티프에서 실패한다.

그는 하나님이 아말렉을 치라는 명령을 매우 구체적으로 주셨음에도 불구하고 백성의 소리를 두려워해 말씀에 불순종했다. 그럼에도 그는 끝까지 자신이 하나님의 말씀에 순종했다고 주장했다. 사무엘의 계속되는 지적에도 불구하고 그는 불순종을 정당화했다. 기회는 떠나가고 사울이 하나님의 말씀을 버린 것처럼 하나님도 사울을 버리신다. 여기서 그 유명한 "순종이 제사보다 낫고 듣는 것이 숫양의 기름보다 나으니"(삼상 15:22b)라고 말씀하신다. 하나님을 버리고 인간이 왕이 되는 나라의 첫 왕이 실패하고 만 것이다.

사무엘이 사울의 연고로 슬퍼하고 있을 때 하나님은 이미 새로운 왕을 예비하고 계셨다. 바로 이방 여인 룻의 줄기인 다윗이다. 다시 숨어 있던 메시아의 줄기가 사무엘상 16장에서 등장한다. 공식적으로 다윗이 성경에 처음으로 등장한다. 사울은 무너지고 하나님은 새로운 리더십을 세우신다. 첫 번째 왕인 사울은 말씀을 버리고 하나님을 떠나지만 새로운 왕 다윗의 예고는 말씀을 사모하고 순종하는 하나님 나라의 실현으로서의 자식 모티프가 도도히 흐르고 있음을 의미한다.

하나님은 사무엘을 베들레헴으로 보내시고 이새의 여덟 아들 가운데 막내인 다윗에게 기름을 붓게 하신다. 사실 다윗은 당시 그 누구도 눈여겨보지 않던 베들레헴 시골의 한 소년에 불과했다. 그러나 하나님만은 그를 바라보고 계셨다. 아버지조차도 사무엘의 초청을 받았을 때 막내인 다윗은 염두에 두지 않아 양을 지키게 했으나 하나님은 다윗을 생각하고 계셨다. 이렇게 시작되는 다윗의 등장은 이스라엘과 블레셋의 전쟁에서 골리앗을 물리치고 그의 머리를 들고 돌아옴으로 그 절정을 이룬다.

그러나 다윗은 승리의 기쁨이 채 가시기도 전에 이스라엘 여인들이 "사울의 죽인 자는 천천이요 다윗은 만만이로다"(삼상 18:7)라고 한 말 때문에 그날부터 사울로부터 고난을 받게 된다. 다윗이 하나님의 고난의 학교에 들어간 것이다. 골리앗과의 싸움이 단기전이라면 사울과의 싸움은 장기전이다. 다윗이 골리앗을 죽이고 승리했을 때를 소년시절로 본다면 삼십 세에 유다의 왕이 되기까지 십 년이 훨씬 넘는 세월을 하나님의 광야학교에서 훈련받는다. 만약 다윗이 골리앗을 죽인 후 승승장구해서 왕이 되었다면 어떻게 되었을까? 그러나 이미 기름 부음을 받은 자로서 받는 고난은 다윗의 영성을 참으로 깊이 있게 뿌리 내리게 했다. 그는 사울을 피해 대부분 유대의 광야 굴 속에서 지냈는데 그 캄캄한 굴은 다윗의 상황을 상징적으로 보여 준다. 다윗은 항상 그 굴을 하나님이 계신 하늘의 처소로 바꾼다(시 57편 참조). 굴 속이 하늘의 하나님을 만나 예배하는 성소로 바뀌는 것이다. 하나님은 고난의 학교를 통해 다윗을 명실상부한 하나님 나라의 상징적인 왕으로 세워가신다.

2. 다윗과 하나님 나라 : 사무엘하

언약궤 이전의 의미

블레셋과의 전쟁에서 사울과 요나단이 전사한 후 다윗은 하나님께 앞날에 대해 기도한다(삼하 2:1). 하나님은 먼저 다윗을 헤브론으로 보내서 유다 족속의 왕으로 세우신다. 다윗은 아브라함과 족장들의 무덤이 있는 막벨라 굴이 있는 유서 깊은 헤브론에서 유다족속의 왕으로 7년 6개월을 통치한다. 그 후에 예루살렘을 탈환하고 33년을 통치한다. 삼십 세에 왕위에 오른 다윗은 사십 년을 통치하고 칠십 세에 하나님의 부르심을 받는다(삼하 5:4~6). 특히 다윗은 예루살렘에 등극한 후 제일 먼저 하나님의 언약궤를 옮기는 일을 추진한다. 사울 시대에는 언약궤에 대한 언급이 전쟁 시에 승리를 위해 옮겼다는 내용에 그쳤다(삼상 14:18). 그러나 다윗은 하나님을 알았고 예루살렘에 입성한 후 전국적인 첫 행사로 여호와의 언약궤를 다윗 성으로 옮기고자 했다. 그만큼 하나님을 사랑하고 언약에 대해 관심이 지대했음을 반영한다.

언약궤는 가나안 땅 정복 초기에는 길갈에 있었다. 그후 어느 정도 정복과 분배가 이루어졌을 때 실로에 세워진 회막으로 옮겨진다(수 18:1; 삼상 4:4). 언약궤는 사사시대 내내 실로에 있었다. 그후 홉니와 비느하스가 에벤에셀에서 블레셋과 전쟁이 벌어졌을 때 언약궤를 빼앗긴다. 언약궤가 대적의 손에 넘어간 것이다. 그러나 하나님의 놀라우신 역사로 언약궤는 블레셋 성읍 아스돗, 다드, 에그론을 거쳐 이스라엘 땅인 벧세메스로 돌아온다. 그리고 기럇여아림 땅의 아비나답의 집으로 옮겨져 무려 이십 년간이나 머물러 있었다(삼상 6:19, 7:2). 사울은 이러한 언약궤에 관심이 없었으나 다윗은 예루살렘에 입성한 후 하나님의 언약궤를 옮기기 위해 대대적으로 준비한다. 그러나 다윗이 아비나답의 집에서 언약궤를 새 수

레에 싣고 나올 때 충격적인 사건이 발생한다. 나곤의 타작마당에서 소가 뛰므로 웃사가 손을 들어 하나님의 궤를 붙들었다가 그 자리에서 하나님의 치심으로 죽는 사건이 발생한 것이다(삼하 6:1~10).

이 사건으로 다윗은 큰 충격에 빠진다. 감히 더 이상 진행할 생각을 못하고 오벧에돔의 집으로 옮긴다. 사실 이 웃사 사건은 다윗이 하나님과의 관계를 다시 생각하게 하는 매우 중요한 계기가 된다. 다윗이 언약궤를 새 수레로 옮겨 오려는 마음, 웃사가 흔들리는 언약궤를 붙잡으려는 마음, 이스라엘 모든 백성이 하나님을 모시는 마음은 귀한 마음임에 틀림없다. 그러나 아무리 좋은 마음이라 할지라도 넘지 말아야 할 선이 있고, 순종의 원리가 우선해야만 하는 것이다. 다윗은 이 일 때문에 삼 개월 동안 크게 고민했던 것이 틀림없다. 그리고 모세오경 곧 율법서를 다시 연구했다. 사무엘하 6장에는 이 부분이 생략되어 있지만 역대상 15장에는 매우 자세하게 기록되어 있다.

다윗은 자신들의 죄를 크게 깨달았다. 그것은 다른 것이 아니라 하나님의 말씀을 따르지 않은 것이다. 하나님은 이미 모세에게 언약궤를 만들고 옮기는 원리와 방법에 대해 자세히 명령하셨다. 언약궤를 만들 때부터 채를 궤의 고리에 꿰어 메게 하며 채를 궤의 고리에 꿴 대로 두고 빼어내지 말라(출 25:13~15)고 하셨다. 이 말은 무엇인가? 언약궤는 하나님의 임재 현장이기에 가장 거룩히 구별된 것이다. 그러므로 죄인인 인간이 언약궤를 만진다는 것은 곧 하나님 자신을 만지는 것과 같은 것이다. 그 결과가 어떠하겠는가? 그러므로 하나님은 고핫 자손이 생명을 보전하며 옮길 수 있도록 영구적으로 채를 궤의 양편에 있는 고리에 꿰어 보존하게 하셨다.

그런데 다윗이 이것을 깨닫지 못하고 메지 아니하고 새 수레로 옮기다 사건이 발생한 것이다. 물론 성막의 다른 재료들을 옮기는 게르손 자손들과 므라리 자손들에게는 친히 수레를 주셔서 옮기게 하셨다. 그러나 오직 언약궤만큼은 하나님께서 만지지 못하게 하시고 채를 통해 메게 하신 것이다(민 7:1~9).

옷사가 죽임을 당한 것은 옷사의 마음이 언약궤를 생각한 것과 상관없이 있어서는 안 될 일이었다. 어떠한 상황에서도 언약궤를 직접 만질 수는 없다. 그것은 인간이 넘어서는 안 되는 하나님의 영역이다. 이미 벧세메스에서 언약궤를 열어 보았다가 많은 사람들이 죽임을 당했다. 하나님의 고유 영역을 범하면 그는 누구든지 죽임을 당할 수밖에 없다. 사실 언약궤를 새 수레로 옮긴 것부터가 잘못된 것이었지만 그렇다고 해도 옷사가 언약궤를 붙잡아서는 안 되었다. 그것은 하나님이 하실 일이다. 곧 하나님의 영역이다. 인간이 넘어서는 안 될 선을 넘은 것이다.

언약궤를 블레셋에 빼앗겼을 때 무슨 일이 벌어졌는가? 다곤 우상이 하나님의 언약궤 앞에 엎드러지고, 이튿날에는 그 머리와 두 손이 끊어져 문지방에 있고 몸만 남지 않았는가? 그래서 블레셋 사람들은 두려워하며 언약궤를 돌려보내지 않았는가? 인간이 하나님을 보호하려는 생각은 상상할 수도 없는 것이다. 다윗은 옷사 사건을 통해 이것을 깨닫는다. 따라서 그는 레위 지파를 정비하고, 성결케 한 후 "전에는 너희가 메지 아니하였으므로 우리 하나님 여호와께서 우리를 찢으셨으니 이는 우리가 규례대로 그에게 구하지 아니하였음이라"(대상 15:13)고 말한다. 그후 성경은 "모세가 여호와의 말씀을 따라 명령한 대로 레위 자손이 채에 하나님의 궤를 꿰어 어깨에 메니라"(대상 15:15), 하나님이 여호와의 언약궤를 멘 레위 사람을 도우셨으므로"(대상 15:26)라고 기록하고 있다.

다시 언약궤를 모셔오는 다윗과 온 이스라엘 백성들은 축제 가운데 예루살렘으로 옮긴다. 드디어 약속의 땅의 중심 성읍인 예루살렘에 하나님의 언약궤가 자리를 잡는 것이다. 이처럼 다윗이 하나님의 언약궤를 예루살렘으로 옮기는 것은 단순한 사건이 아니다. 그것은 하나님께서 시내 산에서 이스라엘 백성과 맺으신 언약을 계승함을 의미한다. 더 나아가서는 아브라함의 언약과 연결된다. 곧 언약의 지속성을 의미하는 것이다. 그 뿐만 아니라 하나님께서 친히 약속하신 언약의 땅에서 마침내 언약의 백성들과 함께 사심을 의미하는 것이다. 곧 하나님 나라를 미리 보여 주시는 사건인 것이다.

나단의 신탁

성경은 언약궤를 예루살렘으로 옮긴 후에 하나님께서 사방의 대적을 파하사 다윗을 평안히 거하게 하셨다고 했다. 다윗 자신은 백향목 궁에 거하는데 하나님의 궤는 휘장 가운데 있는 것이 안타까워 나단을 부른다. 나단 선지자는 다윗의 마음에 있는 대로 행하라고 한다. 그러나 그 밤에 하나님께서 나단 선지자에게 언약의 말씀을 주신다. 그것은 하나님께서 출애굽한 시절부터 어느 지파에게든 하나님을 위해 거할 집을 건축하라고 한 적이 없다는 것이다. 그러면서 오히려 하나님께서 다윗을 위해 집을 이루겠다고 선언하신다. 또한 하나님의 언약 백성인 이스라엘을 위해 한 곳을 정해 저희를 심겠다고 하시며 더 이상 이스라엘이 옮겨다니지 아니하고 가나안 땅에 정착할 것을 말씀하신다. 아브라함과의 언약이 다윗 시대에 온전히 성취됨을 말씀하시는 것이다.

그리고 놀라운 말씀이 이어진다. 다윗의 자식이 하나님의 이름을 위해 집을 건축할 것이고 하나님은 그 나라 위를 견고케 하리라고 하신다. 그리고 하나님이 그 아비가 되고 그는 하나님의 아들이 될 것임을 선언하신다. 사울과 달리 그 자식이 범죄한다 할지라도 징계는 하시지만 왕위를 빼앗지는 않겠다고 약속하신다. 그리고 다윗의 집과 다윗의 나라가 영원히 보전되고, 영원히 견고할 것을 언약하신다(삼하 7:1~16).

아브라함과 다윗의 언약

하나님께서 나단 선지자를 통해 다윗과 언약을 맺는 이 장면은 구약성경 창세기 15장과 버금가는 언약장이다. 창세기 15장에서 하나님은 아브라함과 자식과 땅의 언약을 세우셨는데 그것이 역사 가운데 실제적으로 온전하게 성취되는 시점이 다윗 왕 시대다. 하나님께서 아브라함에게 언약하신 대로 비로소 하늘의 별과 같은 하나님의 백성들이 약속의 땅을 다 차지한다. 그러나 이 모든 언약과 성취는 단지 다윗 왕 시대에 국한되는 것이 아니다. 이것은 더 나아가 다윗의 후손으로 오시는 예수 그리스도로 말미암아 성취될 언약이다.

하나님의 계시는 점진적이다. 아브라함에게는 언약의 두 요소인 자식과 땅을 말씀하셨지만 다윗에게 와서는 그것이 백성과 나라로 발전한다. 그리고 조건은 범죄하지 않고 하나님의 말씀대로 따르는 것이다. 그리고 사울처럼 폐위시키지 않는다는 약속은 너무나 중요하다. 이 약속은 그 왕권과 나라가 오직 예수 그리스도를 통한 은혜로만 세워짐을 말씀하는 것이다. 그러므로 구약에서 아브라함과 다윗을 언약적 관점에서 이해하는 것이 성경 전체를 통전적으로 보는 데 필수적이다. 하나님은 메시아 자식 모티프의 시작과 최절정에 두 사람을 택하셨다. 그래서 신약의 첫 장인 마태복음 1장 1절이 "아브라함과 다윗의 자손 예수 그리스도의 계보"라는 선언으로 시작되는 것이다.

다윗의 범죄

하나님은 다윗과 언약을 맺으신 후에 약속대로 다윗이 어디를 가든지 이기게 하셨다. 성경은 두 번이나 반복해서 하나님이 승리하게 하셨음을 밝힌다(삼하 8:6, 14). 다윗은 서쪽으로는 블레셋, 동으로는 모압, 북으로는 소바, 다메섹, 하맛까지 그리고 남쪽으로는 에돔을 정복했다(삼하 8장). 또한 암몬 자손과 아람까지 물리친다(삼하 10장). 이 모든 역사가 하나님께서 함께하심으로 이루어진다.

그러나 사무엘하 11장에 이르러 다윗은 씻을 수 없는 죄를 저지른다. 성경은 다윗이 해가 바뀌어 왕들이 출전할 때가 되었음에도 예루살렘에 머물렀다고 보고한다. 그리고 저녁 때에 그 침상에서 일어났다고 했다. 이러한 배경은 다윗이 많은 승리 후에 긴장이 풀렸음을 상징적으로 보여 준다. 여리고 성 승리 후에 아이 성에서 패배한 것과 같은 성격이다. 다윗은 자기의 충신인 우리아의 아내 밧세바를 범했고, 완전범죄를 위해 온갖 술수를 다 쓰다가 결국은 우리아를 랍바 성 전투에서 죽게 한다.

얼마 후 다윗은 랍바 성을 취해 그 랍바 성 왕의 금 면류관을 썼다. 다윗이 금 면류관을 쓰고 랍바 성의 보좌에 앉아 있는 모습을 상상해 보라. 그가 쓴 면류관은 금 한 달란트다. 무려 34킬로그램의 무게다. 다윗은 승리했고 면류관을 썼고 백성들은 환호했다. 겉으로 볼 때는 성공한 것처럼 보였다. 그러나 하나님 보시기에는 그의 소위가 악했다(삼하 11:27). 사무엘하의 저자는 왜 이토록 다윗의 죄를 적나라하게 기록했을까? 다윗의 범죄를 기록한 의미는 무엇일까? 그것은 다윗과 사울 모두 죄인임을 선언하는 것이다. 그러나 사울은 사무엘을 통해 죄가 지적될 때 변명으로 일관했다. 그러나 다윗은 나단 선지자의 지적을 받았을 때 그 자리에서 회개한다. 변명하지 않았다. 하나님 앞에 자신이 죄인임을 처절히 깨닫고 온전한 회개를 올렸다(삼하 12:13; 시 51편).

범죄의 시점

여기서 무엇보다 중요한 관점은 다윗이 범죄한 시점이다. 다윗이 하나님 앞에 죄를 지은 시점은 바로 사무엘하 7장에서 하나님과 언약을 맺은 이후에 일어난 일이다. 시간적으로 언약을 맺은 후 얼마 후인지 정확히 알 수 없지만 분명한 것은 저자가 의도적으로 언약을 맺은 사건 뒤에 다윗의 범죄를 기록하고 있다는 것이다. 아브라함을 보라. 아브라함 또한 창세기 15장에서 하나님과 언약을 맺지만 바로 16장에서 하갈을 통해 이스마엘을 낳는다. 시간보다 시점이 중요하다. 언약 후에 얼마의 시간이 지났는지 정확히 알 수 없다. 그러나 시간보다 중요한 것이 시점이다. 언약을 맺은 것을 15장에 기록하였는데 곧바로 16장에서 인간적인 방법으로 자식을 가진 사실을 기록한 이유는 무엇일까? 또한 모세 시대에 이스라엘 백성들은 시내 산 언약을 맺은 후에 사십 일이 못 되어 금송아지를 만들므로 언약을 파기하는 죄를 범한다(출 24장, 32장).

성경이 이처럼 언약을 맺은 이후에 죄를 범하는 것을 의도적으로 진술한 이유는 인간은 절대로 스스로는 언약을 지킬 수 없는 존재임을 드러내는 것이다. 따라서 그 결과 언약의 양면인 복과 저주 가운데서 필연적으로 저주가 임하는 것이다. 언약 파기의 결과로 저주가 임하는 것은 곧 멸망을 의미한다. 인간이 첫 언약 아래 있는 한, 저주 아래 놓여 있는 것이다. 소망이 없다. 결코 언약을 지킬 수 없는 존재이기 때문이다. 그러면 인간에게는 언약의 축복으로 나아갈 수 있는 길은 도무지 없는 것인가? 인간 자신에게서는 절대로 그 길을 찾을 수가 없다. 따라서 하나님께서 첫 언약의 조문을 그대로 적용하면 다 멸망할 수밖에 없다. 이것이 언약 후에 다윗이 범죄한 결과의 형편이다. 그러나 하나님께서 다윗에게 회개할 기회를 주시고 그가 온전히 회개했을 때 그는 전혀 다른 세계로 들어선다. 그것이 곧 하나님의 은혜의 세계다. 다윗은 이 새로운 세계에서 하나님의 용서와 사랑 그리고 구원을 경험한다.

하나님의 평가

다윗에 대한 하나님의 평가는 놀랍다. 성경 열왕기상 15장 5절에는 다윗에 대한 종합적인 평가가 나온다.

"이는 다윗이 헷 사람 우리아의 일 외에는 평생에 여호와 보시기에 정직하게 행하고 자기에게 명령하신 모든 일을 어기지 아니하였음이라."

하나님은 다윗의 우리아에 대한 범죄를 제외하고 그의 평생의 삶이 정직과 순종의 길이었다고 인정하신다. 하나님은 인간에게 완전함을 요구하시는 것이 아니다. 완전함으로 하나님을 흡족하게 할 자는 없다. 하나님께서 원하시는 것은 정직함이다. 자신의 모습 그대로 하나님께 나아오길 원하는 것이다. 그렇다고 다윗의 범죄에 대한 대가가 완전히 사라지는 것은 아니다. 그는 자신의 죄의 열매를 자식들에게서 따먹어야 했다. 첫 아들 암논은 이복누이인 다말을 범하고 압살롬의 복수로 죽는다. 압살롬은 상처를 받고 상처를 준 가운데 도망치고 세월이 흘러 다윗이 받아 주지만 아버지마저 죽이려 하고 왕권을 찬탈하려 든다. 민심이 압살롬에게 넘어가고 그가 예루살렘 성을 치려고 할 때 다윗은 머리를 가리고 맨발로 도망가며 탄식에 젖는다. 그러나 다윗은 고난의 대가 속에서 철저히 하나님 앞으로 나아간다(시 3편). 완벽함보다는 정직함으로 하나님께 나아가는 것이다. 그리고 자신이 범죄한 것에 대해 하나님께서 "네가 여호와의 말씀을 업신여기고"(삼하 12:9)라고 하심을 뼛속 깊이 되새긴다. 다윗은 자신의 범죄가 하나님을 잊고, "내 이웃의 아내를 탐내지 말라", "살인하지 말라"는 하나님의 말씀을 업신여겼다는 하나님의 평가에 온전히 회개한다. 그리고 그 범죄의 대가를 담담히 받아들이며 다시금 말씀의 사람으로 나아간다.

다윗의 마지막 말과 유언

다윗이 칠십 평생을 살면서 노년에 한 말이 성경에 기록되어 있다. 그것은 다윗의 마지막 말과 솔로몬에게 한 유언이다. 다윗이 죽을 때까지 무엇을 붙들고 살았는지 충분히 알 수 있는 말씀이다. 다윗은 전형적인 말씀 모티프의 사람이다. 약속의 자손이 약속의 땅에서 어떻게 살아야 하는지 보여 준 사람이다. 그는 말씀을 따라 산 전형적인 용사다. 반면에 말씀에 불순종함으로 범죄한 전형적인 죄인이다. 또한 회개하고 용서함을 받은 후 다시 말씀 안에서 살아간 전형적인 의인의 모습을 보여 준다. 그는 하나님과의 언약 말씀의 진정성을 터득하고 살아간 사람이다. 그의 마지막 말과 유언을 직접 들어 보라.

다윗의 마지막 말

이는 다윗의 마지막 말이라……
여호와의 영이 나를 통하여 말씀하심이여
그의 말씀이 내 혀에 있도다……
내 집이 하나님 앞에 이같지 아니하냐
하나님이 나와 더불어 영원한 언약을 세우사
만사에 구비하고 견고하게 하셨으니
나의 모든 구원과 나의 모든 소원을 어찌
이루지 아니하시랴. (삼하 23:1~5)

다윗의 유언

다윗이 죽을 날이 임박하매 그의 아들 솔로몬에게
명령하여 이르되

내가 이제 세상 모든 사람이 가는 길로 가게 되었노니

너는 힘써 대장부가 되고 네 하나님 여호와의 명령을 지켜

그 길로 행하여 그 법률과 계명과 율례와 증거를 모세의 율법에

기록된 대로 지키라 그리하면 네가 무릇 무엇을 하든지

어디로 가든지 형통할지라 여호와께서 내 일에 대해

말씀하시기를 만일 네 자손들이 그들의 길을 삼가 마음을 다하고

성품을 다하여 진실히 내 앞에서 행하면 이스라엘 왕위에

오를 사람이 네게서 끊어지지 아니하리라 하신 말씀을 확실히

이루게 하시리라. (왕상 2:1~4)

3. 솔로몬과 남북 인간 왕들, 인간 나라들 : 열왕기상·하

왜 왕들인가?

```
북이스라엘(19왕) ─────────────────→ 앗수르

남유다 (20왕) ─────────────────────→ 바벨론/포로시대 → 귀환
```

열왕기상 · 하에 들어서면서 성경은 왜 왕들에 대해 기록하는가?
그것은 하나님께서 이미 말씀하셨듯이 약속의 자손들이 약속의 땅
에서 이방처럼 인간 가운데 왕을 세우게 해 달라고 요청하는 것은
곧 하나님을 버려 자기들의 왕이 되지 못하게 함이라고 하신 것에
근거한다(삼상 8:7). 하나님의 왕 되심을 거부하고 세워진 인간 왕들

은 진정한 왕이신 하나님의 말씀을 평생 옆에 두고 읽으며, 그 말씀대로 하나님을 섬기며 백성을 다스려야 했다(신 17:18~20). 그것이 언약 백성을 대표하는 왕들의 위치다. 약속의 자손을 약속의 땅에서 약속의 말씀대로 이끌 책임이 부여된 것이다. 그러므로 열왕기상·하는 다윗의 노년과 죽음으로 시작해 솔로몬의 등극과 타락으로 인한 남북 분열왕국의 역사로 이어진다. 북쪽 이스라엘은 열아홉 명의 왕들이 등장하고 멸망한다. 남쪽 유다는 이십 명의 왕들이 등장하고 멸망한다. 그리고 그 왕들의 죄악으로 말미암은 나라의 멸망으로 끝맺는다. 결국 열왕기상·하는 하나님의 왕 되심을 버리고 인간을 왕 삼은 인간 나라의 결국을 적나라하게 보여 주고 있다.

성경의 관점

열왕기상·하의 역사가 단지 이스라엘 왕들의 이야기로만 끝나는 것은 아니다. 더 본질적인 핵심 메시지가 있다. 그것은 인간 왕들의 역사 속에서 하나님이 창세기에서 이미 말씀하신 여자의 후손 곧 메시아 줄기의 출현이 본격화된 것이다. 그것은 아브라함에게는 자식 모티프로, 다윗에게서는 왕권을 가진 아들로 언약 가운데 나타난다. 아브라함 언약의 '자식'의 정체가 다윗 언약에 와서 소위 '왕'으로 등장하는 것이다. 그래서 다윗에게 언약한 영원한 왕권 곧 메시아를 통해 오는 영원한 하나님 나라의 왕권이 인간 나라와 인간 왕의 역사 속에서 어떻게 나타나고 진행되는지 보여 주는 것이 열왕기상·하의 본질적 메시지다. 따라서 열왕기상·하는 인간 왕들에 대한 하나님의 관점이 성경 흐름의 주요 관심사다. 하나님의 관점에 따른 인간 왕들의 평가는 그야말로 심각한 수준이다. 그러나 이러한 인간 왕들의 타락에도 불구하고 진정한 왕으로 오시는 메시아의 줄기인 다윗 왕가는 하나님에 의해서 신실하게 보존된다.

솔로몬과 분열

다윗 왕가는 솔로몬 초기까지 최절정을 이룬다. 하나님은 솔로몬을 두 번에 걸쳐 만난다. 첫 번째는 그가 기브온에서 일천 번제를 드린 후에(왕상 3:3~15), 두 번째는 7년 동안 성전을 짓고 봉헌한 후이다(왕상 9:1~9). 그런데 이 두 번의 만남을 통해 하나님은 솔로몬에게 축복과 더불어 말씀에 순종해 살 것을 명확히 계약한다. 두 번째 성전 봉헌 후의 계약은 매우 구체적이다. 말씀에 순종하면 왕위의 보존이 영원히 계속될 것이나 말씀을 어기고 하나님을 떠나 우상을 숭배하면 솔로몬이 봉헌한 성전을 버리시고 재앙을 내리며 조롱거리가 될 것이라고 하셨다. 하나님은 외형적 성전보다 말씀대로 순종해 사는 삶을 원하셨다.

초기 솔로몬은 하나님의 말씀 안에서 전무후무한 복을 받는다. 그의 지혜는 세상의 누구보다도 뛰어났으며, 그의 부귀 또한 상상할 수 없을 정도였다. 또한 백성들은 바닷가의 모래알처럼 많게 되었고, 북쪽 단에서부터 남쪽 브엘세바까지 포도나무와 무화과나무 아래에서 안연히 살았다. 하나님께서 언약하신 대로 다윗과 솔로몬 시대에 자식과 땅 언약의 모티프가 실제적으로 성취되고 있었던 것이다. 문제는 말씀 모티프를 따라 하나님께서 이미 솔로몬에게 두 번이나 나타나 말씀하신 대로 사는 것이다.

그러나 솔로몬은 애굽 왕 바로의 딸을 첫 아내로 삼았고 더 나아가 후비를 칠백 명, 빈장을 삼백 명이나 삼았다. 하나님께서 분명히 왕은 아내를 많이 두지 말라고 하셨음에도 불구하고 솔로몬은 말씀에 불순종한다. 왕이 아내를 많이 두는 것을 금지하신 까닭은 무엇인가? 그것은 그들이 왕의 마음을 미혹하기 때문이다(신 18:17). 하나님의 말씀대로 천 명의 여인들이 솔로몬의 마음을 하나님으로부터 자신들이 섬기는 우상에게 돌이켰다(왕상 11:1~8). 성전을 건축한 솔로몬은 성전 주변에 온갖 우상을 세웠다. 솔로몬의 이와 같은 범죄는 하나님과의 계약을 위반한 것이다. 하나님은 솔로몬에게 나타나서 진노하시는데, 자신이 전에 이미 두 번이나 나타나 다른 신을 좇지 말라고 했음을 상기시키며 언약을 파기한 것에 대해 나라를 빼앗아 신복에게 주겠다고 선언하신다. 그러나 하나님은 다윗과의 언약, 더 거슬러 올라가서는 아브라함과의 언약 때문에 예루살렘이 속한 한 지파를 남겨두신다. 그 결과 솔로몬 이후로 나라가 남북으로 나뉘어 분열 왕국이 시작된다.

이스라엘의 왕들과 하나님의 평가 기준

성경은 솔로몬 이후 남과 북의 왕들에 대해 열왕기상 12장부터 열왕기하 25장까지 기록한다. 열왕기상·하는 남북의 왕들을 처음부터 끝까지 다루는데 같은 동시대의 남과 북 왕들의 등장과 소멸에 초점을 맞춘다. 그러나 무엇보다도 중요한 것은 왕들에 대한 하나님의 평가 기준이다. 그것은 "여호와 보시기에"라는 관용구로 나타난다. 하나님 보시기에 그 왕들이 언약을 정직히 지킨 다윗의 길을 갔는가? 아니면 패역한 여로보암의 길로 갔는가? 바로 이 관점이 평가 기준이다. 이 관점은 왕들의 삶 가운데 특별한 사건을 통해 평가되는 것과 동시에 그들의 전 생애에 대한 평가로 이어진다. 그러므로 하나님의 평가는 그들의 왕위가 수일이 되었든 수십 년이 되었든 상관없이 성경에서는 몇 구절에서 몇 장으로 끝나고 만다. 따라서 열왕기상·하 기자는 수많은 왕들에 대해 기록하면서 항상 마지막 부분에 그들의 남은 사적, 업적 그리고 모든 행한 일에 대해서는 이스라엘과 유다의 역대지략에 기록되어 있음을 지적함으로 성경의 관점이 일반 역사의 관점과는 전혀 차원이 다름을 증거한다.

다음 표는 남과 북의 열왕들과 그들에 대한 평가를 성경 흐름 그대로 정리한 것이다.

〈이스라엘 왕들과 하나님의 평가표〉

순서	이름	등극 시기	통치 기간	특징	선지자	하나님의 평가 (여호와 보시기에)	성경본문(장)
통일1	사울		40년	불순종	사무엘	버리심	삼상 9~삼하 1
통일2	다윗		40년	회개	사무엘 나단	마음에 합함	삼하 2~왕상 2
통일3	솔로몬		40년	지혜		명을 어김	왕상 2~왕상 11
남 1	르호보암		17년	우매		악을 행함	왕상 12, 왕상 14
북 1	여로보암		22년	우상 숭배	아히야	버리심	왕상 12, 14
남 2	아비얌	여로보암 18년	3년			그 마음이 다윗과 같지 않음	왕상 15
남 3	아사	여로보암 20년	41년	우상 없앰		*다윗같이 정직	왕상 15
북 2	나답	아사 2년	2년			악을 행함	왕상 15

순서	이름	등극 시기	통치 기간	특징	선지자	하나님의 평가 (여호와 보시기에)	성경본문(장)
북3	바아사	아사 3년	24년	모반 여로보암의 집 멸함	아히야의 예언성취	여로보암의 길로 행함	왕상 15
북4	엘라	아사 26년	2년			여로보암을 본받음	왕상 16
북5	시므리	아사 27년	7일	모반 엘라의 집 멸함	예후의 예언성취	여로보암의 길로 행함	왕상 16
북6	오므리	아사 31년	12년	사마리아 수도 정함		그 전의 모든 사람보다 악함	왕상 16
북7	아합	아사 38년	22년	이세벨	엘리야	가장 악한 왕	왕상 16~왕상 22
남4	여호사밧	아합 4년	25년	산당 폐지 안 함		정직히 행함	왕상 22
북8	아하시야	여호사밧 17년	2년	아합의 아들	엘리야	아비,어미,여로보암의 길을 따름	왕상 22~왕하 1
북9	여호람 (요람)	여호사밧 18년	12년	아합의 아들	엘리사	바알 제함, 여로보암의 죄를 따름	왕하 3
남5	여호람 (요람)	북,여호람 5년	8년	아합의 사위		아내로 인해 아합의 집을 따름	왕하 8
남6	아하시야	북,여호람 12년	1년	모 친		아합의 집 길로 행함	왕하 8
북10	예후	아하시야 1년	28년	모반 아합의 집 멸함	엘리사	정직히 행했지만 전심으로 섬기지 않음	왕하 9~10
남7	아달랴	예후 1년	7년	섭정 아합의 딸 다윗 왕조의 위기		어미 이세벨의 길을 따름	왕하 11
남8	요아스	예후 7년	40년	산당 폐지 안 함		정직히 행함	왕하 12
북11	여호아하스	남, 요아스 23년	17년	예후의 아들		여로보암의 죄를 따름	왕하 13

순서	이름	등극 시기	통치 기간	특징	선지자	하나님의 평가 (여호와 보시기에)	성경본문(장)
북 12	요아스	남, 요아스 37년	16년		엘리사 죽음	여로보암의 죄를 떠나지 않음	왕하 13
남 9	아마샤	북, 요아스 2년	29년	산당 폐지 안함		정직히 행했으나 다윗과 다름	왕하 14
북 13	여로보암	아마샤 15년	41년	전성기	요나 아모스 호세아	악을 행함 여로보암 따름	왕하 14
남 10	아사랴 (웃시야)	여로보암 27년	52년	산당 폐지 안함 (한센병)	이사야	정직히 행함	왕하 15
북 14	스가랴	아사랴 38년	6개월	여로보암의 아들	호세아	여로보암의 죄를 떠나지 않음	왕하 15
북 15	살룸	아사랴 39년	1개월	모반	호세아		왕하 15
북 16	므나헴	아사랴 39년	10년	모반	호세아	여로보암의 죄를 평생 안 떠남	왕하 15
북 17	브가히야	아사랴 50년	2년		호세아	여로보암 죄를 떠나지 않음	왕하 15
북 18	베가	아사랴 52년	20년	모반	호세아	여로보암의 죄를 떠나지 않음	왕하 15
남 11	요담	베가 2년	16년	산당 폐지 안함	이사야	아비 웃시야처럼 정직히 행함	왕하 15
남 12	아하스	베가 17년	16년	아람 왕 르신과 이스라엘 베가가 포위	이사야	다윗과 같지 않고 북 열왕 본받고 이방 사람 따름	왕하 16
북 19	*호세아 (마지막 왕)	아하스 12년	9년	이스라엘과 사마리아가 앗수르에 *멸망	호세아	멸망의 원인 말씀을 버림	왕하 17
남 13	히스기야	호세아 3년	29년	개혁 놋뱀조각 산당 제함	이사야	*다윗을 따름 하나님께 연합	왕하 18~20

순서	이름	등극 시기	통치기간	특징	선지자	하나님의 평가 (여호와 보시기에)	성경본문(장)
남 14	므낫세		55년	이방 본받음 산당 재건 아합 본받음 여호와의 전을 우상화		유다로 범죄케 함 무죄한 자의 피를 심히 많이 흘림 죄가 열방보다 심함	왕하 21
남 15	아몬		2년	므낫세의 아들 부친처럼 여호와를 버림			왕하 21
남 16	요시야		31년	율법책 발견 통독,개혁 산당 제함 유월절 회복	여선지 훌다	*다윗의 길로 행함 좌우로 치우치지 않음	왕하 22, 23
남 17	여호 아하스		3개월	애굽으로 잡혀가 죽음		악을 행함	왕하 23
남 18	여호야김		11년	느부갓네살의 침입		악을 행함	왕하 24
남 19	여호야긴		3개월	느부갓네살의 포위 바벨론에 잡혀감		악을 행함	왕하 24
남 20	*시드기야 (마지막왕)		11년	느부갓네살이 임명. *유다와 예루살렘의 멸망		예루살렘과 유다를 쫓아내실 때까지 진노가 이름	왕하 24~25

* 표시를 주의해서 보라. 여기서는 열왕기상·하에 등장하는 선지자만 기입했다. 자세한 시대별 선지자는 뒤에 나오는 〈시대순으로 보는 선지서〉 표를 보라. p.187

다윗 왕조의 최대 위기

솔로몬의 언약 파기 이후에도 불구하고 하나님은 아브라함과 다윗 언약의 성취를 위해 남쪽 유다를 남기신다. 그러나 북쪽의 하나님을 떠난 범죄의 물결이 남쪽까지 삼키는데 그것이 최절정에 이른 것이 아달랴 시대이다. 아달랴는 남쪽의 일곱 번째 통치자로 사실상 다윗 왕조가 아니다. 그의 아버지는 북쪽의 일곱 번째 왕인 아합인데 아합은 아달랴를 남쪽의 네 번째 왕 여호사밧의 아들 여호람에게 준다. 여호람은 8년간 예루살렘을 통치하지만 아내 아달랴를 따라 아합의 길을 간다. 그후 여호람의 아들 아하시야가 유다의 여섯 번째 왕이 되어 1년을 통치하고 므깃도 전쟁에서 전사한다. 그러자 그의 어미인 아달랴가 모든 왕족의 씨를 죽이고 자신이 등극한다. 곧 아합의 세력이 다윗의 세력을 물리치고 남쪽 언약의 줄기마저 삼키고 만 것이다. 그러나 하나님은 아달랴의 잔혹함 가운데서도 요아스를 남겨 주셔서 다윗의 적통을 잇게 하신다. 하나님께서 언약하신 메시아 자식 모티프가 큰 위기 가운데서 온전히 보전되는 것이다.

개혁의 왕들

인간 왕들의 언약 파기 흐름에도 불구하고 남유다 왕들 가운데는 개혁적인 왕들이 존재했다. 대표적인 왕이 13대 히스기야와 16대 요시야다. 히스기야는 북이스라엘이 언약 파기 결과로 앗수르에 의해 멸망당하는 것을 직접 목도했다. 그는 25세에 왕이 되어 29년 동안 예루살렘에서 통치했다. 그에 대한 하나님의 평가는 조상 다윗의 모든 행위와 같이 "여호와 보시기에 정직히 행했다"고 했다. 그리고 그의 개혁은 여러 산당을 제하며 주상을 깨뜨리고 아세라 목상을 찍으며 우상을 타파한 것과 더불어 모세가 만들었던 놋뱀이 미신화되는 것을 부수어 놋조각으로 만든 것이다. 그릇된 전통을 말씀으로 개혁한 것이다. 성경은 그에 대해 "히스기야가 이스라엘 하나님 여호와를 의지하였는데 그의 전후 유다 여러 왕 중에 그러한 자가 없었으니"(왕하 18:5)라고 했다.

요시야는 8세에 남쪽 유다의 왕이 되어 31년을 통치한다. 특히 요시야는 대제사장 힐기야가 여호와의 전에서 발견한 율법책을 읽고 열조와 자신들의 언약 파기의 죄를 회개한다. 더 나아가 요시야는 유다의 지도자들과 남녀노소를 모두 소집해 여호와의 전에서 발견한 언약책의 모든 말씀을 읽어 들리고 개혁운동을 일으켜 전무후무한 말씀 회복과 개혁의 역사가 펼쳐진다. 그 또한 히스기야와 더불어 타락한 산당을 제거한 유일한 왕이다.

여기서 심각하게 점검해야 할 것이 있다. 그것은 하나님께서 이미 가나안 땅 입성 전에 왕이 하지 말아야 할 삼불정책과 더불어 반드시 해야 할 것을 통해 살펴보는 것이다(신 17:14~20). 하나님은 율법서를 등사해 평생에 자기 옆에 두고 읽어서 그 하나님 여호와 경외하기를 배우면서 나라를 섬기라고 했는데 다윗 왕조의 왕들이 율법책을 자기 옆에 두기는 고사하고 잃어버리고 말았다는 점이다. 언약의 백성이 언약의 땅에 와서 언약의 말씀을 상실한 것이다. 이처럼 율법책을 잃어버렸다는 것은 그 땅에서의 삶의 방향을 놓칠 수밖에 없고 세속화에 빠지는 첩경이다. 결국은 언약의 파기로 간다.

그러나 요시야 시대의 율법 책의 발견은 개혁 이전에 이미 언약을 파기함에 대한 대가를 확인하는 과정이다. 이미 늦을 대로 늦은 것이다. 요시야는 율법 책을 통해 발견한 죄를 회개하고 개혁에 박차를 가하지만 하나님의 심판의 저울을 되돌리기에는 이미 너무나도 많이 기울어져버린 상황이었다. 개혁도 시간과 때가 중요한 것이다. 결국 요시야의 개혁은 유다 왕국 전체를 언약 파기의 저주에서 돌이키기에는 너무 늦었고 단지 시한을 연장할 뿐이었다. 북쪽 이스라엘은 19명의 왕이 하나님 보시기에 한 명도 정직히 다윗의 길로 간 자가 없었다. 남쪽 유다에서도 20명의 왕 중에서 하나님 보시기에 정직히 행하고 다윗의 길로 간 왕은 결국 히스기야와 요시야에 불과했다.

언약 파기의 결과

북이스라엘이 19명의 왕을 끝으로 앗수르에 의해 멸망당한 원인은 무엇인가? 또한 남유다가 20명의 왕을 끝으로 바벨론에 의해 멸망당한 원인은 무엇인가? 성경은 그 원인을 정치적으로 해석하지 않는다. 하나님의 시각에서 정확하게 평가한다. 그것은 한마디로 언약 파기의 결과다. 열왕기상·하의 역사는 결코 별개의 역사가 아니다. 그것은 아브라함 언약과 모세의 시내 산 언약, 모압 언약 그리고 다윗 언약의 과정이며 결과이다. 창세기부터 하나님이 아브라함과 맺으신 언약의 선상에서 이해되어야만 하는 것이다. 따라서 그들의 멸망은 언약의 자손이 언약의 땅에 들어와 언약을 파기한 결과다. 하나님은 선지자들을 통해 계속해서 언약을 지키고 돌아올 것을 경고했음에도 불구하고 그들은 결코 돌아오지 않았다. 그 결과 언약의 저주인 심판이 그들에게 임한 것이다. 하나님의 심판의 저울이 완전히 기울어진 것이다. 북이스라엘 마지막 왕인 호세아 때 하나님의 말씀은 멸망의 원인을 정확하게 선언한다.

"이 일은 이스라엘 자손이 자기를 애굽 땅에서 인도하여 내사 애굽의 왕 바로의 손에서 벗어나게 하신 그 하나님 여호와께 죄를 범하고 또 다른 신들을 경외하며 여호와께서 이스라엘 자손 앞에서 쫓아내신 이방 사람의 규례와 이스라엘 여러 왕의 세운 율례를 행하였음이라 이스라엘의 자손이 점차로 불의를 행하여 그 하나님 여호와를 배역하여 모든 성읍에 망대로부터 견고한 성에 이르도록 산당을 세우고 모든 산 위에와 모든 푸른 나무 아래에 목상과 아세라 상을 세우고 또 여호와께서 그들 앞에서 물리치신 이방 사람같이 그곳 모든 산당에서 분향하며 또 악을 행하여 여호와를 격노하게 하였으며 또 우상을 섬겼으니 이는 여호와께서 그들에게 행하지 말라고 말씀하신 일이라 여호와께서 각 선지자와 각 선견자를 통하여 이스라엘과 유다에게 지정하여 이르시기를 너희는 돌이켜 너희 악한 길에서 떠나 나의 명령과 율례를 지키되 내가 너희 조상들에게 명령하고 또 내 종 선지자들을 통하여 너희에게 전한 모든 율법대로 행하라 하셨으나 그들이 듣지 아니하고 그들의 목을 곧게 하기를 그들의 하나님 여호와를 믿지 아니하던 그들 조상들의 목같이 하여 여호와의 율례와 여호와께서 그들의 조상들과 더불어 세우신 언약과 경계하신 말씀을 버리고 허무한 것을 뒤따라 허망하며 또 여호와께서 명령하사 따르지 말라 하신 사방 이방 사람을 따라 그들의 하나님 여호와의 모든 명령을 버리고 자기들을 위하여 두 송아지 형상을 부어 만들고 또 아세라 목상을 만들고 하늘의 일월 성신을 경배하며 또 바알을 섬기고 또 자기 자녀를 불 가운데로 지나가게 하며 복술과 사술을 행하고 스스로 팔려 여호와 보시기에 악을 행하여 그를 격노하게 하였으므로 여호와께서 이스라엘에게 심히 노하사 그들을 그의 앞에서 제거하

시니 오직 유다 지파 외에는 남은 자가 없으니라 유다도 그들의 하나
님 여호와의 명령을 지키지 아니하고 이스라엘 사람들이 만든 관습
을 행하였으므로 여호와께서 이스라엘의 온 족속을 버리사 괴롭게
하시며 노략꾼의 손에 넘기시고 마침내 그의 앞에서 쫓아내시니라"
(왕하 17:7~20).

역사의 일단락

열왕기상·하는 역사의 일단락을 의미한다. 창세기부터 시작된
하나님의 언약을 통한 역사가 매듭된 것이다. 사실 창세기부터 열
왕기하까지의 역사의 매듭은 두 번에 걸쳐 이루어진다. 첫 번째는
창조부터 노아시대까지다. 두 번째는 노아 이후 아브라함 때부터
열왕기하 때까지다. 이 두 번의 역사적 매듭은 언약의 시작과 파기
그리고 심판과 새로운 구원의 길이라는 구조로 전개된다. 노아 시
대도 그렇고 열왕기하 시대도 그렇다. 특히 열왕기하 25장의 남유
다 왕국 멸망 사건은 의미하는 바가 크다. 언약의 자손이 언약의
땅에 들어와 언약 적용에 실패함으로써 그 땅에서 쫓겨나고마는
것으로 매듭지어진다. 그러나 인간 편에서는 언약을 파기했지만
하나님은 자신의 언약을 지키기 위해 새로운 길을 준비하신다. 그
것이 바로 선지자들의 선포대로 바벨론의 포로생활과 귀환 그리고
메시아의 오심이다.

〈언약에 따른 언약의 매듭〉

❶ 첫 번째 매듭 : 아담 시대부터 노아 시대까지의 구조
   언약 – 파기 – 심판 – 새로운 길

❷ 두 번째 매듭 : 노아 시대부터 열왕기하까지의 구조
   언약 – 파기 – 심판 – 새로운 길

4. 역대상 · 하의 흐름

역대상 · 하의 구조

아담(태초) ─────────→ 남 유다(20) → 바벨론/포로시대 → 귀환

역대상이 누구로 시작하는가? 아담으로부터 시작된다. 그리고
역대상 · 하의 끝은 열왕기하와 같은 유다의 멸망과 간단한 귀환
기사로 끝난다. 한마디로 말하면 역대상 · 하는 이제까지의 창세기
부터 열왕기하까지를 총정리한다. 역대상은 그 시작이 아담, 셋, 에
노스로 시작해 아브라함을 거쳐 다윗에게까지 이른다. 역대하는
솔로몬의 즉위부터 시드기야 곧 유다 멸망까지 다룬다. 그리고 회
복에 대한 보고로 끝난다. 이것은 역대상 · 하의 구조적 특징을 보
여 주는데 첫째는 철저한 자식 모티프다. 아담부터 시드기야까지
전형적인 자식 모티프 중심의 역사관을 기록하고 있다. 아담에서
바로 셋으로 넘어가면서 자식의 정통성을 보여 주고 있다. 그리고
결국은 아브라함과 다윗의 후손으로 오실 메시아 줄기인 유다 자

손 중심의 흐름을 갖는다.

사실 놀랍게도 역대상·하는 솔로몬 이후의 분열 왕국 중 남쪽 유다만 다룬다. 북이스라엘에 대해서는 전혀 언급이 없다. 역대상·하의 저자는 유다 왕국의 기원과 타락 그리고 심판과 회복을 통해 창세기로부터 시작된 하나님 나라의 운동이 이스라엘 특히 유다 왕국 안에서 어떻게 이루어지고 있는가를 적시하는 것이다. 따라서 열왕기상·하와 역대상·하는 유사하면서도 근본적인 차이점을 갖고 있다. 유사점은 같은 왕과 같은 시대의 상황을 상호 보완해 보여 주고 있다. 그러나 결정적 차이점은 열왕기상·하는 다윗의 노년부터 유다의 멸망까지 다룬 반면에 역대상·하는 창세기부터 유다 멸망까지 종합적으로 다루고 있는 점이다.

창세기부터 역대하까지

창세기부터 역대하까지 성경은 일관된 메시지를 우리에게 주고 있다. 이 통전적 메시지를 읽어야 성경의 맥이 잡힌다. 곧 언약적 관점에서 성경 전체를 보는 것이다. 이제까지 살펴보았듯이 성경 자체의 흐름이 하나님과 그의 백성 간의 언약을 통한 하나님 나라의 실현으로 진행되고 있기 때문이다. 이처럼 성경 자체의 관점에서 볼 때 창세기, 출애굽기, 레위기, 민수기, 신명기 곧 모세오경은 '언약의 형성기'이다. 신약성경의 관점에 따르면 모세오경은 첫 언약 곧 옛 언약의 형성기다. 그리고 그 언약이 실천되는 장이 바로 가나안 정복 후의 삶인데 그것을 다룬 것이 여호수아, 사사기, 룻기, 사무엘상, 사무엘하, 열왕기상, 역대상이다. 이 '언약의 실천기'에서 하나님은 철저하게 언약을 성취해 가신다. 또한 언약의 백성도 그 언약대로 그 땅에서의 삶을 살아가야만 한다. 그래야 진정한 행복이 보장된다.

그러나 이 실천기에 언약은 파기되고, 이방의 온갖 죄악과 우상 숭배의 영향을 받은 언약 백성들은 타락의 길을 간다. 하나님은 선지자들을 보내심으로 언약 파기에 대한 경고의 메시지를 끊임없이 보내지만 그들은 돌아오지 않는다. 세속화와 혼합주의 그리고 동일화의 길을 걸어감으로 심판의 문에 다다른다. 따라서 언약의 양면 곧 복과 저주 중 저주의 심판이 임한다. 그것이 바로 열왕기하와 역대하의 내용이다. 그러나 하나님께서는 언약 백성의 심판을 진행하심에도 불구하고 자신의 언약의 실현을 위한 그루터기를 남겨놓으심으로 저주 속에 소망을 갖게 하신다. 그러므로 다음과 같은 표로 그릴 수 있다.

〈창세기부터 역대하까지 : 언약의 흐름〉

모세오경	수, 삿, 룻, 삼상, 삼하, 왕상, 대상	왕하, 대하
아담 언약 노아 언약 아브라함 언약 시내 산 언약 모압(세겜) 언약	언약 파기 경고에 대한 선지자들의 메시지	언약의 저주가 임함
첫(옛) 언약의 형성기	첫(옛) 언약의 실천기	첫(옛) 언약의 심판기

5. 인간 나라에 대한 하나님의 메시지 : 포로 전 선지서

선지서의 배경과 메시지의 흐름

```
                    〈엘리야, 엘리사, 요나, 아모스, 호세아〉
북이스라엘(19왕) ─────────────────────────────→ 앗수르

        〈요엘, 이사야, 미가, 나훔, 스바냐, 하박국, 예레미야, 오바댜〉〈에스겔, 다니엘〉
남유다(20왕) ─────────────────────────→ 바벨론/포로 시대 → 귀환
```

　선지자들은 하나님의 계시를 전달하는 메신저들이다. 하나님은
약속의 땅에서 약속의 백성들이 언약대로 살기를 원하셔서 선지자
들을 보내신다. 인간 왕을 구한 약속의 자손들은 인간 왕의 리더십
에 따라 하나님과의 언약 내용을 파기하거나 변개하는 상황으로
치닫는다. 그것이 바로 사무엘상·하, 열왕기상·하와 역대상·하
의 내용이다. 이러한 왕정시대가 선지서의 역사적 배경이 된다. 따
라서 성경에는 통일시대부터 남유다가 멸망할 때까지 지속적으로
선지자들이 등장한다. 선지자들의 메시지는 네 가지 핵심적 내용
으로 전개된다. 첫째는 선지자 자신의 시대에 대한 진단이다. 선지
자는 하나님의 눈으로 언약의 땅에서 언약 자손의 삶에 대해 진단
한다. 그리고 그 진단은 항상 심판에 대한 경고와 회개의 촉구로
나아간다. 이 상태로 계속 언약 파기의 상황이 전개되면 오직 심판
에 이를 수밖에 없다는 절박한 메시지다. 심판의 임박성이 강조된
다. 그것은 하나님의 왕 되심을 거부하고 인간을 왕으로 삼은 결과
다. 그러나 선지자들의 메시지는 단순한 심판의 메시지에 머물지

않는다. 인간 나라는 소망이 없고 결국 심판을 통해 멸망에 이르지만 하나님은 그럼에도 불구하고 자신의 언약 안에서 메시아를 예비하심으로 궁극적으로 하나님 나라를 세울 것을 선포하신다. 그러므로 회개와 동시에 소망의 메시지가 주어지는 것이다.

이처럼 선지자들의 메시지는 양면적이다. 한편은 '시대적 진단과 심판에 대한 경고'라는 부정적이고 절망적인 면이라면 다른 한편은 '회개의 촉구와 메시아를 통한 하나님 나라의 회복'이라는 긍정과 소망의 메시지다. 하나님은 이 양면의 메시지를 선지자들을 통해 각 시대마다 계속해서 전달하신다. 그러므로 이 메시지를 받는 자들은 어떻게든 반응하게 되어 있다. 경고를 무시하고 지속적인 언약 파기의 행위를 일삼으면 멸망에 이른다. 그러나 메시지를 수용하고 진정한 회개에 이르면 메시아를 통해 미래에 도래할 하나님 나라의 회복을 현재적으로 경험하게 된다.

선지서의 배열

현재의 성경 순서는 시대 순이 아니라 예언의 양에 따른 대선지서와 소선지서로 구분되어 있다. 따라서 에스겔과 다니엘이 소선지서들보다 앞 부분에 놓여 있으므로 혼돈하기 쉽다. 그러나 시대 순으로 보면 이해하기가 쉽다. 우리가 이미 살펴보았듯이 이스라엘 왕정시대의 표에 선지자들과 선지서를 동시에 펼쳐 놓으면 시대적 배경과 선지서의 순서가 한눈에 들어온다. 다음 표를 보라.[7]

---

7) 본문의 〈연대〉는 John. H. Walton의 '구약의 연대와 배경 차트'를 따랐다.

〈시대순으로 보는 선지서〉

순서	왕	선지자	왕의 특징	연 대 (주전)	왕에 대한 하나님의 평가	왕별 성경본문(장)	선지서
통일1	사울	사무엘	불순종	1050-1010	버리심	삼상 9~삼하 1	
통일2	다윗	사무엘 나단, 갓	회개	1010-970	마음에 합함	삼하 2~왕상 2	
통일3	솔로몬		지혜	970-930	명을 어김	왕상 2~11	
남 1	르호보암	스마야	우매	931-913	악을 행함	왕상 12~14	
북 1	여로보암	아히야	우상 숭배	931-910	버리심	왕상 12,13,14	
남 2	아비얌			913-911	그 마음이 다윗과 같지 않음	왕상 15	
남 3	아사	아사랴 하나니	우상 없앰	911-870	*다윗같이 정직	왕상 15	
북 2	나답			910-909	악을 행함	왕상 15	
북 3	바아사		모반 여로보암의집 멸함	909-886	여로보암의 길로 행함	왕상 15	
북 4	엘라			886-885	여로보암을 본받음	왕상 16	
북 5	시므리		모반 엘라의 집 멸함	885	여로보암의 길로 행함	왕상 16	
북 6	오므리		사마리아 수도 정함	885-874	그 전의 모든 사람보다 악함	왕상 16	
북 7	아합	엘리야	이세벨	874-853	가장 악한 왕	왕상 16~22	
남 4	여호사밧	야하시엘	산당 폐지 안 함	873-848	정직히 행함	왕상 22	
북 8	아하시야	엘리야	아합의 아들	853-852	아비,어미, 여로보암의 길을 따름	왕상 22~왕하 1	
북 9	여호람 (요람)	엘리사	아합의 아들	852-841	바알제함, 여로보암의 죄를 따름	왕하 3	
남 5	여호람 (요람)	야하시엘	아합의 사위	853-841	아내로 인해 아합의 집을 따름	왕하 8	
남 6	아하시야	야하시엘	모친	841	아합의 집 길로 행함	왕하 8	

순서	왕	선지자	왕의 특징	연 대 (주전)	왕에 대한 하나님의 평가	왕별 성경본문(장)	선지서
북10	예후	엘리사	모반 아합의 집 멸함	841-814	정직히 행했지만 전심으로 섬기지 않음	왕하 9~10	
남7	아달랴	야하시엘	섭정 아합의 딸 다윗 왕조의 위기	841-835	어미 이세벨의 길을 따름	왕하 11	
남8	요아스	요엘	산당 폐지 안 함	835-796	정직히 행함	왕하 12	남1) 요엘서
북11	여호 아하스	엘리사	예후의 아들	814-798	여로보암의 죄를 따름	왕하 13	
북12	요아스			798-782	여로보암의 죄를 떠나지 않음	왕하 13	
남9	야마샤		산당 폐지 안 함	796-767	정직히 행했으나 다윗과 다름	왕하 14	
북13	여로보암	요나 아모스 호세아	전성기	793-753	악을 행함 여로보암 따름	왕하 14	북1) 요나서 북2) 아모스서 북3) 호세아서
남10	아사랴 (웃시야) (한센병)	이사야	산당 폐지 안 함	790-740	정직히 행함	왕하 15	남2) 이사야서
북14	스가랴	호세아	여로보암의 아들	753-752	여로보암의 죄를 떠나지 않음	왕하 15	
북15	살룸	호세아	모반	752		왕하 15	북3) 호세아서
북16	므나헴	호세아	모반	752-742	여로보암 죄에서 평생 떠나지 않음	왕하 15	
북17	브가히야	호세아		742-740	여로보암의 죄에서 떠나지 않음	왕하 15	
북18	베가	호세아	모 반	752-732	여로보암의 죄에서 떠나지 않음	왕하 15	북3) 호세아서
남11	요담	이사야	산당 폐지 안 함	750-731	아비 웃시야처럼 정직히 행함	왕하 15	남2) 이사야서
남12	아하스	이사야 미가	아람 왕 르신과 이스라엘 베가가 포위	735-715	다윗과 같지 않고 북 열왕 본받고 이방 사람 따름	왕하 16	

순서	왕	선지자	왕의 특징	연 대 (주전)	왕에 대한 하나님의 평가	왕별 성경본문(장)	선지서
북 19	*호세아	호세아	이스라엘과 사마리아가 앗수르에 *멸망	732-722	멸망의 원인 말씀을 버림	왕하 17	북3) 호세아서
남 13	히스기야 미가	이사야	개혁 놋뱀 조각산당 제함	715-686	*다윗을 따름 하나님께 연합	왕하 18~20	남2) 이사야서 남3) 미가서
남 14	므낫세	나훔	이방 본받음 산당 재건 아합 본받음 여호와의 전을 우상화	695-642	유다로 범죄케 함 무죄한 자의 피를 심히 많이 흘림 죄가 열방보다 심함	왕하 21	남4) 나훔서
남 15	아몬	나훔	므낫세의 아들	642-640	부친처럼 여호와를 버림	왕하 21	
남 16	요시야	훌다 나훔 스바냐 하박국 예레미야	율법책 발견 통독, 개혁 산당 제함 유월절 회복	640-609	*다윗의 길로 행함 좌우로 치우치지 않음	왕하 22~23	남4) 나훔서 남5) 스바냐서 남6) 하박국서 남7) 예레미야서
남 17	여호 아하스	예레미야	애굽으로 잡혀가 죽음	609	악을 행함	왕하 23	
남 18	여호야김	예레미야	느부갓네살의 침입	609-597	악을 행함	왕하 24	
남 19	여호야긴	예레미야	느부갓네살의 포위 바벨론에 잡혀감	597	악을 행함	왕하 24	남7) 예레미야서 남8) 예레미야 애가서 남9) 오바댜서
남 20	시드기야	예레미야 오바댜	느부갓네살이 임명 *유다와 예루살렘의 멸망	597-586	예루살렘과 유다를 쫓아내실 때까지 진노가 이름	왕하 24~25	

* 표시를 주의해서 보라. 이 표의 시대순은 앞서 살펴본 열왕기상·하의 순서를 기준으로 했다.

선지자들의 삶과 메시지

왕정 초기 선지자들의 메시지는 주로 사무엘상·하, 열왕기상에 기록되어 있다. 그러나 선지자들이 직접적으로 성령의 감동을 받아 성경을 기록한 것은 위의 표에서 살펴본 대로 요엘서부터 시작된다. 선지자들의 메시지를 이해하는 데는 그 시대적 배경이 절대적이다. 그러므로 선지서는 반드시 역사서의 배경 가운데서 연구해야 한다. 그러나 무엇보다 놓치지 말아야 하는 시각이 역사서에 이미 등장한 "여호와 보시기에"란 하나님의 관점이다. 선지서는 바로 당대의 역사에 대해 완벽한 하나님의 시각을 계시하고 있다. 그러므로 역사서에 등장하는 "여호와 보시기에"의 내용이 구체화되어 나타난 것이 선지서다. 사실 역사서는 각 왕들의 시대를 길게는 몇 장에 걸쳐 기록하지만 짧은 것은 몇 절에 불과한 기록도 있다. 그러나 성경은 "여호와 보시기에"의 관점인 선지서를 통해 하나님이 각 왕들의 통치와 그 시대를 어떻게 평가하시는지 무서울 정도로 드러내고 있다.

앞에서 이미 언급한 것과 같이 선지서의 내용은 시대에 대한 진단, 심판의 경고, 회개의 촉구, 소망의 메시지의 구조로 되어 있다. 선지자의 메시지는 사실 그의 입에서 나오는 것이 아니다. 선지자의 메시지는 그의 삶에서 나온다. 삶은 곧 메시지의 통로다. 그것이 입을 통해 선포되는 것이다. 인간 왕정시대에 선지자의 메시지가 선포되는 것은 그 대비 자체로 의미가 있다. 왕은 권력과 화려함의 극치의 상징이다. 그리고 권력을 누리며 산다. 그러나 하나님의 선지자는 다르다. 그는 하나님의 메신저로서의 삶이 요구된다.

그는 하나님의 불꽃같은 눈으로 세상을 진단하고 평가하며 회개를 촉구한다. 하나님은 선지자가 선포하는 메시지가 손상이 가지 않는 삶을 원하신다. 그래야 하늘의 메시지가 온전히 전달되기 때문이다. 따라서 참 선지자와 거짓 선지자의 차이는 항상 그의 삶과 메시지의 일치 차원에서 다루어진다. 왕정시대에 등장하는 하나님의 참 선지자들은 진정으로 삶의 메시지로 하나님의 심장에서 나오는 말씀을 선포한다.

거짓 선지자와 참 선지자

하나님의 참 선지자가 등장하는 왕정시대에 어김없이 나타나는 자들이 거짓 선지자들이다. 참 선지자와 거짓 선지자의 구별은 무엇으로 가능한가? 그것은 거짓 선지자들의 특징을 살펴봄으로 알 수 있다.

첫째, 거짓 선지자들은 하나님으로부터 부르심을 받지 않은 자들이다. 참 선지자들은 반드시 하나님의 전적인 선택에 의한 부르심이 있다. 그러나 거짓 선지자들은 하나님이 세우신 자들이 아니다. 출발부터 근원적 문제를 갖고 있는 것이다. 그럼에도 불구하고 그들은 하나님께서 자신들을 보내셨다고 주장한다. 따라서 혼돈이 있다(렘 14:14, 29:8~9, 31).

둘째, 거짓 선지자들은 하나님으로부터 온 메시지가 아니라 자신의 메시지를 선포한다. 참 선지자는 자신의 생각이나 주장을 선포하지 아니하고 오직 하나님께서 주신 메시지만을 선포한다. 그러나 거짓 선지자는 오로지 자신의 안일과 기득권을 유지하기 위해 자기 안에서 나오는 메시지를 선포한다(겔 13:2~3).

셋째, 거짓 선지자들은 회개의 촉구가 없는 거짓 평화를 외친다. 이렇게 회개의 촉구가 없고 거짓 평화를 외치는 것은 하나님의 마음보다는 백성의 마음에 초점을 맞추기 때문이다. 거짓 선지자들은 하나님의 마음보다 백성의 마음을 흡족하게 하는 것을 더욱 중요하게 여긴 전형적인 인본주의자들이다. 그러나 백성들의 환심을 사고 자신의 자리를 유지하기 위해 신적 예언자의 위치에 있길 원한다. 그러나 그것은 참으로 위선적인 거짓행위다. 그들은 하나님의 심판의 시간표가 시시각각 다가오고 있는데도 오직 평화를 외친다. 이 평화는 하나님과 백성의 관계 회복 가운데서 오는 것인데 그들은 왜곡된 민족주의에 편향해 평화만 있을 것이라고 주장한다(렘 6:13~14, 8:11; 겔 13:10).

넷째, 거짓 선지자들은 돈을 추구해 복술을 행한다. 특히 이들은 자신의 이익을 위한 거짓 예언을 일삼는데 마치 발람 선지자의 후계자들 같다. 그들은 돈에 눈이 멀어 거짓 점을 치면서 하나님을 의뢰한다며 하는 말이 하나님께서 우리 중에 계시기 때문에 재앙이 우리에게 임하지 아니하리라고 선언한다(미 3:11).

다섯째, 거짓 선지자들은 삶과 메시지가 일치하지 않는다. 위에서 살펴보았듯이 거짓 선지자들은 자기 시대의 백성들의 삶과 동떨어진 삶을 살아간다. 그들은 신적 예언과 복술을 통해 취한 돈으로 부귀한 삶을 살아간다. 하나님은 이와 같은 거짓 선지자들을 한마디로 '회칠한 담'이라고 하셨다. 그들은 안팎이 다른 이중적인 삶으로 자기의 배를 채우고 영혼을 사냥하는 자들이다. 그들의 최후는 돌이킬 수 없는 멸망뿐이다(겔 13:14~23).

여섯째, 거짓 선지자들은 전혀 언약적 관계에 대한 시각이 없다. 사실 이 점이 거짓 선지자들을 확연히 드러내는 결정적인 구별점이다. 그들은 참 선지자들처럼 하나님과 백성과의 관계를 언약 안에서 보지 못한다. 그렇게 본다 할지라도 언약의 한 쪽 면 곧 축복의 면만을 보고 주장함으로 결정적 오류를 범한다. 하나님은 이스라엘 백성들과 이미 언약을 체결하셨고, 선지자들을 보내서 이 언약의 실행에 대해 진단하고 평가하며, 회개와 소망의 메시지를 주신다. 그러나 거짓 선지자는 근원적으로 자기의 마음에서 나왔고, 자신의 이익을 위해 거짓 예언을 함으로 전혀 하나님의 시각에서 언약적 진단과 평가 그리고 대안을 제시할 수 없는 자들이다. 그들은 오로지 개인적 안녕과 평안만을 구한다. 바로 이 언약적 시각이 선지자의 참됨과 거짓됨을 구별하는 결정적 기준점이다(렘 34:17~22).

북이스라엘 선지자들의 메시지

북이스라엘의 대표적인 선지자는 엘리야, 엘리사, 요나, 아모스, 호세아 다섯 명이다. 엘리야와 엘리사는 열왕기상 17장부터 열왕기하 13장까지 등장한다. 엘리야와 엘리사는 별도의 선지서를 남기지는 않았으나 그들의 삶과 메시지가 열왕기상·하에 잘 기록되어 있다. 나머지 요나, 아모스, 호세아는 주로 북이스라엘의 전성기와 후기에 등장한 선지자들인데 그들은 하나님으로부터 계시를 받아 선지서를 기록했다. 특히 아모스와 호세아는 하나님의 북이스라엘에 대한 마음을 적나라하게 증거하고 있다. 선지서는 각 시대에 대한 진단, 심판의 경고, 회개의 촉구, 소망의 메시지 구조로 전개된다.

요나 선지자의 선포

❶ 시대에 대한 진단 - 전성기 속의 타락과 선교

요나서는 놀랍게도 북이스라엘이 대상이 아니라 이방 니느웨를 예언의 대상으로 삼고 있다. 북이스라엘의 첫 번째 선지서인 요나서가 이방을 향해 외치고 있다는 점은 시사하는 바가 매우 크다. 요나는 북이스라엘의 전성기인 여로보암 2세 때 사역했다. 열왕기하 14장 25절에는 "이스라엘의 하나님 여호와께서 그의 종 가드헤벨 아밋대의 아들 선지자 요나를 통하여 하신 말씀과 같이 여로보암이 이스라엘 영토를 회복하되 하맛 어귀에서부터 아라바 바다까지 하였으니"라고 기록되어 있다. 이 구절이 요나가 북이스라엘에서 초기 사역한 것을 나타내고 있다. 당시 북이스라엘은 최고의 전성기였지만 여로보암 2세는 여전히 여호와 보시기에 악을 행해 이스라엘로 범죄케 한 느밧의 아들 여로보암 1세의 모든 죄에서 떠나지 않았다. 요나와 동시대에 선지자인 아모스를 통해 보면 시대에 대한 진단이 더욱 자세히 기록되어 있다.

❷ 심판의 경고 - 이방도 심판을 면할 수 없다.

요나는 초기 북이스라엘 사역 후 갑작스런 하나님의 명령을 받는다. 이스라엘의 적국인 니느웨에 가서 하나님의 메시지를 선포하라는 것이다. 북이스라엘의 최초의 선지서가 이방의 심판을 경고하는 것은 무슨 의미인가? 하나님께서는 이스라엘 민족만 구원하시는 것이 아니라 이방까지도 구원 계획 가운데 있음을 요나를 통해 계시하신 것이다.

이 사건은 사실 당시 이스라엘 사람들로서는 이해할 수 없는 세계관의 충돌이다. 그들의 세계관으로는 심지어 선지자 요나라 할지라도 이방에 대한 하나님의 심판의 경고 자체도 이해할 수 없는 차원의 사안이었다. 따라서 요나도 니느웨로 가라는 하나님의 말씀을 어기고 다시스로 도망가려 한 것이다. 그러나 하나님의 계획을 선지자가 어길 수는 없다. 요나는 두 번째 하나님의 명령이 임하자 니느웨로 들어가 사십 일 후면 하나님께서 니느웨를 무너뜨리실 것이라는 심판의 메시지를 선포한다.

❸ 회개의 촉구 - 이방도 구원의 길이 있다.

요나를 통한 하나님의 심판의 경고는 니느웨 백성들에게 곧 회개의 촉구로 다가갔다. 요나가 하룻길을 행하며 심판을 경고하자 니느웨 백성들은 하나님을 믿고 금식을 선포하며 무론대소하고 굵은 베를 입고 회개를 시작했다. 니느웨의 왕마저 이 소식을 듣고 온 백성에게 금식을 선포하며 이방에서 전무후무한 회개운동이 일어난다. 니느웨 왕은 짐승까지 금식을 시키며 여호와 앞에 회개하며 부르짖게 함으로 하나님의 회개의 촉구에 부응하여 심판을 면한다.

❹ 소망의 메시지 - 회개만이 사는 길이다.

요나서는 북이스라엘이 최고의 전성기를 구가할 때 하나님의 관심은 이미 그것을 뛰어넘어 새로운 세상을 추구하고 계심을 드러내는 소망의 메시지다. 하나님은 요나서를 통해 자식과 땅 그리고 말씀의 모티프가 이미 이스라엘을 뛰어넘고 있음을 적나라하게 계시하고 있다. 요나는 사실 니느웨의 회개에도 불구하고 하나님께서 그들을 심판하실 것을 기대하고 있었다. 그런데 하나님께서 그들의 회개를 받으시고 심판의 뜻을 돌이키사 구원을 베푸시자 요나는 하나님께 항의한다. 심지어 자기의 생명을 취하시라고 주장한다. 그러나 하나님은 그의 화냄이 옳지 않음을 박넝쿨의 교훈을 들어 가르치신다. 요나는 항의하고 화를 내며 성 동편 언덕에서 자기를 위해 초막을 짓고 여전히 성의 멸망을 기대하지만 하나님은 그렇게 하지 않으신다. 하나님은 박넝쿨을 통해 요나를 뜨거운 햇빛으로부터 보호하고 지켜주신다. 그리고 후에 벌레를 통해 박넝쿨을 씹게 하시고 뜨거운 동풍을 보내시매 요나는 하나님께 더욱 항의한다. 그러나 하나님의 메시지는 무엇인가?

"네가 수고도 아니하였고 재배도 아니하였고 하룻밤에 났다가 하룻밤에 말라 버린 이 박넝쿨을 아꼈거든 하물며 이 큰 성읍 니느웨에는 좌우를 분변하지 못하는 자가 십이만여 명이요 가축도 많이 있나니 내가 어찌 아끼지 아니하겠느냐"(욘 4:10~11).

하나님은 이처럼 분명히 요나서를 통해 이스라엘이 하나님의 장자이고 이방 또한 하나님의 구원하실 자식공동체 안에 있음을 계시하심으로 회개 안에서만 유일한 소망이 있음을 말씀하신다.

아모스 선지자의 선포

❶ 시대에 대한 진단 – 심판의 대열에 합류하는 자식공동체

아모스 선지자는 남유다 사람으로 특별히 북이스라엘에 대해서 예언했다. 당시 북이스라엘은 여로보암 2세의 통치기간으로 요나의 초기 예언대로 최고의 전성기를 누리던 때였다. 요나가 하나님의 명을 받아 니느웨로 가서 사역을 한 것처럼 아모스는 남유다 사람임에도 생명을 걸고 북이스라엘 사마리아와 벧엘로 가서 하나님의 메시지를 선포했다. 아모스는 그 시대를 어떻게 진단했는가? 사실 하나님은 아모스에게 이스라엘에 대한 예언만 하게 하신 것이 아니다. 먼저 그는 다메섹, 가사, 두로, 에돔, 암몬, 모압, 유다에 대한 대표적인 죄와 그에 대한 심판을 경고했다. 그후에 이스라엘의 죄를 적나라하게 진단한다. 이스라엘에 대한 진단은 어떠한가? 그들의 서너 가지 죄로 인해 하나님이 벌을 돌이키지 아니하시겠다는 것이다. 하나님이 심판을 돌이키지 않으실 정도로 그들의 죄는 심각했다. 하나님의 약속의 자손이 이방 백성들과 나란히 심판의 대열에 합류해 있는 것이다.

❷ 심판의 경고 – 자식은 줄고, 땅은 빼앗기고, 말씀은 사라진다.

하나님이 구체적으로 아모스를 통해 지적하는 이스라엘의 죄는 매우 구체적으로 나타난다. 은을 받고 의인을 판 죄, 신 한 켤레를 받고 궁핍한 자를 판 죄, 가난한 자의 머리에 있는 티끌을 탐낸 것, 겸손한 자의 길을 굽게 한 것, 아버지와 아들이 한 젊은 여인을 범해 하나님의 거룩한 이름을 더럽힌 성적 타락, 모든 제단 앞에서 전당잡은 옷 위에 누운 것, 우상의 신전에서 벌금으로 얻은 포도주를 마신 것이다(암 2:6~8). 아모스 시대의 이스라엘은 하나님의 언약의 백성임에도 불구하고 그 언약을 어기고 있다. 겉으로는 최고의 전성기를 누리고 풍요했지만 아모스는 그들의 불의한 죄를 적나라하게 지적하고 이것 때문에 심판을 면하지 못할 것임을 선언한다. 그리고 그들은 이미 하나님께서 보낸 선지자들의 예언을 금하는 죄를 범했다(암 2:12). 하나님의 입을 막겠다는 것이고, 듣지 않겠다는 것이다. 그러나 참 선지자는 하나님께서 말씀하신 것을 말하지 않을 수가 없다(암 3:8).

특히 사마리아의 죄는 하나님의 심판을 앞당길 정도였다. 사마리아 안에서는 포학과 겁탈 그리고 학대가 넘쳤다. 그들은 전혀 바른 일을 행하지 않았다. 그래서 하나님께서는 그들의 겨울 궁과 여름 궁 그리고 상아 궁을 파괴하겠다고 경고하셨다(암 3:15). 아모스를 통한 하나님의 심판 경고의 최절정은 성읍의 천 명이 백 명만 남고, 백 명이 행군해 나가던 성읍이 열 명만 남게 되는 자식공동체의 심판이다(암 5:3). 그리고 이 심판은 하나님이 일으키시는 한 나라를 통해 전개되는데 그 나라는 앗수르를 가리킨다(암 6:14). 그러나 무엇보다 심각한 심판의 결과는 여호와의 말씀의 기갈이다. 심판 때는 더 이상 사람이 이 바다에서 저 바다까지, 북에서 동까지 비틀거리며 여호와의 말씀을 구하러 달려 왕래해도 얻지 못한다. 따라서 심판은 결국 언약 파기의 세 가지 결과로 나타난다. 자식이 줄고 땅을 빼앗기고 말씀이 사라지는 것이다.

❸ 회개의 촉구 – 오직 여호와를 찾는 것이 사는 길이다.

아모스 선지자는 애가를 통해 처녀 이스라엘이 엎드러졌고 다시 일어나지 못할 것이라고 탄식한다. 또한 자기 땅에 던져졌는데 일으킬 자가 없다고 탄식한다(암 5:2). 그는 이 애가와 더불어 회개를 촉구한다. 오직 회개만이 처녀 이스라엘이 살 길이다. 아모스는 하나님의 처방을 제시하는데 "너희는 나를 찾으라 그리하면 살리라"(암 5:4)고 하셨다. 그러면서 벧엘도 찾지 말며 길갈로 들어가지 말고 브엘세바로도 나아가지 말라고 하셨다(암 5:5). 오직 여호와를 찾을 때만이 사는 길이다. 다른 길이 없다. 이처럼 하나님을 찾고 다시 선을 사랑하고 공의를 성문에 세우는 것만이 그들이 사는 길이었다. 하나님은 더 이상 형식적인 제사와 노랫소리를 원치 않는다고 하셨다. 오직 회개와 더불어 공의를 물같이, 정의를 하수같이 흐르게 하는 것만이 이스라엘 공동체가 사는 길이다.

❹ 소망의 메시지 – 다윗의 무너진 천막을 일으킬 것이다.

만약 이스라엘이 아모스를 통한 하나님의 말씀에 대해 여전히 언약 파기의 상태로 나아가면 그들에게는 더 이상 소망이 없다. 오직 심판만 있을 뿐이다. 이 심판을 면할 길이 없다. 그래서 하나님은 범죄한 나라에 주목해 지면에서 멸하리라고 하셨다. 그러나 야곱의 집은 완전히 멸하지는 않겠다고 하신다. 하나님은 이 심판 가운데서도 미래의 소망을 주신다. 미래의 그날에 하나님은 다윗의 무너진 천막을 일으키고, 그 틈을 막으며 그 퇴락한 것을 일으켜서 옛적같이 세우고 기업을 다시 얻게 하시겠다고 하였다. 그리고 다시 그들을 본토로 회복시켜서 심고 더 이상 뽑히지 않게 하리라고 하나님의 언약의 신실하심으로 보장하신다. 그러므로 심판 앞에 있는 이스라엘에게 유일한 소망은 미래의 회복에 대한 하나님의 언약뿐이다.

호세아 선지자의 선포

❶ 시대에 대한 진단 - 결혼 언약을 깬 백성

북이스라엘에서 호세아 선지자의 위치는 매우 중요하다. 호세아는 이스라엘의 13번째 왕인 여로보암 2세 후기에서부터 사역을 시작해 스가랴, 살룸, 므나헴, 브가히야, 베가 그리고 마지막 19번째 왕인 호세아에게 이르기까지 예언을 한다. 호세아 선지자는 북이스라엘의 최대 전성기에서부터 멸망까지 무려 일곱 왕에 걸쳐 사역한 선지자이다. 동시에 그는 북이스라엘의 마지막 선지자다. 호세아 사역 당시 남유다는 웃시야, 요담, 아하스, 히스기야를 거친다(호 1:1). 호세아는 이사야와 동시대에 북쪽에서 선지자 사역을 감당했다(사 1:1). 따라서 호세아서를 살펴보면 하나님께서 북이스라엘을 왜 멸망시키는지 정확히 알 수 있다. 호세아를 통한 하나님의 시대 진단은 한마디로 결혼 언약을 깬 음부로서의 모습이다. 하나님은 호세아에게 창녀 고멜을 아내로 맞이할 것을 명하신다. 그리고 음란한 자식을 낳게 한다. 하나님은 선지자의 가정과 삶을 통해 하나님과 이스라엘의 관계를 결혼 언약으로 설정하고 그 관계가 죄로 말미암아 깨어졌음을 선언한다.

그러면 이처럼 하나님과 이스라엘의 언약 관계가 끊어지게 되는 원인은 무엇인가? 그것은 언약의 상대인 이스라엘이 죄를 범해 하나님을 떠난 것이다. 호세아는 자식과 땅의 처절한 죄악상을 낱낱이 고발한다. 하나님은 약속의 땅에서 패역한 약속의 자식공동체와 논쟁하겠다고 하신다(호 4:1). 무엇에 대한 논쟁을 한다는 것인가? 언약 준행에 대한 논쟁이다. 약속의 자손을 약속의 땅에 들여보냈는데 그 결과가 참혹함에 대해 논쟁하겠다는 것이다. 그 땅에는 진실도 없고, 인애도 없고, 하나님을 아는 지식도 없고, 오직 저주와 속임과 살인과 도둑질과 간음뿐이다. 그리고 포악해 피가 넘친다(호 4:1~5).

그러나 이런 모든 죄의 근본 원인은 "내 백성이 지식이 없으므로 망하는도다"(호 4:6)라는 말씀으로 축약된다. 하나님은 그들이 지식을 버렸고, 율법을 잊었다고 진단하신다. 따라서 이스라엘은 더 이상 하나님의 제사장이 될 수 없으며, 하나님도 자기 자녀인 이스라엘을 잊어버릴 것임을 경고하신다. 특히 하나님은 그들이 번성할수록 범죄한다고 지적하셨다. 사실 북이스라엘의 최고 번성기는 여로보암 2세 때다. 그러나 하나님은 바로 그때 세 선지자 곧 요나, 아모스, 호세아를 보내셔서 겉으로는 번성했으나 속으로는 심판의 위기에 처해 있는 이스라엘을 진단하시고 경고하신다. 한

마디로 시내 산에서의 하나님과 이스라엘 백성 간의 결혼 언약이
완전히 깨질 위기 상황까지 와 있는 것이다.

❷ 심판의 경고 – 언약 파기의 결과를 피할 수 없다.

하나님은 이스라엘이 범죄한 것을 한마디로 아담처럼 언약을 어
긴 것이라고 선언하셨다(호 6:7). 호세아서를 이해하는 데는 이 구
절이 매우 중요하다. 하나님은 호세아 시대의 이스라엘 백성들에
대해 여전히 언약 관계 속에서 이해하고 계셨다. 그러나 이스라엘
백성들은 하나님에 대한 지식을 상실하면서 언약 관계마저 저버렸
다. 그래서 하나님은 호세아에게 음란한 고멜을 아내로 맞이하게
하셨고, 그녀가 도망가도 값을 치르고 되찾아오게 하셨다. 하나님
은 호세아와 고멜의 관계를 통해 하나님과 이스라엘의 관계를 계
시하신 것이다.

고멜처럼 이스라엘이 하나님을 떠나 우상을 섬기는 영적 간음
가운데 빠진 것인데 이 죄악에서 돌아오지 않으면 곧 심판이 임할
것을 경고하신다. 특히 심판의 경고는 호세아와 고멜 사이에 태어
난 세 자녀의 이름을 통해서 나타난다. 장남 이스르엘이란 이름은
"하나님께서 흩으신다"는 뜻이다. 장녀 로루하마는 "사랑을 받지
못한다"이다. 차남 로암미는 "내 백성이 아니다"라는 뜻이다. 하나
님은 언약을 깬 이스라엘 백성들을 흩으시고, 사랑을 받지 못하게
하시고 결국 자기 백성이 아니라고 말씀하신다. 이처럼 무서운 심
판의 경고가 어디 있는가?

❸ 회개의 촉구 - 마지막 호소

호세아서는 범죄한 이스라엘이 심판에 직면에 있음을 강조한다. 하나님의 심판의 저울이 완전히 기울어졌다. 여로보암 2세로부터 마지막 호세아 왕까지 아니 더 나아가 출애굽 이후부터 호세아 왕까지 하나님을 점점 멀리한 결과다(호 11:1~5). 이제는 도저히 소망이 없다. 오직 하나님의 심판만 있을 뿐이다. 이것이 호세아 시대의 언약을 파기한 자식공동체의 현실이었다. 이스라엘에게 더 이상 소망의 길이 없는 것이다. 그러나 하나님은 호세아 선지자를 통해 한 가지 길을 제시하신다. 그것은 오직 회개의 길이다. 회개 외에는 살 길이 없다. 그래서 호세아는 "오라 우리가 여호와께로 돌아가자 여호와께서 우리를 찢으셨으나 도로 낫게 하실 것이요 우리를 치셨으나 싸매어 주실 것임이라"(호 6:1)고 선포한다. 계속해서 그는 "우리가 여호와를 알자! 힘써 여호와를 알자!"라고 선언한다. 특히 그는 이스라엘의 조상 야곱이 울고 회개하며 하나님을 만난 것처럼 이스라엘도 하나님께 울며 돌아올 것을 권한다. 그리고 돌아온 자의 삶은 인애와 공의를 지키고 항상 하나님을 바라보는 것임을 선포한다(호 12:3~6) .

❹ 소망의 메시지 - 하나님이 왕 되심이 소망이다.

회개는 반드시 소망을 이끈다. 오직 하나님께만 소망이 있기 때문이다. 이스라엘이 결정적으로 소망을 상실한 이유는 그들이 이방을 따라 하나님의 왕 되심을 거부하고 인간 왕을 구한 결과다.

그들은 자신들을 도우시는 하나님을 대적하고 오히려 자신들 위에 군림하는 인간 왕을 구함으로 멸망을 자초한다. 하나님은 호세아 선지자를 통해 이스라엘의 멸망 원인을 분명하게 말씀하신다.

> "이스라엘아 네가 패망하였나니 이는 너를 도와 주는 나를 대적함이 니라 전에 네가 이르기를 내게 왕과 지도자들을 주소서 하였느니라 네 모든 성읍에서 너를 구원할 자 곧 네 왕이 이제 어디 있으며 네 재 판장들이 어디 있느냐 내가 분노하므로 네게 왕을 주고 진노하므로 폐하였노라"(호 13:9~11).

하나님은 사무엘 시대에 이스라엘 장로들이 사무엘 선지자에게 인간 왕을 구했던 사건(삼상 8:4~7)을 정확히 지적하신다. 그리고 그 결과는 패망이다. 왜냐하면 그들이 세운 왕들이 결국 하나님과의 언약을 떠나 나라와 백성을 잘못 인도했기 때문이다. 그들은 자신 만을 위해 산 왕들이다. 그들은 백성 위에 군림하며 자신의 권력을 유지하기 위해서 어떠한 폭정도 서슴지 않았다. 그것이 인간 왕이 다. 그들이 통치하는 한 패망밖에 없다. 그러나 회개하고 돌아오면 하나님이 다시 그들의 왕이 되신다. 그것이 유일한 소망의 메시지 다. 하나님이 왕 되시는 나라, 하나님이 왕 되시는 삶, 그것이야말 로 희망의 나라요 삶이다.

하나님은 범죄한 이스라엘에게 회개를 강력히 권하며 돌아오면 고치겠다고 선언하신다. 돌아오는 자에게 하나님은 이슬과 같은 은혜를 주시며, 돌아온 자들이 백합화같이 필 것이고, 레바논의 백 향목같이 뿌리가 박힐 것이라고 하셨다. 그리고 그 가지가 퍼지고,

그 아름다움은 감람나무와 같고, 그 향기는 백향목 같을 것이다. 그 소망의 때에 에브라임은 "내가 다시 우상과 무슨 상관이 있는가?" 라고 말할 것이다. 하나님은 자신에게 돌아와 새롭게 고백하는 자들을 돌보아 주겠다고 약속하신다. 그리고 다시 하나님을 왕으로 모시는 자는 열매를 얻게 될 것이다(호 14:1~8 참조). 결국 호세아 선지자 시대에 이스라엘은 앗수르에 의해서 멸망한다. 하나님의 심판이 임한 것이다. 그러나 하나님은 심판과 더불어 소망을 주심으로 은혜의 길을 열어 놓으신다.

남유다 선지자들의 메시지

요엘 선지자의 선포

❶ 시대 진단과 심판의 경고 – 인간의 희락이 마를 것이다.

요엘서는 당대의 재앙을 통해 여호와의 날을 계시한다. 특히 이 계시는 노인들을 비롯해 땅의 모든 주민들과 그 자손 대대로 들어야 할 메시지다(욜 1:2~3). 곧 자식공동체에게 주시는 하나님의 준엄한 경고의 메시지다. 그것은 무엇인가? 팥중이, 메뚜기, 느치, 황충으로 이어지는 사중 재앙 곧 심판의 메시지다. 이 재앙은 너무나 심각해서 포도나무가 멸하고, 포도주가 끊어지며, 무화과나무는 말갛게 벗겨졌다. 모든 소산이 마르고 다 시들었다. 심지어 하나님께 드리는 소제와 전제조차도 다 끊어져 제사장들이 탄식한다. 한마디로 말해서 인간의 희락이 마른 것이다(욜 1:12). 하나님은 사중 재앙을 통해 이 시대가 더 이상 돌이킬 수 없는 심판의 대상임을 선언하신다. 그러나 메뚜기의 사중 재앙은 사실 자연재해에 불과하다. 그 뒤에 이어지는 여호와의 크고 두려운 날은 역사상 전무후무한 심판의 날이다. 이날을 이겨 낼 자는 아무도 없다. 바로 요엘 시대가 임박한 여호와의 심판의 날 가운데 있는 것이다.

❷ 회개의 촉구 - 금식하며 울며 애통하며 돌아오라.

요엘은 먼저 제사장들의 회개를 촉구한다. 그는 제사장들에게 굵은 베로 동이고 슬퍼하며 울라고 선언한다. 가장 가까운 하나님의 단에서 수종드는 자들에게 곡하며 울라고 선포한다. 밤이 새도록 누워 울라고 한다. 그 이유는 더 이상 하나님께 소제와 전제를 드릴 수 없기 때문이다. 두 번째는 장로와 모든 거민에게 금식을 선포하고 하나님 전에 나와 부르짖으라고 선언한다. 여호와의 크고 두려운 날이 임박했기 때문이다. 그러나 하나님은 이제라도 금식하며 울며 애통하고 마음을 다해 내게로 돌아오라고 하신다. 심판의 원인을 정확하게 말씀하는 것이다. 하나님을 떠난 것이 심판의 원인이다(욜 2:1). 그러므로 심판 가운데서 구원받을 수 있는 유일한 길은 하나님께로 다시 돌아가는 것뿐이다. 하나님께로 돌아가는 것은 옷을 찢는 탄식 정도로는 어림없다. 옷이 아닌 마음을 찢어야만 한다.

하나님은 요엘 선지자를 통해 유다 백성들이 제사장과 장로 곧 지도자부터 모든 백성에 이르기까지 심지어 신랑과 신부에 이르기까지 하나님께 돌아와 회개하라고 하신다. 회개에는 예외가 없다.

특히 하나님은 자신을 수종드는 제사장들에게 강력한 회개를 촉구하신다. 영적 지도자들의 타락이 모든 백성에게 미쳤기 때문이다. 하나님은 그들에게 낭실과 단 사이에서 울라고 하신다. 성전 현관과 단 사이는 제사장들이 수종들기 위해 가장 많이 왕래하는 곳이다. 그곳에서 형식에 치우치고 범죄한 모든 것을 울며 회개하라는 것이다. 하나님은 더 나아가 낭실과 단 사이에서 울면서 회개할 내용마저 가르쳐 주신다.

> "여호와여 주의 백성을 불쌍히 여기소서 주의 기업을 욕되게 하여 나라들로 그들을 관할하지 못하게 하옵소서 어찌하여 이방인으로 그들의 하나님이 어디 있느뇨 말하게 하겠나이까 할지어다"(욜 2:17).

제사장들에게 열국이 유다를 침범해 다스리지 못하도록 눈물로 기도하라는 것이다.

❸ 소망의 메시지 – 메시아와 성령의 오심이 소망이다.

자식공동체가 하나님을 떠나 죄 가운데 빠지면 심판이 임한다. 그것은 하나님과 백성 사이의 피의 언약의 결과다. 그러므로 요엘을 통해 하나님이 유다에게 주시는 메시지는 현실의 진단에 따른 심판의 경고와 회개의 촉구로 이어진다. 하나님은 시대를 진단하고 심판을 경고하며 회개를 촉구하신다. 이것이 선지자들의 역할이다. 이처럼 선지자를 통한 하나님의 메시지를 받아들이지 않는 것은 곧 심판이요, 파멸이다. 그러나 회개를 통해 하나님의 메시지를 받아들이면 소망의 길이 있다. 회개할 때에 하나님도 자기 땅과 자기 백성을 위해 중심이 뜨거우며 그들을 긍휼히 여길 것이라고 하셨다(욜 2:18). 오직 회개하여 하나님께로 돌아갈 때만이 자식과 땅이 하나님의 긍휼하심을 입는 것이다.

소망의 메시지는 회복의 메시지다. 회개에 대한 하나님의 응답이 소망의 메시지로 나타난다. 그것은 심판의 경고와 상반된다. 메뚜기의 사중 재앙으로 모든 것이 끊겼는데 회개를 통해 흡족함이 임한다. 그리고 열국 중에서 욕을 당하지 않을 것이다. 그리고 다시 그 땅은 풀이 나고, 나무가 열매를 맺으며, 무화과와 포도나무가 다 힘을 낼 것이다. 그러나 그 무엇보다 귀한 소망은 시온의 자녀들이 기쁨과 즐거움을 회복하는 것이다(욜 2:23). 자녀의 기쁨과 즐거움이 무엇으로부터 오는가? 그것이 하나님으로부터 오는 이른 비와 늦은 비가 가져오는 풍성한 열매의 수확이다. 여기서 "이른 비를 너희에게 적당하게 주시리니"(욜 2:23)라는 구절은 "의를 가르치는 스승" 또는 "변호를 위한 이른 비"로 해석된다. 곧 메시아를 가리키는 것이다. 사실 선지서 중에서 "시온의 딸(자녀)들아 기뻐하고 즐거워할지어다"라는 관용구가 나오면 그것은 항상 그리스도의 초림을 노래하고 예언하는 구절이다. 그러므로 요엘은 회개하고 돌아오는 자들은 메시아로 인해 진정한 회복을 얻게 됨을 선포하고 있다. 그런데 놀랍게도 요엘은 2장 28절에 "그 후에"라는 용어로 소망의 진전을 계시한다. 그것은 메시아의 초림 후에 성령을 통해 하나님의 언약이 성취될 것에 대한 예언이다.

"그 후에 내가 내 영을 만민에게 부어 주리니 너희 자녀들이 장래 일

을 말할 것이며 너희 늙은이는 꿈을 꾸며 너희 젊은이는 이상을 볼 것
이며 그 때에 내가 또 내 영을 남종과 여종에게 부어 줄 것이며 내가
이적을 하늘과 땅에 베풀리니 곧 피와 불과 연기 기둥이라 여호와의
크고 두려운 날이 이르기 전에 해가 어두워지고 달이 핏빛같이 변하
려니와 누구든지 여호와의 이름을 부르는 자는 구원을 얻으리니 이는
나 여호와의 말대로 시온 산과 예루살렘에서 피할 자가 있을 것임이
요 남은 자 중에 나 여호와의 부름을 받을 자가 있을 것임이니라"(욜
2:28~32).

후에 베드로는 이 구절의 예언대로 오순절에 성령이 임하셨음
을 선포했다. 그러므로 요엘은 하나님의 언약 곧 메시아의 초림과
성령의 강림으로 진정한 자식공동체와 땅이 회복될 것을 선포하고
있다. 그러나 요엘 선지자의 소망의 메시지는 메시아의 재림까지
이어진다. 소위 "여호와의 크고 두려운 날"은 재림을 통한 구원과
심판의 날을 의미한다. 따라서 그날에 열국은 하나님의 여호사밧
의 심판대에 설 것이며 그들의 죄값을 치르게 될 것이다. 그러나
회개하고 돌아온 하나님의 백성은 그날이 온전한 구원의 날이 된
다. 그것은 하나님께서 친히 회개한 백성을 시온에 거하시며 영원
토록 다스릴 것이기 때문이다(욜 3:1~21 참조).

이사야 선지자의 선포

❶ 시대에 대한 진단 – 자식을 양육했으나 거역했다.

이사야 선지자는 남유다의 열 번째 왕인 웃시야 왕, 요담 왕, 아하스 왕 그리고 히스기야 왕 때까지 무려 남유다의 네 왕 시기에 걸쳐 사역했다. 북이스라엘의 호세아 선지자와 동시대에 사역했다. 따라서 이사야는 북이스라엘의 멸망을 목도하였기에 남유다에 대한 예언은 더욱 간절했다. 하나님께서 이사야를 선지자로 부르시는 장면은 6장에 나타난다. 이사야서를 이해하는 데 6장은 매우 중요한 기준이 된다. 왜냐하면 6장을 기준으로 전반부(1~5장)에는 인간이 통치하는 나라에 대한 적나라한 진단이 등장하고 후반부(7장 이후)에서는 이사야를 통한 하나님의 메시지가 선포되기 때문이다.

그러면 전반부에 나타난 이사야 시대의 하나님의 진단은 어떠한가? 한마디로 말해서 하나님이 자식을 양육하였는데 그 자식이 하나님을 거역한 것이다(사 1:2). 전형적인 자식 모티프다. 성경 전체가 하나님과 그 백성의 관계에 대해 말하는데 이사야는 서론에서 이것을 다시 한 번 명확하게 선언한다. 심지어 소도 그 임자를 알고 나귀도 그 주인의 구유를 아는데 나의 백성은 알지도 못하고 깨닫지도 못한다며 언약을 파기하고 하나님을 떠난 백성들에 대해 탄식한다. 그들은 범죄한 나라이고, 허물진 백성이며, 행악의 종자요, 행위가 부패한 자식이다. 그들이 하나님을 버리고 멀리 물러갔기 때문이다(사 1:3~4). 그들은 더 이상 성한 곳이 없을 정도로 상했고, 터졌다. 그들의 땅마저도 황폐해 소돔과 고모라처럼 처참해져 있다. 그러면 구체적으로 그들의 타락상은 어떠했는가?

첫째, 종교적 타락이 극에 달했다. 하나님은 그들의 무수한 제물이 아무런 유익이 없다고 하셨다. 하나님이 스스로 제정하신 제물과 피를 거부하신 것이다. 헛된 제물을 더 이상 가져오지 말라고 하셨다. 심지어 하나님은 그들의 예배로 모이는 모임조차도 견딜 수 없다고 하셨다. 성회와 더불어 악을 행했기 때문이다. 또한 많이 기도할지라도 듣지 않겠다고 하셨다. 그들의 손에 피가 가득했기 때문이다(사 1:11~15). 이사야를 통해 하나님은 제사와 예배의 본질을 떠나 타락해 형식화된 종교적 행위들을 적나라하게 드러내신다. 하나님께서 시내 산에서 제정하신 제사의 본질이 상실되고 껍데기만 남았기 때문이다.

둘째, 지도자들의 타락이다. 당시 고관들은 부패했고, 도둑과 짝하며, 뇌물을 사랑했다. 또한 사회에서 소외된 고아와 과부의 신원을 외면했다(사 1:23). 또한 장로들과 고관들은 약한 자의 포도원을 삼켰고, 가난한 자에게서 탈취한 물건들이 그들의 집을 채웠다. 심지어 그들은 하나님의 백성들을 짓밟으며, 가난한 자들의 얼굴에 맷돌질을 했다(사 3:14~15). 착취와 학정이 극에 달한 것이다. 이 모든 죄악을 하나님은 불꽃같은 눈으로 보셨고 정확하게 판단하셨다.

셋째, 언어와 행위의 타락이다. 이사야는 예루살렘이 멸망하고 유다가 엎드러짐은 그들의 언어와 행위가 하나님을 거역해 그의 영광의 눈을 범하였기 때문이라고 했다. 그들은 이처럼 언행의 불일치와 말로 범죄했는데 그것은 단순한 죄로 그친 것이 아니다. 그것은 죄를 숨기지 않았으며 더 나아가 죄를 발표하기까지 했다. 이것이 죄를 말로 발표하고 숨기지 아니한 큰 죄다. 이사야는 이 죄가 나라를 멸망으로까지 인도했다고 했다(사 3:8, 9).

넷째, 여인들의 타락이다. 시온의 딸들은 교만했다. 그리고 정을 통하는 눈으로 다니며 발로는 쟁쟁한 소리를 내면서 남자들을 유혹했다. 하나님은 시온의 딸들이 온갖 죄악과 치장한 장식을 다 제해 버리겠다고 하셨다. 심지어 당시 예루살렘 여인들이 치장했던 스물한 개의 장신구까지 열거하면서 그들이 하나님의 말씀을 버리고 교만해 세속의 쾌락만 추구했음을 질타하신다(사 3:16~24).

다섯째, 모든 백성들의 타락이다. 그들은 하나님의 백성임에도 불구하고 아침에 일찍 일어나 독주를 따르고 밤이 깊도록 포도주에 취했다. 그들의 연회에는 수금과 비파와 소고와 피리와 포도주를 갖추었다. 그러나 그들은 하나님께서 행하시는 일에는 관심을 두지 않았다. 그의 손으로 하신 일을 생각지도 않았다. 하나님의 백성이 오직 세상의 쾌락에 빠져 있는 것이다. 따라서 그들에게 남은 것은 멸망뿐이다. 곧 그들은 스올 곧 음부가 그 입을 한량없이 크게 열고 있는 곳에서 호화로움에 즐거워하고 있다. 점점 그 죽음의 입속으로 빠져들어가고 있는 것이다(사 5:11~14).

이사야 시대의 남쪽 유다의 죄악은 북쪽 이스라엘의 죄악과 별반 다를 것이 없다. 이 시대를 한마디로 말하면 잎사귀 마른 상수리나무요, 물 없는 동산이다(사 1:30). 더 이상 죄악으로 말미암아 하나님의 진노에서 벗어날 수 없는 형편에 놓인 것이다. 하나님은 좋은 포도 열매를 기대하고 극상품 포도나무를 심고 망대와 포도즙 틀까지 세웠는데 그들은 들포도를 맺어 하나님의 기대에서 완전히 벗어났다. 그들에게 정의와 공의를 기대하셨는데 그들은 오히려 포학과 탄식의 열매를 맺었다(사 5장 참조).

❷ 심판의 경고 - 인간이 통치하는 나라는 그 죄로 인해 멸망한다.

이사야는 하나님의 언약 백성 공동체가 돌아오지 않으면 징계를 더 받게 될 것을 경고한다(사 1:5). 또한 하나님이 유다 백성들이 의지하던 것을 다 제하실 것이라고 경고한다. 하나님을 의지해야 할 자식공동체가 하나님을 버리고 의지한 것은 무엇인가? 이사야 는 양식, 물, 용사, 전사, 재판관, 선지자, 복술자, 장로, 오십부장, 귀인, 모사, 정교한 장인, 능란한 요술자 등이었다고 지적한다(사 3:1~3). 그들은 하나님이 아니라 물질과 사람과 권세와 요행을 의지 했던 것이다. 하나님은 이 모든 것을 제하겠다고 선언하신다. 더 나아가 이사야는 그들의 언어와 행위가 하나님을 거역하였기에 예 루살렘은 멸망했고, 유다가 엎드러졌다고 선포한다(사 3:8). 심판이 이미 이른 것이다. 따라서 하나님은 언약 백성과 언약 파기에 대해 변론하셔야 하며 그들을 심판하기 위해 오신다고 선언한다(사 2:13).

하나님은 이사야 선지자를 통해 단지 남유다의 심판만을 경고 하시는 것이 아니다. 북쪽 이스라엘의 죄악과 경고를 지적하면서 여전히 그들이 회개하고 돌아오지 않기 때문에 앗수르를 도구로 사용해 이스라엘을 칠 것을 선포하신다(사 9장 참조). 그러나 앗수르 도 하나님의 심판의 경고를 받는다. 왜냐하면 그들은 단지 하나님 의 심판의 도구임에도 불구하고 교만한 마음으로 이스라엘과 유다 를 치려 하기 때문이다. 앗수르의 교만은 결국 자신들을 심판 대상 으로 전락시킨다(사 10장 참조). 바벨론 또한 심판의 경고를 받는다 (사 14장 참조). 이처럼 이사야는 하나님께서 남유다와 북이스라엘 뿐만 아니라 앗수르, 바벨론, 블레셋(사 14:28~31), 모압(사 15~16장), 다메섹(사 17장), 구스(사 18장), 애굽(사 19장), 두마(사 21:11~12), 아라 비아(사 21:13~17) 등 열방에 대한 경고의 메시지를 선포한다. 하나 님의 심판 경고가 모든 열방에 미치는 것이다. 그러므로 하나님의 심판을 피할 열방은 없다. 따라서 하나님의 백성은 이 심판의 과정에서 열방을 의지하면 안 된다. 그들이 의지할 대상은 오직 하나님뿐이다. 하나님께 돌아가는 것만이 사는 길이다. 왜냐하면 하나님 앞에서 열방은 통의 한 방울 물 같은 존재이기 때문이다(사 40:15).

❸ 회개의 촉구 – 자식이 사는 길은 회개의 삶으로만 가능하다.

하나님의 백성 유다가 살 길은 이 모든 죄를 회개하고 하나님께로 돌아오는 것뿐이다. 다른 길은 없다. 열방도 의지할 수 없다. 오직 하나님께 돌아가 언약을 갱신하고 회복하는 길만이 사는 길이다. 이사야는 이러한 회개의 메시지를 심판의 메시지 사이에 선포한다. 심판의 경고 가운데 해결책을 제시한다. 하나님은 이들의 죄가 얼마나 큰지 그들이 손을 펼 때에 하나님 자신의 눈을 가리고 그들이 많이 기도할지라도 듣지 아니하리라고 하셨다. 이는 그들의 손에 피가 가득했기 때문이다. 따라서 하나님은 그들이 스스로 씻으며 스스로 깨끗하게 해 하나님의 목전에서 악한 행실을 버리고 행악을 그치며 선행을 구하고 공의를 구하며 학대받는 자를 도우며 고아와 과부를 변호하라고 하신다(사 1:15~17). 이러한 변화는 무엇으로 가능한가? 그것은 오직 회개의 삶으로만 가능하다. 그래서 하나님은 그들을 회개에로 초청한다.

"오라 우리가 서로 변론하자 너희의 죄가 주홍 같을지라도 눈과 같이 희어질 것이요 진홍같이 붉을지라도 양털같이 희게 되리라"(사 1:18).

회개의 촉구에 순종하면 온전히 죄 사함 받을 것임을 약속하신 것이다. 그들이 만약 하나님의 회개의 촉구에 즐겨 순종해 돌아오면 땅의 아름다운 소산을 먹을 것이다. 그러나 회개의 촉구를 거절하고 악행을 계속해 하나님을 배반하면 칼에 삼키울 것이다(사 1:19~20). 이사야는 이것이 하나님의 입의 말임을 선언함으로 사실상 회개만이 그들이 살 수 있는 유일한 길임을 선포한다.

❹ 소망의 메시지 - 메시아만이 하나님 나라를 세운다.

하나님은 이사야를 선지자로 부르신 후에 그를 파송하신다(사 6:8~9). 이사야는 누구에게 파송되는가? 이사야서 1장에서 5장까지 적나라하게 드러나는 죄악 가운데 있는 백성들에게 파송된다. 곧 인간 왕을 요구했으나 결국은 심판의 문 앞에 다다른 자기 백성에게 파송되는 것이다. 하나님이 이사야를 자기 백성에게 보내는 것은 물론 죄악에 대한 진단과 심판의 경고에 대한 하나님의 메시지를 선포하기 위함이다. 따라서 진단과 심판의 메시지는 인간이 통치하는 나라의 좌절을 의미한다. 그들에게는 더 이상 소망이 없다. 절망뿐이다. 그러나 하나님은 이사야를 통해 또 다른 메시지를 선포하신다. 그것은 소망의 메시지다. 소망의 메시지는 인간이 왕이 되어 통치하는 절망의 나라가 아니라 하나님 자신이 왕이 되셔서 통치하는 소망의 나라다. 곧 절망의 메시지는 언약 파기에 대한 결과이며, 소망의 메시지는 파기된 언약을 회복시키는 구원의 메시지다.

그러면 소망의 나라는 어떠한 나라인가? 그것은 하나님이 통치하시는 하나님의 왕국, 하나님의 나라다. 이것이 선지서의 대주제다. 하나님의 나라는 진정한 평화의 나라다(사 11:6). 이 평화의 나라는 물이 바다를 덮음같이 여호와를 아는 지식이 세상에 충만한 나라다(사 11:9). 또한 하나님의 나라는 잔치의 나라다. 그 나라는 만민을 위해 연회를 베푸시며 모든 민족의 면박과 열방의 휘장을 제하시는 나라다. 그 나라에는 사망이 영원히 멸할 것이다. 따라서 그 나라는 모든 얼굴에서 눈물을 씻기시며 그 백성의 수치를 온 천하에서 제하시는 나라다(사 25:6~8). 또한 하나님 나라에서는 진정한 영혼의 만족을 얻는다. 곧 물 댄 동산이다(사 58:11). 인간이 왕이 되어 통치하는 나라는 결국 물 없는 동산(사 1:30)과 같지만 하나님이 통치하시는 나라는 항상 물 댄 동산이 되어 영혼을 살린다.

어떻게 물 댄 동산의 역사가 가능한가? 그것은 성령의 전수와 말씀의 전수로 된다. 하나님 나라는 언약의 회복과 갱신으로 가능한데 하나님은 새롭게 언약을 세울 것을 선언하신다. 그것은 하나님의 영 곧 성령을 자식공동체 위에 두고, 하나님의 말씀을 자식공동체의 입에 두시는 것이다. 곧 자식공동체에게 영원토록 성령을 부으시고, 말씀을 담음으로 언약공동체와 그 후손과 그 후손의 후손의 입에서 영원토록 떠나지 않는 새로운 자식공동체를 세우신다(사 59:21).

그러면 소망의 나라는 어떻게 도래하는가? 하나님의 나라는 어떻게 이 땅에 오는가? 이사야는 북이스라엘 왕 베가와 아람 왕 르신이 연합해 예루살렘을 둘러싸고 있는 남유다의 절박한 상황 속에서 하나님 나라가 어떻게 도래하는지 선포한다. 이사야는 남유다의 왕인 아하스에게 포위 상황에서 하나님이 함께하신다는 징조를 구하라고 한다. 그러나 믿음 없는 아하스는 구하지 않는다. 이사야는 아하스를 책망하며 하나님이 친히 주시는 징조를 계시한다. 그것이 바로 "보라 처녀가 잉태하여 아들을 낳을 것이요 그의 이름을 임마누엘이라 하리라"(사 7:14)는 말씀이다. 처녀가 잉태해 아들을 낳는다는 말씀이 어떻게 당시 절박한 상황 가운데 있는 아하스와 유다 백성에게 징조가 되는가?

사실 하나님의 나라는 인간의 절망 가운데서 하나님이 함께하신다는 소망과 비전으로 임한다. 하나님 나라는 미래에 완성될 것이지만 지금 이미 맛보아 경험하는 현재적 나라다. 미래적이지만 현재적인 바로 그 나라가 처녀가 잉태해 낳은 아들을 통해 온다. 곧 여자의 후손(창 3:15)인 메시아 예수를 통해 오는 것이다. 당시의 메시아 예수는 어린 아기로 미래에 오지만 아하스 왕 시대 곧 위기의 상황에서 현재적으로 함께하시는 만왕의 왕이며, 우주의 통치자이다. 그는 다윗의 위에 앉아서 하나님의 나라를 굳게 세우고 영원토록 공평과 정의로 보존하실 소망의 메시아다(사 9:6~7). 그러므로 하나님의 나라는 메시아 예수를 통해 임한다. 그는 다윗의 후손 곧 어린 아기로 오셔서 하나님 나라를 회복하고 건설하며 완성한다.

그러나 하나님 나라의 회복과 건설과 완성은 세상 나라가 확장되는 방법과는 전혀 다른 원리를 갖는다. 세상의 인간 나라는 힘과 무력으로 정복하고 확장하지만 하나님 나라는 다르다. 메시아는 놀랍게도 고난받는 종의 모습으로 등장한다. 초라하고 볼품없는 모습이다(사 52:14, 53:2). 그래서 세상은 그를 메시아로 인정하지 못하며 그를 핍박하고 결국 십자가에 못 박는다. 그러나 역설적으로 하나님 나라는 자식공동체가 언약을 깨고 죄값을 치러야 하는 죽

음을 대신 지는 고난받는 종, 죽으러 온 메시아 예수를 통해 실현
된다(사 53:4~12).

그러면 궁극적으로 메시아 예수를 통해 실현되는 하나님의 나
라는 어떤 모습인가? 그것은 새 하늘과 새 땅이다. 그리고 그 곳에
들어가는 새 백성들의 모습이다. 그들은 거기서 영원한 예배를 회
복한다. 새로운 땅과 자식 모티프의 완성이다. 곧 메시아를 통해
완성된 하나님 나라에서 하나님의 거룩한 새 백성이 영원토록 경
배와 찬양 가운데 영생의 삶을 사는 것이다(사 66:22~23). 그러나 패
역한 자들은 영원한 형벌의 심판에 처한다(사 66:24).

미가 선지자의 선포

❶ 시대에 대한 진단- 예루살렘이 산당이 되었다.

미가 선지자는 유다의 요담과 아하스 그리고 히스기야 시대에
하나님의 선지자로 사역했다. 이사야와 같은 시대의 선지자다. 이
사야 선지자는 주로 남유다에 대해 예언했는데 미가 선지자는 북
이스라엘의 사마리아와 남유다의 예루살렘에 대해 예언했다(미
1:1). 하나님은 미가 선지자를 통해 하나님께서 그 처소에서 나와
강림하사 땅의 높은 곳을 밟으실 것이라고 경고한다. 심판의 하나
님이 임재하시는 것이다. 심판의 이유는 야곱의 허물과 이스라엘
족속의 죄를 인함이다. 야곱의 허물은 사마리아이고 유다의 산당
은 예루살렘이라고 선언하신다(미 1:5). 그 안에 우상이 가득하고
음행이 넘쳤기 때문이다(미 1:7). 특히 하나님의 성전이 세워진 예

루살렘을 유다의 산당이라고 한 것은 매우 의미심장한 말이다. 왜 냐하면 하나님은 모세를 통해 이스라엘 자손에게 산당을 파괴할 것을 명령했기 때문이다(민 33:52). 산당은 전형적인 샤머니즘의 중심지며, 이방 우상 숭배의 진원지였기 때문이다. 그런데 미가 시대에 예루살렘이 산당으로 전락해 버린 것이다. 이것이 미가 선지자 당시 자식공동체의 현실이었다.

또 다른 하나님의 시대 진단은 매우 구체적이다. 먼저 지도자들의 죄에 대해 진단하신다. 그들은 침상에서 악을 꾀하고, 간사를 경영했다. 그리고 낮이 되면 자신들의 힘으로 그 꾀를 실행했다. 그 결과 백성들의 밭을 빼앗고, 집들을 취하고, 백성들과 그 산업을 학대했다(미 2:1~2). 더욱이 그들은 선을 미워하고 악을 좋아했다. 자신들의 권력을 의지해 하나님 백성의 가죽을 벗기고, 그 뼈에서 살을 뜯어 먹으며 다지기를 냄비와 솥 가운데 담은 고기처럼 했다. 따라서 하나님은 그들의 부르짖음에도 그 악으로 인해 얼굴을 가리신다고 했다(미 3:1~4).

종교 지도자들에 대한 진단 또한 매우 적나라하다. 그들은 백성들을 미혹하는 거짓 선지자다. 그들은 이에 물어주면 평강을 외치나 그 입에 무엇을 채워주지 않는 자에게는 전쟁을 준비하는 자들이다. 하나님은 미가를 통해 이런 거짓 선지자들에게 그들이 흑암을 만나 점치지 못할 것이라고 선언하신다(미 3:5~6). 당시 지도자들에 대한 하나님의 진단은 정확하고 혹독하다. 두령 곧 정치 지도자들은 뇌물을 위해 재판을 행했다. 제사장들은 삯을 위해 교훈을 행했다. 그리고 선지자들은 돈을 위해 점을 쳤다. 소위 지도자들이 이처럼 죄악 가운데 빠져 있었음에도 불구하고 그들은 여호와를 의뢰한다며 여호와께서 자신들 가운데 계시므로 재앙이 임하지 않을 것이라고 주장했다(미 3:11). 삶은 거짓된 물질의 노예가 되어 있으면서 자리를 유지하고 거짓 평화까지 주장한 자들이 그 시대 지도자들이다. 이들에게 임할 것은 심판 외에는 아무것도 없다.

❷ 심판의 경고 - 예루살렘이 무더기가 될 것이다.

하나님의 이러한 진단은 심판의 경고로 나타난다. 하나님은 범죄한 사마리아로 들의 무더기 같게 하겠다고 경고하신다(미 1:6). 또한 가난한 자들을 학대하고 그들의 소유를 탐해 뺏은 죄에 대해서는 하나님의 재앙이 임할 것이라고 하신다(미 2:3). 하나님은 백성들의 지도자 곧 두령과 제사장과 선지자들의 타락으로 말미암아 시온은 밭같이 갊을 당하고, 예루살렘은 무더기가 되고, 성전의 산은 수풀과 같이 될 것이라고 경고하셨다(미 3:9~12). 그들의 죄악이 얼마나 큰지 약속의 땅이 무더기가 되어 폐허가 된다는 무서운 선언이다. 이것이 언약 파기의 결과다.

심판의 내용은 이렇다. 그들이 먹으나 배부르지 못하다. 속이 항상 허할 것이다. 그들이 감추나 보존할 수 없고, 보존된 것은 하나님이 칼에 붙일 것이다. 씨를 뿌리나 추수할 수 없고, 감람을 재배하나 기름을 몸에 바르지 못하고, 포도를 재배하나 술을 마시지 못할 것이다. 이처럼 그들이 수고하고 애쓰는데도 아무것도 얻을 수 없는 이유는 무엇인가? 그들이 아합의 집의 모든 행위를 따르고 그들의 꾀를 좇았기 때문이다. 따라서 하나님께서 그들을 황무케 하고, 백성의 수욕을 담당케 하시는 것이다(미 6:14~16).

❸ 회개의 촉구 - 정의와 인자로 겸손히 돌아오라.

하나님은 범죄하여 심판에 직면한 언약공동체에게 일어나서 논쟁하자고 하신다. 하나님은 자기 백성과 쟁변하기를 원하신다. 하나님이 언약을 파기한 패역한 백성에게 하고자 하는 말씀이 무엇인가? 하나님이 자기 백성들에게 애굽에서 인도해 종노릇에서 속량하신 것, 모세와 아론과 미리암을 지도자로 주어 출애굽의 역사를 이루신 것, 모압 왕 발락의 꾀에 대해 브올의 아들 발람이 그에게 저주를 축복으로 바꾸어 대답한 것을 추억하라고 하신다. 곧 싯딤에서 길갈까지의 일을 추억하라고 하신다(미 6:1~5).

싯딤은 이스라엘 백성이 모압 평지에 있는 요단 동편에 진쳤던 곳이다(민 25:1).여기에 머물러 있는 동안 이스라엘은 발람의 꾀에 넘어가 모압 여인들과 음행을 저지르는 큰 사건이 벌어진다. 하나님은 바로 싯딤에서 있었던 그 죄와 처리과정을 추억하라는 것이다. 하나님은 아브라함과 언약하신 대로 신실하게 이스라엘을 출애굽시켰고, 훌륭한 지도자를 보내셨고, 저주를 축복으로 바꾸어 주셨음에도 그들은 모압 여인들과 함께 음행을 범함으로 범죄했다. 마찬가지로 약속의 땅 곧 요단을 건너 길갈에 이르러 하나님의 기적을 경험하고 언약대로 땅을 차지한 이들이 싯딤에서처럼 또 범죄하면 어떻게 되겠는가를 생각하라는 것이다. 이것은 당연히 미가 선지자 시대의 백성들 또한 회개하지 않으면 하나님의 의로운 심판이 있을 것임을 경고하면서 회개를 촉구하는 것이다. 하나님은 이와 같은 변론을 하면서 "내 백성아 내가 무엇을 네게 행하였으며 무슨 일로 너를 괴롭게 하였느냐 너는 내게 증언하라"(미 6:3)

고 하신다. 이제는 그 백성이 답할 차례다. 하나님의 쟁론에 대한 이스라엘의 응답은 미가의 개인적 고백 성격을 가진다. 그것은 매우 놀라운 회개의 고백이다.

"내가 무엇을 가지고 여호와 앞에 나아가며 높으신 하나님께 경배할까 내가 번제물로 일 년 된 송아지를 가지고 그 앞에 나아갈까 여호와께서 천천의 숫양이나 만만의 강물 같은 기름을 기뻐하실까 내 허물을 위하여 내 맏아들을, 내 영혼의 죄로 말미암아 내 몸의 열매를 드릴까 사람아 주께서 선한 것이 무엇임을 네게 보이셨나니 여호와께서 네게 구하시는 것은 오직 정의를 행하며 인자를 사랑하며 겸손하게 네 하나님과 함께 행하는 것이 아니냐"(미 6:6~8).

미가 선지자는 마치 이스라엘을 대표해서 하나님의 변론 앞에 겸손하게 고백한다. 참으로 하나님의 백성이 본질적 회개와 삶의 변화를 통해 하나님 앞에 나아가기를 촉구하는 것이다. 하나님은 천천의 숫양이나 만만의 기름을 원하는 것이 아니다. 하나님은 자식공동체가 하나님 앞에 진정으로 회개하고 돌아와 오직 정의를 행하고 인자를 행하며 겸손하게 하나님과 함께 살기를 원하신다. 두 번째 하나님의 진술 곧 미가 시대의 죄악상에 대한 적나라한 지적(미 6:9-16) 에대해서 미가는 이스라엘을 대표해 회개한다(미 7:7~10).

❹ 소망의 메시지 – 새롭게 다스릴 자가 오신다.

하나님은 미가 선지자를 통해서 소망의 메시지를 선포하신다. 모든 정치, 종교 지도자들이 자기의 배를 채우려고 백성 위에 군림하는 절망의 시대에 소망의 메시지를 주신다. 그것은 새롭게 이스라엘을 다스릴 자가 나타날 것을 말씀한 것이다. 그는 작은 마을 베들레헴에서 나온다. 그러나 그의 근본은 상고 곧 태초부터 계신 자이다. 그는 하나님의 능력과 이름을 의지해 이스라엘을 먹이고 안연히 거하게 할 것이다. 그는 창대해 땅 끝까지 미칠 것이다. 그는 이스라엘의 평강이 될 것이다. 그는 앗수르의 공격을 막고 건져낼 구원자다. 그는 열국에 흩어진 야곱의 남은 자가 기다릴 유일한 소망이시다(미 5:2~8 참조).

그는 누구인가? 메시아 예수시다. 하나님은 미가 선지자를 통해 오직 베들레헴에서 태어나는 메시아 예수만이 진정한 지도자임을 선포하고 있다. 인간 나라의 지도자들은 자기의 배를 채우기 위해 백성을 착취하지만 진정한 지도자인 메시아는 백성을 먹이며 안연히 살게 할 것이다. 그만이 대적의 손에서 백성을 구원할 자다. 또한 그로 말미암아 많은 이방이 여호와의 전 산에 올라가서 하나님께로 돌아올 것이다. 그 성산에서 하나님의 말씀이 나올 것이다(미 4:1~2 참조). 그날이 곧 메시아의 날이요 구원의 날이요, 소망의 날이다. 그날에는 이 바다에서 저 바다까지, 이 산에서 저 산까지 하나님 백성이 사방에서 돌아올 것이다(미 7:12). 하나님은 회개하고 돌아오는 자들의 죄악을 발로 밟으시고 모든 죄를 깊은 바다에 던지실 것이다. 이 소망의 메시지의 근거는 옛적에 하나님께서 열조 곧 야곱과 아브라함에게 맺으신 언약을 신실하게 지키심 때문이다(미 7:18~20). 오직 이 모든 구원은 메시아를 통해 이루어질 것이다.

나훔 선지자의 선포

❶ 시대에 대한 진단 - 더 이상 하나님의 심판을 피할 수 없다.

나훔 선지자는 하나님으로부터 이방에 대해 예언하라는 사명을 받았다. 그가 예언할 대상은 다름아닌 니느웨였다. 니느웨는 당시 세계에서 가장 잔인하고 무자비한 앗수르의 수도였다. 나훔은 이 메시지가 니느웨에 대한 하나님의 경고라고 선언한다. 하나님께서 니느웨를 어떻게 진단하시는가? 한마디로 니느웨는 하나님을 투기하게 하고 보복케 하는 존재다. 니느웨는 하나님의 언약의 자식공동체를 무너뜨린 대적이다. 그러나 그들의 교만과 악행이 극에 달했기에 하나님의 공의로운 질투로 멸망에 직면한다. 하나님은 이미 요나 선지자를 통해 약 150년 전에 니느웨의 회개를 촉구했고 그들은 하나님의 메시지를 듣고 회개해 심판을 면했다. 그러나 나훔 선지자 시대에 와서 니느웨는 더 이상 하나님의 심판을 피할 수 없게 되었다. 그들의 악행이 하나님의 보복과 진노를 촉발했기 때문이다.

❷ 심판의 경고 - 니느웨의 포악을 보복하신다.

하나님은 니느웨를 한마디로 피의 성이라고 하신다(나 3:1). 그 안에는 거짓과 포악이 가득하며 탈취가 떠나지 않았다. 니느웨 내부의 죄악과 열국에게 행했던 잔혹성은 결국 니느웨의 심판을 가져온다. 휙휙 하는 채찍소리, 윙윙 하는 병거 바퀴소리, 뛰는 말, 달리는 병거, 충돌하는 기병, 번쩍이는 칼, 번개 같은 창, 죽임 당한 자의 떼, 주검의 큰 무더기, 무수한 시체 위에 사람이 그 시체 위에 걸려 넘어지는 무서운 심판이 예고된다(나 3:2~3). 니느웨는 수많은 음행으로 열국을 미혹하는 음녀와 같다. 그의 악행은 모든 열국에게 미쳤다(나 3:4). 그 음녀의 최후는 심판뿐이다. 이것은 악행으로 인해 하나님을 대적하는 자에 대한 보복에 이방의 모든 나라도 예외가 될 수 없음을 선포하는 것이다(나 1:2 참조).

❸ 회개의 촉구 - 회개의 기회를 놓쳤다.

나훔 선지자의 메시지는 다른 선지자들의 메시지와 다른 점이 있다. 회개를 촉구하는 메시지가 없다는 것이다. 이것은 무엇을 의미하는가? 더 이상 소망이 없음을 말한다. 나훔 선지자 시대의 니느웨는 요나 선지자가 선포했던 때와는 확연히 다른 분위기를 보여 준다. 회개의 때가 지난 것이다. 지금은 더 이상 돌이킬 수 없는 심판의 때이다. 이처럼 무서운 메시지가 어디 있는가? 오직 심판만 있고 회개의 촉구가 없는 메시지처럼 두려운 것이 어디 있는가? 역설적으로 나훔을 통한 심판의 메시지를 받은 니느웨는 회개의 길밖에는 아무 소망이 없음을 통절히 깨달아야 하는 것이다.

❹ 소망의 메시지 - 타산지석으로 삼아라.

나훔서에는 절망의 메시지만 있는 것이 아니다. 물론 하나님의 중한 심판의 경고를 받는 피의 성 니느웨에게는 소망이 없다. 그들에게는 더 이상 소망의 메시지가 없기 때문이다. 그러나 하나님께서 죄악으로 가득 차고 교만한 니느웨를 치는 것은 오히려 유다에게는 소망이다. 하나님은 니느웨의 죄에 대해서는 반드시 투기하고 보복하는 하나님이시지만 자기를 의뢰하는 자들에게는 그들을 아시고, 선하시며, 환난 날에 산성이시라고 선언한다(나 1:1~7 참조).

또한 범죄한 니느웨에게는 더 이상 그들의 이름이 전파되지 않고, 그들의 우상이 멸절되고, 무덤을 준비하게 될 것이라고 하셨다. 이것은 무슨 의미인가? 하나님께서 더 이상 그들의 자고함과 악행으로 인해 도구로 사용하지 않겠다는 것이다. 그래서 쓸모없어졌다고 말씀하신다. 사실 앗수르는 당대 최강의 나라로서 하나님의 징계의 막대기 역할을 했다. 그러나 자고해짐으로 하나님으로부터 버림을 받는다(나 1:14). 이러한 니느웨의 심판은 오히려 유다에게는 소망이다. 그래서 나훔은 아름다운 소식을 알리고 화평을 전하는 자의 발이 산 위에 있다고 선언한다. 이 소식은 유다의 소망이다. 따라서 유다는 절기를 지키고 서원을 갚아야 한다. 악인이 진멸되어 다시는 그들이 유다 가운데로 통행하지 못할 것이다. 하나님께서 앗수르를 치심으로 유다의 영광을 회복시키기 때문이다. 이처럼 나훔서는 자고한 이방 민족의 심판과 언약 백성의 회복을 증거한다.

스바냐 선지자의 선포

❶ 시대에 대한 진단 – 진멸의 때가 다다랐다.

스바냐는 남유다 16대 왕인 요시야 시대에 사역한 선지자다. 그
는 남유다의 13대 왕인 히스기야의 후손이다(습 1:1). 스바냐가 사
역한 이 시대에 대한 하나님의 진단은 모든 것을 진멸하겠다는 것
이다. 거기에는 유다와 이방이 포함된다. 유다는 시내 산 언약 곧
하나님과 함께 사는 거룩한 언약을 완전히 어겼다. 대표적으로 요
시야 왕의 선대인 14대 왕 므낫세와 15대 왕 아몬의 죄가 하나님
과의 언약을 완전히 파기했다. 물론 요시야 왕이 율법을 발견하고
개혁의 기치를 들었으나 이미 변질된 유다의 죄를 근본적으로 해
결할 수는 없었다. 스바냐의 예언이 이것을 대변한다.

하나님은 스바냐를 통해 진멸하겠다는 말씀을 일곱 번에 걸쳐
선언한다(습 1:2~6). 그만큼 요시야 시대의 상황이 심각했던 것이다.
하나님은 또한 유다 백성이 수치를 모른다고 선언하신다(습 2:1,
3:5). 하나님의 자식공동체가 언약을 어긴 결과로 파멸 가운데 빠져
있는데도 그들은 전혀 수치를 모르고 있다. 더욱 우상 숭배와 죄악
에 물들어갈 뿐이다. 하나님은 예루살렘을 패역하고 더러운 곳, 포
학한 성읍이라고 하신다(습 3:1). 나훔 선지자가 심판을 예언한 니
느웨와 별 차이가 없다. 예루살렘은 하나님의 명령을 듣지 않았고,
교훈을 받지 않으며, 하나님을 의뢰하지도 않았다. 지도자들은 부
르짖는 사자처럼, 재판장들은 저녁 이리처럼 자기 이익만을 위해
백성들 가운데 폭정을 행했다. 선지자들은 경솔하고 간사했다. 제
사장들은 성소를 더럽히고 율법을 범했다(습 3:2~4).

❷ 심판의 경고 – 여호와의 큰 날이 심히 가까웠다.

스바냐 선지자를 통한 하나님의 진단은 결국 심판의 경고로 나타난다. 하나님은 언약에 따라 행하신다. 하나님과 유다의 언약은 피의 언약이다. 시내 산에서 모세와 이스라엘 백성이 가나안 땅에 들어가 하나님의 말씀대로 살겠다는 피의 언약이다. 하나님도 피의 언약을 맺으시며 그 백성을 생명을 다해 지키시고 책임지시겠다는 언약이었다. 그러나 이미 북이스라엘은 죄악의 관영으로 멸망했고 남은 유다마저 그 길을 따르고 있다.

하나님은 스바냐 선지자를 통해 그들의 죄가 얼마나 심각한지 심판의 경고로 말씀하신다. 하나님은 땅 위의 모든 것은 진멸하겠다고 하신다. 사람, 짐승, 공중의 새, 바다의 고기, 거치게 하는 것, 악인들을 진멸하겠다는 것이다. 또한 유다와 예루살렘의 모든 주민들 위에 손을 펴서 남아 있는 바알들과 제사장들을 멸절할 것이다. 하늘의 일월성신을 섬기고, 하나님을 믿는다고 하면서 동시에 이방의 신을 섬기는 자도 그렇게 될 것이다. 곧 하나님을 배반하고 따르지 않으며 여호와를 찾지도 아니하고 구하지도 않은 자들이 멸절될 것이다. 스바냐는 그날이 바로 여호와의 날이라고 선포한다. 하나님의 심판의 날은 누구도 입을 열 수 없는 날이다. 그날은 매우 가까이 왔다. 그리고 빠르다. 그날은 분노의 날이며 환난과 고통의 날이며 황폐와 패망의 날이다. 캄캄하고 어두운 날이며, 구름과 흑암의 날이다. 그날에는 은과 금도 능히 그들을 건지지 못할 것이다(습 1:2~18 참조).

❸ 회개의 촉구 - 진노가 내리기 전 회개하라.

스바냐는 하나님의 심판의 경고를 전하면서 유다 백성들에게 회개를 촉구한다. 명령이 시행되어 날이 겨같이 날아 지나가기 전, 여호와의 진노가 내리기 전, 여호와의 분노의 날이 이르기 전에 회개해야만 한다(습 2:2). 하나님의 심판의 명령이 시행되기 전에 하나님의 자식공동체는 공의와 겸손을 구해야 한다. 여호와를 찾아야만 한다. 그것만이 사는 길이다(습 1:3). 스바냐 선지자는 회개의 시급성을 강조한다. 회개는 미루어져서는 안 된다. 언약의 백성이 하나님께 돌아가는 것은 삶의 어떤 것보다도 우선되어야 한다. 그러나 회개의 기회를 놓치면 명령이 시행되는 날 아무도 심판 가운데서 건져낼 자가 없다. 그들이 의지하던 은과 금도 하나님의 진노의 불에서 건져낼 수 없다. 그러므로 스바냐는 유다 백성이 속히 회개하고 기회를 주시는 하나님께 속히 돌아오기를 촉구한다.

❹ 소망의 메시지 – 심판 후에 진정한 왕이 통치하신다.

스바냐는 자기 백성이 다시 하나님을 경외하고 교훈을 받으면 형벌을 내리려고 정하셨음에도 그들의 거처가 끊어지지 않게 하시겠다고 했다. 그러나 그들은 회개하기보다 오히려 부지런히 그들의 모든 행위를 더럽게 했다. 그러므로 더 이상 하나님의 심판의 유예는 없다. 회개의 기회가 지나간 것이다. 하나님은 열국을 소집해 자기 백성에게 진노를 쏟겠다고 하신다. 심판이 시행되는 것이다(습 3:7~8).

그러나 스바냐 선지자는 역설적으로 이 심판의 날이 열방을 정결케 해 하나님의 이름을 부르게 하는 희망의 날이 될 것이라고 선언한다. 또한 하나님의 언약 백성의 죄를 이 심판을 통해 정결케 하고 남은 자들을 통해 하나님의 언약을 이루실 것을 약속하신다. 심판의 날이 소망의 날로 변한다. 하나님이 남겨 놓는 자들은 교만하지 않으며 악을 행치 아니하고 거짓을 말하지 아니하며 먹고 누울지라도 그들을 두렵게 할 자가 없을 것이다. 하나님께서 친히 보호하시기 때문이다. 그러므로 이제는 노래하고 기뻐하라고 하신다. 전심으로 즐거워하라고 하신다. 심판이 구원으로, 절망이 소망으로 바뀌었기 때문이다. 어떻게 이렇게 될 수 있는가? 하나님이 원수를 패하고 다시 이스라엘의 왕이 되셨기 때문이다(습 3:11~15).

여기서 하나님께서는 자신이 이스라엘의 진정한 왕이심을 선포한다. 하나님이 왕 되실 때 그의 백성들은 진정한 노래와 즐거움을 회복할 수 있다. 왕이신 하나님이 함께 계시기에 이제 더 이상 손을 놓고 있을 수 없다. 그는 구원을 베푸실 전능자이기 때문이다. 왕이신 하나님은 자기 백성을 인해 기쁨을 이기지 못하며, 그들을 잠잠히 사랑하시고, 그들로 인해 즐거이 부르며 기뻐하신다(습 3:17). 심판으로 정결케 된 이후에 왕이신 하나님과 그 남은 거룩한 백성의 관계가 온전히 회복되어짐을 의미한다. 하나님이 진정한 왕이 되어 통치하시는 나라 바로 그 나라가 소망의 나라이며 하나님의 왕국이다. 그 나라에는 오직 기쁨과 즐거움과 거룩한 사랑이 넘치는 나라다.

하박국 선지자의 선포

❶ 시대에 대한 진단 - 율법은 해이하고 정의가 실현되지 않는다.

하박국 선지자는 매우 독특한 형태의 메시지를 전한다. 하나님과 선지자의 질문과 응답의 형식을 취하면서 하나님의 메시지를 전하는 구조다. 고뇌에 찬 선지자의 질문이 인상적이다. 하박국의 첫 번째 질문은 언약 백성 안에서 악인이 의인을 에워싼 것에 대한 하나님의 공의 차원의 질문이다(합 1:2~4). 두 번째 질문은 첫 번째 질문에 대한 응답으로 하나님께서 바벨론을 들어 유다를 치시겠다는 응답에 충격을 받아 더 큰 이방의 악이 하나님의 언약 백성을 치는 것이 합당한지에 대해 질문한다(합 1:12~17). 따라서 첫 번째 질문과 답변은 하박국 시대에 대한 진단을 정확히 드러낸다.

그러면 하박국 시대는 어떠했는가? 강포와 죄악과 패역 그리고 겁탈과 변론과 분쟁이 넘쳐났다. 이 일에 대해 하나님이 침묵하시는 것처럼 보였던 시대다. 그 결과 하나님의 율법은 해이해졌고 정의가 전혀 시행되지 못했다. 유다 백성 가운데 악인이 의인을 에워싸고 정의가 굽어졌기 때문이다. 하나님은 놀랍게도 하박국의 첫 번째 질문인 유다 백성 안의 문제에 대해 상상할 수도 없는 답변을 주신다. 갈대아 사람 곧 당시 신흥 강대국인 바벨론을 들어 유다를 치겠다고 하셨다. 여기서 하나님이 하박국 시대의 언약 백성에 대해 어떻게 진단하고 계시는지 정확히 드러난다. 더 이상 하나님께서 유다의 언약 파기에 대한 심판을 미루실 수 없는 상황까지 이른 것이다. 하박국 시대는 임박한 심판을 맞이할 시대였다.

❷ 심판의 경고 – 유다와 바벨론이 심판받는다.

하나님의 심판의 경고는 유다와 바벨론에 주어진다. 하박국의 질문에 대해 하나님은 먼저 바벨론을 들어 유다를 심판할 것임을 경고하신다. 그들은 사납고 성급하며 두렵고 무서운 자들이다. 그들의 말은 표범보다 빠르며 저녁 이리보다 사납다. 또한 기병은 마치 식물을 움키려는 독수리의 비상과 같다(합 1:5~9). 하나님은 유다의 언약 파기에 대한 심판으로 신흥 강국인 바벨론을 들어 치겠다고 경고하시는 것이다. 하나님의 바벨론에 의한 유다 심판은 하박국에게는 큰 충격이었다. 어찌 불의한 자가 하나님의 백성을 치게 허락하시는가? 그러나 하나님은 "의인은 그의 믿음으로 말미암아 살리라"(합 2:4)고 말씀하시고, 바벨론 또한 하나님의 심판 가운데 임할 것을 경고하신다. 하나님은 바벨론의 불의에 대한 다섯 가지 저주 곧 침략, 탐심, 광포, 잔인성, 우상숭배에 대한 저주를 통해 결국 바벨론도 심판받을 것임을 경고하신다.

❸ 회개의 촉구 – 회개의 시기가 지나 심판의 때다.

하박국의 메시지에는 다른 선지서에 나타나는 회개의 촉구가 없다. 이미 심판이 임박했기 때문이다. 지금은 회개해 심판을 면할 수 있는 때가 아니라 심판을 담담히 받아들여야 하는 때이다. 하나님은 호세아에게 묵시를 기록해 판에 명백히 새기고 달려가면서도 읽을 수 있게 하라고 하셨다. 이 묵시는 정한 때가 있으며 그 종말이 속히 이르겠고 거짓되지 아니하리라고 하신다. 비록 더딜지라도 기다리라고 하신다. 반드시 응할 것이다. 그것은 바벨론에 대한 심판을 말한다. 그들의 마음은 교만하고 그의 속에는 정직하지 못했다. 그들의 때가 이미 정해져 있다. 그러므로 하나님의 의로운 백성은 하나님이 반드시 정하신 묵시대로 행하시는 분임을 믿음으로 말미암아 살아야 한다. 그것이 회개에 합당한 삶이다.

❹ 소망의 메시지 — 징계 후에 구원이 있다.

하박국의 소망의 메시지는 매우 극적이다. 하박국의 두 가지 질문에 대한 하나님의 두 번의 응답이 고뇌하는 하박국에게 소망으로 다가왔다. 하박국은 하나님의 공의로우심과 놀라우신 계획을 듣고 비로소 소망을 갖게 됐다. 소망은 심판을 담담히 받아들이는 용기로 나타난다. 소망은 하박국의 찬양으로 나타난다(합 3장). 그는 주께 대한 소문을 듣고 하나님을 노래한다. 묵시에 정한 날이 임박해 하나님의 심판이 다가온다는 소문을 찬양으로 받아들인다. 하나님의 임재는 곧 심판의 실현이지만 그것이야말로 참된 구원의 과정이다. 주께서 말을 타고 오셔서 주의 백성을 구원하려고 악인의 집 머리를 치고 그 기초를 끝까지 드러내신다(합 3:13). 그런데 이 구원을 위해서 언약 백성의 죄를 정결케 하는 징계가 우선된다. 유다가 먼저 바벨론에 의해 징계의 채찍을 맞게 되는 것이다.

이제 하박국은 오직 믿음으로 첫 번째 당해야 하는 시련을 맞이할 준비를 한다. 그는 이미 바벨론이 다가오는 소리를 들었다. 그래서 창자가 흔들렸고 그 목소리로 인해 입술이 떨렸다. 무리가 언약 백성을 치러 올라오는 환난날을 기다리기에 그의 뼈는 썩었고 그의 몸은 떨고 있다(합 3:1~16). 하박국은 미래의 소망의 메시지를 받았기에 믿음 안에서 놀라운 찬양으로 유다의 고통을 맞이한다. 비록 무화과나무가 무성치 못하며 포도나무에 열매가 없으며 감람나무에 소출이 없으며 밭에 식물이 없으며 우리에 양이 없으며 외양간에 소가 없을지라도 하박국은 구원의 하나님으로 인해 즐거워하고 기뻐하리라는 것이다(합 3:17~18). 유다의 멸망에도 불구하고 결국 언약을 지켜 구원하실 하나님만 소망하며 믿음으로 살겠다는 고백적 메시지다.

예레미야 선지자의 선포

❶ 시대에 대한 진단 – 결혼 언약의 파기

예레미야는 남유다 16대 요시야 왕 때 하나님의 부르심을 받았다. 그는 제사장 힐기야의 아들이다. 요시야가 통치한 지 십삼 년에 하나님의 말씀이 예레미야에게 임했다. 예레미야는 요시야 왕부터 시작해 여호아하스, 여호야김, 여호야긴, 시드기야를 거쳐 유다가 바벨론에 의해 멸망될 때까지 사역을 했다(렘 1:1~3). 따라서 예레미야는 유다의 멸망 시기에 사역한 선지자다. 남유다 말기에 대한 하나님의 진단은 전형적인 자식과 땅 모티프를 통해 평가된다. 하나님은 유다의 열조들이 하나님과 언약을 맺었으며 광야에서 거룩한 백성으로 구별되었음을 상기시키신다. 초기 언약공동체에 대해 하나님은 충성과 헌신을 인정하셨다.

그러나 언약공동체를 언약의 땅으로 인도한 후에 문제가 된다. 자식공동체를 언약의 땅에 들어가 살게 했음에도 불구하고 그들이 하나님께 범죄해 언약을 파기한다. 그들은 하나님의 땅을 더럽히고 기업을 가증히 만들었다. 제사장들은 하나님을 찾지 않고, 법을 집행하는 자들은 하나님을 알지 못했다. 심지어 관리들은 하나님께 항거했고 선지자들은 하나님의 이름이 아니라 바알의 이름으로 예언하고 무익한 것을 좇았다(렘 1:3~8). 그러므로 하나님은 여전히 유다와 다투고 그 후손과도 다투겠다고 하셨다. 그들이 신을 신이 아닌 것과 바꾸고 영광을 무익한 것으로 바꾸었기 때문이다(렘 1:9~10). 하나님은 자식공동체가 두 가지 악을 행했다고 하셨는데 그것은 곧 생수의 근원 되신 하나님을 버린 것과 스스로 터진 웅덩이를 판 것이다. 이것이 언약 백성이 언약의 땅에서 멸망당한 원인이다.

북이스라엘이 멸망한 후 236년경에 남유다마저 멸망한 원인은 무엇인가? 하나님은 호세아 선지자를 통해 북이스라엘의 멸망의 원인에 대해 고멜처럼 결혼을 파기했기 때문이라고 말씀하셨다. 놀랍게도 하나님은 예레미야 선지자를 통해 남유다의 멸망도 결혼의 파기에서 왔다고 선언하신다(렘 2:32, 3:1, 3:8, 3:14, 3:20). 하나님은 북이스라엘과 남유다가 하나님과의 결혼 언약을 파했음을 명백히 밝히신다(렘 32:32). 하나님은 그동안 수많은 선지자들을 보내셔서 결혼 언약을 파기하지 말고 돌아올 것을 촉구하셨다. 그럼에도 불구하고 그들이 하나님을 버리고 가나안의 우상을 섬김으로 언약을 파기한 것이다(렘 7:25~26). 언약을 파기한 결과 때문에 결국 심판이 임하는 것이다.

❷ 심판의 경고 – 더 이상 경고는 없다.

예레미야의 사역은 전반부, 후반부로 구분할 수 있다. 전반부는 바벨론에 의해 심판이 임한다는 경고의 사역이다(렘 1~33장). 후반부는 바벨론에 의해 심판이 임했을 때의 사역이다(렘 34~39장). 또한 바벨론에 의해 유다와 예루살렘이 멸망되어 가는 중에 사역이 계속된다(렘 40~45장).

예레미야는 전반부 심판의 경고 사역을 통해 매우 어려운 메시지를 선포한다. 나라가 망할 것을 예언하는 선지자의 마음이 어떠하겠는가? 특히 거짓 선지자들은 평화를 외치며 백성들의 환심을 사는 데 비해 예레미야는 민족의 멸망을 외침으로 투옥과 조롱 그리고 탄식의 삶을 살아야 했다. 따라서 예레미야는 다시는 하나님의 경고를 선포하지 않으려고 했다. 그러나 그렇게 다짐할수록 자신의 중심이 불붙는 것 같아서 골수에 사무치고 답답해 견딜 수가 없었다. 그의 친한 친구들조차 예레미야의 타락을 기다리고 있었다. 모두 참소하는 자들이 되었고, 고소자들이 되었다. 심지어 예레미야는 자신의 생일마저 저주를 받아서 태어나지 않으면 할 정도로 고뇌와 아픔 가운데서 하나님의 메시지를 선포했다(렘 20장 참조). 그는 이러한 고뇌 가운데 바벨론에 의한 멸망을 예언하며 항복하는 자는 살 것이라고 선포했다(렘 21:9).

예레미야의 후반부 사역에서는 심판의 경고가 실현된다. 바벨론이 유다와 예루살렘을 멸망시킨 것이다. 그것은 몇 차례에 걸쳐 진행된다. 언약 파기에 대한 경고의 실현이다. 더 이상 경고는 없다. 심판의 실현만 있을 뿐이다. 하나님은 심판의 원인을 정확히 지적하신다. 그것은 시드기야 당시에 왕이 예루살렘 모든 백성과 언약하고 자유를 선포한 것에 빗대어 지적된다. 당시 그들은 쪼갠 고기 사이를 지나며 히브리 남녀의 노예에게 자유를 주기로 언약했다.

그러나 언약에 참가한 이들이 처음에는 놓아 주었다가 다시 노예로 삼았다. 언약을 파기한 것이다. 하나님은 당시 이 사건을 통해 자신과 아브라함이 쪼갠 고기의 언약을 체결했음을 상기시킨다(창 15장). 그리고 그 언약을 자식공동체가 파기했음을 지적하신다. 따라서 언약의 의미처럼 유다는 이제 쪼개지고 피를 흘리는 심판을 당한다. 언약의 두 요소인 자식공동체는 쪼개지고 흩어지며 멸망당한다. 그리고 그 땅은 황무지가 되어 거민이 없게 된다(렘 34, 52장 참조).

예레미야는 단지 남유다의 선지자로만 부름받은 것이 아니다. 그는 여러 나라의 선지자로 부름받았다(렘 1:5). 따라서 그는 언약 백성에 대한 예언을 주로 하지만 당시의 주변 열국들 곧 애굽, 블레셋, 모압, 암몬, 에돔, 다메섹, 게달과 하솔, 엘람, 바벨론에 대해서도 하나님의 심판을 예언한다. 이는 역사의 주관자가 하나님이심을 명백히 선포한다. 따라서 하나님의 자식공동체는 세상의 열방을 의지해서는 안 된다. 오직 하나님의 백성은 피의 언약 관계인 하나님만 신뢰해야 한다.

❸ 회개의 촉구 – 마지막 기회

예레미야 선지자는 바벨론 침략 전에 유다 백성들에게 마지막 회개를 촉구한다. 그동안 많은 선지자들이 와서 회개를 촉구했지만 그들은 듣지 않았다(렘 7:25). 그런데 이들이 회개하지 않는 결정적 원인은 소위 예루살렘 성전주의다. 즉 그릇된 시온이즘 때문이었다. 곧 하나님의 성전이 있기 때문에 결코 멸망하지 않는다는 이데올로기다. 거짓 선지자들과 거짓 제사장들이 이론을 제공했다.

그들은 거짓을 예언하며 평화를 선언했다. 그들은 성전에서 간음을 행했고 악한 자의 손을 굳게 했으며 사람을 그 악에서 돌이키지 않게 했다. 소돔과 고모라 같았다. 그들의 악함이 예루살렘에서 온 땅으로 퍼졌다(렘 23:11, 14~15). 말씀이 선포되고 하나님의 뜻이 나타나야 할 성전이 완전히 더럽혀진 것이다. 그럼에도 그들은 예루살렘 성전이 있는 한 안전하고 평화롭다고 주장함으로 백성들을 회개치 못하게 했다(렘 7:4 참조). 그래서 하나님은 예레미야를 통해 예루살렘 성전을 옛 성막이 있었던 실로처럼 멸망시킬 것을 예언하신다. 성전이 이미 강도의 굴혈이 되었기 때문이다(렘 7:11~15).

예루살렘 성전은 더 이상 하나님이 거하시는 성전이 아니다. 하나님의 성전의 의미는 하나님과 백성 사이의 언약 관계 유지가 결정적인데, 백성이 온갖 죄악과 우상숭배를 통해 언약을 깨뜨려 놓고도 성전에 들어가면 구원받아 안전하고 재앙이 없을 것이라고 가르친 것이다(렘 7:10 참조). 따라서 하나님은 이들의 형식적이고 타락한 죄를 지적하시면서 회개하지 않으면 그들이 상상도 못하는 일이 벌어질 것을 선포하신다. 성전이 파괴되고 백성은 포로로 잡혀가며 땅은 황폐해질 것이다. 그러나 그들이 진정으로 회개하고 하나님을 떠났던 길을 돌이키며 행위를 바르게 하고 다른 신을 따르지 않으면 언약의 땅에서 영원토록 살게 하실 것이라고 하였다 (렘 7:3, 5, 7). 그러나 그들은 예레미야를 통한 하나님의 마지막 회개의 촉구마저 거부해 멸망에 이른다.

❹ 소망의 메시지 – 유일한 소망 새 언약

언약의 백성이 언약의 땅에서 쫓겨나고 멸망하는데 소망이 있는가? 하나님은 언약을 체결한 백성이 언약을 깨었기에 하나님 편에서도 얼마든지 그 언약을 파기할 수 있음을 말씀하신다. 하나님은 낮과 밤에 대한 창조의 언약도 주권적으로 깨뜨리실 수 있듯이 다윗에게 세운 언약도 깨뜨려 그의 위에 앉아 다스릴 아들이 없게 할 수도 있다고 하셨다(렘 33:20~21). 소위 나단의 신탁을 통해 맺은 다윗 언약을 파기할 수도 있다는 것이다(삼하 7:12~16; 렘 33:21). 이것은 더 나아가 아브라함과 이삭과 야곱과 맺은 언약도 파기됨을 의미한다(렘 33:26). 만약 언약을 맺었던 자식공동체의 범죄로 인해 하나님께서도 언약을 파기하신다면 어떠한 소망도 없다. 그것은 가장 무서운 절망의 상황이다. 하나님 편에서의 언약 파기는 인간을 절대절망과 수렁에 빠지게 하는 가장 무서운 형벌이다.

그러나 하나님은 놀랍게도 언약을 파기하지 않으신다. 언약의 상대로 삼았던 이스라엘과 유다는 송두리째 그 언약을 깨버렸는데도 하나님은 그 언약을 여전히 유효시키신다. 여기에 유일하고 절대적인 소망이 있다. 그것은 하나님의 긍휼이며 은혜다. 예레미야는 놀랍게도 이것을 하나님의 새 언약이라고 부른다. 하나님은 파기될 수밖에 없었던 첫 언약을 긍휼과 은혜의 새 언약으로 바꾸셔서 그 언약의 의미를 유효케 하시는 것이다. 따라서 하나님은 인간 편에서 깨뜨린 옛 언약을 새 언약으로 새롭게 제정해 자식공동체와 땅을 회복시키실 것이다(렘 31:27~34).

예레미야는 새 언약이 바로 다윗 집의 의로운 가지를 통해 이루실 것이라고 예언한다. 그 의로운 가지는 공평과 정의로 통치하시는 메시아 예수이시다. 그의 통치로 유다는 구원을 얻고 예루살렘은 안전을 찾을 것이다(렘 33:15~16). 오직 새 언약을 성취하는 메시아 예수를 통해서 하나님의 나라가 영원토록 세워진다. 인간을 왕으로 세우고 하나님을 떠나 멸망 가운데 놓인 백성의 유일한 소망은 메시아 예수를 통해 이루시는 새 언약의 성취 곧 하나님 나라의 완성에 있다. 따라서 옛 언약을 파기한 결과가 바벨론에 의해 자식 공동체가 쫓겨나고 땅은 황폐케 되는 멸망이지만, 새 언약의 전조는 칠십 년 후에 약속의 땅으로 다시 돌아오는 자식공동체의 회복에 있다. 그리고 궁극적인 새 언약의 성취는 메시아 예수와 성령 안에서 성취될 것이다.

시내 산 언약(출 24장)부터 새 언약의 예언(렘 31장)까지

시내 산 결혼 언약(출 24장)

성막 중심의 광야 결혼 생활

다윗의 언약(삼하 12장)

성전 중심의 가나안 결혼생활

북이스라엘 가나안 결혼생활의 타락 ──── 남유다 가나안 결혼생활의 타락

선지자들을 통한 언약 파기에 대한 경고──── 선지자들을 통한 언약 파기에 대한 경고

북이스라엘 백성이 회개치 않음 ──── 남유다 백성이 회개치 않음

결혼 언약의 파기 ──── 결혼 언약의 파기

언약 파기 결과로 멸망 ──── 언약 파기 결과로 멸망

새 언약의 소망(렘 31장)

오바댜 선지자의 선포

❶ 시대에 대한 진단 - 유다와 에돔

오바댜서는 매우 독특한 선지서다. 오바댜는 21절에 불과한 가장 짧은 선지서이지만 그 메시지는 매우 의미심장하다. 오바댜 선지자가 사역한 시대에 대해서는 직접적인 근거가 없어 정확히 알 수가 없다. 다만 본문에 에돔이 유다와 예루살렘이 침공을 받아 능욕을 당하고 패망할 때(옵 1:12)에 교만하게 행하는 장면이 나온다. 여기서 언급된 유다와 예루살렘의 패망 때문에 많은 학자들이 오바댜서의 시대적 배경을 주전 587년 바벨론에 의해 예루살렘이 멸망한 사건 이후로 본다. 에돔은 야곱의 형인 에서의 후손으로 유다와는 매우 가까운 사이임에도 역사적으로는 미묘한 적대 관계를 갖고 있었다. 오바댜서는 바로 이 에돔에 대한 심판의 메시지다.

하나님은 에돔에 대해 한마디로 교만하다고 진단하셨다. 그들은 지리적으로 바위 틈에 거하며 높은 곳에 거했다. 그들은 아무도 자신들을 높은 곳에서 끌어내릴 수 없다고 생각했다. 그러나 하나님은 너의 중심의 교만이 너를 속였다고 하셨다. 그리고 그들이 독수리처럼 높이 오르며 별 사이에 깃들지라도 하나님이 거기서 그들을 끌어내리겠다고 하셨다(옵 1:3~4).

❷ 심판의 경고 - 교만의 최후

에돔의 교만에 대한 하나님의 심판은, 마치 도적과 강도는 만족

할 만큼 취하면 그치지만 하나님은 그치지 않겠다고 하신다. 또한 전에 동맹을 맺었던 자들이 다 에돔을 버린다. 화목하던 자들은 에돔을 속인다. 그들이 함정을 파도 에돔은 그것을 피하지 못한다. 하나님께서 에돔의 지혜자들을 멸하셨기 때문이다(옵 1:5~6). 특히 에돔이 영원한 멸망을 당하는 이유는 이방인들이 형제 야곱의 재물을 늑탈하며 성문을 열고 들어가 예루살렘을 얻기 위해 제비 뽑던 날에 에돔도 그들 중에 있었기 때문이다(옵 1:11; 시 137:7). 하나님은 에돔이 야곱에게 행한 포학을 인해 부끄러움을 당하고 영원토록 멸절시킨다고 하신다(옵 1:10). 그러나 여호와의 날에는 에돔 뿐만 아니라 모든 열방이 심판받게 된다(옵 1:15).

❸ 소망의 메시지 – 자식과 땅의 회복

오바댜서에는 회개의 촉구가 없다. 심판과 구원의 메시지만 존재한다. 에돔처럼 여호와의 심판의 날에 모든 나라가 하나님의 심판을 받게 될 것이다. 에돔이 모든 심판 받을 나라들의 대표격이다. 그러나 하나님은 심판의 대상인 에돔과 대조되는 시온 산에 피할 자가 있을 것이라고 하신다. 그들은 누구인가? 야곱 족속 곧 하나님의 언약공동체다. 그들은 자기 기업을 누릴 것이다. 하나님은 여호와의 날에 모든 나라와 그 대표로 에돔을 심판하시지만 그와 반대로 언약의 백성인 야곱 족속은 구원을 얻고 기업 곧 땅을 얻을 것을 말씀하신다. 자식과 땅의 언약이 여호와의 날에 온전히 성취됨을 말하는 것이다. 더 나아가 하나님은 사로잡혔던 언약공동체가 다시 돌아와 약속의 땅을 회복할 것을 선언하신다. 따라서 유다와 예루살렘의 멸망을 목도하는 자들은 소망을 갖는다. 구원자가 시온 산에 오셔서 에서의 산을 심판하고 나라가 온전히 하나님께 속하게 될 것이기 때문이다(옵 1:17~21). 오바댜는 예언을 통해 하나님께서 심판과 구원을 행하는 역사의 주관자이심을 선포한다.

6. 도도히 흐르는 자식, 말씀 모티프 : 포로시대 선지서, 에스더

〈에스겔, 다니엘〉
유다 왕조→ 바벨론/포로시대→ 귀환

〈포로시대 이해를 위한 주요사건〉

〈포로로 잡혀간 단계〉
1차 포로– 주전 605년 18대 왕 여호야김 3년에 다니엘과 세 친구가 포로로 잡혀감(단 1:1,6)
2차 포로– 주전 597년 19대 왕 여호야긴과 에스겔이 포로로 잡혀감(왕하 24:11~16; 겔 33:21)
3차 포로– 주전 586년 예루살렘 멸망으로 20대 왕 시드기야가 포로로 잡혀감(왕하 25:7)

〈포로 귀환 단계〉
1차 귀환– 주전 538년 스룹바벨과 49,942명이 돌아옴(스 2:64~65; 느 7:6~67)
2차 귀환– 주전 458년 에스라와 약 1,756명이 돌아옴(스 7:6, 8:1~14)
3차 귀환– 주전 444년 느헤미야와 일행들이 돌아옴(느 1:11)

〈70년 만에 돌아온 예언과 기준〉
70년 예언– 렘 25:11~25, 29:10; 단 9:1~2
성전 중심 연대– 성전 파괴 주전 586년(왕하 25:8~9)~성전 재건 주전 516년(스 6:15)

포로시대

창세기부터 역대하까지는 이제까지 살펴본 대로 '언약'과 '성취'라는 일련의 흐름을 갖고 있다. 이 역사의 흐름을 해석해 주는 것이 선지서다. 곧 창세기부터 역대하까지 언약 성취의 역사는 선지자들의 메시지로 해석이 더욱 분명해진다. 선지서는 역사의 핵심이 언약의 연속성 가운데 있음을 선포한다. 하나님은 창세기 3장 15절의 여자의 후손인 메시아를 이 땅에 보내심으로 하나님 나라를 회복하고 건설하고 완성하신다. 이 구원의 역사는 하나님과 인간 사이의 언약 체결이라는 원리로 진행된다. 이 언약의 원리에 따라 하나님은 아브라함을 택해 부르고 그와 언약을 체결하신다. 그 언약의 내용은 메시아를 통해 새로운 백성을 초청해 하나님 나라로 인도해 구원하는 것이다. 이것이 구약에서부터 역사 속에서 점진적 계시로 나타난다. 마치 하나님 나라는 작은 겨자씨 한 알이 땅에 떨어져 시간이 지나면서 공중의 새들이 깃들 정도의 큰 나무로 자라는 것과 같다.

따라서 아브라함에게는 단지 자식과 땅이라는 두 요소를 통해 언약이 체결되고 추진된다. 이 언약에 대한 인간의 반응은 전적으로 하나님을 믿고 그 말씀에 순복하는 것이다. 아브라함에게서 시작된 자식과 땅의 언약은 이제 언약의 자식공동체가 언약의 땅에 들어가 언약 곧 말씀에 순종하는 삶의 양식으로 나타난다. 순종이 곧 언약을 지키는 행위이며 언약 관계를 존속하게 하는 유일한 원리이다. 그러므로 자식이 땅에 들어가 말씀에 순종해 살 때만 언약이 유지됐다.

그러나 언약의 땅인 가나안에서 그들은 불순종함으로 언약을 철저히 깨뜨린다. 언약은 언제나 생명적 관계를 의미한다. 따라서 언약이 유지되면 '생명'과 '보호'와 '누림'이 보장된다. 그러나 언약이 파기되면 파기한 쪽은 반드시 생명을 내놓아야 한다. 시내 산 언약을 맺고 가나안 땅에 들어간 언약의 자식공동체는 안타깝게도 불순종으로 언약을 깨뜨린다. 그 결과는 멸망이다. 따라서 북이스라엘과 남유다가 언약 파기의 결과로 각각 앗수르와 바벨론에 의해 멸망한 것이다. 따라서 포로시대는 언약 파기의 결과다. 언약을 어김으로 언약의 땅에서 멸망받고 쫓겨난 것이다. 언약 백성이 이방의 포로로 전락한 처절하고 심각한 시대다. 절망과 탄식의 시대다. 소망을 상실한 시대다.

그러나 포로시대는 또한 하나님께서 아주 멸망시키지 않았다는 소망을 준다. 사실 역설적으로 포로시대는 최고의 소망시대다. 암흑의 시대에 하나님은 자신의 선지자를 통해 최고의 위로를 주시기 때문이다. 그것이 곧 에스겔서, 다니엘서다. 그러므로 포로시대 선지자들의 메시지는 절망 가운데서 오직 하나님 나라를 바라는 자들에게 무한한 소망으로 다가온다. 하나님은 언약 파기의 결과로 멸망해야 할 자식공동체를 포로로 사로잡히게 함으로 역설적으로 하나님의 언약공동체를 보호하신다.

에스겔 선지자의 선포

❶ 시대에 대한 진단 - 흰 토판 위에 예루살렘을 그려라!

에스겔은 남유다의 19대 왕인 여호야긴이 사로잡힌 지 5년 되었을 때 하나님으로부터 선지자로 부르심을 받았다(겔 1:2). 주전

593년이다. 예루살렘이 주전 586년에 멸망했으므로 에스겔은 유다의 자식공동체가 멸망하기 약 7년 전에 예언을 시작했다. 그런데 에스겔이 선지 사역을 시작한 곳은 유다가 아니라 바벨론이었다. 그는 이미 여호야긴 왕이 많은 왕족과 귀족 그리고 유능한 자들과 함께 사로잡혀갔을 때 함께 갔기 때문이다. 하나님께서는 이미 포로로 잡혀와 5년의 세월을 보낸 에스겔에게 나타나 계시하셨다. 예레미야는 유다에서, 에스겔과 다니엘은 바벨론에서 하나님의 선지자로 동시대에 사역했다.

하나님은 에스겔 선지자를 통해 그 시대를 어떻게 진단하시는가? 하나님은 선지자에게 상징을 통해 계시하셨다. 하나님은 에스겔에게 당시 바벨론에서 건축 재료로 많이 사용하는 흰 벽돌의 일종인 토판을 가져다가 그 위에 예루살렘을 그리라고 하셨다(겔 4:1). 그리고 그 예루살렘 그림 주위에 전쟁 때 성을 포위하는 온갖 방법들을 설치하게 하셨다. 에스겔 시대에 돌이킬 수 없는 예루살렘 함락의 임박성을 알리는 것이다. 또한 에스겔은 이 예루살렘 모형 옆에서 줄에 묶인 상태로 누워 있어야 했다. 390일 동안은 예루살렘 모형의 왼편에 누워 북이스라엘의 죄를 담당했고, 40일 동안은 오른편에 누워 남유다의 죄를 담당했다. 하루는 곧 1년을 상징했다. 포위된 예루살렘의 모형은 하나님께서 에스겔 시대를 어떻게 진단하고 계신지 단적으로 보여 준다. 이미 심판이 임한 것이다.

❷ 심판의 경고 – 성전을 떠나시는 하나님의 영광

예루살렘 성전 주변에 만연된 우상숭배는 결국 하나님의 영광을 떠나게 했다(겔 11:22~23). 시내 광야에서 성막을 완성했을 때 임한 하나님 임재의 영광(출 40:34~35)과 솔로몬이 성전을 완공해 봉헌했을 때 임했던 하나님의 영광이(왕상 8:10~11) 바로 그 성전에서 떠난 것이다.

하나님의 영광이 떠난 것처럼 무서운 심판의 경고는 없다. 그것은 이미 심판의 경고를 넘어 심판의 진행을 의미한다. 하나님이 임재하실 때 그곳이 곧 성전이다. 그러나 에스겔 당시 자식공동체는 하나님 임재의 본질은 상실하고 건물로서의 성전만을 붙잡았다. 본질을 버리고 비본질을 붙잡은 것이다. 따라서 하나님은 에스겔을 통해 부패한 예루살렘 성전에서 하나님의 영광이 떠난 것을 보이심으로 예루살렘이 더 이상 성소가 아님을 천명하신다.

최초 성막의 의미는 무엇인가? 그것은 하나님과 자식공동체가 결혼 언약으로 함께 사는 것이다. 광야를 거쳐 가나안에 정착해 살 때 성막 중심의 공동체로 세우셨다. 그래서 하나님은 자식공동체의 진 중앙에 자신의 성막을 건설케 하셨고 함께 거하셨다. 그러나 가나안 땅에서 자식공동체의 역사가 진행될수록 그들은 하나님을 떠나 가나안의 온갖 우상을 따라갔다. 하나님께서 그토록 자세하게 예비적 말씀을 주셨지만 그들을 결국 타락의 길을 갔다. 그러므로 성전에서 하나님의 영광이 떠났다는 것 자체가 심판이다. 하나님의 영광이 떠난 예루살렘 성과 성전이 그들을 지켜줄 수 없다. 심판만 남는다. 결국 예루살렘 성은 에스겔이 포로로 잡혀간 지 12년 만에 함락된다(겔 33:21).

하나님은 에스겔의 눈에 가장 기뻐하는 것을 한 번 쳐서 빼앗겠다고 하신다. 그것은 에스겔 아내의 생명이다. 하나님은 에스겔의 아내를 데려가시면서 슬퍼하거나 울거나 눈물을 흘리지 말라고 하셨다. 조용히 탄식하며 수건으로 머리를 동이고 발에 신을 신고 입술을 가리지 말고 사람이 초상집에서 먹는 음식물을 먹지 말라고 하셨다. 그리고 저녁에 아내를 데려가셨다. 백성들이 물을 때에 에스겔은 자신의 아내가 그들이 그토록 영광과 기쁨으로 여기는 성소를 상징한다고 선포했다. 또한 성소는 그들의 자녀들과 같다고 했다. 그러나 그들이 그처럼 아끼는 성소가 바로 그들의 죄악으로 불타고, 자녀들은 대적의 칼에 희생될 것임을 계시한다(겔 24장). 그러나 심판의 경고는 단지 유다 공동체에만 머물지 않는다. 암몬, 모압, 에돔, 블레셋, 두로, 시돈, 애굽 등 열방까지 이른다.

에스겔은 특히 자기 마음에서 나는 대로 예언하는 거짓 선지자들에게 경고한다. 그들은 하나님이 주신 것이 아닌 허탄한 것과 거짓된 것을 본 것으로 백성을 유혹한 자들이다. 그들은 예루살렘의 거짓 평강을 외친 자들이다. 하나님은 그들을 백성의 공회에도 들어가지 못하며 이스라엘 족속의 호적에 기록되는 것도 금지하셨다. 그들에게는 하나님의 준엄한 심판만 있을 뿐이다. 자기 마음에서 나는 대로 예언하는 부녀들 또한 마찬가지다(겔 13:1~18). 또한 자기만 먹이는 거짓 목자들에게도 심판의 경고가 임한다. 그들은 양무리를 먹이기보다는 자기 배를 채우기에 급급한 자들이다(겔 34:1~8). 자신만을 위하는 거짓 예언자들과 부녀들과 목자들은 예루살렘의 멸망과 함께 멸망하고 만다.

❸ 회개의 촉구 – 각각 자신의 죄만을 담당한다.

심판이 임할 때 자식공동체는 각각 자기의 죄악을 담당한다(겔 14:10). 에스겔은 비록 그 심판의 때에 노아, 다니엘, 욥, 이 세 사람이 거기 있을지라도 오직 그들은 자기의 의로 자기의 생명만을 건질 것이라고 한다. 에스겔은 기근, 사나운 짐승, 칼, 온역으로 인한 심판을 예를 들며 네 차례나 노아, 다니엘, 욥이 그 심판의 현장에 있을지라도 그들은 자신의 아들들도 구원할 수 없고 오직 자신의 의로 자신만을 구원할 것이라고 말한다. 심판과 구원은 하나님과 각 개인의 일대일의 관계 속에서 이루어지는 것임을 천명하는 것이다(겔 14:12~20). 예루살렘에 이 사중심판이 함께 내린다(겔 14:21). 예루살렘의 범죄가 얼마나 큰지 알 수 있다. 그러므로 구원과 심판은 하나님과 일대일의 관계 속에서 이루어지는데 에스겔이 노아, 다니엘, 욥을 예로 드는 것은 매우 흥미롭다. 사실 노아와 욥은 이미 창세기와 욥기에서 그들의 신앙이 검증된 자들로 예로 들기에 손색이 없다. 그러나 다니엘은 다르다. 다니엘은 에스겔과 동시대 인물로 당시 현존인물이었다. 그런데 다니엘을 언급했다는 것은 당시 다니엘의 신앙이 이미 명성을 얻고 있었음을 의미한다.

사실 에스겔 선지자는 멸망하는 자식공동체를 향해 직접적으로 회개를 촉구하지는 않았다. 그의 선지적 역할은 이미 포로로 잡혀온 상태에서 자식공동체의 멸망과 땅에서 쫓겨나게 되는 원인을 적나라하게 드러내는 사명이었기에 회개의 시점은 이미 지났다. 이미 심판이 시작되었기 때문이다. 그러나 에스겔이 심판과 구원이 각자의 죄악과 의에 의해 이루어짐을 천명하는 것은 그 어떤 회개의 촉구보다 위대하다.

❹ 소망의 메시지 - 언약의 성취와 성전에 가득한 하나님의 영광

에스겔은 절망의 메신저인가? 소망의 메신저인가? 하나님은 에스겔에게 예루살렘의 멸망과 흩으심에 대해 계시하지만 결론 부분에서는 회복에 대해 말씀하신다. 절망의 메시지로 시작해 예언의 후반부로 갈수록 소망이 극대화된다. 그러면 소망의 내용은 무엇인가?

첫째, 언약공동체의 온전한 회복이다. 하나님은 에스겔을 통해 흩어졌던 열방에서 친히 그들의 성소가 되겠다고 하셨다. 그리고 열방 가운데서 모아 약속의 땅으로 다시 돌아오게 하겠다고 하셨다. 자식과 땅의 회복을 의미한다. 그것은 전혀 새로운 차원 곧 하나님의 새 신을 중심으로 가능하다. 성령으로 말미암아 회복된 자식공동체는 약속의 땅에서 온전히 하나님의 말씀을 순종해 살게 된다. 원래 계획했던 진정한 언약공동체에 대한 소망의 메시지다. 따라서 여기에 온전히 2(자식과 땅)+1(말씀)+1(성령)의 역사가 예시된다. 그때에 비로소 자식공동체는 하나님의 백성이 되고 하나님은 그들의 하나님이 되신다(겔 11:14~20). 하나님은 에스겔의 예언에서 이미 궁극적 자식공동체에 대해 계시하신다.

둘째, 하나님의 종 다윗을 통한 화평의 언약 체결이다. 하나님께서는 에스겔에게 거짓 목자들에 대해 경고하시면서 하나님 자신이 친히 목자가 되셔서 잃어버린 자를 찾고, 쫓긴 자를 돌아오게 하며, 상한 자를 싸매어 주며, 병든 자를 강하게 하겠다고 하셨다. 그것은 한 목자를 그들의 위에 세워 먹이게 하는 것으로 이루어질 것이다. 그는 '내 종 다윗'이다. 언약을 파기해 멸망을 당하고, 쫓겨난 자식공동체에게 소위 '다윗을 통한 화평의 언약'을 체결하심으로 소망을 주는 것이다. 그러면 여기서 '내 종 다윗'은 누구인가? 그 것은 두말할 필요 없이 명백하게 메시아 예수 그리스도를 말한다. 메시아 예수는 다윗의 후손으로 오심으로 왕권을 갖는다. 그가 십 자가에서 온전한 제물이 되어 화목제물이 되심으로 새로운 화평의 언약을 세우는 것이다. 그러므로 언약을 파기해 절망 가운데 있는 자식공동체에게 유일한 소망은 메시아 예수를 통한 언약의 회복이 다(겔 34:23~31, 37:24~28).

셋째, 새 영으로 순종케 하는 것이다. 지금 에스겔 시대에 자식 공동체가 실패한 궁극적 원인은 무엇인가? 그것은 언약을 체결한 후에 언약의 내용인 말씀을 거역했기 때문이다. 언약 백성의 궁극 적인 모습은 언약에 대한 성실한 수행이다. 그러나 그들은 언약을 지킬 수 없는 존재임이 드러났다. 이것이 하나님과 언약을 체결한 인간의 모습이다. 인간은 누구나 완벽하게 하나님과의 언약을 지 킬 수 없음을 적나라하게 보여 준다. 그래서 하나님은 열국 중에서 자기 백성 공동체를 취해내고, 열국 중에서 모아 고토로 가서 맑은 물로 뿌려 정결케 하되 모든 더러운 것에서와 모든 우상을 섬기는 것에서 거룩하게 할 것이라고 하셨다. 그러나 그것은 바로 새 영과 새 마음을 통해서만 이루어진다. 따라서 하나님은 하나님의 신을 자기 백성 속에 두어 자식공동체로 하여금 온전히 말씀을 순종해 살게 하신다. 하나님의 백성이 하나님의 나라로 돌아와 성령 안에 서 말씀에 순종하는 언약의 성취를 이루시겠다는 것이다. 이 모든 언약의 성취는 마른 뼈가 다시 살아나는 이상을 통해 소망의 메시 지로 전달된다(겔 36:24~28, 37장 참조).

넷째, 하나님이 궁극적으로 세우시는 성전에 대한 소망이다(겔 40~48장). 에스겔 예언의 초반부는 성전이 파괴되는 장면이다. 그러나 후반부는 성전의 온전한 회복을 계시한다. 언약 백성의 죄로 말미암아 파괴되는 성전이 하나님의 은혜로 다른 차원에서 회복될 것이다. 초반부 성전에서 떠난 하나님의 영광은 새롭게 회복될 성전으로 되돌아올 것이다(겔 11:23, 44:4). 그러면 예언 후반부에 회복되는 성전은 무엇을 의미하는가? 그것은 언약의 온전한 회복을 의미한다. 에스겔 예언의 후반부의 새 성전의 조감도는 모세가 시내산에서 하나님으로부터 받는 첫 성막의 설계도를 대체한다. 첫 성막과 성전은 언약의 증거막이다. 그러나 자식공동체의 언약 파기로 첫 성막과 성전은 무너졌다. 성막이 무너지고, 성전이 무너졌다는 것은 하나님과 자식공동체의 언약이 완전히 파기됐음을 의미한다. 그 결과가 에스겔 시대의 남은 유다 백성의 멸망이다. 따라서 하나님께서는 에스겔서 전체를 통해 멸망의 원인과 과정과 결과 그리고 소망의 메시지를 주신다. 소망 중의 소망은 다름아닌 무너진 성전의 재건이다. 하나님께서 친히 새 성전을 재건하신다. 이 성전 문지방에서는 성령의 생수가 흘러 넘쳐 깊은 강을 이룬다. 이 깊은 강물이 다다르는 곳마다 나무들과 모든 생물들이 소생한다. 이 강물은 결국 사해까지 흘러들어가 사해는 생명의 물로 살아난다. 그리고 그 좌우편 기슭의 모든 종류의 나무들은 달마다 싱싱한 열매를 맺을 것이다. 또한 땅이 회복되고 다시 분배되어 다스리게 된다(겔 47장).

에스겔 예언의 결론 부분은 자식공동체의 멸망과 포로생활에도 불구하고 결국 언약이 갱신되어 백성은 소생되고, 땅이 다시 기업으로 회복될 것을 천명하는 것이다. 그리고 그 새 땅의 새 성 그리고 새 성전에 하나님이 계신다. 그곳에서 새 백성들의 진정한 예배가 이루어질 것이다(겔 48:35 참조).

다니엘 선지자의 선포

❶ 시대에 대한 진단 – 암흑의 시대

세 차례 바벨론 포로 행렬 가운데 다니엘은 1차 포로로 잡혀갔다. 그때가 유다 18대 왕인 여호야김 3년 되는 해인 주전 605년이었다. 다니엘은 언약 백성의 최대 시련기인 포로시대에 전 생애를 살았다. 소년 시절 바벨론에 끌려와 그곳에서 죽은 것으로 알려져 있다. 하나님은 바로 이 다니엘을 통해 시대를 진단하고 소망을 주신다. 그러면 다니엘을 통해 주시는 시대에 대한 진단은 무엇인가?

다니엘 시대는 자식공동체 역사상 가장 어두운 시대였다. 시내산의 모세언약(출 24장)과 모압·세겜의 언약(신 29장; 수 8장)을 통해 시작된 언약공동체의 가나안 땅의 삶이 산산조각난 시대였기 때문이다. 하나님께서 끊임없이 선지자들을 파송해 언약 준수를 깨닫게 했음에도 불구하고 자식공동체는 하나님의 말씀을 거부하고 가나안의 우상과 풍습을 받아들여 세속화를 수용했다. 세속화는 혼합주의를 가져왔고 혼합주의는 결국 언약 백성과 이방 백성이 동일화되는 시점까지 다다랐다. 그 결과로 언약의 땅에서 멸망해 쫓겨나는 신세가 된 것이다. 북이스라엘은 앗수르에 의해서, 남유다는 바벨론에 의해서 멸망했고 포로로 잡혀갔다.

사실 다니엘서의 시대 진단은 하나님의 왕 되심을 거부하고 인간 왕을 세운 것(삼상 8:7)에 대한 결과를 말한다. 하나님의 언약 백성이 하나님의 왕 되심을 거부하고 인간 왕을 세운 결과는 바로 언약 파기와 멸망 그리고 포로로의 전락이라는 비참한 역사로 나타났다. 마치 노아시대에 경건한 자손들이 가인의 자손들을 받아들여 세속화, 혼합주의, 동일화 과정을 거쳐 심판을 불러왔던 것처럼 약속의 땅을 기업으로 받은 언약공동체가 가나안의 우상과 풍습을 받아들이면서 세속화(secularization), 혼합주의(syncretism), 동일화(identification) 과정을 똑같이 거친 것이다. 그 결과는 심판뿐이다.

❷ 심판의 경고 – 인간 나라는 결국 쇠락한다.

다니엘의 메시지 중에서 가장 결정적인 것은 소위 '큰 신상의 꿈'이다. 그것은 느부갓네살 왕이 꾼 꿈으로 머리는 정금, 가슴과 팔들은 은, 배와 넓적다리는 놋, 종아리는 철, 그 발의 일부는 철이고, 일부는 진흙이었다. 그런데 사람의 손으로 하지 아니한 뜨인 돌이 신상의 철과 진흙 발을 쳐서 부서뜨렸다. 그 뜨인 돌로 인해 철과 진흙과 놋과 은과 금이 다 부서져 여름 타작마당의 겨같이 되어 바람에 불려 간 곳이 없었다. 그러나 우상을 친 돌은 태산을 이루어 온 세계에 가득했다. 이것이 느부갓네살 왕이 꾼 꿈의 내용이다.

하나님은 다니엘에게 이 꿈을 해석해 주셨다. 그것은 영원무궁하신 지혜와 권능의 하나님이 왕들을 폐하고 왕들을 세우는 메시지다. 더 나아가서는 인간이 왕이 되어 통치하는 나라들 특히 세계를 통치하는 나라들도 결국은 하나님이 폐하고 세우는 것임을 보여 준다. 따라서 당시 하나님 나라의 씨인 남은 자들이 비록 포로의 신세라 할지라도 낙심하지 말 것을 증거한다. 왜냐하면 결국 세상의 인간 나라는 다 멸망할 것이고 오직 하나님 나라와 그 백성만이 영원할 것이기 때문이다. 뜨인 돌은 '인간 나라의 멸망'과 '하나님 나라의 완성'이라는 양면적 성격을 갖는다(단 2장 참조).

❸ 소망의 메시지 – 유일한 소망 메시아를 통해 세워지는 하나님 나라

다니엘이 평생 동안 거친 왕은 바벨론의 느부갓네살, 벨사살, 메대 사람 다리오 세 사람이다. 다니엘은 약속의 자손이 언약 파기의 대가로 가장 참혹한 형벌 가운데 놓여 있음을 적나라하게 보여 준다. 그들은 이방 왕들의 통치 하에 나라를 빼앗긴 설움을 안고 살아간다. 그러나 역설적으로 다니엘서는 최고의 소망 메시지를 계시한다. 가장 깊은 암흑의 시대에 가장 높은 계시를 선포하는 것이다. 가장 높은 계시의 메시지는 무엇인가? 그것은 사실 '세상을 통치하는 자가 누구인가?' 하는 것이다. 다니엘은 이미 뜨인 돌을 통해 세상 나라와 통치자들을 상징하는 큰 신상이 산산조각나 흔적조차 없어지는 것을 계시했다. 그러나 우상을 친 돌은 태산을 이루어 온 세상에 가득할 것이다. 여기서 뜨인 돌은 메시아를 의미한다. 그 메시아는 곧 인자 같은 이로 명시된다.

인자는 하나님으로부터 권세와 영광과 나라를 받고 모든 백성과 나라들과 각 방언하는 자들은 그를 섬긴다. 그 권세는 영원하여 옮겨지지 않으며 그 나라는 폐하지 않는다(단 7:13~14). 인자 같은 이는 메시아 예수 그리스도이다. 그리스도의 십자가와 부활을 통해 세상 나라는 멸망하고 오직 하나님의 나라는 영원하다. 그 통치자가 바로 메시아다. 그는 큰 신상을 쳐 부서뜨리는 뜨인 돌이며, 하나님 나라를 회복하고 건설하며 완성할 만왕의 왕이시다. 그의 나라는 무궁하며 오직 그의 권세만이 영원하다.

다니엘은 바로 아브라함과 다윗의 언약을 통해 계시된 메시아를 직접 경험한다. 그 인자 같은 이는 세마포 옷을 입었고, 허리에는 정금 띠를 띠었다. 그 몸은 황옥 같고, 그 얼굴은 번갯빛 같고 그 눈은 횃불 같으며 그 팔과 발은 빛난 놋과 같고, 그 말소리는 무리의 소리와 같다(단 10:5~6). 이분이 후에 사도 요한이 밧모 섬에서 이상 중에 만난 바로 그분 곧 인자 같은 이인 예수 그리스도다(계 1:9~16). 요한계시록에 의하면 바로 이 예수가 온 역사의 주관자이며, 통치자임을 계시한다. 오직 예수를 통해 사탄의 나라가 멸망하고 하나님의 나라가 완성될 것을 드러내고 있다.

그러므로 다니엘서는 인자 같은 이를 통해 인간 나라는 결국 멸망하고 오직 하나님의 나라만이 영원토록 세워질 것을 천명한다. 그리고 언약 백성은 궁극적으로 그 나라를 상속받아 영원토록 별과 같이 비칠 것이란 소망의 메시지로 끝난다.

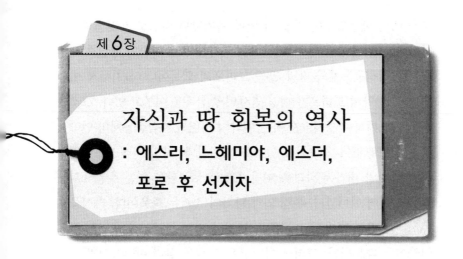

제6장

자식과 땅 회복의 역사
: 에스라, 느헤미야, 에스더,
포로 후 선지자

1. 자식과 땅 그리고 말씀의 회복 : 에스라

> 〈학개, 스가랴〉
> 포로 후 시대→에스라, 에스더, 느헤미야→말라기→중간시대

포로 귀환의 언약적 의미

에스라서는 자식공동체가 언약 파기의 대가를 다 치르고 약속
의 땅으로 다시 귀환하는 내용으로 구성되어 있다. 예레미야 선지

자가 이미 예언했듯이 칠십 년 만에 쫓겨났던 땅으로 사로잡혀가 남아 있던 자들이 돌아오는 것이다. 이처럼 포로 귀환의 핵심적 메시지는 자식공동체와 땅과 말씀 모티프의 회복이다. 줄기차게 이 세 가지 언약의 모티프가 성경 역사의 중심축을 이루고 있다. 그것은 하나님께서 이루시고자 하는 언약의 성취가 자식공동체의 언약 파기와 상관없이 지속되고 있음을 의미한다. 사실 자식공동체의 언약 파기의 대가는 나라를 빼앗기고, 포로생활을 하는 수준으로 끝나는 것이 아니었다. 본래 언약 파기의 결과는 죽음이다. 자식공동체는 마땅히 멸망했어야 했다. 그것이 피의 언약이며 생명을 건 언약이기 때문이다. 그러나 하나님은 그들을 살려두셨다. 바벨론의 포로생활을 통해 오히려 그들을 보호하셨다. 하나님은 죽어 마땅한 언약 파기자들을 살리고 다시 약속의 땅으로 돌아가게 하심으로 스스로 언약을 지키지 않는 것처럼 행하신다. 언약 파기는 죽음인데 그들을 살려 보냈기 때문이다.

그러면 하나님의 이와 같은 행위는 무엇을 의미하는가? 과연 그들이 언약의 땅에 돌아가면 이제는 언약을 온전히 지키며 살 수 있는 것인가? 전혀 그렇지 않다. 포로 귀환 이후의 역사를 보면 곧 드러난다. 돌아간 자식공동체는 물론 성전을 재건하고, 유월절을 회복하며, 개혁운동을 펼치지만 결국 또 언약을 어기는 죄악 가운데 빠진다.

1차 자식공동체 귀환과 성전 재건

에스라서의 전반부(스 1:1~6:22)는 1차로 귀환하는 자식공동체를 소개한다. 그들의 귀환은 전적인 하나님의 주권적 역사에 의해 이루어진다. 하나님은 당시 바사 왕인 고레스를 통해 귀환과 성전 재건의 조서를 내리게 함으로 법적, 행정적, 물질적 과정을 진행시키신다. 1차 귀환은 스룹바벨에 의해 주도된다. 특히 돌아온 자식공동체의 명단과 수를 자세히 기록함으로 자식 모티프가 중심축을 이루고 있음을 보여 준다. 모두 49,897명이 돌아온다(스 2:64~65). 그들은 즐거운 마음으로 번제를 드리며 절기를 지켜 행한다. 그리고 드디어 성전의 지대를 놓는다(스 3:1~10). 특히 솔로몬의 첫 성전을 보았던 노인들은 다시 놓이는 성전의 지대를 보고 대성통곡했다(스 3:12).

이렇게 시작된 성전 재건의 대역사는 대적들의 방해로 약 15년간 중단되고 만다(스 4:4~5, 6:15 참조). 그러나 하나님은 학개 선지자와 스가랴 선지자를 보내어 스룹바벨과 여호수아를 격려해 다시 성전 재건의 역사를 일으키고 다리오 왕의 조서를 통해 대적의 방해를 차단하신다. 돌아온 자식공동체가 성전 재건을 완성함으로 에스겔을 통해 주신 예언이 성취되고 회복된다(겔 36:28~38). 또한 첫번 포로 귀환자들이 성전 재건을 완성한 후 유월절 절기를 지킨 것은 큰 의미가 있다. 그것은 진정한 자식과 땅 모티프의 완성이 유월절을 통해 완성됨을 의미하기 때문이다.

에스라서 전반부가 성전 재건과 유월절을 지키는 것으로 끝나는 것은 귀환의 완성과 회복을 더욱 확고하게 한다. 이 모든 것이 하나님의 주권적인 역사이다(스 6:16~22). 하나님께서 자식공동체를 돌아가게 하시고 성전을 재건케 하는 것은 모세를 통해 출애굽시켜 성막을 완성케 하심과 같다. 시내 산 결혼 언약을 귀환과 성전 재건을 통해 여전히 유효케 하시는 것이다.

2차 자식공동체 귀환과 개혁운동

에스라서 후반부(스 7:1~10:44)는 에스라의 등장으로 시작된다. 에스라는 아론의 후손으로 율법에 매우 탁월한 학사이며 제사장이었다(스 7:5, 11). 바로 그가 1차 귀환(주전 538)후 81년 만에 2차 귀환(주전 457년)을 주도했다. 하나님께서 아닥사스다 왕의 마음을 감동시켜 에스라에게 2차 귀환 조서를 내린 것이다(스 7:27~28). 스룹바벨이 주도한 1차 귀환은 자식공동체가 약속의 땅으로 귀환하는 회복에 중점이 주어졌다. 반면에 에스라를 통한 2차 귀환은 자식공동체를 말씀으로 지도하기 위한 하나님의 조처다. 그래서 하나님은 율법 연구와 준행에 모범이 되는 에스라와 레위인들을 주도적으로 2차 귀환하게 하신다(스 7:13). 그들의 귀환 목적은 돌아온 자식공동체를 말씀으로 온전히 지도하는 것이다(느 8:1~18). 따라서 1차 귀환은 자식과 땅 모티프의 회복을 위한 성전 재건을 중심으로, 2차 귀환은 그들의 삶의 원리인 말씀 모티프를 중점으로 전개된다.

에스라의 귀환이 말씀 모티프를 중심에 두고 있는 것은 에스라서 후반부에서 더욱 자세히 나타난다. 에스라와 말씀 사역자들이 예루살렘에 도착해 모든 이방에서 돌아온 자들과 감격스런 제사를 드린 후에 매우 심각한 문제가 발생한다. 그것은 이스라엘 백성과 제사장과 레위 사람들이 가나안 사람과 헷 사람과 브리스 사람과 여부스 사람과 암몬 사람과 모압 사람과 애굽 사람과 아모리 사람의 가증한 일을 행해 그들의 딸을 취해 아내와 며느리를 삼아 이방 족속과 서로 섞였는데 방백들과 두목들이 이 죄에 더욱 앞장선 것이다(스 9:1~2). 이것은 무엇을 의미하는가? 언약의 백성을 포로생활에서 귀환시켜 성전까지 재건케 했는데 다시 타락한 것이다. 얼마나 기가 막힌 일인가? 에스라는 이 보고를 받고 옷을 찢으며 하나님 앞에 나아가 대언해 회개한다. 그 핵심내용이 돌아온 자식공동체가 말씀을 떠나 포로 전 타락상과 똑같은 일을 행한 현실에 대한 통곡이다. 에스라는 하나님 앞에서 감히 설 자가 하나도 없음을 탄식한다. 지도자들이 앞장서서 이방의 딸들을 취했기 때문이다.

이와 같은 에스라의 통곡이 알려지자 많은 백성이 함께 통곡하며 남녀노소가 함께 모여 회개했다. 그리고 다시 이방 여인들을 끊고 내보내기로 결단하고 모든 조사에 착수한다. 조사 결과가 매우 충격적이다. 제사장 무리부터 레위 인들까지 그리고 일반 지파에 이르기까지 이미 수많은 자들이 연루됐다. 놀랍게도 에스라서 마지막 장은 이들의 명단으로 마친다. 초반부에서는 포로에서 돌아온 자식공동체의 이름을 기록했는데 후반부는 가나안의 이방 여인을 취한 자들의 명단으로 끝난다. 이것은 무엇을 의미하는가? 칠십년 포로생활을 마치고 돌아온 자들이 여전히 세상의 죄악 가운데 거하는 돌이킬 수 없는 인간의 죄성을 강력히 보여 주고 있다. 도저히 언약의 말씀대로 살 수 없는 존재임을 드러내는 것이다. 그러나 에스라와 신실한 자식공동체의 남은 자들을 통해 회개운동과 개혁운동이 일어남으로 다시금 말씀공동체로 회복되는 소망을 갖게 한다.

2. 자식공동체의 보존 : 에스더

아말렉과의 싸움

에스더서는 매우 독특하다. 성경의 순서는 에스라, 느헤미야, 에스더로 되어 있지만 연대기로 살펴보면 에스더 시대는 에스라와 느헤미야보다 앞선다. 좀더 자세히 말하면 에스라서의 전반부 곧 스룹바벨의 1차 포로 귀환(주전 536년)과 에스라의 2차 귀환(주전 457년) 사이에 에스더가 왕후가 된 사건(주전 478년), 부림절 승리 사건(주전 473년)이 있었다. 성경 순서가 에스라에 이어 느헤미야로 진행된 것은 포로 귀환의 역사에 중점이 맞추어졌기 때문일 것이다.

그러면 에스더서의 메시지는 무엇인가? 에스더는 한마디로 말하면 '자식공동체의 보존'이다. 에스더의 중점적 메시지는 부림절 사건으로 전개된다. 부림절은 당시 메대 바사의 아하수에로 왕 시대의 2인자였던 하만과 유대인 모르드개와의 치열한 싸움을 통해 이루어진다. 부림절이란 '부르' 곧 '제비 뽑다'라는 말에서 유래되었는데 하만이 하나님의 백성을 제거하기 위해 사용한 방법에서 유래됐다. 당시 하만의 권력은 절대적이었다. 그러나 모르드개가 하만에게 절을 하지 않았다는 이유로 절체절명의 위기에 처한다. 그런데 하만에게 모르드개가 유대인이라는 것이 알려지면서 상황은 더욱 악화 일로로 치닫는다. 하만은 이번 기회에 모르드개와 메대 바사에 있는 모든 유대인들을 다 처형하려는 음모를 꾸몄기 때문이다(에 3:6~11).

왜 하만은 유대인들을 다 죽이려 하는가? 페르시아 안에서 유대인들을 진멸하려는 의도는 무엇인가? 이 위기를 어떻게 이해해야 하는가? 사실 이것은 자식공동체의 위기다. 하만은 아각 사람 함므다다의 아들이다(에 3:1). 아각은 아말렉 왕의 명칭으로 하만은 아말렉 왕 아각의 후손이었다. 아말렉 족속이 누구인가? 아말렉 족속은 모세가 출애굽한 이후 하나님의 자식공동체가 피곤해 뒤에 처져 있을 때 그 백성을 친 자들이다. 출애굽의 구원 역사 가운데 가장 비열하게 하나님의 역사를 훼방한 자들이다. 하나님은 이들과 대대로 싸우겠다고 하셨고 영원히 그들의 이름을 도말하겠다고 하셨다(출 17:8~16; 신 25:17~19; 대상 4:43 참조). 바로 하만이 아말렉의 후손으로 모르드개가 유대인임을 알고 음모를 꾸며 모든 하나님의 자식공동체를 진멸하려 한 것이다.

이것은 출애굽한 후 얼마 지나지 않아 아말렉이 친 것과 대조를 이룬다. 이미 출바벨론 후 1차, 2차 하나님의 자식공동체가 약속의 땅으로 귀환했다. 아직도 메대 바사 곧 페르시아 안에는 남은 자들이 많이 있었다. 그런데 아말렉이 다시 하나님의 남은 백성을 진멸하려는 것이다. 하나님은 이미 말씀하신 대로 하만의 음모를 모르드개와 에스더의 "죽으면 죽으리이다"(에 4:16b)의 신앙으로 승리하게 하심으로 음모는 만천하에 밝혀지고 오히려 왕의 명령으로 하만과 그의 아말렉 모든 자들이 진멸을 당한다. 하나님께서 이 땅에서 아말렉 족속을 도말하겠다고 하신 대로 된다. 바로 이날이 부림절이다(에 9:20~28).

부림절은 하나님께서 시내 산에서 제정하신 절기는 아니지만 사탄의 세력이 하나님의 백성을 이길 수 없고 결국 멸망당함을 보여줌으로 구원의 역사는 전적으로 하나님의 주권과 섭리에 있음을 계시한다. 사실 에스더서에는 한 번도 하나님의 이름이 거명되지 않는다. 그러나 에스더서에 전개되는 모든 상황은 하나님의 손길이 없이는 도저히 있을 수 없는 사건들로 구성되어 있다. 마치 우리 눈으로 하나님을 보지 못하지만 늘 하나님이 함께하심을 경험하는 것과 같다. 전능하신 하나님은 보이지 않는 손길로 포로 가운데서도 여전히 자기 백성을 보존해 언약의 신실하심을 나타내신다. 이처럼 에스더서는 철저히 자식 모티프를 중심으로 전개된다.

3. 자식과 땅 그리고 말씀의 회복 : 느헤미야

3차 자식공동체의 귀환과 새로운 희망

하나님께서 부림절(주전 473년)의 대반전을 통해 자식공동체를 보전하신 이후 드디어 2차 에스라 귀환(주전 458년)과 3차 느헤미야 귀환(주전 444년) 역사가 일어난다. 새로운 희망의 역사가 시작된 것이다. 1차 스룹바벨의 귀환을 통해서는 성전 재건이 이루어졌다. 2차 에스라의 귀환을 통해서는 말씀의 갱신운동이 이루어졌다. 그러면 3차 느헤미야의 귀환을 통해서는 무엇이 회복되는가? 느헤미야서는 예루살렘 성의 훼파와 성문이 불에 탔다는 보고로 시작된다. 느헤미야는 비보를 접하고 눈물을 흘리며 하나님 앞에 회개하며 간구한다. 그는 자식공동체가 하나님과 언약했던 말씀을 어겨 흩어짐을 당했다고 고백한다. 멸망의 원인을 정확히 알고 있는 것이다. 반면에 그는 회복의 비밀도 알고 있다. 그것 또한 하나님의 말씀에 근거한다. 그것은 자식공동체가 하나님께로 돌아와 다시 계명을 지키는 것이다. 그러면 하나님은 다시금 그들을 예루살렘 성으로 돌아오게 하실 것이다(느 1:4~11).

느헤미야서는 이 메시지로 시작해 그 이후 성취되는 일들을 역사적으로 기록하고 있다. 느헤미야서의 전반부(1~7장)는 훼파된 예루살렘 성벽을 재건하는 과정을 기록했다. 반면에 후반부(8~13장)는 언약 갱신과 개혁을 통한 새로운 희망을 전하고 있다.

땅의 회복

성경은 하나님이 이 기도를 들으시고 느헤미야를 아닥사스다 왕의 절대 신임을 받는 지위에 앉히셨다고 전한다. 왕이 느헤미야의 고국에 대한 간절한 마음을 알게 되어 3차 귀환의 물꼬를 터준다(느 1:11). 느헤미야는 왕의 조서를 갖고 예루살렘에 도착한다. 느헤미야는 예루살렘에 도착한지 삼 일 만에 무너진 예루살렘 성벽과 불 탄 성문을 둘러본다. 그리고 모든 지도자들에게 하나님의 선하신 손이 함께하신 것과 아닥사스다 왕의 명을 전하며 성벽을 재건할 것을 선언한다. 당시 호론 사람 산발랏과 암몬 사람 도비야 그리고 아라비아 사람 게셈이 성을 재건하는 것은 왕을 배반하는 것이라고 주장하며 예루살렘 성의 재건을 방해한다. 그러나 느헤미야는 하나님께서 형통케 하시므로 건축할 것이라고 천명하며 재건을 시작한다(느 2:11~20). 대제사장 엘리아십이 그 형제 제사장들과 양문을 건축하는 것을 시작으로 열 개의 문과 네 개의 망대가 연결되어 있는 성벽이 재건된다. 이 역사는 약 45개 지역에서 40여 명의 주요 인물들에 의해 진행되었다(느 3장 참조).

성벽 재건이 순조롭게 진행될 때 산발랏과 도비야와 아라비아 사람들과 암몬 사람들과 아스돗 사람들이 예루살렘 성의 퇴락했던 곳이 다시 재건되어간다는 소식을 듣고 온갖 비난과 조롱 그리고 음모를 행하며 대적한다. 심지어 살육의 위협까지 가한다. 그러나 느헤미야와 자식공동체는 기도로 대적을 물리치며 성벽 재건에 매진한다. 그러나 대적들의 위협과 방해는 또한 계속된다. 성벽이 완성되고 성문을 달아 성의 재건 역사가 52일 만에 끝났다. 그것은 오직 하나님이 이루신 역사다(느 6:16). 성벽 재건이 완성되자 느헤미야는 하나니와 하나냐를 세워 예루살렘을 다스리게 한다. 성벽 완성과 지도자를 세웠다는 것은 예루살렘 땅의 회복을 의미한다. 이것은 에스겔이 무너진 예루살렘에 '성벽과 주민이 있다'고 한 예언이 성취된 것이다(겔 36:35). 이것이 느헤미야서 전반부(1~7장)의 중심 메시지다.

말씀의 회복

느헤미야의 3차 귀환을 통해 돌아온 언약공동체가 무너진 예루살렘 성을 재건하고 언약의 땅에서 사는 것은 무엇보다도 언약을 회복하는 의미가 있다. 따라서 언약공동체는 실패를 되풀이해서는 안 된다. 그것은 자식이 땅에 돌아와 언약의 말씀을 지키며 사는 것이다. 예전에 실패한 직접적인 원인은 무엇인가? 하나님과 맺은 언약을 파기했기 때문이다. 그러므로 돌아온 언약공동체에게 무엇보다 절대적으로 필요한 것은 말씀의 회복이다. 놀랍게도 느헤미야의 후반부(느 8~13장)는 전체가 언약 갱신과 말씀의 회복으로 전개된다.

느헤미야 8장에서는 수문 앞 광장의 말씀회복운동이 일어난다. 모든 백성이 수문 앞 광장에 모였고 에스라에게 하나님께서 자식공동체에게 명하신 모세의 율법책을 가져오기를 청한다. 에스라는 남녀 모두 무릇 알아들을 만한 회중 앞에서 율법 책을 새벽부터 오정까지 읽는다. 에스라는 좌우편에 말씀 사역자들을 세우고 특별히 지은 나무 강단에 서서 말씀을 낭독한다. 그러나 낭독으로만 끝나는 것이 아니라 그 뜻을 해석하고 낭독한 것을 다 깨닫게 했다. 언약공동체는 말씀을 듣고 다 울었다. 그러나 느헤미야와 에스라는 슬픔의 날이 아니라 기쁨의 날임을 선포한다(느 8:1~12). 이튿날 족장들과 제사장들과 레위 사람들이 말씀을 밝히 알고자 하여 에스라에게 모인다. 그 모임에서 "초막절을 지키라"는 하나님의 말씀을 깨닫고 칠 일 동안 초막을 짓고 첫날부터 끝날까지 말씀을 낭독하는 성회를 개최한다. 이처럼 자식공동체가 언약의 땅에 돌아와 말씀회복운동이 일어나자 어떤 결과가 나타나는가? 그 결과는 금식과 통회와 자복 그리고 결단으로 나타난다. 말씀을 통한 진정한 회개가 일어났다(느 8:13~9:3).

언약 갱신

돌아온 자식공동체는 회개와 더불어 언약을 갱신한다. 언약 갱신은 회개의 결과다. 그들은 자신들이 하나님께서 조상 아브라함에게 자식과 땅을 약속했던 언약 백성임을 고백한다. 그들의 언약 갱신의 내용은 영원부터 영원까지 계신 창조주 하나님으로부터 시작한다. 그 창조주 하나님께서 아브라함과 언약을 맺으신 것이다. 언약의 내용은 아브라함에게 자식을 주고 땅을 주겠다는 것이고 하나님은 약속대로 다 이루셨다. 그들은 하나님께서 그 말씀대로 이루셨기에 의롭다고 고백한다. 출애굽 사건과 시내 산 강림과 언약 체결을 고백한다. 그리고 약속의 땅으로 인도해 들어가 차지하라고 명하셨지만 자기 조상들이 목이 곧아 말씀에 불순종했다고 고백한다. 그들은 사십 년 광야생활도 오직 하나님의 은혜요 버리지 않으심이라고 고백한다. 그리고 가나안 땅에 들어갔지만 결국 하나님의 말씀을 어겨 선지자를 보내 경고하셨음을 고백한다.

하나님의 몇 번의 징계와 긍휼에도 불구하고 그들은 말씀을 듣지 않는다. 하나님은 주의 말씀을 순종케 하시려고 했지만 그들은 교만해져서 말씀에 불순종했다. 그들은 준행하면 그 가운데서 삶을 얻는 주의 계명을 듣지 아니하고 언약을 파기하며 고집하는 어깨와 굳은 목으로 교만히 행했다. 그 결과로 나라는 망하고 열방의 종이 되고 만다. 그런데 놀랍게도 돌아온 자식공동체인 자신들마저도 조상들이 저지른 불순종의 죄를 그대로 반복하고 있다. 돌아온 그들은 이방인과 결혼하며, 안식일을 어기고, 제사가 형식에 치우치며 범죄의 길을 걷고 있었다. 그러나 에스라의 말씀운동을 통해 그들이 죄를 깨닫고 회개하며 언약을 갱신하는 것이다.

이처럼 돌아온 자식공동체의 고백은 철저히 자식, 땅, 말씀 모티프로 전개된다. 하나님의 언약공동체가 언약의 땅에서 언약의 말씀에 순종하며 살 때 하나님의 역사하심으로 사는 것이 언약의 모든 것이다. 거기에 바로 하나님이 통치하시는 나라가 있다. 그러나 말씀의 불순종은 언약 파기를 가져오고 거기에는 언약 파기에 대한 대가가 있을 뿐이다. 이제 회개한 돌아온 공동체는 이 언약 갱신의 고백에 인을 쳐 다시 한 번 하나님의 말씀대로 살 것을 선포한다. 이처럼 언약 갱신은 돌아온 자식공동체가 언약의 땅에서 다시 하나님과의 언약 관계를 회복하는 필연적인 과정이다(느 9, 10, 13장 참조).

4. 자식과 땅 그리고 말씀의 회복 : 학개, 스가랴, 말라기

```
〈학개, 스가랴〉 〈말라기〉
포로 후 시대→ 에스라, 에스더, 느헤미야→ 중간시대
```

포로 귀환 후 선지자

선지자는 크게 세 시대로 구분할 수 있다. 포로 전 선지자, 포로 시대 선지자, 포로 후 선지자다. 이 세 시대의 상황은 다르지만 하나님의 메시지를 계시하는 사명은 동일하다. 선지자는 자기의 뜻을 전하는 자가 아니라 하나님의 뜻을 자기 시대에 온전히 증거하는 자들이다. 자식공동체가 돌아온 후에 하나님이 보내신 선지자는 세 사람이다. 학개, 스가랴, 말라기 선지자다. 하나님께서 돌아온 자기 백성에게 선지자를 보내시는 것은 계속해서 하나님의 뜻을 계시하시기 위함이다. 특별히 학개와 스가랴 선지자는 1차 귀환한 스룹바벨의 성전 재건에 크게 이바지한다(스 5:1, 6:14). 말라기

선지자는 구약시대의 마지막 선지자로 돌아온 자식공동체의 상황
과 하나님의 메시지를 적나라하게 선포함으로 구약을 마감한다.

학개 선지자의 선포

❶ 시대에 대한 진단 – 자기의 소위를 살펴보라.

학개 선지자는 자식공동체가 스룹바벨 주도로 1차 귀환했을 때
함께 돌아왔다. 그때가 주전 538년이다. 그리고 하나님께서 그를
선지자로 부르시고 메시지를 주신 때가 다리오 왕 2년 유월 초하
루다(학 1:1). 곧 주전 520년이다. 귀환한 지 약 18년 만에 학개를
선지자로 부르시고 그를 통해 선포하신 메시지는 무엇인가? 그것
은 먼저 돌아온 자식공동체의 시대를 진단하는 것으로 시작한다.
그들이 돌아와서 성전 재건 사역을 주전 536년에 시작했으나 대적
들의 방해로 중단되어 약 15년 동안 방치되어 있었다. 따라서 하나
님께서는 학개 선지자를 통해 돌아온 자식공동체를 깨우신다.
첫째는 하나님의 전보다 자신들의 집을 짓기에 빠른 것을 지적
한다. 그들은 아직 성전 재건의 때가 이르지 않았다고 주장했다. 그
러나 학개는 하나님의 전이 황무했지만 그들은 판벽한 집에 거했
다고 책망한다. 자기의 소위를 살펴보아야 하는 것이다. 하나님께
서 가장 먼저 돌아온 자들에게 주신 사명은 성전 재건이다. 성전
재건은 시내산 언약의 회복을 의미한다. 더 나아가서는 아브라함
의 언약이 회복되는 것이다. 그럼에도 불구하고 그들은 성전 재건
의 언약적 의미를 이해하지 못했다. 오히려 성전 재건과 상관없이

자신들의 생활의 윤택만을 추구했다.

❷ 심판의 경고 - 하나님의 집보다 자기 집에 빠른 결과

언약공동체가 하나님과 언약 관계의 회복 없이 어찌 진정한 삶을 영위할 수 있는가? 그러나 돌아온 자식공동체는 하나님의 집보다는 자기의 집에 빠르므로 오히려 핍절한 삶 가운데 빠지게 된다. 그들은 하나님과의 관계보다는 자기의 생계에 집중했다. 그리고 아직 시기가 이르지 않았다고 주장했다. 그러나 학개 선지자를 통해 나타난 하나님의 뜻은 명백했다. 더 이상 미룰 수 없다는 것이다.

만약 그들이 순종하지 않고 성전 재건의 역사를 계속해서 미루며 자기의 집에만 빠르면 그들은 많이 뿌릴지라도 적게 거둘 것이다. 그들이 수입을 집으로 가져갈 것이나 하나님이 불어 버리실 것이다. 하늘이 이슬을 그치고 땅이 산물을 그친 것은 돌아온 자식공동체가 하나님과의 관계보다 자신들의 유익에 민첩했기 때문이다. 그들이 하나님의 뜻을 어긴 결과는 한재가 불어 땅에, 산에, 곡물에, 새 포도주에, 기름에, 땅의 모든 소산에, 사람에게, 육축에게, 손으로 수고하는 모든 일에 임하게 된 것이다. 그러므로 하나님이 원하시는 것은 이들이 진정으로 다시 돌아와 언약 관계가 회복되는 것이다. 따라서 그것을 상징하는 성전 재건은 무엇보다 중요한 의미를 가졌다(학 1:5~11 참조).

❸ 순종과 격려 - 흥분케 하시는 하나님의 은혜

학개 선지자를 통한 하나님의 메시지가 선포되었을 때 스룹바벨과 대제사장 여호수아와 모든 백성이 하나님을 경외하며 그 말씀에 청종했다. 그에 대한 화답으로 하나님은 "내가 너희와 함께한다"는 임마누엘의 약속을 하신다. 그 약속의 증거로 하나님은 지도자들과 온 백성들의 마음을 흥분시키신다. 여기서 "흥분시키다"라는 용어는 감정적 흥분이 아닌 영적 인격적 각성에 가깝다. 왜냐하면 히브리어로 '야아르'란 말인데 "일으키다, 깨우치다"라는 의미를 갖고 있기 때문이다. 또한 하나님은 지도자들에게 "스스로 굳게 하라"고 격려하심으로 성전 재건에 대한 지도자들의 마음을 강하게 하신다. 그러면서 매우 중요한 말씀을 하신다. 그것은 "너희가 애굽에서 나올 때에 내가 너희와 언약한 말과 나의 영이 계속하여 너희 가운데에 머물러 있나니"(학 2:5)라는 말씀이다. 무슨 의미인가? 이것은 지금 출바벨론의 역사로 인한 성전 재건이 여전히 아브라함과 시내 산 언약의 성취적 맥락에 있음을 선언하는 것이다. 그리고 그 언약을 이루시는 주체는 언약 백성이 아니다. 그들은 실패자이고 지금 순간에도 실패하고 있기 때문이다. 그러면 언약 성취의 주인은 누구인가? 그것은 다름아닌 하나님의 신이다. 그러므로 더 이상 두려워하지 말라는 것이다.

❹ 소망의 메시지 - 민족에서 열방으로

학개 선지자는 성전 재건의 역사를 격려하면서 하나님의 소망의 메시지를 선포한다. 그것은 미래의 영광에 대한 약속이다. 하나님이 정하신 미래의 시점이 있다. 그때에 하나님께서 하늘과 땅과 바다와 육지를 진동시키실 것이다. 또한 만국을 진동시키실 것이며 만국의 보배가 이를 것이다. 여기서 '진동'은 메시아의 임재를 의미한다. 마치 시내 산에 하나님이 임재하셨을 때 온 산이 크게 진동했던 것과 같다(출 19:18; 시 18:7). '만국의 보배'는 메시아를 말한다. 메시아가 임하실 때 예전에 시내 산을 흔들었던 진동이 만국의 진동, 우주적 진동으로 확대된다. 만국의 보배인 메시아가 임하는 곳은 어디인가? 그것이 바로 이들이 짓는 성전에 임하신다는 것이다. 따라서 이전의 나중 영광이 이전 영광보다 크다. 이것은 무슨 말인가? 예전 솔로몬의 성전은 이스라엘에 국한한 영광이라 할 수 있다. 그러나 스룹바벨에 의해 지어지는 성전은 비록 외형적으로는 솔로몬이 건축한 것에 비해 초라하지만 그 영광은 비교할 수가 없다. 왜냐하면 이 성전에 임하는 메시아의 영광은 만국에 임하기 때문이다(학 2:6~9).

과연 학개 시대에 돌아온 자식공동체는 자기 생활에 취해 성전 재건을 포기하고 있었다. 하나님의 비전을 전혀 알지 못했기 때문이다. 그러나 하나님은 자기의 선지자를 통해 그들의 성전 재건의 의미가 무엇인지 분명히 밝히심으로 미래에 대한 소망을 주신다. 하나님은 돌아온 자식공동체가 세우는 성전이 단지 예전 이스라엘 민족공동체의 언약적 구심점이 되는 것을 원치 않으셨다. 그 성전은 이제 장자 이스라엘 언약공동체를 넘어 열방 모든 민족이 하나님의 자식공동체로 들어오는 상징성이 크다. 만국의 보배인 메시아가 오셔서 영광과 평화의 하나님 나라를 여시는 것이다. 그러므로 돌아온 자식공동체는 하나님의 비전을 다시 받은 오늘부터 새 역사를 시작해야 한다. 그러면 오늘부터 하나님의 함께하심을 경험할 것이다. 그리고 이 일을 주관할 자는 하나님이 인친 스룹바벨이다. 소망의 메시아가 그의 자손 중에서 오시기 때문이다(학 2:15~23 참조).

스가랴 선지자의 선포

❶ 시대에 대한 진단 - 내게로 돌아오라!

스가랴는 학개 선지자와 같은 시대에 사역한 선지자다. 그는 바사의 다리오 왕 2년(주전 520년)에 하나님의 말씀을 받는다. 바벨론에서 1차 포로들이 나온 후 18년이 지난 시점이다. 선지자를 통한 하나님의 첫 번째 메시지는 "너희는 내게로 돌아오라"(슥 1:3)는 말씀이다. 그러면 하나님께서도 그들에게 돌아가겠다고 하신다. 또한 "너희 조상들을 본받지 말라"(슥 1:4)고 하신다. 하나님은 이들의 옛적 조상에게 선지자들을 보내셨던 것을 상기시키신다. 하나님은 조상에게 선지자들을 보내 악한 길, 악한 행실을 떠나서 돌아오라 하셨지만 그들은 듣지 않았고, 돌아오지 않았다. 이제는 세월이 흘러 조상도 없고, 옛적 선지자도 없다. 그러나 하나님의 말씀은 여전히 남아 있다. 단지 말씀이 남아 있는 것으로 끝나는 것이 아니라 말씀하신 대로 역사 가운데 온전히 이루어진다(슥 1:5~6).

스가랴는 조상과 선지자들은 역사 속에 사라졌지만 오직 하나님의 말씀은 여전히 현존해 역사하고 있음을 역설한다. 따라서 조상이 지은 죄의 대가를 치르고 있는 돌아온 자식공동체가 가야 할 길은 어디인가? 그것은 마땅히 말씀에 온전히 순종하는 것이다. 그러나 그들이 조상을 닮아가고 있다. 그들은 조상을 따라가서는 안 된다. 말씀을 따라가야만 한다. 그러나 그들은 돌아와 성전 재건을 중단하고 자기 안락에 빠져 사명을 잊었다. 하나님은 바로 말씀을 떠나 조상의 죄를 본받고 있는 돌아온 자식공동체에게 스가랴 선지자를 보내셨다. 자식공동체를 깨우치시고 새 비전을 주사 궁극적으로 하나님과 그의 자식공동체가 승리하심을 선포하시기 위해 스가랴 선지자를 보내신 것이다.

❷ 여덟 개의 이상 – 자식공동체의 궁극적인 승리

스가랴는 선지자로 부름 받은 지 2개월 후 곧 성전 재건이 시작된 후 정확히 5개월 되는 날 밤에 하나님으로부터 여덟 개의 이상을 받는다.

첫째, 말 탄 자에 대한 이상이다(슥 1:7~17). 말 탄 자 셋이 세상을 순찰하지만 세상은 평온하다. 그 보고에 여호와의 사자가 70년 동안 임한 예루살렘과 유다에 대한 노하심을 풀어 주실 것을 호소한다. 곧 유다를 멸망시키고 지배하는 열방들의 평온은 예루살렘과 유다에게는 절망이기 때문이다. 하나님은 자신이 예루살렘으로 돌아왔다고 선언하시고 자신의 집이 그 가운데 건축될 것이라고 하신다. 예루살렘은 다시 하나님이 거하시므로 풍부해질 것이다.

둘째, 네 뿔과 네 대장장이에 대한 이상이다(슥 1:18~21). '네 뿔'은 유다와 이스라엘과 예루살렘을 헤친 뿔이다. '대장장이 네 명'은 유다와 예루살렘을 헤친 뿔들을 치기 위해 보내진 자들이다. 뿔들이 넷이었듯이 공장도 넷이다. 이것은 하나님께서 자기 백성을 친 이방을 반드시 심판하시겠다는 의미이다.

셋째, 척량 줄을 잡은 자에 대한 이상이다(슥 2:1~13). 척량 줄을 잡은 자는 예루살렘의 장광을 보고자 하는 자다. 예루살렘에 사람들이 거할 것인데 그 가운데 사람과 육축이 많으므로 그것이 성곽 없는 촌락과 같을 것이다. 황무했던 예루살렘에 인구가 넘쳐나는 회복을 의미한다. 그때에 하나님은 자신이 그 사면에서 불 성곽이 되며 그 가운데서 영광이 되리라고 선언하신다. 그러나 예루살렘을 범한 열국은 노략거리가 될 것이다. 그러므로 시온의 딸은 노래하고 기뻐할 것이다. 하나님께서 임해 함께 거하실 것이기 때문이다. 이것은 전형적인 메시아의 초림을 의미한다. 그날에 많은 나라가 하나님께 속해 하나님의 새 백성이 될 것이다. 유다는 거룩한 땅에서 취해져 하나님의 소유가 될 것이다. 다시 그가 예루살렘을 택하실 것이다.

넷째, 대제사장 여호수아에 대한 이상이다(슥 3:1~10). 대제사장 여호수아는 여호와의 사자 앞에 섰는데 사탄이 그의 우편에 서서 그를 대적하는 이상이다. 하나님은 두 번이나 사탄을 책망하신다. 특히 예루살렘을 택한 하나님이 책망하신다고 하심으로 예루살렘의 온전한 회복을 말씀하신다. 예루살렘으로 상징되는 하나님의 자식공동체는 마치 불에서 꺼낸 그슬린 나무와 같다. 여호수아는 더러운 옷을 입고 천사 앞에 서 있다. 하나님은 이 더러운 옷을 벗기시고 아름다운 옷을 입히신다. 그리고 정한 관을 씌우신다. 하나님의 백성의 죄를 씻고 의롭게 하심을 의미한다. 대제사장 여호수아로 상징되는 하나님의 백성의 회복을 말한다. 이제 새롭게 된 여호수아는 하나님의 도를 준행하면 하나님의 집을 다스릴 것이고,

그 뜰을 지킬 것이다. 대제사장 여호수아와 그 동료들은 예표의 사람들이다. 그들은 하나님의 종 '순'을 예표하는 자들이다. '순'은 메시아를 의미한다(렘 23:5, 33:15). 그는 '순' 같이 연약한 모습으로 오신다. 고난받는 종의 모습이다(사 53:2). 그러나 메시아는 또 '돌'로 상징된다. 여호수아 앞에 세운 한 돌에 하나님께서 일곱 눈을 새기실 것이다. '돌'은 '순'과 다른 속성을 보여 준다. 돌은 반석과 기초가 된다. 돌은 머릿돌이 되며 예루살렘의 기초석이 된다. 그를 거부하는 자에게는 거치는 돌이 되어 넘어지게 된다. '순'과 '돌'은 메시아의 두 속성을 예시한다. 메시아가 오시면 이 땅의 죄악을 하루에 제하실 것이다. 십자가의 대속을 말한다. 그 아래서 만백성이 서로 초대하며 하나님 나라를 누릴 것이다.

다섯째, 등대와 두 감람나무에 대한 이상이다(슥 4:1~14). 스가랴는 순금 등대를 보았다. 그 꼭대기에는 주발 같은 것이 있고, 그 등대에 일곱 등잔이 있었다. 그 등대 꼭대기 등잔에는 일곱 관이 있었다. 그리고 그 등대 곁에 두 감람나무가 있었다. 스가랴가 천사에게 이것이 무엇이냐고 물었을 때 하나님께서 스룹바벨에게 하신 말씀을 전한다. "이는 힘으로 되지 아니하며 능으로 되지 아니하고 오직 나의 신으로 된다"는 말씀이다. 오직 성령으로만 성전 재건의 역사가 이루어질 것을 의미한다. 큰 산도 스룹바벨 앞에서 평지가 될 것이다. 그가 성전의 머릿돌을 놓은 것도 오직 하나님의 은총으로만 가능하다. 스룹바벨이 성전의 지대를 놓았은즉 그 손이 또한 그것을 마칠 것이다. 금 기름을 흘러내는 두 금관 옆에 있는 감람나무 두 가지는 기름 발리운 자 둘인데 여호수아와 스룹바벨을 말한다. 이 둘은 메시아의 예표로 대제사장직과 왕직을 말한다. 메시아 예수를 통해 성전 곧 하나님의 나라가 세워지고 완성되어질 것을 예시한 것이다.

여섯째, 날아가는 두루마리에 대한 이상이다(슥 5:1~4). 스가랴가 본 날아가는 두루마리는 장이 이십 규빗이고 광이 십 규빗이다. 이는 온 지면에 두루 행하는 저주다. 도적질하는 자는 이편 글로 끊쳐지고 맹세하는 자는 저편 글로 끊쳐질 것이다. 저주의 두루마리가 그들의 집에 머무르며 그 나무와 그 돌을 사를 것이다. 하나님은 저주의 두루마리를 통해 하나님의 백성이 하나님과의 언약을 떠나 거짓 맹세하고, 도적질하는 삶에 대해 경고하시는 것이다. 이 저주의 두루마리는 단지 이스라엘에만 국한된 것이 아니다. 그것은 온 지면에 두루 다니며 하나님 앞에서 거짓 맹세하고, 도적질한 자들의 집에 들어가 그들의 모든 것을 사를 것이다.

일곱째, 에바 속에 있는 여인에 대한 이상이다(슥 5:5~11). 스가랴는 곡식을 담는 그릇인 에바의 이상을 보았다. 에바 가운데는 한 여인이 앉아 있었다. 동시에 둥근 납 한 조각이 들리어 에바 위 뚜껑으로 놓여진다. 그후 날개 달린 두 여인이 나타나 그 에바를 들고 시날 땅으로 간다. 시날 땅에서 그를 위해 집을 짓고 준공되면 그가 제 처소에 머물게 될 것이다. 여기서 에바는 양을 재는 도구인데 에바 속 여인을 '악'이라고 했다. 악이 가득 찼다는 의미이다. 하나님께서 악을 하나님의 거룩한 백성 가운데서 완전히 제거하심에 대한 이상이다.

여덟째, 네 병거에 대한 이상이다(슥 6:1~8). 네 병거가 '두 놋산' 사이에서 나왔다. 첫째 병거는 홍마들이 메었고, 둘째 병거는 흑마들이, 셋째 병거는 백마들이, 넷째 병거는 어룽지고 건장한 말들이 메었다. 네 병거는 하늘의 네 바람인데 온 세상의 주 앞에 모셨다가 나가는 것이다. 흑마는 북편 땅으로 나갔다. 백마가 그 뒤를 따랐다. 어룽진 말은 남편 땅으로 나가고 건장한 말은 땅에 두루 다녔다. 스가랴에게 말하는 천사는 북방으로 나간 자들이 북방에서 자신의 마음을 시원케 했다고 했다. 네 병거는 심판의 영이다. 특히 그동안 하나님의 백성을 곤고케 했던 북방의 세력을 심판함으로 첫 번째 이상에서의 호소가 응답되어진다. 결국 네 병거 이상은 온 땅의 대적은 심판을 당하고 메시아를 통해 하나님 나라가 완성됨을 말한다.

하나님께서 스가랴에게 주신 여덟 개의 이상은 공통된 메시지를 갖고 있다. 그것은 궁극적으로 하나님께서 자기 백성을 온전히 구원하시고 죄를 제하신다는 메시지다. 그리고 대적은 심판 가운데 놓일 것이며 오직 하나님의 나라가 영영히 설 것을 의미한다.

❸ 회개의 삶 촉구 – 누구를 위한 금식인가?

바벨론 포로 기간 동안 유다 백성은 오월과 칠월에 금식하며 하나님께 나아갔다. 오월은 바벨론이 예루살렘 성전과 궁전을 불태우고 파괴한 달이다(왕하 25:8~9). 칠월은 예루살렘 멸망 후 왕족 중 이스마엘이 십 인을 거느리고 바벨론의 느부갓네살이 세운 그달리야를 죽이고 예루살렘의 백성들을 데리고 애굽으로 피한 때이다(왕하 25:25~26). 곧 예루살렘이 완전히 폐허가 된 때이다. 바벨론에 포로로 잡혀간 하나님의 백성들이 이 오월과 칠월에 70년 동안 금식하며 기도했던 것이다. 그리고 이제 예루살렘에 돌아와서 이 금식기도를 계속해야 하는지 하나님께 묻는다.

하나님께서는 스가랴를 통해 온 백성과 제사장에게 말씀하신다. 그들이 70년 동안 오월과 칠월에 금식하며 애통한 그 금식이 하나님을 위해 한 것이 아니라는 것이다(슥 7:5). 그것은 철저히 자신들을 위한 것이었다. 하나님께서는 이미 이전 선지자들을 통해 주셨던 말씀이 여전함을 상기시키며 그 말씀에 청종할 때에만 진정한 평안이 있었음을 가르치신다. 이제 하나님의 백성들은 진실한 삶과 인애와 긍휼의 삶을 살아야 한다. 과부와 고아와 나그네와 궁핍한 자를 압제해서는 안 된다. 남을 해하려고 심중에 도모해서도 안된다. 진정한 금식은 오직 말씀의 순종 가운데서 가능하다.

❹ 소망의 메시지 – 천하의 왕이 다스리신다.

스가랴서의 후반부는 소망의 메시지로 가득하다. 특히 메시아의 미래와 하나님 나라의 완전한 실현을 전한다. 하나님께서는 자기 백성을 동방에서부터, 서방에서부터 구원해 내고 인도하여 예루살렘 가운데 거하게 하실 것이다. 그들은 하나님의 백성이 되고 하나님은 성실과 정의로 그들의 하나님이 되실 것이다(슥 9:7~8). 하나님은 사월, 오월, 칠월, 시월의 금식을 자기 백성에게 기쁨과 즐거움과 희락의 절기가 되게 하실 것이다. 그러므로 하나님의 자식공동체는 오직 진실과 화평을 사랑하며 살아야 한다(슥 8:19). 그날 곧 회복의 날들에 방언이 다른 열국들이 하나님께 은혜를 구하며 찾아올 것이다(슥 8:20~23). 그 정점에는 메시아가 왕으로 예루살렘에 임할 것이다. 그는 공의로우며 구원을 베풀며 겸손해 나귀새끼를 타고 입성할 것이다. 그가 이방에 화평을 전하고, 전쟁을 그칠 것이며, 그의 정권은 바다에서 바다까지 이를 것이다. 또한 유브라데 강에서 땅 끝까지 이를 것이다. 그러므로 시온의 딸들은 크게 기뻐할 것이다. 예루살렘의 딸들이 즐거이 부를 것이다(슥 9:9~10). 이처럼 물 없는 구덩이에 갇혔던 하나님의 자식공동체가 놓임을 받고 소망 가운데 살게 된 것은 오직 언약의 피를 인함이다(슥 9:11).

그러나 메시아가 오실 때 그를 거절하는 백성에게는 하나님께서 두 지팡이 곧 은총의 지팡이를 잘라 모든 백성과 세운 언약을 폐할 것이다. 연락의 지팡이는 형제의 관계가 끊어지는 것을 말한다(슥 11:10, 14). 그러나 메시아는 궁극적으로 은 삼십의 고가로 팔아 배척당하는 것으로 최절정에 이른다(슥 11:12~13). 메시아를 배척하는 자에게 돌아오는 것은 화밖에 없다(슥 11:17).

예루살렘의 원수들이 예루살렘을 치러 올 것이지만 이기지 못할 것이다. 왜냐하면 하나님께서 지키시기 때문이다. 그날에는 하나님께서 다윗의 집과 예루살렘의 거민에게 은총과 간구하는 심령을 부어 주실 것이다. 그때에 그들은 찌른 바 그를 바라보고 그를 위해 애통하고 통곡할 것이다. 마치 독자와 장자를 위해 애통하듯 할 것이다. 이것은 메시아 예수의 십자가의 죽으심을 통한 그들의 회개 운동이 예루살렘에서부터 시작될 것을 예언한 것이다. 그 회개는 '따로' 하는 개인적인 것인데 회개의 큰 물줄기가 예루살렘으로부터 땅 끝까지 이를 것을 말한다(슥 12:1~14). 그날은 죄와 더러움을 씻는 샘이 다윗의 족속과 예루살렘의 거민을 위해 열리는 날이다. 그날에 거짓된 것들이 다 끊어질 것이다. 거짓 선지자는 회개할 것이다. 목자인 메시아는 자기 백성의 죄를 위해 죽게 되고 온 땅의 삼분의 일이 불 가운데 은처럼 금처럼 연단되어 주께 돌아올 것이다. 그들이 주의 이름을 부를 때 하나님께서 들으실 것이고 그들은 하나님의 백성이 될 것이다. 그리고 그들은 주는 내 하나님이시라고 할 것이다(슥 13:1~9).

스가랴는 궁극적으로 예수 그리스도의 재림을 예언한다. 재림 전 하나님의 백성은 큰 환난을 당하나 재림을 통해 온전히 승리할 것이다. 그날에는 모든 거룩한 자가 주와 함께할 것이다. 그는 천하의 왕이 되어서 그 이름이 홀로 하나이실 것이다. 사람이 그 가운데 거하며 다시는 저주가 없고 예루살렘이 안연히 설 것이다. 그날에는 천하만국이 만왕의 왕이신 주만 섬길 것이다. 그리고 말 방울에까지 "여호와께 성결"이라 기록됨으로 거룩한 세상이 될 것이다. 영원히 천하의 왕이 다스릴 것이다(슥 14:1~21참조).

말라기 선지자의 선포

❶ 시대에 대한 진단 – 식어가는 은혜의 감격

말라기 선지자는 포로 귀환 후 사역한 세 선지자 가운데 마지막 선지자다. 학개와 스가랴 선지자는 1차 포로 귀환(주전 538년) 시대에 사역해 성전 재건의 대역사를 이루었다. 반면에 말라기는 그로부터 1세기 후인 3차 포로 귀환(주전 444년) 직전에 사역한 것으로 보인다. 왜냐하면 말라기의 메시지 내용이 에스라와 느헤미야의 개혁 내용과 매우 유사하기 때문이다. 그러면 말라기는 그 시대를 어떻게 진단했을까? 그들은 포로에서 귀환해 새로운 소망 가운데 살게 되었다. 그러나 귀환 후 많은 세월이 흘러가면서 좀처럼 나아지지 않는 삶을 겪으면서 하나님의 은혜에 대한 감격이 사라져가고 있었다. 하나님께서는 이러한 그들의 상황에 대해 말라기 선지자를 통해 정확히 지적하신다.

> "내가 너희를 사랑하였노라 하나 너희는 이르기를 주께서 어떻게 우리를 사랑하셨나이까 하는도다"(말 1:2).

그들은 이미 하나님의 은혜와 사랑을 잊어버리고 있었다. 하나님은 돌아온 자식공동체의 이러한 현실에 대해 에돔을 빗대어 말씀하신다. 에돔은 그들과 같은 형제였으나 영영한 진노를 받았다는 것이다(말 1:3~5). 이것은 사실 이스라엘 공동체도 에돔과 같은 형편이었다는 것이다. 이들은 피의 언약을 파기한 자들이다. 그러므로 마땅히 멸망당할 자들이었다. 그러나 하나님의 은혜와 사랑으로 포로로 잡혀간 것이고, 거기서 보존되었다. 그리고 다시 언약의 땅으로 돌아오는 사랑을 받은 것이다. 그러나 출애굽하여 가나안 땅에 들어간 자들이 시간이 지나면서 하나님의 은혜를 망각하듯이 돌아온 공동체도 똑같은 전철을 밟고 있다. 하나님께 받은 은혜와 사랑의 감격이 식어가고 있는 것이다. 바로 이것이 말라기 시대의 모습이었다.

❷ 심판의 경고 – 사중타락에 대한 경고

첫째, 영적 타락에 관한 경고이다. 하나님은 제사장들에게 "내 이름을 멸시하는 제사장들"(말 1:6)이라고 하셨다. 당시 제사장들은 포로에서 귀환한 새로운 제사장들이었다. 그리고 성전은 새롭게 재건한 스룹바벨의 성전이었다. 그러나 하나님은 그들이 하나님의 이름을 멸시했다고 하신다. 그들은 자식공동체의 영적 상태를 책임진 자들인데 아버지 되신 하나님에 대한 공경도 두려움도 없었다. 심지어 그들은 자기들이 어떻게 하나님의 이름을 멸시했는지조차 알지 못했다. 영적 무지 상태를 단적으로 보여 주고 있다. 특히 그들은 하나님께 제사하는 것을 번거로운 것이라고 코웃음을 쳤다(말 1:13). 그리고 제물을 구별해 드리는 것이 아니라 사람에게도 내놓지 못할 것을 드리며 하나님의 이름을 멸시했다. 따라서 하나님께서는 차라리 이들이 제사를 드리지 못하게 하기 위해 성전 문을 닫을 자가 있었으면 하고 탄식하셨다. 그 정도로 타락했다.

어떻게 돌아온 자식공동체의 영적 지도자들이 이 정도까지 타락할 수 있는가? 은혜를 망각한 결과다. 포로시절의 배고픔을 잊은 까닭이다. 그들은 하나님께서 큰 왕이시요 열방 중에서 두려워하는 자이심을 잊어버렸다(말 1:14 참조). 따라서 그들은 시내 산에서 처음 제정하신 제사장 위임언약을 파기했고 하나님의 이러한 경고에도 돌아오지 않기 때문에 저주밖에 받을 것이 없다. 아니 저주가 이미 임한 상태다. 그들은 정도에서 크게 벗어났다. 하나님은 돌이키지 않는 이들에게 그들이 가증되게 드리는 희생의 똥으로 그들의 얼굴에 바르고 함께 제해 버릴 것이라고 경고하셨다(말 2:1~9).

둘째, 영적 지도자들의 타락은 자신들만 파멸시키는 것이 아니라는 경고다. 그것은 백성들에게도 그대로 전수된다. 백성들의 가장 큰 죄악은 하나님께서 사랑하시는 성결을 욕되게 한 것이다. 돌아온 자식공동체는 이방의 딸들과 결혼했고 그들이 가져온 우상을 섬겼다. 따라서 성적 타락이 만연했던 것이다. 이러한 삶의 타락은 어떠한 제물로도 그 죄를 사할 수 없다. 삶이 곧 제물이어야 하는데 삶으로는 성결을 욕되게 하면서 제물만 드리면 용납된다는 그릇된 사상이 만연했다. 하나님은 그들의 제물을 받지 않겠다고 하셨다. 또한 어려서 택한 아내에게 궤사를 행치 말라고 경고하셨다. 하나님은 경건한 자손을 얻고자 오직 일부일처제도를 세우셨음을 명백히 밝히신다. 그러므로 이혼하는 것과 학대하는 것에 대해 경고하셨다(말 2:10~16). 이처럼 말라기 시대에는 제사장으로부터 일반 백성에 이르기까지 종교적, 윤리적, 가정적 타락이 보편화되었다.

셋째, 언어의 타락에 대한 경고다. 말라기 시대의 자식공동체는 학개와 스가랴 선지자의 예언에도 불구하고 그 성취가 지체되자 하나님에 대해 함부로 말하기 시작했다. 그들은 말로 하나님을 괴롭게 했다. 그들은 하나님이 행악하는 자를 선하게 보신다고 했다. 심지어 행악자들이 하나님께 기쁨이 된다며 비아냥거리기 까지 했다. 그들은 공의의 하나님이 어디 계시냐고 했다(말 2:17). 더 나아가 그들은 하나님을 섬기는 것이 헛되다고 했다. 그 명령을 지키며 슬프게 다니는 것이 유익이 없다고 했다. 그들은 교만한 자가 복되고, 악을 행하는 자가 창성하며, 하나님을 시험하는 자가 화를 면한다고 했다. 하나님은 이들이 말한 모든 것을 알고 계셨다. 그러나 그들은 자기들이 한 말조차 부정한다(말 2:17a, 3:13).

넷째, 물질의 타락에 대한 경고다. 열조 때부터 자식공동체는 하나님께 십분의 일을 드리는 신앙고백적 물질관이 정립되어 있었다. 그러나 말라기 시대에는 더 이상 하나님이 주인이시고 왕이시라는 물질적 고백이 존재하지 않았다. 하나님은 이것을 그들이 하나님의 것을 도적질한 것이라고 단언했다. 그러나 그들은 도적질한 것조차 알지 못했다. 마치 하나님을 말로 괴롭게 하고도 그것도 알지 못했던 것과 마찬가지다. 영적 둔감함이 온 영역에 스며들었다. 하나님은 그들이 도적질한 것이 십일조와 헌물임을 정확히 말씀하신다. 그러나 회개하고 물질관을 바르게 회복해 온전한 십일조를 드리는 자들에게는 하늘 문을 열고 복을 쌓을 곳이 없도록 부어 주겠다고 하셨다.

❸ 회개의 촉구 – 내게로 돌아오라!

말라기 선지자는 영적, 가정적, 언어적, 물질적으로 타락한 돌아온 백성들에게 회개하고 하나님께로 돌아올 것을 촉구한다. 하나님은 "그런즉 내게로 돌아오라 그리하면 나도 너희에게 돌아가리라"(말 3:7b)고 하셨다. 말라기는 회복된 언약공동체라도 말씀을 통한 하나님과의 교제가 지속적으로 이루어지지 않으면 또다시 타락할 수밖에 없는 존재임을 적나라하게 드러낸다. 그들이 회복될 수 있는 유일한 길은 회개하고 하나님께로 돌아오는 길이다. 그러나 회개는 단지 입술의 고백으로 끝나는 것이 아니다. 진정한 회개는 이 사중타락상을 결단하고 온전히 돌이키는 것이다. 만약 말라기 시대가 에스라와 느헤미야의 말씀개혁운동 직전의 상황이라면 우리는 말씀을 통해 회개하고 언약을 다시 인치며 돌아오는 희망의 역사를 보게 되는 것이다. 하나님의 자식공동체가 약속의 땅에서 말씀에 온전히 순종하며 사는 것이야말로 큰 왕이 통치하시는 나라다.

❹ 소망의 메시지 ‒ 장자를 넘어 모든 이방의 자식공동체로

과연 말라기 시대의 소망은 없는가? 사중타락이 주는 절망으로부터 헤어 나올 소망의 메시지는 없는가? 말라기 선지자는 심판의 경고 사이에 소망의 메시지를 선포한다. 만약 구약의 마지막 선지서가 절망의 메시지로 끝난다면 하나님께서 이루시고자 하는 비전이 어떻게 이루어질 수 있겠는가? 말라기 선지자는 인간의 편에서는 절망밖에 없음을 선언한다. 이것은 모든 선지자의 일관된 메시지다. 인간에게는 소망이 없다. 이것은 구약의 결론이기도 하다. 그러나 하나님 편에서는 소망이 있다. 인간이 끊임없이 타락한 본성에 넘어지는 것을 근원적으로 해결하실 능력이 하나님께만 있기 때문이다.

특히 말라기는 구약의 마지막 책답게 자식 모티프가 이스라엘 민족 공동체를 뛰어넘어 전세계로 뻗어나가는 것을 극적으로 보여준다. 포로에서 돌아온 자식공동체는 하나님의 은혜를 망각한 채 타락의 길로 접어든다. 따라서 하나님은 그들을 기뻐하지도 않으며 그들의 손으로 드린 것도 받지 아니하신다. 반면에 해뜨는 곳에서부터 해지는 곳까지 이방 민족 중에서 하나님의 이름이 크게 될 것이다. 세계 각처에서 하나님의 이름을 위해 분향하고 깨끗한 제물을 드리는 예배가 일어날 것이다. 하나님의 이름이 이방 민족 중에서 크게 될 것이다(말 1:11).

이것이 무슨 말인가? 자식 모티프의 확장을 의미한다. 구약 선지자들의 일관된 메시지는 하나님의 언약 백성이 이스라엘 민족 공동체에만 머무르지 않고 그를 뛰어넘는다는 것이다. 이스라엘은 하나님과의 언약관계에서 장자 곧 대표 역을 맡은 자들이다(출 4:22 참조). 그러나 엄밀히 말하면 그 혈통적 장자 안에도 진정한 하나님의 언약 백성과 거짓 백성으로 나누어진다. 말라기 시대의 돌아온 자식공동체 내에도 하나님을 경외하는 자와 경외하지 않는 자 두 종류가 있었던 것과 마찬가지다. 이것이 구약에 나타나는 하나님의 자식 모티프에 대한 정확한 진단이다. 하나님은 말라기 시대에 포로에서 돌아왔음에도 타락한 자들에 대해서는 거절하시지만 온전히 하나님을 경외하는 자들에게는 그들을 '쎄굴라'라고 칭하셨다. '쎄굴라'는 하나님의 '특별한 소유'를 의미한다. 그들은 하나님의 보좌 앞에 있는 기념책에 기록된 자들이다. 하나님이 아끼시는 의인들이다.

이처럼 하나님은 구약시대의 마지막 선지자인 말라기를 통해 언약의 자식공동체가 이방과 열방 족속에까지 뻗어나갈 것을 선언하신다. 장자를 넘어 모든 이방의 자식공동체에게 의로운 해가 떠오른다. 의로운 해는 메시아를 가리킨다(말 4:2). 메시아는 초림(말 3:1)과 재림(말 4:5a)의 구속사적 사역을 통해 온 땅의 하나님의 언약 백성들에게 유일한 소망이 된다. 그는 이 땅의 하나님의 자녀들이 진정으로 사모하는 언약의 사자로서(말 3:1) 임해 새로운 언약의 중보자가 되신다. 그리고 새로운 중보자인 메시아에 앞서 엘리야가 먼저 보내심을 받아 그의 길을 예비할 것이다. 이제 말라기 이후의 하나님의 백성들은 메시아와 그에 앞서 올 엘리야를 기다리며 소망 가운데 살아갈 것이다.

출애굽과 출바벨론

출애굽과 출바벨론은 약속의 땅을 중심으로 그 역사적 사건들이 대조적 관계를 갖는다. 출애굽이 아브라함 언약의 성취라면 출바벨론은 아브라함 언약의 회복이다. 출애굽은 자식과 땅 모티프를 중심으로 언약의 요소들이 전개된다. 그리고 시내 산 언약 체결을 통해 가나안 땅에서 자식공동체가 하나님께 순종하며 살아가는 모든 준비가 마쳐진다. 그리고 가나안 땅에 들어와 성전을 세우고 언약을 지키며 살지만 결국 타락하고 만다. 하나님은 수많은 선지자를 보내서 경고하지만 자식공동체는 더욱 불순종의 길로 치달아 언약 파기에 이른다. 그 결과는 곧 저주이고 멸망이다. 이것은 마치 출애굽의 구원 역사가 실패한 것처럼 보인다. 그러나 하나님은 자식공동체의 언약 파기에도 불구하고 심판과 더불어 소망을 주신다. 그것은 남은 자들을 통한 언약의 회복이다. 남은 자를 두신 것은 전적인 하나님의 은혜다.

자식공동체의 언약 파기의 대가로 심판이 임하고 남은 자를 두시는 구원의 도구로 바벨론이 쓰임받는다. 바벨론은 하나님의 심판의 도구인 동시에 남은 자들이 포로생활 가운데 살아가는 터전이다. 그러나 도구가 주인으로 착각하면 그 또한 버림을 받는다. 그것이 바벨론이 멸망당하는 원인이다. 하나님은 예레미야 선지자를 통해 남은 자들이 출바벨론할 것을 예언하셨다. 사실 출바벨론의 예언은 바벨론이 멸망한 후 메대 바사가 지배할 때 이루어진다. 그러나 메대 바사 또한 바벨론의 다른 모습일 뿐이다. 출바벨론의 근본적인 이유는 언약의 회복이다. 그것은 아브라함 언약의 회복이며 동시에 시내 산 언약의 회복이다. 따라서 출바벨론 역시 자식과 땅 모티프가 그 중심에 있다. 그들은 세 차례에 걸쳐 약속의 땅으로 귀환한다. 그리고 출애굽 후 언약 체결의 중심인 성막을 세운 것처럼 그들은 성전을 재건한다. 돌아온 자식공동체가 그 땅에서 성전을 세우는 것은 출바벨론이 동일한 출애굽의 의미를 갖고 있음을 극명히 나타낸다. 죄를 처리하고, 징계한 후 다시 본래의 언약 관계를 회복하게 하심이다.

그러나 이것은 단지 두 역사적 사건으로만 끝나지 않는다. 출애굽과 출바벨론의 두 역사적 사건은 사실 그림자일 뿐이다. 곧 메시아를 통해 오는 새로운 나라에 대한 역사적이면서 모형적인 의미를 갖는다. 왜냐하면 출애굽 이후든지 출바벨론 이후든지 인간은 하나님과의 언약을 온전히 지킬 수 없는 존재임이 드러나기 때문이다. 그래서 어떤 또 다른 역사적 사건이 있다 할지라도 그것은 한계에 직면한다. 이것이 구약의 마지막 책인 말라기의 메시지다. 오직 소망은 더 이상 인간이 왕이 된 역사 속의 사건이 아닌 전혀 다른 차원의 역사 속에서 일어날 것이다. 그것이 곧 메시아를 통해 회복되고 건설되며 완성되는 하나님 나라다. 이 메시아를 통해 자식공동체는 온전한 하나님의 백성이 되고, 땅은 하나님 나라가 되며 언약의 말씀에 순종하는 진정한 왕국이 건설된다. 이것이 바로 메시아를 통해 온전히 성취하는 새 언약의 시대다. 인간의 지속적인 언약 파기로 인해 이루어지지 못한 옛 언약이 메시아를 통해 새 언약으로 성취되고 완성되는 것이다.

왕이 없음

출애굽 후에 약속의 땅에서 자식공동체가 추구한 결정적인 사건은 하나님의 왕 되심을 거부하고 인간 왕을 구한 것이다(삼상 8:7). 하나님이 통치하는 언약의 나라를 인간 왕이 통치하는 나라로 변질시켰을 때 그 결과는 처참했다. 인간 왕의 통치 결과는 패망이다. 결코 인간 왕은 진정한 삶을 줄 수 없다. 이 관점에서 출바벨론을 보면 놀라운 사실을 하나 발견하게 된다. 출바벨론 이후에 자식공동체도 돌아오고 땅도 회복되며 성전과 성이 다 회복되지만 왕이 없다. 그들을 통치할 왕이 없는 것이다. 왕이 없다는 것은 무엇을 말하는가? 하나님은 돌아온 자기 백성을 더 이상 인간 왕이 통치하는 것을 허락지 않는다. 따라서 돌아온 자식공동체는 새롭게 자신들을 통치할 왕을 기다린다. 그가 바로 메시아다. 선지자들이 선포한 것이 바로 이것이다. 선지자들은 새로운 통치자인 메시아가 회복할 나라를 선포했고 소망은 오직 거기에만 있다. 메시아는 곧 새로운 하나님 나라를 통치할 왕이다. 그는 약속대로 다윗의 자손으로 오실 것이다. 메시아의 통치 원리는 말씀의 통치다. 그는 옛 언약 곧 첫 언약이 이루지 못한 하나님의 나라를 온전히 완성하는 왕으로 오는 것이다.

구약의 결론 : 첫 언약의 실패와 새 언약의 소망

　구약의 결론은 왕이 없이 끝난다. 구약은 창조주 하나님이 아브라함을 택하시고 언약을 체결하는 것이 핵심이다. 그것은 하나님 나라 건설이라는 영원한 언약의 출발선이다. 언약의 내용은 "하나님이 그들의 하나님이 되시고 그들은 하나님의 백성이 되는 것"이다. 그리고 함께 사실 땅 곧 나라를 세우시는 것이다. 언약의 가치는 생명의 가치다. 따라서 언약의 대상인 쌍방이 언약을 온전히 지켰을 경우에는 하나님과 그의 언약 백성 사이에 진정한 관계와 함께 사는 역사가 이루어진다. 그러나 한 쪽이 언약을 어겼을 경우에 그 결과는 죽음에 처하게 되는 언약이다. 그래서 언약에는 반드시 피의 의식이 수반된다. 언약이 창조주 하나님의 생명과 인간의 생명이 담보되어 있는 가치를 갖고 있는 것이다. 그만큼 하나님은 자기 백성을 회복시키시고 함께 사시는데 자신의 생명까지 내놓으신 것이다.

　얼마나 놀라운 일인가? 하나님께서 창조주 자신의 생명의 가치로 인간을 대하는 것이 언약이다. 그것은 역사적으로 그리고 실제적으로 하나님이 아브라함을 비롯한 그의 언약의 자식공동체에게 언약의 땅을 주시는 것으로 실현된다. 이 언약의 실현 과정이 곧 구약의 역사다. 따라서 아브라함 언약은 이후에 등장하는 모든 언약의 종자(種子)언약이다. 구약 전체가 아브라함 언약의 성취 선상에 놓여 있다. 아브라함에 이어 이삭과 야곱도 하나님과 언약 관계에 있다. 출애굽은 아브라함 언약의 직접적인 성취다(창 15:13~16). 하나님은 시내 산에서 비로소 아브라함에게 언약했던 하늘의 별처럼 많은 백성들과 모세를 통해 언약을 체결하신다. 그리고 그 언약의 결과가 가나안 땅의 성취로 나타난다. 모세는 가나안 땅에 들어가기 전 모압 평지에서 가나안 정복세대에게 하나님의 언약을 다시 체결한다. 그리고 드디어 가나안 땅에 들어간 여호수아 세대가 세겜에서 언약을 체결한다. 그리고 그 언약 체결은 왕을 대표하는 다윗과 이루어진다. 구약의 모든 세대와 역사가 하나님의 언약을 중심으로 진행된 것이다.

그러나 그 언약의 결과가 무엇인가? 언약의 자손이 언약의 땅에서 언약의 말씀대로 살지 않았다. 그들은 인간 왕을 구했고, 인간 왕과 언약의 백성들은 철저히 세속화되고 타락해 하나님과 맺은 언약을 삶의 모든 영역에서 파괴하고 말았다. 그 결과는 곧 피이다. 하나님은 언약을 기억하고 돌아오라고 수많은 선지자를 보내 경고하며 기회를 주셨지만 그들은 끝내 돌아오지 않았다. 인간 편에서 하나님과의 언약을 완전히 파기한 것이다. 따라서 그들은 언약 파기에 대한 계약대로 앗수르에 의해, 바벨론에 의해 패망한다. 그러나 하나님도 이 언약에 생명을 거셨기에 인간 편의 언약 파기의 결과인 심판을 하시면서도 하나님 편의 언약은 지속적으로 이어 가신다. 그것만이 유일한 소망이다. 그래서 하나님은 그루터기 곧 남은 자들을 두신다. 그들은 바벨론에 유수되어 칠십 년 만에 돌아온 자들 속에 있고, 여전히 바벨론에 남겨진다. 하나님은 이들에게 첫 언약 실패의 절망을 진정한 다윗의 왕권을 갖고 오시는 메시아를 기대하게 하심으로 새 언약의 소망을 갖게 하신다. 따라서 구약은 진정한 왕을 기다리며 끝난다.

5. 말씀 모티프의 메시지들 : 욥기, 시편, 잠언, 전도서, 아가서

시가서

시가서는 성경에서 독특한 형식을 갖고 있다. 시가서는 하나님의 백성들이 그들의 인생 현장에서 만난 하나님을 노래하고, 고백하는 새로운 장르를 형성한다. 하나님의 자식공동체가 고난과 역경 가운데서 만나는 하나님에 대한 고백, 인생의 모든 것을 경험한 자의 지혜, 하나님께서 이 땅의 자기 백성을 어떻게 사랑하시는가에 대한 노래 등이다. 시가서의 시대적 배경은 각기 차이가 있다. 그럼에도 불구하고 인생 가운데 세밀히 역사하시는 살아 계신 하나님에 대한 노래와 고백이란 공통점을 갖고 있다.

욥기

욥기의 시대적 배경은 족장시대로 보는 것이 보편적 견해다. 더 구체적으로는 야곱과 같은 시대이거나 그 이후에 살았던 것으로 본다. 그 근거는 욥기에 등장하는 여러 사람의 이름과 지명들이 족장시대와 관련이 있기 때문이다. 욥기는 의인이 당하는 고난에 대해 욥과 그의 세 친구 그리고 엘리후의 견해가 시적 표현으로 구성되어 있다. 그리고 결론 부분에서 하나님의 말씀으로 매듭지어진다.

욥은 "온전하고 정직하여 하나님을 경외하며 악에서 떠난 자"(욥 1:1)였다. 그럼에도 불구하고 사람이 당하기 어려운 큰 고난을 겪은 자였다. 욥의 고난은 그의 세 친구인 엘리바스, 빌닷, 소발과

욥 사이에 고난의 원인에 대한 치열한 논쟁을 촉발시킨다. 그러나 이것은 단지 네 사람의 관점에 머무는 것이 아니라 인간이 고난을 대하는 태도가 어떠한지 가르치고 있다. 그리고 결국 하나님께서 고난을 어떻게 다루시는가를 드러냄으로 고난의 신비에 대해 계시한다. 욥의 세 친구는 고난이 죄의 결과라고 단정한다. 욥이 고난을 당한 것은 그 정도의 고난을 당할 만한 죄악을 저질렀기 때문이라는 것이다. 그러나 욥은 자신이 이러한 고난을 받을 만한 죄를 지은 적이 없다고 주장한다. 그리고 하나님 앞에 나아가 변론하고 싶다고 선언한다. 자신의 결백을 주장하는 것이다. 이에 대해 엘리후는 욥이 자신의 의를 지나치게 주장한다고 지적한다. 이러한 논쟁이 37장까지 계속된다.

38장 이후에 침묵 가운데 계시던 하나님이 드디어 그 논쟁에 대한 결론을 내리신다. 그러나 하나님은 직접적인 결론을 말씀하시지 않고, 폭풍 가운데서 욥에게 말씀하신다. 자신이 우주 만물을 창조할 때 욥이 어디 있었는지 준엄히 물으신다. 철저한 하나님의 전능하심과 주권을 선포하신다. 하나님은 매우 구체적인 피조세계의 창조를 언급하시며 자신의 전능하심과 피조물에 불과한 욥을 대조하신다. 그것이 시구 형식으로 38장, 39장에 걸쳐 진행된다. 하나님의 주권 앞에 욥은 자신의 초라함과 인간의 제한성을 깊이 깨달으며 자신이 하나님 앞에 의로움을 변론하려 했던 것에 대해 다시는 말하지 않겠다고 한다(욥 40:1~5). 그러나 하나님은 욥이 하나님 앞에서 자기 의를 주장한 것은 곧 하나님을 불의하게 하는 것이라고 선언하신다(욥 40:8). 그것은 결국 욥이 자기 의로 자신을 구원할 수 있다고 인정하게 되는 죄임을 가르치신다(욥 40:14). 그리고 다시 한 번 피조물 가운데 하마와 악어에 대해 묘사하신다.

주권자 하나님이 세상의 모든 만물을 창조하시고 전능하심으로 다스리고 계심이 선포된 후 욥은 드디어 하나님 앞에 회개한다. 그는 하나님의 무소불능하심과 전능하심 앞에 자신이 무지한 말로 이치를 가리우고, 스스로 무지한 변론을 한 것에 대해 회개한다. 그리고 주께 대하여 이제까지는 귀로 듣기만 했지만 이제는 눈으로 주를 뵈옵는다고 고백하며 티끌과 재 가운데서 회개한다(욥 42:1~6). 하나님은 욥의 회개를 받으신 후 엘리바스와 두 친구에게 그들이 하나님에 대해 말한 것이 욥의 주장보다 정당치 못하다고 평가하신다. 따라서 욥은 세 친구를 위해 하나님께 기도하고 하나님은 그들을 용서하신다. 이후 하나님은 욥의 노년에 모든 것을 회복시키시고 축복하시므로 하나님의 백성의 궁극적인 승리를 계시하신다.

시편

시편은 모두 150편으로 다윗의 시가 절반 이상을 차지한다. 다윗은 모두 일흔세 편의 시를 지었다. 그리고 아삽은 열두 편, 고라 자손은 열한 편, 솔로몬은 두 편, 에단은 한 편, 모세는 한 편의 시를 지었다.

시편은 하나님의 자식공동체와 개인이 삶의 현장에서 하나님에 대한 믿음을 고백하는 형식으로 구성되어 있다. 이러한 공동체의 고백과 개인의 고백이 애가, 찬양시, 감사시 그리고 메시아 찬송시로 구분된다. 공동체 차원의 애가는 이스라엘 역사 가운데 하나님의 백성이 겪는 현실에 깊이 뿌리 내리고 있다. 하나님의 자식공동체가 언약의 땅에서 큰 재난과 전쟁, 포로로 잡혀가 나라를 잃은 슬픔의 고백들이 고스란히 담겨 있다. 공동체적인 회개와 하나님의 도우심을 구하는 기도를 시로 표현했다. 대표적인 시로 44, 60, 74, 79, 80, 83, 85편이 있다.

개인 차원의 애가는 하나님의 자녀로서 개인적으로 겪는 현실의 아픔과 고통 그리고 좌절 가운데 하나님께 속마음을 토로하는 고백이다. 하나님의 자식공동체 안에 속한 각 개인이 삶의 현장에서 만나는 수많은 고통을 오직 하나님께 의뢰하는 시이다. 많은 시편이 개인적인 애가에 속해 있다. 대표적인 시로는 다윗이 사울의 핍박으로 고통 가운데 있을 때 오직 최고의 재판장이신 하나님께 갖고 나아가 모든 것을 간구하는 시와 자신이 범죄했을 때 하나님 앞에 온전히 회개하는 시가 포함된다. 이처럼 57, 51편 등 40여 편의 시가 개인적 애가에 속한다.

찬양시는 공동체적으로나 개인적으로 하나님의 창조, 속성, 역사, 위대하심 그리고 하나님의 율법을 찬미하는 내용이다. 대표적인 찬양시로는 1, 8, 33, 46, 78, 117편 등 40여 편이 있다. 감사시는 역시 공동체적으로나 개인적으로 하나님께 감사한 것을 고백한 시를 말한다. 대표적으로는 124, 129편과 18, 107, 116편 등이 있다.

마지막으로 시편에서 가장 중요한 위치를 차지하는 시들이 있는데 그것이 소위 메시아 찬송시다. 메시아 찬송시는 하나님의 자식공동체와 개인의 시 가운데 메시아의 왕권을 노래한 시를 의미한다. 저자들은 성령의 감동으로 자신의 삶의 자리에서 메시아와 그의 왕국을 바라보며 노래하는데 이것이 신약의 관점에서 매우 중요하다. 시편에 나타나는 메시아 찬송시는 모두 열한 편으로 2,

8, 20, 21, 45, 72, 89, 101, 110, 132, 144편이다.

잠언

잠언은 대부분 솔로몬의 저작이다. 솔로몬은 잠언을 무려 삼천 가지나 지었다(왕상 4:32). 솔로몬은 기브온 산당에서 일천번제를 드린 후 하나님으로부터 지혜를 받았다. 그가 구한 지혜는 하나님의 마음에 합한 것이었다(왕상 3:3~13). 솔로몬은 하나님께로부터 받은 하늘의 지혜로 잠언과 노래를 지었다. 그는 잠언을 지은 이유에 대해 지혜와 훈계를 알게 하며 명철의 말씀을 깨닫게 하며 지혜롭게, 의롭게, 공평하게, 정직하게 행할 일에 훈계를 받게 하기 위함이라고 했다. 또한 어리석은 자로 슬기롭게 하며 젊은 자에게 지식과 근신함을 주기 위함이라고 했다. 지혜로운 자는 잠언을 듣고 학식이 더할 것이고 명철한 자는 모략을 얻기 위함이다(잠 1:2~5). 이러한 목적을 갖고 지어진 잠언은 여호와를 경외하는 것이 지식의 근본이라고 선언함으로 시작된다. 지혜와 지식의 근본이 오직 하나님을 경외하는 것에서부터 시작되는 것이다(잠 1:7, 9:10).

잠언에는 의인과 악인 그리고 지혜로운 자와 어리석은 자로 대조하여 나타나는데 그 기준은 하나님과의 관계에 있다. 하나님을 경외하며 그의 말씀을 따라 사는 자는 의인이며 지혜로운 자이다. 그러나 하나님을 경외하지 않고 그의 말씀의 지혜를 거부하는 자는 악인이요 어리석은 자다. 의인과 악인 그리고 지혜로운 자와 어리석은 자가 인생 가운데서 만나는 다양한 주제가 곧 잠언의 주제이다. 거기에는 삶과 죽음, 지식과 무지, 부지런함과 게으름에서부터 사랑과 미움, 부와 가난에 이르기까지 매우 다양한 주제들에 대한 지혜를 가르치고 있다. 따라서 잠언은 하나님의 자식공동체가 이 세상을 살아가면서 겪게 되는 삶의 모든 정황 가운데서 하나님을 온전히 경외하며 살아갈 때 얻게 되는 지혜를 가르침으로 전형적인 말씀 모티프이다. 잠언을 통해 하나님의 자식공동체는 시대를 초월해 관통하는 하나님의 지혜를 얻을 수 있다.

전도서

전도서는 다윗의 아들 예루살렘의 왕을 저자로 소개하고 있다 (전 1:1a). 곧 솔로몬이다. 전도자의 말씀(전 1:1b)이라고 부연했다. 전도자란 솔로몬이 인생의 모든 것을 경험한 후 노년이 되어 각 인생이 진정으로 가야 할 길을 제시하고 있음을 말한다. 솔로몬은 "모든 것이 헛되다"(전 1:2)는 선언으로 시작한다. 그는 궁극적으로 인간의 지혜가 헛되며 쾌락과 부가 헛되다고 가르친다. 인간이 해 아래서 수고하는 모든 것이 헛되다고 가르친다(전 2:22). 또한 전도자는 천하에 범사가 기한이 있고 모든 목적이 이룰 때가 있다고 하므로 피조세계의 유한성을 가르친다(전 3:1). 심지어 인간이 재판하는 곳에 악이 함께 있음을 한탄한다. 인간의 성공 이야기도 헛되다 (전 4:13~16). 재산을 아무리 많이 모은다 할지라도 만족함이 없는 인간의 삶이 헛되다(전 5:10). 장수도 낙을 누리지 못하면 헛된 것뿐이다(전 6:6). 이처럼 모든 인생사가 헛되다고 선언하는 전도자는 염세주의자인가? 그렇지 않다. 전도자는 하나님이 사람을 정직하게 지으셨으나 사람이 많은 꾀를 내었다(전 7:29)고 말함으로 죄 아래 있는 인간 나라는 궁극적으로 헛될 수밖에 없음을 말하고 있다.

사실 전도자는 이 세상에서 가장 위대한 왕의 자리에서 온갖 지혜와 부귀와 모든 것을 다 소유한 자였다. 그러나 그 결과가 '헛되다'고 고백하는 것은 죄 아래 있는 인간의 비참한 삶을 진정으로 고백하고 있는 것이다. 전도자는 인생만사의 헛됨을 가르치며 결국 인생의 진정한 의미를 찾는 길은 속히 자신의 창조자를 기억하고 그에게 돌아가는 것이라고 선언한다(전 12:1). 사람이 영원한 집으로 돌아가기 전에 창조주를 기억해야 한다(전 12:5, 7). 전도자는 사람의 본분은 하나님을 경외하고 그 명령을 지킴으로 결국 하나님 앞에 모든 행위와 은밀한 일을 선악간에 심판받을 것임을 대비하는 것임을 가르친다(전 12:13~14). 전도서는 이 땅의 하나님의 자식공동체가 온전한 주재권을 갖고 말씀에 순종하며 살 때 진정한 인생의 의미를 갖게 될 것임을 결론적으로 가르치고 있다.

아가서

아가서는 소위 '노래들 중의 노래'라는 의미로 가장 아름다운 솔로몬의 시다(아 1:1). 솔로몬과 그의 사랑하는 자 술람미 여인 사이의 진정한 사랑의 노래이다. 솔로몬은 왕이며 술람미 여인은 포도원지기로 이루어지기 어려운 사랑을 노래하고 있다. 왕은 예루살렘의 많은 딸들의 흠모 대상이다. 그러나 왕은 그 모든 예루살렘의 딸들이 아니라 가족의 포도원을 가꾸느라 검게 그을려 자신의 포도원인 피부를 가꾸지 못한 술람미 여인과 사랑에 빠진다. 진정한 사랑은 외적 조건이 아님을 귀하게 노래하고 있다.

그 둘의 사랑은 참으로 순수하며 순결하다. 서로가 만나 사랑을 나눌 때의 시는 상대방에 대한 마음을 최상급의 표현으로 나타낸다. 그리고 서로 떠나 있을 때에는 서로를 향한 간절한 마음으로 노래한다. 너무 사랑하기에 병이 들 정도이다(아 2:5). 왕은 술람미 여인과 결혼을 앞두고 그녀를 왕궁으로 초청하며 드디어 아름다운 결혼예식과 피로연이 거행된다. 결혼식 날 밤을 맞이한 신랑의 신부에 대한 노래는 '나의 사랑', '나의 누이', '나의 신부'라는 고백에서 절정에 이른다(아 4:1~5:1).

그러나 첫날이 지나고 얼마 후 신랑이 늦은 밤 처소로 돌아올 때 피곤한 신부는 그를 맞이하지 못한다. 신부가 일어나 문을 열었을 때 신랑은 이미 떠난 뒤였다. 결혼 후에 관계의 위기가 온 것이다. 그러나 신랑을 따라나가 찾는 신부의 마음은 더욱 간절해진다. 더 깊은 사랑의 마음을 갖게 된다. 신랑 또한 더 애절한 마음으로 신부를 향한다. 다시 만났을 때는 사랑이 더욱 절정에 이르고 서로가 각자에게 속하였음을 고백한다. 사랑은 죽음같이 강함을 깨닫는다. 그리고 함께 노루처럼, 사슴처럼 산들로 달려 나가면서 끝난다(아 8:14).

아가서는 단지 솔로몬과 술람미 여인의 사랑을 노래한 것이 아니다. 하나님께서 솔로몬을 통해 성경의 노래로 기록되게 하신 것은 메시아 예수 그리스도와 그의 신부 된 자식공동체와의 사랑을 비유하기 위함이다. 하나님은 최고의 사랑으로 자신의 공동체를 사랑하셨고, 결국은 그 공동체를 구원하기 위해 자신의 생명을 주셨다. 사랑이 죽음보다 강한 것을 실천하신 것이다. 술람미 같은 하나님의 자식공동체는 이 왕과의 사랑을 즐기고 누릴 수 있다. 예수 그리스도 안에 있는 하나님의 자식공동체에 대한 사랑은 그 어떤 피조물도 끊을 수 없다. 따라서 이 관점에서 아가서는 성경의 언약을 사랑의 관계에서 최절정으로 묘사한 역작이다.

6. 신·구약 중간시대[8]

〈학개, 스가랴〉 〈말라기〉
포로 후 시대→ 에스라, 에스더, 느헤미야→ 중간시대→ 세례 요한→ 예수 그리스도

주요 변화

말라기 선지자와 느헤미야 시대 이후에 구약의 계시는 종결된다. 하나님은 더 이상 계시를 주시지 않았다. 이것은 창세기부터 시작된 하나님과 인간 사이의 첫 언약 관계가 일단락되었음을 의미한다. 하나님은 언약을 신실하게 지키시기 위해 언약 대상자인 그의 백성에게 해야 할 일을 다 하셨다. 그 대단원의 첫 막이 내려진 것이다. 그후 약 4백 년간 아무 계시의 역사가 없었다. 하나님께서 선지자를 보내지 않으신 것이다. 소위 세례 요한의 등장시기까지 이 침묵의 기간을 신구약 중간시대라고 한다.

그러나 계시가 없다고 하여 하나님의 섭리마저 끝난 것은 아니다. 하나님으로부터 직접적인 계시가 임하지는 않았지만 약속하신

---

8) 신·구약 중간시대에 대한 자료는 F. F. Bruce의 《신약사》와 Joachim Jeremias의 《예수 시대의 예루살렘》을 참조하였다.

메시아를 보내시기 위한 하나님의 구체적인 섭리는 역사 속에서 온전하게 진행되었다. 그것은 하나님의 시간에 의한 구속 역사의 일정이 구체화되는 것으로 나타났다. 마가와 바울은 그것을 "때가 찼고"(막 1:15), "때가 차매"(갈 4:4)라는 독특한 표현으로 증거한다. 침묵의 기간 동안 메시아를 맞이할 새로운 하나님 나라의 도래가 역사 속에서 준비된 것이다. 하나님은 이 기간 동안 주요한 변화를 통해 충만한 때를 이루셨다.

세계 정세의 변화

유대가 바벨론의 포로가 된 후 바벨론은 메대 바사에 의해 멸망한다. 메대 바사 곧 페르시아는 헬라를 통해 정복된다. 헬라는 신흥 강대국인 로마에 의해 재편된다. 다니엘의 예언대로 역사가 진행된 것이다(단 2:31~45). 예수 시대의 유대는 로마의 속국으로 로마 황제가 파송한 총독과 임명된 분봉왕들이 다스렸다. 그 대표적인 인물이 총독 빌라도와 헤롯 왕 그리고 그 아들들이다. 그들은 철저히 로마의 정치적 입장에서 유대를 다스렸다. 당시 문화는 헬레니즘이 장악했고, 로마는 광범위한 도로망을 통해 신속한 이동통로를 확보했다. 헬레니즘 문화와 교통망이 예수 시대의 복음이 세계로 뻗어 나가는 결정적인 역할을 했다.

유대공동체의 변화

신구약 중간시대에서 가장 중요한 변화는 유대공동체의 변화다.

유대공동체의 변화는 주변 세계의 정세 변화와 긴밀한 관계가 있다. 유대공동체는 주변 세계 정세의 깊은 영향 아래서도 독특한 신앙적 전통을 유지했다. 유대를 속국으로 삼은 제국들은 유대를 정치적, 재정적 이익을 추구하는 데 이용했으나 종교적 전통은 인정했다. 그것은 반란을 효과적으로 막는 정책이었다. 그럼에도 불구하고 세계 주변 정세의 영향은 유대의 전통적 신앙 흐름에 직간접적으로 중대한 영향을 미쳤다. 따라서 이 기간 동안 유대공동체 안에 대표적인 종교적 그룹이 형성되었다.

대제사장

대제사장은 유대공동체의 중심적 위치에 있던 자이다. 구약의 대제사장직이 바벨론에서 귀환 후 신구약 중간시대에도 계속되었다. 그러나 솔로몬 시대부터 세워졌던 사독 가문의 대제사장직은 역사의 혼돈 가운데서 그 명맥이 끊어지고 만다. 대제사장의 정통성이 사라지면서 특히 로마는 대제사장직을 정치적으로 이용하고, 로마로부터 대제사장직을 추인받으려는 유대의 지도자들이 등장한다.

하나님께서 세우신 대제사장직이 세속화되고 타락하는 때가 바로 사독 계열이 끊어지고(주전 171년), 후에 로마의 속국 상황에 있었을 때(주전 63년부터)에 극심해졌다. 따라서 대제사장 직분은 한 사람이 종신토록 수행하는 것인데 예수 시대에는 대제사장이 복수로 나타났다(막 11:27, 14:53; 마 21:45; 요 7:32; 눅 22:2; 행 4:23). 그들은 로마와 분봉왕으로부터 정치적으로 임명되고 해임되었다. 심지어 분봉왕과 로마 총독은 대제사장의 예복을 관리함으로 대제사장을 좌지우지했다. 예수 시대에 이처럼 타락한 대표적인 대제사장 가문이 안나스의 집안이다. 안나스는 자신과 다섯 아들 그리고 사위 더 나아가 손자까지 대제사장직을 보유한 가문이었다. 예수께서 십자가에서 대속하실 때 대제사장이 바로 그의 사위 가야바다.

사두개파

사두개파는 초기 산헤드린 의회의 구성원이었다. 그들은 제사장 그룹과 평민 귀족 간에 동맹을 맺으며 형성된 지도자 그룹이었다. 주전 2세기부터 주후 70년 성전이 파괴될 때까지 존재했다. 그들은 오직 모세오경만을 받아들였다. 더욱이 그들은 생활을 규제하고 율법을 더욱 세부적으로 해석한 할라카라는 전승을 갖고 있었다. 그들은 죽은 자의 부활을 인정하지 않았고 믿지도 않았다. 왜냐하면 내세를 인정하지 않았기 때문이다. 또한 영적 세계와 천사의 존재조차도 부인했다(마 22:23; 막 12:18; 눅 20:27; 행 23:8). 따라서 철저한 현세적 율법만을 추종한 자들이었다. 그들은 주전 76년 바리새파 사람들이 산헤드린의 주요세력으로 등장하기까지 권력을 장악하고 있었다. 그러나 바리새파가 산헤드린의 구성원으로 등장하면서 사두개파와 대립하였고 그 세력이 약화되었다.

바리새파

바리새파는 사두개파보다는 후에 나타나기 시작했다. 산헤드린

의회 초기에는 제사장 그룹과 사두개파가 장악하고 있었다. 그러나 주전 2세기경부터 바리새파가 득세하기 시작했는데 사두개파가 평민 귀족 지주들의 후손이었다면, 그들은 도시 상인들의 후손이었다. 예수 시대에 바리새파는 약 6천 명에 이르렀고 신약시대에는 가장 큰 영향력을 행사했다. 일반적으로 그들은 사두개파보다는 일반 유대인들의 지지를 더 받았다. 그들은 율법을 철저히 지키고, 율법학자와 경건한 지도자들이 많았다. 이 바리새파가 계속 발전하면서 유대교의 중심세력이 되었다. 그들은 구약을 정경으로 받아 철저히 지키려 했다. 그들은 자신들만의 식사를 음식법으로 규정했고, 일주일에 두 번 월요일과 목요일에 금식을 했다(눅 18:2 참조). 그리고 십일조 생활을 철저히 했다. 그러나 후에는 율법의 본질적 의미를 상실하고 형식과 외식에 치우치게 된다. 그들은 전통이나 장로들의 유전을 중요시한 나머지 성경과 동등하게 여기는 오류를 범했다. 그러나 그들은 사두개인과는 달리 영적 세계를 인정하고 믿었다. 곧 천사와 영의 존재, 부활을 믿었다.

에세네파

사두개파와 바리새파와 더불어 에세네파가 신약시대에 대표적인 유대 종파다. 에세네파도 주전 2세기경에 출현하기 시작했다. 그들은 약 4천여 명에 이르렀는데 매우 독특한 삶을 살았다. 그들은 유대광야를 근거지로 삼고 여러 마을에 살았는데 농업과 같은 일에 열심히 종사하고, 성경 해석과 도덕적 성결의 삶을 연구하며 매진하였다. 그들은 모든 재산 곧 의식주를 공동으로 소유하여 공동체

생활을 하였다. 그런데 놀랍게도 그 공동체에는 여인들이 없었다. 그들은 모든 성적 생활 자체를 거부했을 뿐 아니라 결혼이 투쟁의 근거가 된다고 여겼기 때문이다. 그럼에도 불구하고 그들의 숫자는 확장되었는데 그것은 유대 각지에서 에세네파에 가입하려는 자들이 계속해서 유입되었기 때문이다. 누구든지 에세네파에 들어오기 위해서는 3년 동안의 시험 기간을 통과해야 했다. 3년 동안의 시험 기간을 온전히 통과하면 그들은 엄숙한 선언 하에 에세네파의 공동 식사에 참여함으로 그들의 일원이 될 수 있었다. 또한 그들은 노예를 두지 않았다. 노예를 소유하는 것을 불법으로 여겼다. 그들은 자급자족을 하면서 서로를 돕고 성경을 연구하고 주해하며 그대로 살려고 했던 자들이다. 후에 로마인들이 온갖 고문으로 그들의 신앙과 맹세를 무너뜨리려 했으나 그러한 위협은 그들에게 아무런 영향을 주지 못했다.

바벨론에 남은 자의 후손

신구약 중간시대에 유대는 바벨론에서 귀환한 후손들에 의해 재건되었지만 사실 바벨론에서 귀환한 자들보다 바벨론에 남아 있던 자들이 더욱 많았다. 귀환한 자들은 성전을 재건하고 중간시대를 거치면서 일반 백성과 더불어 대제사장을 비롯한 제사장 그룹, 사두개파, 바리새파, 에세네파 등으로 형성되었다. 그러나 바벨론에 여전히 남아 있던 자들은 회당과 율법 중심의 삶을 살아갔다. 그들 또한 바벨론에 이어 페르시아, 헬라, 로마를 거치면서 세계 정세의 크고 작은 영향을 받았으나 회당과 율법 중심의 삶이 그 공동체를 보존해 주었다. 따라서 세계를 지배하는 제국들의 생성과 멸망의 부침 속에서도 유대공동체는 더욱 당시 지중해 중심의 세계 곳곳으로 흩어졌고 회당은 유대공동체의 삶의 모든 영역에 매우 중대한 위치를 차지했다.

회당은 여행객의 숙소 역할을 했고, 새로운 직장에 대한 정보를 주고받는 유대공동체의 소통 장소였다. 더욱이 안식일에는 모든 유대인들이 회당에 모여 율법책을 읽으며 그들의 신앙을 이어갔다(행 15:21). 그들은 3대 절기가 되면 예루살렘으로 순례를 함으로 본국에 있는 유대공동체와 깊은 결속을 유지했다. 누가는 당시 세계 열다섯 지역에서 살던 유대인과 유대교에 입교한 자들이 오순절을 지키기 위해 예루살렘에 와 있었음을 보고한다(행 2:9~11). 이처럼 회당과 율법 중심의 삶을 보면서 주위에 있는 이방인 가운데 유대교로 개종하는 자들이 나타났다. 성경은 그들을 소위 "경건한 이방인들"(행 17:4 참조)이라는 표현으로 지칭했다. 후에 사도 바울의 선교여행을 살펴보면 당시 지중해 주변 세계 소아시아와 유럽에 수많은 유대교 회당이 있었고 그 회당은 바울이 복음을 전하는 전초기지가 되었음을 알 수 있다.

제 7 장

아브라함과 다윗의 자손 예수 그리스도
: 마태, 마가, 누가, 요한 복음

1. 네 복음서

```
                                    〈마〉  〈막〉
중간시대  →  세례 요한  →   예수 그리스도  →
                                    〈눅〉  〈요〉
```

자식 모티프의 결정판

구약은 언약공동체에게 진정한 왕이 없는 것으로 끝났다. 포로

생활에서 귀환했으나 왕은 없었다. 하나님은 돌아온 자식공동체와 회복된 땅에 다시 인간 왕을 세워 다스리실 계획이 없었다. 하나님을 버리고 인간 왕을 세운 대가는 이미 치렀다. 따라서 하나님은 인간 왕을 허락하지 않으셨다. 그 결과가 이미 나왔기 때문이다. 그러므로 구약은 새로운 왕을 대망하는 것으로 끝난다. 그리고 구약과 신약의 중간시대 약 사백 년이 지난다. 이 사백 년은 마치 야곱 공동체 70명이 출애굽했다가 사백여 년이 지나 모세에 의해 출애굽하는 구조와 같다. 구약시대가 끝나고 전혀 새로운 메시아의 시대 곧 하나님 나라의 시대가 열리는 새로운 출애굽의 역사다. 구약의 출애굽의 역사가 유월절 어린 양의 피흘림을 통해 시작되었듯 이 신약의 메시아를 통한 새로운 출애굽의 역사 또한 메시아가 십자가에서 피 흘려 죽으심으로 시작된다. 구약의 출애굽은 혈통적 이스라엘을 구원하는 역사이지만 메시아를 통한 출애굽은 영적 이스라엘을 구원해내는 하나님 나라의 역사로 발전한다. 구약의 출애굽은 모형이고, 신약의 출애굽은 실체다.

따라서 아브라함에게 언약했던 자식 모티프가 메시아 시대에 와서 최절정에 이른다. 하나님께서 아브라함에게 언약한 자식 모티프는 이미 살펴본 대로 네 가지 의미가 있다. 자식 모티프의 첫 번째 의미는 그야말로 무자한 아브라함이 낳은 친아들 이삭을 가리킨다. 하나님이 아브라함에게 자식을 주겠다고 약속하셨을 때 그것은 실제 자식인 이삭을 의미하는 것이 틀림없다. 그러나 자식 모티프의 의미는 더 이상 이삭에게서 머물지 않는다. 이삭을 넘어 이삭의 몸에서 나온 이스라엘 민족으로 나아간다. 이것이 두 번째 의미다. 세 번째 의미는 그 아브라함의 씨 가운데 메시아가 나오는 것이다. 이것은 창세기 3장 15절의 여자의 후손을 보내시겠다는 약속의 성취다. 세 번째 자식 모티프인 메시아의 줄기가 아브라함과 이삭과 이스라엘에게서 나온다. 그러나 메시아는 아브라함의 자손 가운데서 오지만 아브라함의 혈통에 매이지 않는다. 오히려 아브라함과 이삭과 이스라엘 민족을 아우르면서 동시에 전세계의 이방과 열방 가운데 영적 아브라함의 자손들을 구원해낸다. 이것이 네 번째 자식 모티프의 의미다. 이 사중적 자식 모티프는 새로운 것이 아니다. 이미 하나님께서 사중적 자식 모티프에 대해 끊임없이 선지자들을 보내 계시했다. 따라서 구약시대가 마감되고 드디어 자식 모티프의 최절정인 메시아 시대가 도래한 것이다. 어두움의 시대가 물러가고 대명의 시대가 열린 것이다.

메시아 자식 모티프의 흐름

네 복음서는 '메시아 자식 모티프'의 최절정을 계시한다. 메시아의 등장은 이제까지 살펴본 대로 창세기 3장 15절에 계시된 '여자의 후손'의 실체인 메시아가 하나님 나라의 실현을 위해 수많은 예언대로 역사의 무대에 나타난 것을 의미한다. 창세기부터 복음서까지 '메시아 자식 모티프'의 최절정이 계시되기까지 성경 역사에 직접적으로 '메시아 자식 모티프'의 맥을 면면이 드러내는 장면들이 나타난다. 사실 '메시아 자식 모티프'는 숨겨진 금맥이다. 아담 이후로 수많은 사건이 발생하며 역사를 이루었다. '메시아 자식 모티프'는 하나님과 아브라함의 언약 관계가 역사 속에서 발전하면서 구속 역사를 아우를 때 도도히 그 밑에서 한 순간도 끊어짐이 없이 이어져 왔다. 예를 들어 룻기를 보라. 룻은 사사시대에 살았던 불행한 모압 이방 여인에 불과했다. 그러나 그는 전형적인 '메시아 자식 모티프' 의 줄기다. 역사의 지평 위에서는 사사시대라는 엄청난 산맥이 흘러가지만 '메시아 자식 모티프' 는 그 파란만장한 산맥 속에서 매우 조용하게 그러나 한 순간도 끊어짐이 없이 하나님 나라의 완성을 위해 나아간다. 그리고 때가 되자 금맥의 전체가 밝히 드러나고 있는 것이다. 이것이 메시아 자식 모티프가 최절정에 이른 복음서이다.

성경의 대표적인 메시아 자식 모티프 구절의 흐름도는 아래와 같다. 이 구절들은 성경의 금맥 중의 금맥이다.

> 창 3:15 → 창 12:2, 7, 15:4, 5, 6, 21:12 → 창 38장 → 창 49:10 → 출 12:3 →
> 룻기 → 삼상 16장 → 삼하 7:12~16 → 사 7:14, 9:7, 40:5, 53:3, 5, 7, 61:1, 2 →
> 시 2:7, 22, 110:4 → 슥 9:9, 11:12, 12:10 → 말 4:2, 5 → 복음서

네 명의 조명기사

이제 역사의 무대에 아브라함부터 말라기까지 조연들이 다 사라졌다. 그들은 그들의 사명을 감당하고 사라졌다. 침묵의 시간, 준비의 시간이 지나고 드디어 메시아 시대가 왔다. 역사의 주인이 무대에 등장한 시대다. 조연들이 각기 제역할을 다하고 무대 뒤로 사라진 후 주인공이 나타나자 사방에서 조명을 비춘다. 이것이 바로 사복음서다. 마태, 마가, 누가, 요한이 왕이신 메시아 주인공의 탄

생부터 승천까지 사방에서 조명하며 진정한 왕의 삶을 담아 내고 있다. 사복음서는 하나님께서 구약에서 아브라함과 맺으신 언약과 선지자들의 예언을 온전히 성취하는 역사를 계시하고 있다. 구약의 가장 끝인 말라기서의 마지막 장 마지막 절은 세례 요한의 등장을 예고하고 있다(말 4:5~6). 그는 왕의 길을 예비하는 사자다. 광야의 외치는 자로서 왕의 길을 평탄하게 한다. 이처럼 구약은 왕이 오시기 전 예비하는 자 세례 요한을 예고한다.

그러면 신약은 어떻게 시작되는가? 신약은 놀랍게도 세례 요한의 등장으로 시작한다. 사복음서 중 요한복음만 빼고 마태, 마가, 누가복음이 모두 세례 요한이 메시아 예수의 길을 예비하는 것으로 시작된다. 사실 요한복음도 세례 요한을 언급한다. 순서가 뒤에 있을 뿐이다. 구약은 왕이 없는 상태로 끝나고, 진정한 왕을 기다리는 대망의 메시지로 마친다. 그는 이 땅에 와서 자기 나라를 세우실 자이다. 그러므로 신약은 구약의 간절한 소망의 성취인 왕의 오심으로 시작된다. 마태는 철저하게 메시아 예수께서 구약의 첫 언약을 이은 왕이심을 선포한다. 마가는 그림자에서 실체로 다가서듯이 하나님 나라가 가까웠음을 선포한다. 그러나 그 나라를 다스리는 왕은 세상 사람들이 기대하는 왕과 전혀 다른 모습인 섬김의 왕으로 오신 분임을 그린다. 누가는 바로 메시아 예수가 온전한 인간이심을 드러낸다. 요한은 메시아 예수께서 곧 말씀으로 존재하셨던 하나님이심을 선언한다. 마태, 마가, 누가, 요한이 각자의 위치에서 성령의 감동으로 왕이신 예수 그리스도께서 참 인간이면서 참 하나님으로서 자신의 목숨까지 내어 주는 섬김으로 하나님 나라를 회복하는 모습을 그리고 있다.

2. 자식과 땅 그리고 말씀 모티프의 최절정으로서의 공관복음: 마태, 마가, 누가 복음

마태, 마가, 누가는 메시아 예수의 삶을 근원부터 시작해서 탄생, 성장, 사역, 십자가의 죽음, 부활, 승천으로 전개한다. 물론 마가의 복음서에는 탄생기록이 없다. 이것을 마태와 누가가 보충한다. 이처럼 각기 다른 특징과 강조점을 갖고 기록하지만 공관복음 저자가 중점적으로 다루는 메시아 예수의 삶과 사역은 결국 하나님 나라의 '회복'과 '건설'과 '완성'에 초점을 맞추고 있다. 그동안 하나님께서 구약에서 언약의 대상자들에게 자식과 땅 그리고 말씀 모티프로 약속하셨던 것이 드디어 메시아 예수를 통해 성취되는 것을 기록하고 있다. 따라서 공관복음서를 이 관점에서 통합적으로 이해하는 것은 성경 전체의 맥을 이해하는 데 매우 중요하다. 마가복음이 네 복음서 중 가장 먼저 기록되었다는 것이 정설이지만 여기서는 자식 모티프의 절정으로 시작되는 성경의 순서에 의해 마태복음을 중심으로 나머지 마가, 누가 그리고 요한복음이 어떻게 하나님 나라와 그의 새 백성을 모으는 사역을 기록하고 있는지 살펴보자.

아브라함과 다윗의 자손

신약은 아브라함과 다윗의 자손 예수 그리스도의 계보로 시작된다(마 1:1). 왜 성경이 이렇게 시작되는가? 아브라함과 다윗은 족장과 왕의 대표다. 그들은 하나님과의 언약 관계에서 핵심적 언약의 대상자들이다. 아브라함은 자식과 땅 언약의 출발점이고, 다윗 왕국과 백성은 아브라함과의 언약이 역사 안에서 실현된 하나님 나라의 모형이다. 아브라함의 언약이 다윗 시대에 온전히 실현됐기 때문이다. 하늘의 별처럼 많은 자식공동체가 왕국을 이루어 약속의 온 땅을 차지한 때가 바로 다윗시대이다. 아브라함과 다윗은 구속 언약의 두 거점이다. 그러나 하나님께서 이들을 언약의 거점으로 삼으신 것은 그들의 후손 가운데서 메시아 예수를 보내시기 위함이다. 아브라함과 다윗 그리고 예수로 이어지는 언약의 발전과 성취를 통해 하나님 나라의 연속성이 밝히 드러난다.

그러므로 아브라함과 다윗은 메시아 예수가 없다면 아무 의미가 없다. 메시아 예수가 없는 아브라함과 다윗은 하나님 나라가 발아 단계에서 사라져 버린 것에 불과하다. 반면에 메시아 예수 또한 역사 속에 오실 때 과거로부터 단절된 수직적 성육신만으로 오신 것이 아니다. 그는 언약과 성취라는 하나님의 역사를 주관하시는 원리 가운데 오셨다. 그는 과거와의 연속성 안에서 수평적 성육신으로 오신 것이다. 그러므로 아브라함과 다윗의 자손으로서의 메시아 예수는 구약의 아브라함과 다윗의 언약 곧 첫 언약의 계승자면서 완성자로 오신다. 그것은 예수를 통한 하나님 나라의 회복과 건설과 완성으로 나아간다.

왕이 오심

마태는 성령의 감동으로 복음서의 첫 번째 책인 마태복음서를 썼다. 마태의 복음은 언약의 자식 모티프로 신약의 세계를 연다. 아브라함과 다윗의 자손 예수 그리스도의 계보로 시작되는 이 서언은 구약과 신약의 연속성을 넘어 하나님 계시의 최절정을 드러낸다. 마태복음의 일차 독자는 일반적으로 유대인들로 본다. 유대인들은 누구보다도 왕을 기다렸다. 하나님께서 기름 부으심으로 이 땅에 보내실 왕을 기다렸다. 당시 유대 땅은 로마의 속국이었고, 로마의 총독인 빌라도와 분봉왕인 헤롯에 의해 통치되었기에 다윗의 자손인 유대의 왕을 기다리는 마음이 간절했다. 따라서 마태복음 서론의 예수의 계보는 그야말로 예수께서 다윗의 후손으로 왕의 정통성을 갖고 계심을 의미한다(마 2:1~6 참조).

그러나 마태는 예수께서 단지 유대 민족의 왕으로만 오신 것이 아님을 천명한다. 그는 자기 백성을 저희 죄에서 구원하실 자다(마 1:21). 그는 이사야의 예언대로 처녀가 잉태해 아들을 낳아 임마누엘로 이 땅에 오신 하나님이시다. 곧 하나님께서 여자의 후손으로 오셔서 인간이 되심으로 자기 백성과 함께 사시겠다는 것이다(마 1:23). 예수는 정치적으로 로마에 유대를 구원하러 오신 왕이 아니라 죄악으로 신음하는 피조세계를 구원하기 위해 만왕의 왕으로 오셨다. 그러므로 왕이신 예수는 세상의 왕과 다른 차원의 나라를 건설하신다. 그것이 바로 하나님의 나라다. 하나님 나라는 세상의 나라와 다르다. 만약 하나님의 나라가 세상의 나라와 같았다면 예수는 물리력으로 로마를 무너뜨렸을 것이다. 그러나 하나님 나라는 사랑과 복음의 십자가로 로마를 무너뜨렸다. 따라서 예수를 육체적 관점에서 세상의 왕과 동일한 시각으로 이해하려 하는 것은 잘못이다. 이 땅에 임하는 하나님 나라의 왕을 그렇게 이해하는 한 그는 진정으로 그 왕을 영접할 수 없다(고후 5:16 참조). 따라서 마태는 왕으로 오시는 메시아 예수의 탄생을 자세히 기록한다.

어떤 왕이어야 하는가?

메시아는 언약을 성취하는 왕으로 오신다. 만약 메시아가 언약의 성취와 아무 관련이 없다면 그는 메시아가 아니다. 하나님께로서 온 메시아는 반드시 구약에 이미 계시된 언약의 성취자, 완성자로 오는 것이다. 언약의 핵심 내용은 하나님과 아브라함이 언약을 체결함으로 시작되었는데 하나님께서 언약공동체의 하나님이 되시고, 언약공동체는 그의 백성이 된다. 이것을 완성하는 것이 왕으로 오신 메시아의 사명이다. 그러므로 메시아는 하나님의 언약을 성취해 하나님의 나라 곧 자식과 땅과 하나님의 주권인 말씀을 온전히 세워 그의 나라를 회복하고, 건설하며, 완성하는 것이다. 사실 마태는 예수께서 아브라함과 다윗의 자손으로 오는 메시아로서 언약을 완성할 왕이심을 선포하고 있다.

왕의 길을 예비하는 자

네 복음서 모두 왕이신 메시아 예수를 기록하면서 그 전에 이사야가 예언한 왕의 길을 예비하는 자를 소개한다. 그는 세례 요한이다. 세례 요한의 사명은 온전히 왕의 길을 예비하는 것이다. 그는 이 사명을 위해서 태어났고, 이 사명을 준비했고, 이 사명만을 위해 살았다. 왕이 가는 길에는 항상 먼저 사자가 간다. 그가 왕의 길을 준비한다. 의전이 다 준비되면 왕은 그 길로 나아간다. 만왕의 왕이 오시는 길을 준비한 자가 세례 요한이다. 그는 어떻게 왕의 길을 예비했는가? 그는 주의 길을 평탄케 했다. 왕이 오시도록 길을 곧게 한 것이다(마 3:1~17; 막 1:2~8; 눅 3:1~22).

왕을 유혹함

첫째 아담을 유혹해 넘어지게 한 사탄은 둘째 아담으로 오신 예수도 유혹한다. 사탄의 유혹이 성공하면 왕으로 오신 예수의 사명은 이루어질 수 없다. 곧 하나님 나라의 회복이 불가능해지는 것이다. 사탄은 예수께서 사십 일 금식을 마치고 가장 육체적으로 어려울 때에 유혹한다.

사탄의 첫 번째 유혹은 '밥'의 문제이다. 예수는 사십 일을 주리셨다. '밥'은 인간의 가장 기본적인 삶의 요구이며 필수 불가결한 생명과도 같은 것이다. 사탄은 주리신 예수에게 돌로 떡을 만들어 먹으라고 했다. 그러나 예수께서는 "사람이 떡으로만 살 것이 아니요 하나님의 입으로부터 나오는 모든 말씀으로 살 것이라"(마 4:4; 신 8:3 참조)는 말씀으로 물리치신다. 예수는 사람이 사는 것은 하나님의 모든 말씀으로 사는 것임을 명백히 선언하신다. 이것이 하나님 나라에서 하나님의 백성들이 사는 비결이다. 하나님의 백성들은 하나님의 입에서 나오는 모든 말씀을 받아먹고 사는 것이다. 곧 말씀에 순종함으로 살아계신 하나님을 경험하며 산다. 전형적인 말씀 모티프다.

사탄의 두 번째 유혹은 성전 꼭대기에 세우고 뛰어내리라는 것이다. 그러면 천사들이 손으로 받들어 발이 돌에 부딪치지 않게 하리라는 유혹이었다. 이것은 하나님의 아들로서의 능력을 과시하도록 하는 유혹이다. 그러나 예수는 "주 너의 하나님을 시험하지 말라"(마 4:7; 신 6:16 참조)는 말씀으로 물리치신다.

사탄의 세 번째 유혹은 지극히 높은 산으로 가서 천하 만국과 그 영광을 보여 주며 자신에게 엎드려 경배하면 이 모든 것을 주겠다는 것이었다. 그러나 예수께서는 "사탄아 물러가라……주 너의 하나님께 경배하고 다만 그를 섬기라"(마 4:10; 신 6:13 참조)는 말씀으로 승리하신다. '밥', '능력', '권세와 영광'의 유혹을 성령 안에서 살아 계신 하나님의 말씀으로 물리치신 것이다. 첫째 아담의 유혹에 성공했던 사탄은 둘째 아담인 메시아 예수를 미혹하는 데 철저히 실패했다(마 4:1~11; 막 1:12~13; 눅 4:1~13).

하나님 나라 사역의 시작 : 예수의 제일성

사탄의 시험이 끝난 후에 예수께서는 본격적으로 하나님 나라의 사역을 시작하신다. 예수의 제일성은 "회개하라 천국이 가까이 왔느니라"(마 4:17)이다. 회개하지 않으면 누구든지 천국에 들어가지 못한다는 선언이다. 그러나 반대로 이 말씀의 의미는 누구든지 회개하면 천국에 들어갈 수 있다는 것이다. 그러므로 이 구절은 하나님의 백성이 누구인지 명백히 선언하고 있다. 진정으로 자신이 죄인임을 고백하며 예수 그리스도 앞에 무릎 꿇고 회개한 자만이 하나님 나라의 백성이다. 왕이신 메시아 예수께서 하나님 나라에 들어갈 수 있는 유일한 조건이 회개임을 선언하심으로 이미 새로운 시대가 열렸음을 보여 주고 있다. 더 이상 하나님의 나라를 유대교의 틀에 가둬 놓을 수 없는 새 시대의 역사가 시작된 것이다.

마가는 "때가 찼고 하나님의 나라가 가까이 왔으니 회개하고 복음을 믿으라"(막 1:15)고 함으로 이제 메시아 예수를 통해 새 언약의 때인 하나님 나라가 열렸음을 선언한다. 그 나라에 들어갈 백성은 오직 회개하고 복음을 믿는 새로운 백성이다. 곧 구약의 땅과 자식 모티프가 메시아 예수 안에서 하나님 나라와 새로운 자식공동체로 실체를 드러내고 있는 것이다. 이러한 예수의 제일성은 새로운 세계에 대한 선언이다. 이렇게 열리는 하나님 나라 사역을 예수께서는 홀로 행하지 않으신다. 놀랍게도 그는 동역자들을 세우심으로 이 사역을 함께 시작하신다. 예수의 부르심을 받은 제자들은 자신의 것들을 버려두고 새 시대의 역사에 동참한다(마 4:17~22). 드디어 새로운 예수공동체와 그의 나라가 시작된다(마 4:17~25; 막 1:14~28).

하나님 나라의 삶

이제 예수는 본격적인 하나님 나라의 삶을 가르치신다. 하나님 나라의 가르침은 세상의 가르침과 다르다. 이사야 선지자는 세례 요한이 왕의 길을 예비한 후에 하나님의 영광이 나타나고 모든 육체가 그것을 함께 보리라(사 40:3~8)고 예언했다. 이 예언대로 하나님의 영광이신 메시아 예수께서 하나님의 말씀을 선포한다.

복

세상 사람의 가치 척도는 복에 있다. 물질과 건강과 외적인 복을 받는 것을 가장 높게 평가한다. 이것이 세상의 복 개념이다. 그러나 하나님 나라의 복은 다르다. 전혀 다른 차원의 복이다. 마음이 가난한 자가 복되며, 우는 자가 복되고, 온유한 자가 복되며, 의에 주리고 목마른 자가 복되다. 긍휼히 여기는 자가 복되며, 마음이 청결한 자가 복되며, 화평케 하는 자가 복되다. 더 나아가 의를 위해 핍박을 받는 자가 복되다. 왜 이러한 자들이 복된 자들인가? 그들이 바로 천국을 소유하며, 위로를 받고, 땅을 기업으로 받으며, 배부를 것이며, 긍휼히 여김을 받고, 하나님을 보며, 하나님의 아들이라 불릴 것이며, 하나님 나라가 바로 이런 자들의 것이기 때문이다. 그러므로 하나님 나라의 새 백성들의 삶은 세속의 가치관을 떠나 하나님 나라의 가치관으로 새로운 지평을 열어야만 한다. 예수께서는 새로운 왕의 나라의 가치를 이처럼 새롭게 설정함으로 제자들의 갈 길을 제시하신다(마 5:1~12; 눅 6:20b~23).

소금과 빛, 산 위의 동네

하나님 나라의 새로운 자식공동체는 소금과 빛이다. 산 위의 동네다. 예수께서는 "소금이 되어라, 빛이 되어라"고 말씀하지 않으셨다. 이미 소금이고 빛이다. 이미 산 위에 드러나 있는 동네다. 이미 맛이 나는 존재고, 이미 밝히 드러난 존재다. 가려질 수 없는 존재가 새로운 자식공동체다. 그러므로 더욱 중요한 것은 맛을 잃지 않고, 빛을 잃지 않는 것이다. 그것은 곧 왕이신 예수의 맛이요, 예수의 빛이다. 회개하고 하나님의 새로운 백성이 된 자들은 이미 예수의 맛으로, 빛으로 변화된 존재들이다. 그러므로 예수 안에 있는 한 맛과 빛이 자연스럽게 드러난다. 그러나 이 존재론적 변화를 상실하고 맛을 잃으면 그 순간 세상에 버려져 밟히는 존재가 된다. 빛을 잃는 순간 모든 사람을 어둠 가운데 있게 한다. 그러면 소금과 빛은 어떻게 나타나는가? 그것은 바로 착한 행실이다. 하나님 나라의 새 백성은 예수 닮은 착한 행실의 맛과 빛을 드러냄으로 사람들이 하나님께 영광을 돌리도록 해야 한다(마 5:13~16; 막 9:49~50; 눅 14:34~35).

율법의 성취

예수는 율법이나 선지자를 폐하러 온 것이 아니다. 오히려 율법의 요구인 하나님 나라의 의와 선지자의 메시지인 하나님 나라의 통치를 성취하고자 오셨다. 율법이나 선지자나 모두 왕의 것이다. 그러므로 왕이 오신 것은 그것을 폐하려는 것이 아니고 성취하고자 하는 것이다. 율법과 선지자는 구약을 가리킨다. 메시아 예수는 구약을 폐하시는 분이 아니라 구약의 예언대로 오셔서 구약을 성취하는 분이시다. 따라서 천지가 없어지기 전에는 율법의 일점일획도 결코 없어지지 않고 왕이신 예수를 통해 다 성취될 것이다(마 5:17~20 참조). 이 율법과 선지자의 예언에 대한 성취 개념에서 예수는 새롭게 계명을 조명한다. 십계명의 살인죄는 인간관계의 깨짐에서 오는 노함과 욕설까지 확대된다. 간음죄 또한 실제적인 육체적 범죄를 넘어 음욕을 품고 여자를 보는 자마다 이미 간음을 했다고 질타한다. 예수께서는 죄의 현상 뒤에 있는 죄의 근원을 드러내시는 것이다(마 5:21~32; 눅 16:16~17).

원수 사랑

더 나아가 하나님 나라의 새 백성의 삶은 악한 자를 대적하지 않는 것이다. 오른편 뺨을 치면 왼편을 돌려대고, 속옷을 원하면 겉옷까지 주는 것이다. 억지로 오 리를 가게 하거든 십 리를 동행하고, 구하는 자에게 주고, 꾸고자 하는 자에게 거절하지 않는 것이 하나님 나라의 새 백성의 삶이다. 세상은 이웃은 사랑하고 원수는 미워하라고 가르치지만, 하나님 나라는 원수 사랑에서 절정에 이른다. 예수는 원수를 사랑하고 박해하는 자를 위해 기도하라고 하신다. 세상 사람들은 자기를 사랑하는 자만 사랑하고, 자기 형제에게만 문안하지만 하나님 나라의 새로운 자식공동체는 원수까지 사랑해야 한다(마 5:38~47). 왜 하나님의 새로운 공동체는 이와 같이 전혀 새로운 삶을 살아가야만 하는가? 그것은 하늘에 계신 아버지께서 온전하심같이 그의 자식공동체도 온전해야 하기 때문이다. 그것이 곧 하나님 나라 왕이신 예수의 삶이며 그의 새로운 백성들의 삶이 되기 때문이다(마 5:43~48; 막 3:13~19; 눅 6:12~16).

구제 원리

세상에서는 구제를 할 때 자기의 의를 드러내기 위해 하지만 하나님 나라의 백성들은 하나님 앞에서 은밀히 하라고 하신다. 오른손이 하는 것을 왼손이 모르게 하라는 것이다. 은밀한 중에 보시는 너의 아버지께서 갚아 주실 것이기 때문이다(마 6:1~4).

새 백성의 기도

특별히 메시아 예수는 왕께 드리는 기도를 가르치신다. 기도 또한 외식을 가장 조심해야 한다. 이렇게 기도하라고 하셨다.

> "하늘에 계신 우리 아버지여 이름이 거룩히 여김을 받으시오며 나라가 임하시오며 뜻이 하늘에서 이루어진 것같이 땅에서도 이루어지이다 오늘날 우리에게 일용할 양식을 주시옵고 우리가 우리에게 죄지은 자를 사하여 준 것같이 우리 죄를 사하여 주시옵고 우리를 시험에 들게 하지 마시옵고 다만 악에서 구하시옵소서"(마 6:9~13).

예수께서 가르치신 기도는 하나님 나라의 새 백성들이 올려야 할 기도다. 이방의 기도와는 차원이 다르다. 이 기도의 핵심 메시지는 무엇인가? 왕의 나라가 우리 삶의 현장에 임하는 것이다. 곧 자식과 땅 그리고 말씀이, 온전히 하나님 나라와 그 백성들과 그의 뜻이 임하는 삶을 구하라는 것이다. 그 안에서 일용할 양식을 구하고, 인간관계의 화평을 구하라고 하신다. 하나님의 나라 곧 통치하심이 우리 삶의 모든 영역에 임하기를 기도하라는 것이다. 이방인의 기도와 예수께서 가르치신 기도의 근본적 차이는 무엇인가? 이방인 곧 세상의 기도는 자기의 뜻을 이루어 달라고 구하는 것이다. 그러나 하나님 나라에 속한 새로운 자식공동체의 기도는 나의 뜻이 아니라 아버지 곧 왕의 뜻이 나의 삶 가운데 이루어지기를 구하는 것이다. 그것이 바로 예수께서 가르치신 하나님 나라를 구하는 기도이다(마 6:5~15; 막 11:25; 눅 11:1~4).

두 주인

예수께서는 외식으로 금식하지 말 것을 가르치신다. 그리고 보물을 땅에 쌓아 두지 말고 하늘에 쌓아 두라고 하신다. 여기서 예수는 하나님 나라의 새로운 자식공동체는 두 주인을 섬길 수 없음을 분명히 말씀하신다. 두 주인은 하나님과 재물이다. 세상은 재물을 주인으로 섬기지만 하나님의 백성은 오직 하나님만을 주인으로 섬겨야 한다(마 6:16~24; 눅 16:13).

새 백성의 우선순위

세상 사람들의 가장 큰 문제는 날마다 염려 가운데 살아가는 것이다. 그러나 예수께서는 공중의 새와 들의 백합화를 하나님께서 돌보심을 말씀하시면서 하나님 나라에 속한 자식공동체를 반드시 지키심을 천명하신다. 그러므로 하나님 나라에 속한 새로운 자식공동체는 예전에 세상에 속했던 것처럼 먹을 것, 마실 것, 입을 것에 대한 염려를 해서는 안 된다. 그 필요를 하나님께서 이미 다 알고 계시기 때문이다. 이렇게 말씀하시는 것은 이것이 곧 아버지에 대한 믿음의 문제라는 것이다. 이런 것들은 세상 사람들이 구하는 것이다. 이제 하나님 나라에 속한 새로운 자식공동체는 먼저 예수께서 가르치신 대로 하나님의 나라와 그의 의를 구해야 한다. 전혀 다른 차원의 우선순위가 설정되는 것이다. 예수께서는 이처럼 먼저 하나님의 나라와 그의 의를 구하는 새로운 자식공동체에게 하나님께서 모든 필요 또한 더하실 것이라고 선포하신다(마 6:25~34; 눅 6:12~16).

비판

세상 사람들은 자신에게는 관대하고 타인의 잘못에 대해서는 혹독할 만큼 비판적이지만 하나님 나라의 새로운 자식공동체는 그래서는 안 된다. 하나님의 새로운 자식공동체는 자기 성찰이 앞서야만 한다. 먼저 자기 눈의 대들보를 빼고 그후에야 형제 눈에 있는 티를 빼게 하라고 하셨다. 하나님의 새로운 자식공동체는 날마다 자신을 돌아보아야 한다. 그렇게 하지 않으면 모두 외식하는 자가 될 뿐이다. 그 결과는 세상의 비웃음거리가 되고 말 것이다(마 7:1~5; 막 4:24~25; 눅 6:37~42).

새 백성과 아버지

예수께서는 하나님 나라의 새로운 자식공동체에게 아버지께 구하라고 하셨다. 악한 자라도 자식에게 좋은 것을 주려 하는데 하늘에 계신 너희 아버지께서 좋은 것으로 주시지 않겠느냐는 반문이다. 하나님은 구하고, 찾고, 두드리는 새로운 자식공동체에게 좋은 것으로 얻고, 찾고, 열리게 하실 것이라고 약속하신다. 그러므로 자식공동체는 담대하게 아버지께 나아가 간구할 수 있다(마 7:7~11; 눅 11:9~13).

새 백성의 구별 원리

예수께서는 새로운 자식공동체에게 거짓 선지자와 진정한 자기 백성에 대한 구별법을 알려 주셨다. 그것은 입술의 고백이 아니라 오직 열매다. "주여, 주여" 하는 입술만의 고백이 아니라 진정으로 왕이신 하나님 앞에 하나님 나라 백성의 열매를 맺어야 한다. 특히 거짓 선지자들에 대해 경고했다. 그들은 양의 옷을 입고 하나님의 새 백성에게 나오는 자들이다. 그들은 노략질하는 이리다. 좋은 나무가 아름다운 열매를 맺고 못된 나무가 나쁜 열매를 맺는 법이다. 아름다운 열매를 맺지 못하는 나무는 결국 찍혀 불에 던져질 것이다. 진정한 주님에 대한 고백은 그 주인의 뜻대로 행하는 열매로 나타난다. 이러한 자가 하나님 나라에 들어갈 자이다.

예수께서는 마지막 날에 많은 사람들이 "주여 주여 우리가 주의 이름으로 선지자 노릇 하며 주의 이름으로 귀신을 쫓아 내며 주의 이름으로 많은 권능을 행하지 아니하였나이까"(마 7:22) 하며 자기도 하나님 나라에 들어갈 자격이 있다고 주장할 것이라고 하셨다. 그러나 예수의 대답은 명백하다. "내가 너희를 도무지 알지 못하니 불법을 행하는 자들아 내게서 떠나가라"(마 7:23)는 것이다. 입술의 고백, 선지자 노릇, 귀신을 쫓아냄, 권능이 하나님 나라에 들어가게 하는 것이 아니라 오직 그 믿음에 합당한 열매가 그들을 들어가게 할 것이다. 바른 믿음에 합당한 순종의 행함이 진정한 열매다. 이것이 예수께서 말씀하시는 좁은 문으로 들어가는 삶이다(마 7:13~23; 눅 6:46, 13:25~27).

새 백성의 삶 : 말씀에 순종하는 원리

예수께서는 산상에서 주시는 하나님 나라의 새로운 삶의 결론으로 새로운 자식공동체는 말씀에 순종하는 자들이 되어야 한다고 가르치신다. '그러므로'는 산상수훈의 전체적인 결론을 의미한다고 볼 수 있다(마 7:24). 예수께서는 누구든지 자신의 말을 듣고 행하는 자는 그 집을 반석 위에 지은 지혜로운 사람과 같다고 하셨다. 이 순종의 사람에게는 비가 내리고, 창수가 나며, 바람이 불어 그 집에 부딪혀도 무너지지 않는다. 왜냐하면 주추를 반석 위에 놓은 까닭이다. 결국 하나님의 새 백성이 하나님 나라에 속해 사는 비결은 오직 말씀에 순종해 하나님의 함께 사심을 경험하는 것이다. 이것이 기초를 반석 위에 두는 것이다. 반면에 예수의 말을 듣고 행하지 않는 자는 그 집을 모래 위에 지은 어리석은 자와 같다고 하셨다. 그에게도 비가 내리고, 창수가 나며, 바람이 불어 그 집에 부딪히면 그 무너짐이 심하다고 하셨다.

본문에서 예수께서는 이제 하나님 나라의 새로운 자식공동체가 어떻게 살아야 하는지 분명히 말씀하셨다. 자식, 땅, 말씀의 모티프가 그대로 전수되고 있는 것이다. 구약에서도 언약의 자식공동체가 언약의 땅에 들어가 언약의 말씀대로 살아야 했듯이 신약 새 시대의 원리도 똑같다. 하나님의 나라에 들어온 하나님의 새로운 자식공동체의 삶의 원리는 오직 하나님의 말씀에 순종하는 삶인 것이다. 그러므로 이 본문은 전형적인 말씀 모티프의 구절이다. 자식과 땅과 말씀의 모티프가 구약에 이어 신약에 더욱 확연하게 발전된 형태로 나타난다(마 7:24~29; 눅 6:47~49).

자식, 땅 모티프의 확장

마태는 예수께서 산상수훈을 통해 하나님 나라의 삶을 가르치신 후 예수의 치유 사역을 통해 하나님의 나라가 임했음을 증거한다. 예수께서는 자신을 따르는 수많은 병자들을 고치심으로 하나님 나라가 이미 임했음을 드러내신다. 그 중에서 특히 백부장의 하인을 고치는 사건은 매우 중요하다. 예수께서는 겸손하고 온전한 백부장의 믿음에 대해 이스라엘 중에서 이만한 믿음을 보지 못했다고 선포하신다. 그리고 진정한 하나님 나라의 새 백성이 누구인지 선포하신다. "동서로부터 많은 사람이 이르러 아브라함과 이삭과 야곱과 함께 천국에 앉으려니와 그 나라의 본 자손들은 바깥 어두운 데 쫓겨나 거기서 울며 이를 갈게 되리라"(마 8:11~12)는 말씀이다. 예수께서는 하나님 나라의 새 백성이 구약의 이스라엘을 뛰어넘어 세계의 동서로부터 모든 민족 가운데서 나올 것을 예언하시는 것이다. 그들이 아브라함과 이삭과 야곱과 함께 천국에 앉으므로 그들이 진정으로 아브라함의 언약 백성임을 선언하신 것이다. 따라서 자식 모티프가 예수 시대에 와서 새로운 자식공동체로 발전하고 땅도 가나안을 넘어 전세계로 뻗어나간다(마 8:5~13; 눅 7:1~10).

하나님 나라의 동역자 파송

마태는 예수께서 수많은 병자들을 고치시는 것이 이사야 선지자의 예언이 이루어지는 것임을 선언한다(마 8:17). 동시에 예수께서 제자들을 부르시고 풍랑을 잠잠케 하심으로 창조주 하나님이심을 드러낸다(마 8:26). 예수께서는 이러한 하나님 나라의 사역 가운데 열두 제자를 부르신다(마 10:1~4). 하나님 나라의 사역을 함께할 제자들을 세우셨다. 그들은 미움을 받을 것을 각오해야 한다. 그러나 몸을 죽이는 사람을 두려워할 것이 아니라 영혼을 능히 지옥에 멸하실 수 있는 하나님을 두려워해야 한다. 제자들의 사역은 때로는 세상에 검을 주는 사역이 될 것이다. 하나님 나라의 사역이 영적인 싸움임을 천명하신 것이다. 더욱이 그들은 이제 자기 십자가를 지고 예수를 따라야만 한다. 그것이 진정한 제자의 길이기 때문이다.

더 이상 예수의 하나님 나라 사역은 홀로 하시는 사역이 아니다. 예수께서는 자기의 제자들을 택하시고 훈련시켜 세우심으로 하나님 나라의 동역자로 삼으셨다. 하나님 나라의 대추수 사역의 일꾼으로 부르신 것이다. 하나님 나라는 제자들을 통해 세계로 뻗어나갈 것이다. 그리고 동서로부터 수많은 아브라함의 언약 백성들이 돌아올 것이다. 예수는 열두 제자를 택해 파송하시면서 먼저 이방인의 길로도, 사마리아인의 고을로도 가지 말고 오히려 "이스라엘 집의 잃어버린 양에게 가라"(마 10:5~6)고 하심으로 장자인 이스라엘 백성 가운데 새 백성을 부르시는 사역을 시작하신다. 제자들의 초청에 응답해 돌아오는 자는 예수 안에서 진정한 쉼을 얻게 될 것이다(마 11:18). 예수를 통한 진정한 하나님 나라의 안식이 제자들의 사역을 통해 예루살렘으로부터 시작해 동서의 땅 끝까지 이루어지게 될 것이다(마 10:1~16; 막 3:13~19; 눅 7:11~17).

하나님 나라에 대한 배척

예수께서 세워가는 하나님 나라의 사역은 세상과 사탄의 세력으로부터 배척을 받는다. 배척은 당연하다. 사탄이 장악하고 있던 나라가 하나님 나라의 침범을 받는데 어찌 배척이 없겠는가? 예수께서는 형식화되고 율법화된 안식일 지키기를 의도적으로 무너뜨리신다. 그의 제자들은 안식일에 밀밭 사이를 지나며 이삭을 잘라 먹고, 예수께서는 안식일에 손 마른 사람을 고치신다. 예수는 바리새인들의 비난에 대해 인자가 안식일의 주인이라고 선포하신다. 그리고 안식일에 선을 행하는 것이 옳다고 말씀하시며 손 마른 자를 고치신 것을 정당화하셨다.

이 사건 이후 바리새인들은 예수를 배척하는 것을 넘어 죽일 생각을 품는다. 그들에게는 예수의 이러한 안식일을 범하는 행위가 죽을 죄에 해당한다고 여겼기 때문이다. 그러나 예수께서는 이러한 위험한 배척에도 불구하고 무엇이 진정한 하나님 나라의 안식인지 보여 주신다. 이 사건 이후로 예수와 하나님 나라에 대한 배척은 더욱 노골화되어 나타난다. 예수께서는 더욱 적극적으로 하나님 나라를 선포하시지만 고향에서는 배척받는다. 더욱이 세례 요한이 처형됨으로 긴장이 더해진다. 하나님 나라와 사탄의 나라 충돌의 긴장관계가 돌이킬 수 없는 형국으로 전개되어 간다(마 12장, 14장 참조).

왕에 대한 고백

예수의 하나님 나라 사역은 오병이어의 기적에서 최절정에 이른다. 어린아이가 드린 오병이어를 축사하사 오천 명이 먹고 열두 광주리가 남았다. 제자들은 빈 들에서 저녁이 되자 사람들을 마을로 보내어 먹을 것을 사먹게 하자고 했다. 그러나 예수께서는 "갈 것 없다 너희가 먹을 것을 주라"(마 14:16) 하시며 오병이어의 역사를 행하셨다(마 14:13~21; 막 6:32~44; 눅 9:10b~17). 친히 하나님 나라를 실현해 보이셨다. 요한복음에 의하면 이 놀라운 사건 후에 사람들은 예수를 억지로 잡아 임금으로 삼으려 했다(요 6:15). 그러나 예수께서는 그들의 임금 삼으려는 제안을 거부한다. 그들이 원하는 임금은 하나님 나라의 진정한 왕으로서 예수를 모시려는 것이 아니다. 단지 먹고 배부른 것을 지속적으로 얻고 싶은 세상의 왕으로 모시려는 것이다. 예수께서는 하나님 나라의 왕이시므로 세상의 왕이 되라는 요구를 단호히 거절하신다.

그후에 예수께서 제자들과 빌립보 가이사랴 지방으로 가시면서 질문을 하신다. 사람들이 인자 곧 예수를 누구라고 하느냐는 질문이다. 세례 요한, 엘리야, 예레미야나 선지자 중 하나라는 대답이 돌아온다. 예수께서는 곧 제자들의 생각을 원하신다. 그때에 베드로가 "주는 그리스도시요 살아 계신 하나님의 아들이시니이다"(마 16:16)라고 고백한다. 성령의 감동으로 베드로가 예수께 온전한 고백을 한 것이다. 이 고백은 한마디로 예수께서 진정한 왕이심을 고백하는 것이다. 이것이 바로 예수께서 원하신 고백이다. 오병이어 기적 이후 억지로 세상 임금 삼으려는 사람들의 고백이 아닌 진정한 하나님 나라의 왕에 대한 고백을 기대하신 것이다. 예수께서는 바로 이 고백 위에 교회를 세우겠다고 하신다. 따라서 교회는 예수 그리스도를 왕으로 모시는 진정한 신앙고백의 기초 위에 세워진다. 그것이 예수의 몸인 교회의 정체성이다. 이 교회를 결코 음부의 권세가 이길 수 없다(마 16:13~20; 막 8:27~30; 눅 9:18~21).

하나님 나라가 임하는 원리 : 제자도

예수께서는 베드로의 고백 이후에 비로소 자신이 당할 고난과 죽임과 부활에 대해 말씀하시기 시작한다(마 16:21). 그후에 예수께서는 변화산에서 모세와 엘리야와 함께 예수께서 십자가 지실 것에 대해 의논하셨다(눅 9:31). 그리고 갈릴리에 모일 때에 예수께서 두 번째로 제자들에게 인자가 장차 사람들 손에 넘겨져서 죽임을 당하고 제삼일에 살아날 것을 예고하셨다(마 17:22). 드디어 예수께서 마지막 예루살렘에 올라가실 것을 결단하시고 행하실 때 이제 곧 일어날 십자가의 고난과 죽으심 그리고 부활에 대해 말씀하신다(마 20:17~19). 이것이 세 번째 예고다. 그러나 예수를 따르는 제자들은 예수님의 십자가와 부활의 예고를 듣기는 들어도 이해하지 못했다. 단지 두려움과 근심 가운데 머물렀다. 오히려 예수의 죽임이 임박할수록 서로 누가 크냐는 싸움이 강하게 일어났다(마 20:20~24). 그들은 예수의 마지막 예루살렘 입성을 세상 왕의 등극으로 오해했다. 그러나 예수께서는 하나님 나라의 대속 제물로 입성하시고 계셨다.

이러한 대조는 하나님 나라와 세상 나라의 관점이 극히 대조적임을 적나라하게 보여 준다. 예수께서는 제자들에게 "너희 중에 으뜸이 되고자 하는 자는 너희의 종이 되어야 한다"고 말씀하셨다.

그리고 "인자가 온 것은 섬김을 받으려 함이 아니라 도리어 섬기려하고 자기 목숨을 많은 사람의 대속물로 주려 함이라"고 하셨다(마 20:27~28). 하나님 나라는 군림을 통해 오는 것이 아니라 섬김을 통해 온다. 곧 십자가를 통해 오는 것이다. 세상 나라는 권력과 힘을 통해서 오지만 하나님 나라는 전혀 생각지도 못하는 차원에 있다. 제자들은 지난 삼 년을 훈련받았지만 아직도 세상의 가치관에 사로잡혀 있다. 그러나 진정한 메시아 예수는 세상의 죄를 대신 담당하는 화목제물로 자신을 주신다. 그의 예고대로 십자가와 부활 이후에 비로소 제자들은 하나님 나라가 이 땅에 어떻게 임하는지 깨닫는다. 오직 자신을 레위기의 제물로 온전히 내어버림으로 하나님과 사람 사이를 화목하게 하신다. 이것이 하나님 나라가 이 땅에 임하게 하는 예수와 그를 따르는 제자들의 삶의 원리 곧 제자도다. 예수의 진정한 제자는 자기를 부인하고 자기 십자가를 지고 예수가 가신 길을 따라야 한다(마 16:21~28; 막 8:31~9:1; 눅 9:22~27).

하나님 나라 완성의 징조

예수께서는 초지일관 하나님 나라에 초점을 맞춘다. 예수의 관심은 온통 하나님 나라다. 특히 비유를 들어 선포하셨는데 비유의 내용 또한 모두 하나님 나라를 가르치는 것들이다. 하나님 나라를 뺀 예수의 메시지는 있을 수 없다. 메시지뿐 아니라 예수의 행하신 모든 행위와 사역 그리고 이적은 하나님 나라가 이미 시작되었고, 이미 임했음을 보여 준다. 따라서 복음서 이후의 모든 성경의 흐름은 이 지평에서 바라보아야 한다. 그래야 예수께서 회복하고 건설하며 완성하시려는 하나님 나라가 보인다. 이 새로운 지평은 이미 구약의 언약 모티프에서 출발하고 있다. 땅 모티프가 하나님 나라로, 자식 모티프가 하나님 나라의 새 백성으로 발전한 것이다. 땅과 자식이 언약의 씨라면 하나님 나라와 새 백성은 그 나무이고 열매이다. 그래서 예수께서 비유 중에 하나님 나라는 작은 씨로 시작했는데 큰 나무가 되어 공중의 새가 깃들이게 되었다고 하신 것이다.

예수를 통한 하나님 나라의 가시적인 실현에도 불구하고 하나님 나라는 아직 완성되지 않았다. 하나님 나라는 궁극적으로 예수의 두 번째 오심 곧 재림으로 완성된다. 따라서 예수께서는 하나님 나라의 완성 전에 있을 징조에 대해 말씀하신다. 그것이 소위 종말 강화이다(마 24장). 하나님 나라 완성의 징조는 예수의 종말 계시에서 절정을 이룬다. 하나님 나라가 완성되는 것은 마치 해산이 임박한 여인의 진통과도 같다. 새 생명의 탄생이 임박해질수록 진통의 주기와 횟수가 빨라지듯이 새로운 하나님 나라의 완성이 임박할수록 종말적 진통의 주기와 횟수가 빨라진다. 그리고 큰 환난의 징조 후에 예수께서 재림하심으로 하나님 나라가 드디어 완성된다(마 24, 25장; 막 13장; 눅 21장).

옛 언약을 완성하는 새 언약

예수께서 하나님 나라의 완성 직전에 있을 큰 환난에 대해 가르치셨다는 것은 이제 자신의 사역이 마지막 시점에 임박해 있음을 암시한다. 예수께서는 자신의 때가 가까웠음을 알고 계셨다(마 26:18). 제자들에게 유월절 음식 잡수실 곳을 예비하게 하셨고 마가의 집에 있는 다락방에서 유월절을 지키셨다. 예수의 이 유월절 지킴은 모세와 이스라엘 자식공동체가 출애굽할 때 지켰던 첫 번째 유월절의 성취다. 예수의 유월절 지킴의 최절정은 십자가에서 자신이 죽음으로 어린양 제물이 되는 대속사건이다. 그러나 바로 직전 예수는 그의 제자들에게 자신의 십자가의 제물 됨이 무슨 의미인지 정확히 가르치셨다. 그것은 다름아닌 새 언약이다.

예수께서 떡을 떼어 축복하고 제자들에게 주시며 "받아 먹으라 이것은 내 몸이니라"(마 26:26)고 하셨다. 또 잔을 가져 사례하시고 "너희가 다 이것을 마시라 이것은 죄 사함을 얻게 하려고 많은 사람을 위하여 흘리는 바 나의 피 곧 언약의 피니라"(마 26:27~28)고 하셨다. 누가는 예수께서 "이 잔은 내 피로 세우는 새 언약이니"(눅 22:20)라고 기록했다. 예수께서는 십자가에 수많은 의미를 부여하실 수 있었지만 오직 한 가지에 초점을 맞춘다. 그것은 새 언약이다. 예수는 자신이 십자가에서 화목제물이 되는 것이 하나님과 아브라함과의 언약을 온전히 성취하는 새 언약임을 밝히고 있는 것이다. 이 새 언약의 의미는 너무나도 중요하다. 새 언약이라고 하신 것은 옛 언약이 있음을 전제한다.

그러면 옛 언약은 무엇인가? 새 언약 이전의 언약들이다. 예수의 십자가 피의 언약 이전의 모든 언약은 옛 언약에 속한다. 곧 구약의 언약이다. 다른 말로는 첫 언약이다. 예수의 십자가의 제물 되심은 이 첫 언약이 이루지 못한 것을 이루는 새 언약이다. 옛 언약 곧 첫 언약은 아담과의 언약을 시작으로 아브라함, 이삭, 야곱의 언약이며 그 연장선상에 있는 모세의 시내 산, 모압 언약이고, 다윗의 언약이다. 구약의 모든 언약에는 하나님과 언약 대상자들이 있다. 곧 하나님과 인간이 맺은 언약이다. 언약 대상자들은 모든 인간을 대표한다. 이것이 첫 언약이고, 옛 언약이다. 그러나 언약의 역사를 살펴보면 언약의 당사자인 인간이 언제나 언약을 파기했다. 이것이 구약의 결론이다. 언약의 내용은 하나님께서 언약 대상자들의 하나님이 되시는 것이고, 언약 대상자들은 하나님의 백성이 되는 것이다. 그것을 이루는 언약의 요소가 자식과 땅 그리고 말씀 모티프다.

하나님은 아브라함에게 언약하신 대로 하늘의 별과 같이 많은 자식을 주셨다. 그리고 약속의 땅도 주셨다. 그러나 언약 백성이 약속의 땅에서 말씀을 버리고 하나님을 떠나 언약이 파기된다. 그 파기의 결과는 피 곧 죽음이다. 언약을 지키면 하나님과 그의 백성의 관계 속에서 누리며 살지만 어기면 피의 죽음인 것이 언약의 양면이다. 곧 언약의 결과는 복과 저주다. 피의 언약이라는 것이 하나님과의 언약이 얼마나 진지한지 단적으로 보여 준다. 하나님 또한 언약을 지키려고 자기 생명을 담보로 언약을 체결하신 것이다. 그러나 옛 언약은 모든 인간을 대표하는 이스라엘 자식공동체가 철저히 언약을 파기하는 존재임을 보여 준다. 그것이 옛 언약의 결과다. 그러므로 옛 언약의 결과대로라면 하나님 앞에서 인간은 누구나 소망이 없다. 언약을 파기한 대가로 죽음 곧 심판만 기다릴 뿐이다.

그러나 하나님은 인간 편에서의 언약 파기를 가만히 방관하실 수 없다. 하나님께서 인간의 언약 파기를 방관하시면 인간은 모두 심판당하고 영원한 형벌 가운데 빠진다. 그렇게 되면 하나님의 언약도 성취될 수 없다. 사실 언약의 당사자들 중 한 편이 파기하면

이 언약은 더 이상 성사될 수 없다. 이것이 옛 언약의 형편이다. 이 상태에서는 누구도 하나님의 자식공동체가 될 수 없다. 하나님이 건설하시려는 나라도 완성될 수 없다. 하나님 편에서는 하나님의 비전을 이루고자 언약이 계속해서 진행되어야만 했다. 반면에 인간 편에서 불법을 행한 언약 파기는 반드시 대가를 치러야만 했다. 그 대가는 곧 피며 죽음이다.

하나님은 이 문제를 자신의 독생자 아들을 보내심으로 해결하신다. 곧 새 언약을 체결하시는 것이다. 따라서 새 언약은 이 두 가지 조건을 다 충족시켜야만 한다. 옛 언약부터 진행된 하나님의 비전이 온전히 성취되는 것과 인간 편의 언약 파기 대가를 온전히 지불하는 것이다. 예수께서는 인간으로 오셔서 십자가의 피로 바로 이 옛 언약의 숙제를 해결하신다. 따라서 예수의 흘린 피가 바로 새 언약이 되는 것이다. 새 언약 아래서 모든 첫 언약을 파기한 자들의 죄가 처리되어 용서받고, 하나님의 새 백성의 자격을 갖는다. 언약 파기의 대가가 해결되면서 동시에 옛 언약의 비전이 성취된다. 이 얼마나 놀라운 은혜인가? 그러므로 새 언약은 곧 은혜 언약이다(마 26:26~29; 막 14:22~25; 눅 22:15~20).

십자가와 새 언약의 효력

예수께서 십자가에 죽으심으로 하나님 나라의 통로가 열린다. 새 언약은 예수의 제물 되심으로 하나님과 언약을 파기했던 인간이 새로운 화목관계로 회복되게 한다. 예수께서 죽으심으로 우리가 산 것이다. 이것이 곧 새 언약의 결과이며 열매다. 예수께서는 십자가의 희생만이 하나님과 인간의 언약을 성취하는 길임을 아셨다. 그리고 기꺼이 그 길을 가셨다. 새 언약은 온전히 하나님의 자기버림으로 이루어진 것이다.

히브리서 저자는 매우 놀라운 메시지를 선포한다. 히브리서 저자는 예수께서 십자가를 통해 새 언약의 중보자가 되셨다고 선언한다. 곧 첫 언약 때에 범한 죄를 속하려고 죽으셨다는 것이다(히 9:15). 이 구절은 성경 전체를 관통해서 해석하게 하는 매우 중요한 말씀이다. 예수께서 십자가의 제물 되신 그 희생의 효력은 첫 언약 때에 범한 죄를 속하는 것이다. '첫 언약 때에 범한 죄'는 사실 '아담부터 예수 재림 때까지의 모든 인간이 처한 범죄'를 의미한다. 바로 아담 이후로 인간이 누구 하나 언약을 온전히 지킴으로 하나님의 백성이 될 수 있는 자는 없다. 인간은 모두 죄를 범한 존재이기 때문이다. 그러나 새 언약의 중보자이신 예수께서 바로 이 첫 언약을 지키지 못해 범죄한 자들을 대신해서 십자가에 제물 되심으로 첫 언약 아래 있던 자들에게 길을 열어 주셨다. 이제 누구든지 십자가 앞에 나아와 회개하고 복음을 믿으면 하나님의 백성이 될 수 있는 새로운 길을 열어 놓으신 것이다(마 27장; 막 15장; 눅 23장).

부활의 영광

예수께서 십자가에서 첫 언약의 죄를 속하신 후 사망 권세를 이기고 부활하셨다. 부활은 십자가 죽으심의 진정한 의미를 갖게 한다. 부활이 없는 십자가는 의미가 없다. 그리고 부활은 예수께서 진정한 메시아 곧 하나님이심을 증거한다. 부활은 십자가에서 첫 언약의 죄를 속한 자들이 참된 소망 가운데 거할 수 있는 근거를 제공한다. 예수는 부활의 첫 열매다. 첫 열매라는 것은 수많은 열매를 전제한다. 부활의 첫 열매 되신 예수를 따라 그의 새로운 백성들도 모두 영광스러운 부활에 참여하게 된다. 부활은 영광이다. 십자가가 고난이라면 부활은 영광이다. 그러므로 예수는 자기를 따르는 자들에게 자신과 같은 삶의 원리를 요구하셨다.

하나님 나라의 새로운 자식공동체는 먼저 날마다 자기 십자가를 지고 예수를 따라야만 한다. 그것은 자기 부정이며, 자기 버림이다. 화목제물이 되어 화평케 하는 자다. 이 땅에 사는 동안 하나님의 새로운 자식공동체는 새 언약의 원리와 의미를 체현하며 살아야 한다. 이것이 진정한 제자의 길이다. 그러나 궁극적으로 부활의 영광으로 말미암아 그들은 하나님의 가장 큰 축복의 자리로 나아간다. 그러므로 그날을 소망하며 자기 십자가를 지고 예수를 따라야 한다. 고난 이후에 영광이 있는 것이다. 진정한 하나님 나라의 새 백성은 날마다 자기 십자가를 지고, 그리스도의 남은 고난에 동참하며, 영광스런 부활의 소망 가운데서 살아가는 자다(마 28장; 막 16장; 눅 24장).

하나님 나라의 확장 전략

부활하신 후 예수께서는 제자들에게 친히 나타내 보이셨다. 사실 제자들은 예수께서 이미 예고했던 죽으신 후 삼 일 만에 부활하리라는 말씀을 다 잊고 있었다. 그러나 예수께서는 말씀대로 다시 사셨다. 부활하신 예수의 사역은 세 가지다. 첫째는 자신이 부활하신 것을 친히 나타내 보이시는 것이다. 그는 부활 후에 사십 일 동안 지상에 계시면서 친히 나타나사 자신의 몸의 흔적을 보여 주심으로 부활이 사실임을 입증하셨다. 열두 제자와 오백여 문도들에게 나타내 보이셨다. 둘째는 사십 일 동안 하나님 나라의 일을 말씀하셨다. 예수께서는 아버지 하나님의 비전과 자신의 비전에 한 치의 오차도 없이 부활 후에도 하나님 나라에 초점을 맞추셨다. 셋째는 제자들에게 하나님 나라 비전을 감당하도록 사명을 주시고 파송하신다. 아버지께서 자신을 보내신 것같이 부활하신 예수께서 자신의 제자들을 파송하시는 것이다. 이 파송이야말로 부활 이후 예수의 사역이 최고의 절정에 다다랐음을 보여 준다.

아버지는 아들을 보내셨고, 아들은 그의 제자들을 보내신다. 무엇을 위해 보내는가? 그것은 여전히 한 가지 이유 때문이다. 하나님의 나라와 그 나라에 들어갈 새로운 자식공동체를 부르시는 사역이다. 그래서 예수께서는 승천을 바로 앞두고 지상 최고의 사명을 그의 제자들에게 주셨다. 예수는 아버지로부터 하늘과 땅의 모든 권세를 받으셨다. 우주의 권세를 가진 진정한 왕으로서 그의 제자들에게 사명을 주신다.

> "너희는 가서 모든 민족을 제자로 삼아 아버지와 아들과 성령의 이름으로 세례를 베풀고 내가 너희에게 분부한 모든 것을 가르쳐 지키게 하라 볼지어다 내가 세상 끝날까지 너희와 항상 함께 있으리라" (마 28:18~20).

이 마지막 지상 최고의 사명이 바로 하나님 나라가 모든 족속에게 임할 것임을 천명하고 있다. 하나님이 통치하시는 하나님 나라가 이 땅의 모든 족속에게 임할 때까지 그의 제자들은 동일한 비전을 십자가의 사랑으로 실천해야 한다. 땅과 자식 그리고 말씀 모티프가 비로소 팔레스타인 땅을 넘어 전세계로 뻗어 하나님 나라와 그의 새 백성을 말씀으로 세우는 역사로 나아가는 것이다(마 28:16~20; 막 16:9~20; 눅 24:44~53).

3. 자식과 땅 그리고 말씀 모티프의 최절정으로서의 요한복음

자기 백성과 함께 살기 위해 오신 하나님

요한은 하나님께서 인간이 되셔서 자기 백성과 함께 사는 임마누엘의 복음을 선포한다. 요한은 그의 복음서와 서신서의 서론을 말씀이 육신이 되신 성육신 사건을 통해 시작한다(요 1:1; 요일 1:1). 태초에 말씀이 있었다. 이 말씀이 하나님과 함께 계셨다. 함께 계셨다는 것은 위격이 다름을 의미한다. 곧 말씀으로 존재하신 제2위 되는 예수께서 하나님과 다른 인격체로 존재함을 말한다. 그러나 그는 하나님이시다. 그는 만물을 창조한 창조자시며, 생명 그 자체시다. 그리고 참빛이시다. 바로 하나님이신 예수께서 육신을 입고 자기 땅에 오셨다.

창조주께서 자기 땅에 오신 이유는 무엇인가? 그것은 말씀이신 하나님이 인간이 되어 우리 가운데 장막을 치고 '함께 거하시기' 위함이다(요 1:14a). 이것은 시내 산에서 결혼언약을 체결한 후 이스라엘 백성의 장막들 사이에 하나님의 성막을 짓게 하신 것의 실현이다(출 24, 25장). 구약의 임마누엘 예언이 성육신을 통해 성취된 것이다. 모세가 성막을 완성했을 때 구름 가운데 하나님의 영광이 임했던 것같이 하나님이신 예수께서 인간이 되어서 우리 가운데 거하실 때 그 영광이 아버지의 독생자의 영광이요, 은혜와 진리가 충만한 영광이었다(요 1:14b). 요한은 참 하나님과 참 인간이 되신 예수께서 자기 백성과 함께 영광 가운데 살기 위해 자기 땅에 오셨다고 선언함으로 요한복음의 메시지가 자식과 땅 모티프의 최절정에 다다르고 있음을 선포한다.

영접하는 자식공동체와 영접하지 않는 자들

요한은 하나님이신 예수께서 인간이 되셔서 자기 땅에 오셨을 때 두 가지 극명한 반응이 있음을 드러낸다(요 1:11~12). 자기 땅에 오매 자기 백성이 영접하지 않는 것이다. 그들은 빛보다 어두움을 더욱 사랑하는 자들이다(요 3:19). 반면에 영접하는 자들이 있다. 그들은 그 이름을 믿는 자들이다. 그들에게는 잃어버렸던 하나님의 자녀의 권세가 회복된다. 곧 하나님이신 예수께서 인간으로 이 땅에 오신 것을 믿고 영접하는 자들마다 그의 백성으로 거듭나는 것이다. 이들이 예수를 통해 하나님의 나라로 들어오는 새로운 자식공동체다. 요한은 성육신에 대한 두 종류의 반응으로 그의 복음서를 전개해 나간다.

먼저, 영접하는 자식공동체의 일원들이 소개된다. 1장에서는 세례 요한의 두 제자와 베드로, 빌립, 나다나엘이 하나님 나라의 백성이 된다. 3장에서는 유대인의 관원인 니고데모가 예수로부터 거듭남의 비밀을 듣고 변화된다(요 7:50~51, 19:39 참조). 4장에서는 사마리아 여인과 그 동네 사람들이 예수를 영접한다. 그들은 역사적으로 소외된 자들이다. 그러나 그들에게도 하나님이신 예수께서 인간으로 오셔서 함께 사신다. 특히 가장 천대받던 죄인인 사마리아 여인에게 예배가 무엇인지 가르치시고 여인을 온전한 예배자로 변화시키시는 예수의 사역은 진정한 성육신의 목적을 깨닫게 하신다. 5장에서는 베데스다 못의 38년 된 병자가 치유받고 하나님의 자식공동체 안으로 돌아온다. 그러나 이날이 안식일이므로 유대인들이 예수를 핍박하기 시작한다. 여기부터 그 이름을 믿고 영접하는 자와 율법주의에 매여 예수를 거부하는 영접하지 않는 자가 극명하게 대조된다(요 5:43).

6장에서는 오병이어의 기적을 통해 수많은 무리가 예수를 따른다. 그러나 그들이 기대하는 기적이 아니라 예수 자신이 생명의 떡임을 강론하자 많은 자들이 떠난다. 예수는 하나님께서 이끌지 아니하시면 누구든지 예수께 올 수 없음을 가르친다(요 6:65~66). 베드로는 영생의 말씀이 있기에 자기들은 떠나지 않겠다고 선언한다. 7장에서는 아직까지 예수의 육신의 친형제들도 그를 믿지 못했다(요 7:5). 예수께서 초막절에 예루살렘에 올라가 가르치자 많은 사람들이 예수를 믿고 하나님의 자식공동체 안으로 들어온다(요 7:31). 그러나 유대인들의 반대는 더해간다. 8장에서는 서기관과 바리새인들이 간음하다 현장에서 잡힌 여인을 예수께 데려와 모세의 율법으로 예수를 시험한다. 그러나 예수는 "너희 중에 죄 없는 자가 먼저 돌로 치라"(요 8:7)고 선언한다. 이 말씀에 가책을 받은 자들이다 물러가고 오직 예수와 그 여인만 남았다. 예수는 그 여인을 구원하고 다시는 죄를 짓지 말라고 명한다.

9장에서는 나면서부터 소경 된 사람을 실로암 못에 가서 씻게 하심으로 고치시고 구원하신다. 10장에서는 예수께서 자신을 양의 문으로 소개하심으로 자신이 온 것이 자식공동체로 하여금 생명을 얻고 더욱 풍성히 얻게 하려는 것임을 선포한다. 11장에서는 죽은 나사로를 살리신다. 그 결과 이 일을 본 많은 유대인들이 예수를 믿었다(요 11:45). 그러나 이 사건이 발단이 되어 대제사장들과 바리새인들이 예수를 죽이려고 본격적으로 모의를 시작한다(요 11:53). 그러나 역설적으로 예수의 죽음은 결국 그 민족을 위하고, 흩어진 하나님의 자식공동체를 모아 하나 되게 하기 위한 죽음이 될 것이다(요 11:52 참조). 12장에서는 예수께서 자신이 한 알의 밀알이 되어 많은 열매를 맺을 것에 대한 자신의 버림의 영광에 대해 가르친다. 사람의 영광은 성취적 영광이지만 하나님의 영광은 자기 버림의 영광이다. 이것이 곧 예수의 십자가의 길이며 그를 영접하고 따르는 자식공동체의 갈 길이다.

자기 땅에 주시는 표적들

하나님께서 인간으로 자기 땅에 오셔서 초자연적인 표적들을 보이시는 것은 예수께서 하나님 나라를 도래케 하시는 메시아임을 계시하는 것이다. 따라서 요한은 일곱 개의 표적을 기록한다. 2장에서는 가나의 혼인잔치에서 물로 포도주를 만드신다. 4장에서는 왕의 신하의 아들을 고치신다. 5장에서는 베데스다 못에서 38년

된 병자를 고치신다. 6장에서는 오병이어로 오천 명을 먹이시고 열두 광주리를 남기신다. 또한 물 위를 걸으신다. 9장에서는 나면서부터 소경인 사람을 고치신다. 11장에서는 죽은 나사로를 살리신다. 이러한 일련의 표적은 하나님께서 인간 가운데 오셔서 함께 사실 때 일어나는 자연스런 현상이다.

그러나 사람들은 역시 어두움 가운데 있기에 그 표적들의 의미를 깨닫지 못한다. 따라서 예수께서는 그 표적의 본질적 의미를 강론하는데 그 핵심적 메시지는 말씀이 육신이 되어 하나님의 영광이 나타나는 것으로 나아간다. 예수는 자기 땅에서 자기 백성에게 하나님의 나라를 계시하는 자다. 그리고 그의 백성을 온전히 구원하는 자다. 그러나 이러한 표적보다 더욱 큰 표적은 예수께서 자신을 한 알의 밀알로 십자가에서 드리시는 표적이다. 그는 자기 백성을 구원하기 위해 십자가에 죽으시는 한 알의 밀알이다. 그리고 삼일 만에 부활하심으로 진정한 표적을 보이신다. 이 표적이야말로 이 땅의 모든 백성을 구원하는 예수의 진정한 이적이다.

버림의 영광 길을 가는 예수

마리아가 예수께 향유를 드리는 장면으로 시작되는 12장 이후의 메시지는 예수께서 어떻게 자기 백성을 위해 자신을 드리는가에 초점이 있다. 예수는 예루살렘에 입성해 자신의 버림의 영광을 강론하고 준비한다. 그러나 나사로를 다시 살린 사건 이후에 유대 지도자들은 예수와 함께 나사로까지 죽이려고 모의한다(요 12:10). 예수는 그들의 반대와 핍박이 강해질수록 버림의 영광이 임박했음을 가르친다. 12장에는 1장의 성육신의 영광을 이어 십자가의 버림의 영광이 반복적으로 언급된다. 영광은 자신의 본질이 최고조로 드러났을 때를 가르친다. 당시 예수를 영접하지 않고 오히려 대적한 자들은 하나님의 영광이 아니라 사람의 영광을 구하는 자들이다(요 12:43). 사람의 영광은 성취적 영광이다. 이것은 곧 세상의 영광이다. 사탄은 이것으로 예수를 유혹했으나 예수께서는 그 시험을 물리치셨다. 그리고 이제 전혀 차원이 다른 하나님의 영광의 길을 가신다. 그것은 자기 땅의 자기 백성을 대신해서 속죄의 길을 가는 길이다. 세상 죄를 지고 가는 어린 양의 길이다. 성취적 영광이 아니라 버림의 영광이다. 예수는 최후의 만찬 자리에서 겸손히 제자들의 발을 씻어주면서 버림의 영광 길에 들어선다. 따라서 예수만이 인간이 하나님께로 가는 진정한 길이요, 진리요, 생명이다 (요14:6).

보혜사 성령에 대한 약속

예수께서 가시는 십자가의 버림의 길은 그를 따르던 제자들로 하여금 근심 가운데 있게 했다(요 14:1, 16:6). 그러나 예수께서는 자신이 그들을 고아와 같이 버려두지 않을 것임을 약속한다(요 14:18). 그것은 보혜사 성령을 통해서 실현될 것이다. 성령은 진리의 영이시다. 그가 오시면 자기 백성 속에 거하심으로 함께 사실 것이다(요 14:17). 예수께서는 근심 가운데 있는 제자들에게 자신이 떠나가는 것이 그들에게 더 유익하다고 말씀한다. 예수께서 떠나셔야 보혜사 성령이 오시기 때문이다. 그가 와서 죄에 대해, 의에 대해, 심판에 대해 세상을 책망하실 것이다. 또한 성령은 그의 백성들을 진리 가운데로 이끄실 것이다. 그 또한 자의로 말하지 않고 오직 듣는 바를 말한다. 그는 예수의 영광을 나타내고 예수의 것으로 알리실 것이다(요 16:7~15). 예수께서는 자신을 한 알의 밀알로 버리시고 자기 백성을 위해 성령을 보내실 것이다.

대제사장의 기도

예수께서는 창세 전에 하나님과 함께 가졌던 영화가 십자가 가운데서도 나타나기를 기도하신다. 그리고 세상 중에서 아버지께서 자기에게 주신 제자공동체의 보전을 위해 기도하신다. 특히 예수께서 아버지의 말씀을 자기 백성에게 주셨기에 세상이 저희를 미워하지만 그것은 오히려 그들이 하나님께 속한 증거다. 아버지의 말씀인 진리로 자식공동체가 거룩함을 얻도록 간구하신다. 또한 예수께서는 제자공동체를 통해 예수를 믿고 새로운 자식공동체에 들어올 모든 자들을 위해 기도하신다. 하나님 아버지와 예수님이 사랑으로 하나가 되신 것처럼 지상의 새로운 자식공동체가 사랑으로 하나 될 것을 간구하신다(요 17장).

십자가와 부활로 열리는 예수의 나라

예수와 빌라도의 대화를 통해 하나님의 나라와 세상 나라의 극명한 대조가 이루어진다. 빌라도는 예수께 "네가 무엇을 하였느냐"(요 18:35b)라고 물었을 때 예수께서는 "내 나라는 이 세상에 속한 것이 아니니라"(요 18:36a)고 단호하게 말씀하신다. 그러면서 "만일 내 나라가 이 세상에 속한 것이었더라면 내 종들이 싸워 나로 유대인들에게 넘겨지지 않게 하였으리라 이제 내 나라는 여기에 속한 것이 아니니라"(요 18:36b)고 하신다. 예수의 나라와 빌라도의 나라의 근본적 차이는 무엇인가? 예수의 나라는 세상과 전혀 다른 차원의 나라다. 빌라도의 나라 곧 세상 나라는 물리적인 권력이 모든 것을 지배하지만 예수의 나라는 버림과 섬김과 사랑이 지배하는 나라다. 만약 예수의 나라가 세상과 같다면 예수는 물리적 힘으로 세상을 구원해야 했다. 그러나 하나님의 나라는 그렇지 않다. 세상의 시각으로는 도저히 이해가 안 되는 십자가의 버림의 나라다. 그것은 온 세상의 죄를 대신 지고 가는 역설의 나라다. 예수께서는 기꺼이 하나님의 나라를 자기 백성에게 여시기 위해 자신의 모든 것을 버리는 길을 가셨다. 그러므로 예수의 십자가의 죽으심과 부활하심은 예수의 나라 본질을 가장 잘 드러내는 사건이다. 십자가와 부활을 통해 죄악 가운데 있는 백성들이 온전히 하나님 나라로 돌아온다.

예수의 나라 파송식

요한은 복음서의 첫 부분에서 예수께서 그의 제자들을 부르신 것을 보고했다(요 1장). 마지막 부분에서는 부활하신 예수께서 제자들을 자기 나라의 사도로 파송하는 장면이 등장한다. 이것은 성육신한 예수의 지상사역의 최절정의 사건이다. 부활하신 예수께서 그의 제자들에게 나타나사 평강을 주시고, "아버지께서 나를 보내신 것같이 나도 .너희를 보내노라"(요 20:21b)는 이 장엄한 파송식은 예수의 지상 사역의 완결판이다. 예수께서는 지난 삼 년 동안 함께 사는 훈련을 통해 제자들을 세우시고 이제 승천 직전에 그들을 파송하신다. 그 파송의 연속성은 하나님께서 예수를 보내신 것에 직결된다.

이제 제자들은 지상명령을 받고 세상으로 파송받은 자들이 되었다. 그들은 예수를 온전히 닮은 자의 모습으로 나아가야 한다. 그들은 세상에 속한 자들이 아니다. 그들은 예수의 나라 파송자들로서 예수께서 가신 버림의 영광을 재현해야 한다. 그것은 자기 십자가를 지고 예수를 따르는 것으로만 가능하다. 그러나 그들이 홀로 그 사명을 감당할 수 없기에 예수께서는 숨을 내쉬어 성령을 그들에게 주신다. 오직 성령을 통해서만 가능한 사명의 길이기 때문이다. 요한이 이처럼 예수께서 행하신 복음을 기록한 것은 오직 예수께서 하나님의 아들 그리스도이심을 믿게 하려는 것이고, 또 믿고 그 이름을 힘입어 생명을 얻어 진정한 하나님 나라의 백성들이 되게 하기 위함이다(요 20:31).

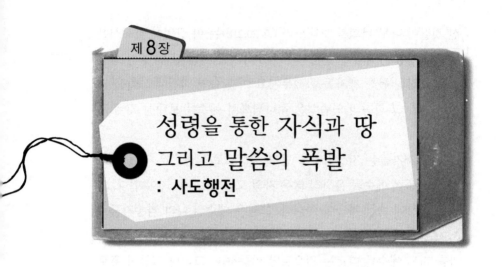

제8장

성령을 통한 자식과 땅 그리고 말씀의 폭발
: 사도행전

1. 2+1+1로 인한 폭발의 사도행전 역사

〈마〉 〈막〉	〈성령〉		
예수 그리스도 →	12제자 (교회시대) →	사도행전	→
〈눅〉 〈요〉	〈예루살렘 / 온 유대 / 사마리아 / 땅 끝〉		

하나님 나라의 새로운 물결 : 2+1+1

사도행전의 서론은 사실 사복음서의 결론이다. 사복음서의 결론이 무엇인가? 예수께서 승천하시기 전에 제자들에게 온 세상에 나가 하나님 나라를 전하고 새로운 백성을 제자 삼으라는 것이다. 사도행전은 서론에서 복음서의 결론을 그대로 담아 내고 있다. 이것은 복음서와 사도행전이 하나의 메시지로 연결되어 있음을 의미한다. 누가복음의 저자인 누가가 또한 사도행전의 저자인 것도 이를 뒷받침한다. 예수께서 부활하신 후 사십 일 동안 친히 사심을 나타내시면서 무엇을 하셨는가? 하나님 나라의 일을 말씀하셨다고 했다(행 1:3). 예수의 사역 시작의 제일성도 하나님 나라가 가까이 왔다는 것이었고(막 1:15), 한참 사역이 절정에 다다라서는 하나님 나라가 이미 너희에게 임했다고 하셨다(눅 11:20). 그리고 마지막 사역인 부활 후 승천 직전까지도 하나님 나라의 일에 대해 말씀하셨다. 메시아 예수의 사명은 온통 하나님 나라의 회복과 건설과 완성으로 가득 차 있었다. 그리고 십자가와 부활로 새로운 하나님 나라의 길을 열어 놓으신 것이다.

십자가와 부활에 이은 예수의 승천은 하나님 나라가 이 땅에 온전히 이루어지는 필연적인 예언의 성취다. 다윗의 예언대로 예수께서는 원수가 발등상이 되기까지 하나님 우편에 앉아 통치하실 것이다(시 101:1). 승천과 더불어 예수께서 지상사역을 통해 남겨 놓은 것이 제자공동체 바로 교회다(행 1:15). 예수는 자기의 새로운 몸인 교회를 지상에 남기시고 승천하셔서 하나님 우편에 앉으셨다. 그러나 교회는 여전히 연약하고 불완전한 공동체다. 하나님 나라라는 위대한 사명 앞에 그들이 할 수 있는 일이 과연 무엇이 있는가? 교회는 과거 구약의 언약 백성들이 실패했듯이 또 그 전철을 밟을 수밖에 없는 연약한 존재다. 그러나 예수께서는 이 새로운 하나님 나라의 첫 공동체에게 아버지께서 약속하신 성령을 기다리라고 하셨다. 이 성령은 구약의 선지자들 특히 요엘에 의해 모든 만민에게 부어 주시겠다고 약속하신 그리스도의 영이다(요엘 2:28~30; 행 2:1~4). 승천하신 예수께서 지상에 남겨 둔 자신의 몸 된 교회에 자신의 영을 부으심으로 세상이 감당할 수 없는 공동체로 세우셨다. 이것이 오순절에 일어난 성령 강림의 역사다. 비로소 예수의 몸된 교회인 새로운 자식공동체가 지난 삼 년 동안 말씀으로 무장되고 이제 성령으로 기름 부음 받아 하나님 나라가 크게 확장되는 새 역사가 시작되는 것이다.

예수께서는 새로운 자식공동체를 대표하는 자신의 제자공동체에게 부활 후에 나타나셔서 말씀하신다.

> "내가 너희와 함께 있을 때에 너희에게 말한 바 곧 모세의 율법과 선지자의 글과 시편에 나를 가르쳐 기록한 모든 것이 이루어져야 하리라 한 말이 이것이라"(눅 24:44).

구약성경 전체를 메시아 자식 모티프 중심으로 삼 년 동안 가르치셨고 십자가의 죽으심과 부활로 구약의 언약이 성취되었음을 증거하셨다. 따라서 하나님 나라에 들어오는 유일한 조건인 회개운동이 예루살렘에서부터 시작해서 모든 족속에게 전파될 것이 기록되었다고 천명하신다. 그리고 이 모든 일에 너희가 증인이라고 하셨다(눅 24:46~48). 이것은 새로운 하나님의 자식공동체가 말씀으로 무장되어 하나님 나라를 전파하는 새로운 사명을 받았음을 의미한다. 그러나 예수께서는 아버지께서 약속하신 성령이 위로부터 능력으로 입힐 때까지는 예루살렘에 머물라고 하셨다(눅 24:49).

'하나님의 나라와 새로운 자식공동체'가 '말씀'으로 무장되고 '성령'의 능력을 받아 예루살렘으로부터 시작해 온 유대와 사마리아 그리고 땅 끝까지 동심원적으로 뻗어나가는 것이다. 소위 '2+1+1'의 하나님 나라 운동이 폭발적으로 이루어진다. 사도행전은 이 맥락에서 진행되고, 그것은 신약성경 전체의 맥으로 흐른다.

예루살렘

사도행전은 다른 말로 성령행전, 교회행전 그리고 회개행전이다. 사도행전의 오순절 성령 강림은 하나님 나라가 땅 끝까지 뻗어나가는 시발점이다. 사도행전은 예루살렘에서 일어난 대표적인 역사를 크게 세 편의 설교와 더불어 증거한다.

먼저는 오순절 성령 강림 후 베드로의 설교다. 베드로는 이 설교에서 마지막 결론으로 "너희가 회개하여 각각 예수 그리스도의 이름으로 세례를 받고 죄사함을 받으라 그리하면 성령의 선물을 받으리니 이 약속은 너희와 너희 자녀와 모든 먼 데 사람 곧 주 우리 하나님이 얼마든지 부르시는 자들에게 하신 것이라"(행 2:38~39)고 했다. 예수에 이어 그의 수제자인 베드로도 이미 하나님 나라의 땅 모티프가 '예루살렘 넘어 모든 먼 데'까지 나아감을 선포한다. 시대적으로는 자식 모티프가 '너희와 너희 자녀와 주 하나님이 얼마든지 부르시는 자들'에게까지 나아간다. 사실 이것은 혁명과도 같다. 당시 예수를 만나기 전에는 제자들이 어떻게 이러한 비전을 가질 수 있겠는가? 그러나 예수로부터 제자훈련을 통해 하나님 나라 비전을 전수받고, 성령의 강림을 통해 비전과 능력을 확인한 제자들에게는 세상의 어떤 가치보다 하나님 나라의 가치가 선행되는 진정한 제자의 삶을 보여 주는 것이다. 이 놀라운 역사가 당시 예루살렘에서 시작되었다.

베드로의 설교 후에 회개하고 하나님 나라로 들어온 새로운 자식공동체가 삼천 명이 되었다. 이 돌아온 삼천 명 중에는 이미 예루살렘을 뛰어넘어 15개 지역에서 방문한 자들이 포함되어 있었다. 그들은 바대인, 메대인, 엘람인, 메소보다미아, 유대, 갑바도기아, 본도, 아시아, 브루기아, 밤빌리아, 애굽, 구레네 가까운 리비야 여러 지방, 로마, 그레데인, 아라비아인들이었다(행 2:9~11). 이 얼마나 놀라운 사실인가? '2+1+1'의 역사가 예루살렘에서 폭발해 동시적으로 이미 땅 끝까지 나아가고 있는 것이다.

특히 베드로와 요한이 예루살렘 성전에 올라 기도하러 가던 중 일어난 앉은뱅이 치유 사건 후에 선포된 베드로의 핵심 메시지는 메시아 예수를 통한 언약의 성취에 초점이 맞추어져 있다. 베드로는 하나님께서 구약에서 맺으셨던 아브라함과의 언약을 예루살렘에 있는 백성들에게 상기시킨다. 곧 아브라함의 씨를 통해 땅 위의 모든 족속이 복을 받으리라는 말씀이다. 이것이 오늘 예수를 통해 이루어진 것을 선포한 것이다. 이 복음의 메시지를 듣고 돌아온 새 백성이 남자 오천 명이 되었다(행 3:1~4:4).

이제 예루살렘의 새로운 하나님의 자식공동체는 날마다 성전에 있든지 집에 있든지 예수가 그리스도라 가르치기와 전도하기를 쉬지 않았다(행 5:42). 그때에 제자가 더욱 많아졌다. 교회는 가난한 과부들을 구제하는 데 최선을 다했다. 말씀과 사랑의 구제 사역이 왕성할 때 예루살렘에 있는 제자의 수가 더 심히 많아지고 허다한 제사장의 무리도 이 도에 복종했다(행 6:1~7). 교회는 구제 행정사역을 위해 신실한 일곱 집사를 세워 위임하고 사도들은 오직 말씀과 기도에 전무해 하나님 나라 확장에 대처했다. 예루살렘에서 이렇게 하나님의 나라가 새로운 자식공동체로 크게 일어날 때 기존 유대교의 세력인 제사장들과 서기관들 그리고 관원들과의 충돌은 불가피했다(행 4:1~3, 5:17~28). 그들의 주장은 예수를 증거하지 말라는 노골적인 적대였다. 그러나 새로운 자식공동체의 부흥을 그들이 막을 수는 없었다. 하나님 나라의 새로운 자식공동체의 폭발적 확장과 기존 세력들의 긴장 관계가 고조되는 상황에서 예루살렘에서 세 번째 설교가 선포된다. 그것이 바로 스데반의 설교다.

스데반의 설교는 매우 중요한 위치를 차지한다. 스데반의 설교는 아브라함으로부터 시작해 메시아 예수 시대를 거쳐 자신의 시대까지 철저한 자식과 땅 모티프를 중심으로 이루어진다. 성경이 말하고자 하는 메시지를 정확하게 전달하고 있는 것이다. 스데반은 언약의 자손으로 오신 메시아 예수를 너희가 죽였다고 선언함으로 대제사장과 그의 추종 세력들의 돌에 맞아 순교한다. 그는 순교하면서까지 그들의 죄를 그들에게 돌리지 말라고 기도한다(행 7:1~60 참조). 이것이 예수께서 말씀하신 예루살렘부터 시작되는 하나님 나라 확장의 과정이다. 곧 오순절 성령 강림부터 스데반의 순교까지가 하나님 나라와 그의 새 백성들이 예루살렘부터 일어나는 역사를 드러내고 있다(행 1~7장).

온 유대

스데반의 순교는 그를 해친 자들의 의도와는 달리 오히려 하나님 나라 운동에 폭발적인 역사를 일으켰다. 하나님의 새로운 자식 공동체에 대한 핍박이 온 예루살렘에 퍼졌다. 따라서 열두 사도 외에는 다 유대와 사마리아와 모든 땅으로 흩어졌다(행 8:1). 성령이 임하시면 권능을 받아 예루살렘과 온 유대와 사마리아와 땅 끝까지 내 증인이 되리라(행 1:8)는 예수의 예언이 드디어 성취되는 것이다. 사도행전 1장 8절의 예언이 사도행전 8장 1절에서 이루어졌다. 이제 예루살렘에서 시작된 하나님 나라의 역사는 예루살렘을 넘어 온 유대로 나아간다. 유대 전역에 흩어진 자들이 복음을 전파해 팔레스타인 전 지역에 하나님 나라가 임하는 것이다(행 8:4). 놀랍게도 예언의 성취는 하나님 나라가 이 땅에 이루어지는 것을 대적하는 세력들의 핍박을 통해 이루어졌다. 그러므로 하나님 나라가 확장되는 곳에는 언제나 영적 전쟁이 동반됨을 잊지 말아야 한다. 그래서 예수께서도 내가 세상에 화평을 주러 온 것이 아니라 분쟁케 하러 왔다고 하셨다(눅 12:51). 순교와 핍박이 온 유대에 하나님 나라가 확장되는 중요한 계기가 된 것이다.

사마리아

사도행전은 철저하게 '자식과 땅과 말씀 그리고 성령'의 역사가 '예루살렘과 온 유대와 사마리아와 땅 끝까지' 어떻게 전개되는지 보여 준다. 1장부터 7장까지는 예루살렘을 중심으로 다룬다. 8장에서 스데반의 순교를 계기로 복음이 온 유대로 퍼지고, 사마리아로 뻗어간다. 당시 사마리아는 남유다 사람들로부터 상당히 소외되어 있었다. 주전 722년 앗수르에 의해 북이스라엘이 멸망하면서 앗수르는 혼혈정책을 폈다. 따라서 북이스라엘은 민족으로서의 정체성을 상실하고 만다. 그 이후로 남쪽 유대인들은 사마리아인들을 천대했다.

그러나 예수께서는 사마리아에도 하나님 나라가 임할 것을 선포했다. 예수 또한 지상 사역 중에 의도적으로 사마리아를 방문해 수가 성 여인과 그 마을 사람들을 구원하셨다. 여기서 수가 성의 사마리아 여인은 역사적으로나 개인적으로 소외된 자들을 상징한다. 예수께서는 이 땅에서 소외된 자들도 하나님 나라에 속했음을 선언하고 계신다(요 4장 참조). 사도행전에서는 빌립 집사가 사마리아 성에 내려가 그리스도를 백성에게 전했다. 빌립을 통해 그리스도가 전파되는 곳에 예루살렘에서처럼 치유와 기적의 역사가 일어났다. 그 성에 큰 기쁨이 넘치게 된 것이다(행 8:5~8). 예루살렘에 있는 사도들이 사마리아도 하나님의 말씀을 받았다는 소식을 듣고 베드로와 요한을 보내 성령 받기를 기도하니 성령이 임하셨다. 수백 년 동안 소외되었던 사마리아에도 말씀과 성령을 통해 하나님의 새로운 백성들이 하나님의 나라로 돌아오게 된 것이다(행 8:14~25).

땅 끝

땅 끝까지 복음이 전파되는 역사는 예루살렘에서부터 시작되었다. 그러나 당시 세계 15개 지역에 흩어졌던 경건한 하나님의 사람들이 예루살렘에 모여 있을 때 성령 강림의 역사로 그들에게도 불이 붙었다. 그들은 각자 온 곳으로 돌아가 교회를 세우고 하나님 나라를 확장했다. 예루살렘에서 하나님 나라의 역사가 시작될 때 동시다발적인 하나님 나라의 역사가 세계 곳곳에서 나타났다. 그러면 그들은 어디서 나온 자들인가? 이들은 바벨론 포로로 잡혀가 수많은 세월을 보내면서도 하나님에 대한 신앙을 잃지 않은 자들이다. 그들은 회당을 세워 구약의 신앙을 유지하고 있었다. 이 회당이 하나님 나라 전파에 매우 중요한 역할을 한 것이다.

또한 스데반 순교 후 예루살렘에 핍박이 더욱 강화되었을 때, 땅 끝까지 흩어진 자들이 교회를 세우고 하나님 나라를 확장했다. 그때 흩어진 자들이 세운 교회 중 하나가 다메섹 교회였다. 이 교회 성도들을 잡아다 예루살렘으로 결박해 데려가려던 사울이라 하는 바울이 도상에서 부활하신 예수를 만나 회심한다. 그리고 그의 눈에 있는 비늘이 벗겨지면서 새로운 비전을 보게 되는데 그것이 곧 예수의 비전이다. 사도행전 9장은 바울의 회심을 매우 의미있게 기록한다. 왜냐하면 바울은 예수의 이름을 이방인과 임금들과 이스라엘 자손들 앞에 전하기 위해 택한 자였기 때문이다(행 9:15). 예수께서 바울을 변화시켜 땅 끝까지 하나님 나라가 확장되는 데 온전히 동역하게 하시는 것이다. 이처럼 사도행전 9장부터 28장까지 본격적인 땅 끝의 복음 역사가 진행된다.

하나의 비전

사도행전에서 바울과 베드로의 위치는 매우 중요하다. 바울은 회심 후에 땅 끝 선교의 개척자가 된다. 반면 베드로는 예루살렘 교회를 중심한 유대교회의 기둥 같은 일꾼이다. 이들은 모두 하나님 나라가 예루살렘과 온 유대와 사마리아와 땅 끝까지 이르는 데 있어서 예수의 동역자다. 그러나 오순절 성령 강림 이후에도 베드로는 아직 이방 선교에 대한 눈을 소유하지 못했다. 바울은 이방 선교의 사명을 감당하고 있었지만 아직 예루살렘 교회의 지지를 온전히 받지 못했다. 따라서 베드로와 바울이 같은 비전을 갖는 것이 중요한 상황이었다. 그래야 교회가 사역 초기부터 하나의 비전으로 나아갈 수 있기 때문이다. 사도행전은 본격적인 땅 끝 선교를 앞두고 베드로와 바울이 같은 비전을 갖게 되는 과정을 다룬다.

사도행전 저자인 누가는 바울의 회심 사건 이후 곧바로 베드로가 이방의 첫 열매인 고넬료를 구원하는 장면을 기록한다. 고넬료는 이탈리아 부대의 백부장이었다. 그는 이방인이다. 그는 환상 중에 욥바에 있는 베드로를 초청하라는 성령의 지시를 받았다. 고넬료가 보낸 사람들이 욥바에 있는 베드로에게 도착할 무렵 베드로 또한 기도 중에 환상을 본다. 환상의 내용은 하늘이 열리며 한 그릇이 내려오는데 그 안에 땅에 있는 각색 네 발 가진 짐승과 기는 것과 공중에 나는 것들이 있었는데 이것을 잡아먹으라는 것이었다. 베드로는 그것을 거부했고 이런 일이 세 번 있은 후에 그 그릇이 하늘로 올리워갔다. 베드로가 계속 거부했을 때 하늘로부터 들린 소리는 "하나님께서 깨끗하게 하신 것을 네가 속되다 하지 말라"(행 10:15)는 것이었다. 이 환상 직후 고넬료가 보낸 사람이 도착했고, 베드로는 성령의 감동으로 환상의 의미를 깨닫고 그들과 함께 간다. 그리고 고넬료의 가족과 그의 식솔들이 구원받는 역사가 일어난다. 예루살렘과 유대 그리고 사마리아에서 이루어졌던 베드로의 사역이 이방인에게도 이루어지는 역사적인 장면이다. 그러나 이 일을 들은 할례자들은 베드로가 예루살렘으로 돌아왔을 때 무할례자의 집에 들어가 그들과 함께 먹은 것에 대해 비난을 가했다. 당시 유대의 음식법은 할례자인 유대인과 무할례자인 이방인이 함께 음식을 먹는 것을 부정하게 여겨 불법으로 규정했다. 그러나 베드로는 이 모든 것이 하나님의 역사였음을 담대히 증거함으로 결국 예루살렘의 지도자들은 하나님께서 이방인에게도 생명 얻는 회개를 주셨음을 인정하게 된다(행 10~11장 참조).

이처럼 이방인의 첫 열매인 고넬료가 돌아온 것은 매우 중요한 사건이다. 이제부터 본격적인 땅 끝 선교의 물꼬가 터지기 때문이다. 그때를 전후해서 스데반의 일로 일어난 핍박을 피해 베니게, 구브로, 안디옥까지 이른 자들이 유대인에게만 복음을 전하다가 안디옥에 이르러서는 본격적으로 헬라인들에게 복음을 전하기 시작했다. 예루살렘 교회가 이 소식을 듣고 바나바를 안디옥으로 보내고, 바나바는 다소에 있는 사울을 데려와 안디옥에서 일 년간 큰 무리를 가르쳤다. 제자들은 안디옥에서 비로소 그리스도인이라는 일컬음을 받았다. 그러므로 안디옥 교회는 예루살렘 교회와는 전혀 다른 전형적인 하나님 나라의 새로운 자식공동체의 모습을 이방 가운데서 보여 준다. 유대인과 이방인이 하나님 나라 안에서 함께 세워지는 공동체로 나타난 것이다. 또한 예루살렘 교회의 바나바라는 인적 자원과 이방선교의 개척자로 준비 중이었던 바울의 동역으로 이루어졌기에 이제 교회는 하나의 비전 가운데 땅 끝까지 하나님 나라를 펼쳐갈 교두보를 확보하게 된다(행 11:19~26).

계속되는 박해

하나님 나라가 이처럼 땅 끝으로 뻗어갈 때 헤롯은 교회 지도자들에 대한 핍박을 강화한다. 그 결과 열두 사도 가운데 야고보를 죽인다. 열두 제자 가운데 최초의 순교가 일어난 것이다. 헤롯은 유대인들의 환심을 사기 위해 베드로도 잡아 옥에 가둔다. 그러나 교회의 기도와 성령의 역사로 베드로가 탈출하고 헤롯은 두로와 시돈에서 백성들의 환호에 대해 하나님께 영광을 돌리지 않음으로 인해 주의 사자가 쳐 충이 먹어 죽는다. 사도행전 7장의 스데반의 순교와 12장의 야고보의 순교는 의미하는 바가 크다. 하나님 나라의 영적 싸움에는 순교의 피가 지속적으로 쏟아진다. 그만큼 영적 싸움이 크기 때문이다. 그러나 스데반과 야고보의 순교는 죽음으로 끝나는 것이 아니라 하나님 나라가 새롭게 확장되는 데 큰 역할을 한다. 스데반의 순교는 하나님 나라가 예루살렘을 뛰어넘는 결정적 역할을 한다. 야고보의 순교 이후에는 하나님 나라가 본격적으로 세계 선교를 향해 뻗어 나간다. 그러므로 박해는 오히려 하나님 나라 확장의 동력으로 작용한다.

사도 바울의 땅 끝 선교

사도행전의 역사가 13장에 와서는 예루살렘 교회에서 안디옥 교회로 넘어왔음을 볼 수 있다. 안디옥에는 여러 선지자들과 교사들이 있었다. 바나바, 니게르라 하는 시므온, 구레네 사람 루기오, 분봉왕 헤롯의 젖동생 마나엔 그리고 사울이다. 그들이 주를 섬겨 금식할 때에 성령이 세계 선교를 위해 바나바와 사울을 따로 세우도록 하셨다. 이에 안디옥 교회는 바나바와 사울을 안수해 파송함으로 세계 선교의 첫 역사가 시작된다. 그러므로 선교는 사람이 하는 것이 아니라 성령이 시작하신 사역임을 잊지 말아야 한다. 자식과 땅, 말씀, 성령의 2+1+1의 땅 끝 선교의 사역이 이제 본격적으로 출발하게 된다.

바울의 1차 선교

바울은 1차 선교(행 13:1~14:28) 때 바나바와 동행했다. 바울의 선교는 철저히 성령의 선택과 보내심 가운데 이루어졌다. 성령께서 바울과 바나바를 예루살렘과 온 유대와 사마리아에 이어 땅 끝까지 이르는 세계 선교의 첫 주자로 삼으셨다. 바울의 1차 선교여행을 사도행전 본문 그대로 2+1+1로 도표화 하면 다음과 같다.

땅	자 식	말 씀	성 령	특이사항
안디옥			선택, 파송	
실루기아			성령이 보내심	
구브로				
살라미	유대인의 회당에서 전함	하나님의 말씀을 전함	성령께서 함께	마가 요한을 수종자로 둠
바보	총독 서기오 바울이 믿음	서기오 바울이 말씀을 듣고자 함		바예수, 유대인 거짓 선지자
밤빌리아 버가				마가 요한이 떠나 돌아감
비시디아 안디옥	회당에서 유대인과 경건한 사람들이 믿음, 영생을 주시기로 작정된 이방인이 믿음	아브라함부터 메시아 예수까지 설교 주의 말씀이 그 지방에 두루 퍼짐		계속 안식일에 전함 유대인들의 핍박
이고니온	회당에서 유대와 헬라의 허다한 무리가 믿음	표적과 기사로 은혜의 말씀을 증거함		이방인, 유대인, 관원들이 돌로 치려 함

땅	자 식	말 씀	성 령	특이사항
루스드라	앉은뱅이 고침 구원	복음을 전함	행 하 심 (행 14:27)	바나바 – 쓰스 바울 – 허메 유대인들이 바울을 돌로 침
더베	많은 사람을 제자삼음	복음을 전함		1차 선교 반환점
루스드라	제자들의 마음을 굳게 함	하나님 나라에 들어가려면 환난을 겪어야 함을 가르침		
이고니온				
안디옥	각 교회에서 장로 세움			
비시디아				
밤빌리아 버가		도를 전함		
앗달리아				배를 탐
안디옥	제자들과 함께 오래 있음	이방인에게 믿음의 문 여신 것을 보고		1차 선교 마침

예루살렘 회의

바울은 1차 선교 후 안디옥에 머물러 있었다. 안디옥은 이미 세계 선교의 거점이 되었다. 그런데 유대로부터 온 어떤 사람들이 형제들을 가르친 것이 문제가 되었다. 그들은 모세의 법대로 할례를 받지 않으면 구원을 받지 못한다고 가르쳤다. 구원론이 문제가 된 것이다. 바울과 바나바와 그들 사이에 큰 논쟁이 일어났다. 그 결과 안디옥 교회는 바울과 바나바 그리고 그 중의 몇 사람을 예루살렘에 있는 사도와 장로들에게 보내기로 결정했다. 베니게와 사마리아를 거치며 이방인들이 돌아온 것을 말하며 형제들과 함께 기뻐했다. 예루살렘에 도착해서 교회와 사도와 장로들의 영접을 받고 하나님이 자기들과 함께 계셔 행하신 모든 일을 나누었다. 그런

가운데 바리새파 중에서 믿는 자들이 이방인에게도 할례를 행하고 모세의 율법을 지키게 하는 것이 마땅하다고 주장했다. 본격적인 구원론 논쟁이 벌어진 것이다. 사도와 장로들은 이 일에 대해 깊이 의논한다. 결론은 베드로와 야고보에 의해서 나온다.

베드로는 먼저 하나님께서 자신의 입을 통해 이방인에게 복음이 전파됨으로 그들을 구원하셨던 사건을 상기시킨다. 이것을 위해 자신을 오래 전에 택하셨다고 했다. 또한 하나님께서 우리에게 주신 성령을 이방인들에게도 주어서 증언하셨고, 믿음으로 그들의 마음을 깨끗게 하사 이방인이나 우리를 차별하지 않으셨다고 주장했다. 그러면서 너희가 오히려 하나님을 시험해 우리 조상과 우리도 능히 메지 못하던 멍에를 제자들의 목에 두려 하느냐고 책망한다. 오직 이방인이나 유대인이나 동일하게 주 예수의 은혜로 구원을 받는 것이라고 천명했다. 베드로가 말한 후 바울과 바나바는 하나님께서 자신들을 통해 이방인 가운데서 행하신 표적과 기사에 관해 밝힌다.

그후 야고보가 결론을 이끈다. 야고보는 선지자 아모스의 예언(암 9:11~12)을 통해 이미 하나님께서 이방인들이 돌아올 것을 예언하셨음을 밝힌다. 하나님은 무너진 다윗의 장막을 다시 세우심으로 그 남은 자들과 함께 모든 이방인들이 주께로 돌아옴을 이미 알게 하셨다고 했다. 그러므로 이방인 중에서 하나님께로 돌아오는 자들을 괴롭게 하지 말고 오직 우상의 더러운 것, 음행, 목매어 죽인 것과 피를 멀리하자고 제안한다.

예루살렘 교회는 베드로와 야고보의 의견을 받아들여 바울과 바나바와 함께 바사바라 하는 유다와 실라 편에 결정된 내용을 안디옥과 수리아 그리고 길리기아에 있는 이방인 형제들에게 편지로 부친다. 바울과 바나바, 유다와 실라는 안디옥으로 돌아와 예루살렘회의 결정을 전함으로 비로소 이방인 구원론 문제가 일단락됐다. 예루살렘 회의는 선교에 있어 공교회의 신학적, 교리적 결정이 얼마나 중요한가를 보여 준다. 예루살렘 교회와 이방 선교의 거점인 안디옥 교회가 같은 진리의 복음으로 세계 선교에 박차를 가하게 된다(행 15장 참조).

바울의 2차 선교

예루살렘 총회에서 이방인 구원론 문제가 매듭되자 바울과 바나바는 안디옥에서 많은 제자들에게 주의 말씀을 가르치고 전파한다. 그후 바울은 바나바에게 말씀을 전했던 1차 선교지를 다시 방문하자고 한다. 이에 바나바는 마가 요한을 데려갈 것을 제안한다. 그러나 바울은 마가 요한이 동행하는 것을 반대했다. 마가 요한이 1차 선교여행 중 밤빌리아에서 자기들을 떠나 예루살렘으로 돌아갔기 때문이다(행 13:13). 이 일로 바울과 바나바는 대립이 되어 심히 다투고 갈라서고 만다. 따라서 바나바는 마가와 함께 배타고 구브로로 간다. 바울은 실라를 예루살렘에서 오게 해 그와 함께 수리아와 길리기아 지역으로 2차 선교여행을 떠난다. 바울의 2차 선교여행은 1차에 비해 더욱 광범위하게 진행되었다(행 15:35-18:22).

땅	자 식	말 씀	성 령	특이사항
안디옥	다수한 다른 사람들	주의 말씀을 가르치며 전파함		2차 선교 출발지
수리아 길리기아	교회를 굳게 세움			
더베와 루스드라	디모데를 제자 삼음 (모친 유대인, 부친 헬라인) 수가 날마다 더함			디모데에게 할례를 행함
브루기아와 갈라디아 땅			성령이 아시아에서 말씀을 전하지 못하게 하심	
무시아 앞에서 비두니아로 가려 함			예수의 영이 허락지 않음	
무시아를 지나 드로아로 내려감	마게도냐 사람의 환상	마게도냐에 복음을 전하라	마게도냐 사람의 환상으로 인도하심	드로아에서 배로 이동
사모드라게				
네압볼리				
빌 립 보	루디아와 그 집이 믿고 세례 받음 간수의 가정이 돌아옴	주의 말씀을 전함		마게도냐 첫 성 로마의 식민지 빌립보 옥에 갇힘
암비볼리				
아볼로니아				
데살로니가	회당에서 경건한 헬라인의 큰 무리와 많은 귀부인이 돌아옴		세 안식일 동안 성경 강론하며 뜻을 풀어 그리스도를 증거함	유대인들이 천하를 어지럽게 하는 자라고 핍박
베 뢰 아	회당에서 믿는 사람이 많고, 헬라의 귀부인과 남자가 많이 돌아옴	말씀을 받고, 날마다 성경을 상고		더 신사적 유대인이 계속 핍박해 실라와 디모데만 남고 바울이 아덴으로 감
아덴	몇 사람, 디오누시오와 다마리, 또 다른 사람들	예수와 몸의 부활을 전함, 어디든지 사람을 다 명하사 회개하라 하셨음		온 성에 우상 가득, 범사에 종교성이 많음 베뢰아에 있는 디모데를 데살로니가로 보냄

땅	자 식	말 씀	성 령	특이사항
고린도	로마로부터 온 아굴라와 브리스길라, 디도 유스도, 회당장 그리스보와 온 집이 믿음, 수다한 고린도 사람도 믿어 세례 받음	하나님 말씀에 붙잡혀 예수가 그리스도임을 밝히 증거함	이 성 중에 내 백성이 많다고 하심	실라와 디모데가 옴, 1년 6개월을 거하면서 하나님 말씀을 가르침 유대인들이 대적 배 타고 떠남 *데살로니가 전후서를 보냄
수리아				브리스길라와 아굴라 동행
겐그리아				서원이 있어 머리를 깎음
에베소				배 타고 떠남
가이사랴	교회의 안부를 물음			
안디옥				2차 선교 마침

바울의 3차 선교

바울은 3차 선교여행(행 18:23~21:26)을 1차, 2차 선교여행보다 비장한 각오로 임했다. 그의 선교 사역에 대한 유대 거짓 교사들의 핍박이 도를 더해갔기 때문이다. 유대 거짓 교사들은 바울의 선교 지역 교회들을 뒤따라 방문하며 혼란케 했다. 그러는 중에 바울은 예루살렘을 거쳐 로마로 가서 복음을 전해야 한다는 거룩한 사명에 불타고 있었다. 각 지역의 형제들이 예루살렘 행을 만류하지만 이미 바울은 예수와 복음을 위해 죽을 각오를 하고 있었다. 그의 3차 선교여행은 복음을 위해 죄인의 신분이 되었음에도 오히려 그것을 복음 전파의 기회로 삼는 참으로 역설적인 선교여행임을 보여 준다. 그는 진정 그리스도의 남은 고난에 온전히 동참한 것이다.

따라서 바울의 3차 선교여행은 1차, 2차처럼 안디옥에서 출발했지만 도착지는 달랐다. 그는 안디옥으로 돌아가지 않고 예루살렘으로 갔다. 예루살렘을 거쳐 로마로 가는 것이 자신을 파송한 성령께서 원하시는 길이었기 때문이다(행 19:21, 20:16, 23:11, 27:24).

땅	자식	말씀	성령	특이사항
안디옥				3차 선교 출발지
갈라디아와 브루기아 땅으로 차례로 다님	모든 제자를 굳게 함			
에베소	열두 사람 아시아에 사는 유대인이나 헬라인이 들음	석 달 동안 하나님 나라 강론 두 해 동안 두란노 서원에서 날마다 강론 주의 말씀이 힘이 있어 흥왕해 세력을 얻음	요한의 세례만 안 열두 사람에게 성령이 임함	바울이 손으로 희한한 능을 행함 예루살렘으로 가기를 작정함, 로마로 가려 함 디모데와 에라스도를 마게도냐로 보냄 데메드리오가 아데미의 은감실 영업을 위해 위협함
마게도냐	제자들을 권함			
헬라				석 달 머문 후 배 타고 수리아로 떠나고자 했으나 유대인의 공모로 일정 변경
마게도냐	아시아까지 함께 가는 자 베뢰아 사람 소바더 데살로니가 사람 아리스다고와 세군도 더베 사람 가이오 및 디모데 아시아 사람 두기고와 드로비모			

땅	자 식	말 씀	성 령	특이사항
빌립보				배로 떠남
드로아	안식 후 첫날 집회에 무리가 모임	철야 강론		유두고를 살림
앗소				일행을 만남
미둘레네				
기오				
사모				
밀레도	에베소 장로들을 청함	유대인과 헬라인에게 주 예수 그리스도께 대한 믿음과 하나님 나라를 전파함	성령이 각 성에서 결박과 환난이 나를 기다린다 하심	오순절 안에 예루살렘에 이르고자 서두름 눈물과 감동의 작별
고스, 로도, 바다라				바다라에서 베니게로 가는 배를 탐
두로에 상륙	제자들을 만남		제자들이 성령의 감동으로 예루살렘으로 들어가지 말라고 권함	배에 오름
돌레마이	형제들에게 안부			
가이사랴	일곱 집사 중 하나인 전도자 빌립의 집에서 딸 넷을 만남		아가보가 성령의 감동으로 바울이 결박되어 이방인의 손에 넘겨질 것을 예언함	바울은 주 예수의 이름을 위해 결박과 죽을 각오를 함
예루살렘	형제들, 야고보와 장로들을 만남	바울의 선교보고로 함께 하나님께 영광 돌림 결박당한 후 변증 설교를 통해 복음을 전함	담대하라! 네가 예루살렘에서 나의 일을 증거한 것같이 로마에서도 증거해야 하리라	아시아에서 유대인들이 온 무리를 충동해 바울을 결박함 바울의 로마 시민권자임을 밝힘 천부장 글라우디오 루시아가 벨릭스 총독에게 보냄
		총독 벨릭스와 아내 유대인 드루실라		벨릭스가 유대인의

땅	자 식	말 씀	성 령	특이사항
가이사랴		앞에서 의와 절제와 장차 오는 심판에 대해 강론 아그립바 왕과 베스도 앞에서 회심 간증을 통해 복음을 전파함		환심을 사기 위해 2년 동안 구류시킴 그후 보르기오 베스도가 부임함 바울이 가이사에게 상소해 로마행이 결정됨

로마로 향함

바울의 3차 선교여행은 예루살렘에서 결박으로 끝났으나 그것으로 끝이 아니었다. 하나님이 철저히 바울을 보호하셨기 때문이다. 바울에게는 아직도 감당해야 할 사명이 있다. 그것은 로마에 가서 복음을 전하는 것이다. 바울은 태어날 때부터 로마 시민권을 갖고 있었기에 가이사에게 상소했고, 로마 관원들은 그를 함부로 다룰 수 없었다. 바울은 죄수의 신분으로 로마로 가는 항해에 나서지만 하나님은 바울의 손에 배에 탄 자들을 붙이셨다. 하나님 나라의 역설이 적나라하게 드러나는 선교 현장이다. 결국 바울은 로마에 도착하고 그곳에 머무는 약 2년 동안 오직 말씀을 통해 하나님 나라와 주 예수 그리스도에 대한 복음을 증거한다. 누구도 당시 세계의 심장부 한복판에서 벌어지는 하나님 나라의 역사를 막을 수 없었다. 이제 하나님 나라가 예루살렘에서 안디옥으로 그리고 로마를 통해 전세계로 뻗어 나가는 것이다.

땅	자 식	말 씀	성 령	특이사항
로마 항해	함께 승선한 276인에게 하나님 증거	너와 행선하는 자를 다 네게 주었다	곁에 계심	항해 중 유라굴로 광풍을 만남 멜리데 섬에 상륙
멜리데	보블리오 가족 치유 병든 토인들		고치심	3개월 후 출발
로마	로마 유대인들 중 믿는 자들이 있고 믿지 않는 자들도 있음 하나님께서 구원을 이방인에게로 보내셨음을 증거	일자를 정하고 아침부터 저녁까지 하나님 나라를 증거함 모세의 율법과 선지자의 말을 가지고 예수의 일로 권함		2년간 로마 셋집에 연금되어 오는 사람 영접하고 담대히 하나님 나라를 전파하며 주 예수 그리스도에 관한 것을 가르치되 금하는사람이 없었음 에베소서, 빌립보서, 골로새서, 빌레몬서 보냄

하나님 나라에서 하나님 나라로

사도행전은 첫 장부터 마지막 장(1~28장)까지 하나님 나라로 시작해서 하나님 나라로 마친다. 복음서가 예수의 하나님 나라 선포(막 1:15)로 시작되어, 하나님 나라의 실현을 나타내며(눅 11:20), 하나님 나라로 마치는 것(행 1:3)과 같다. 복음서의 흐름을 사도행전이 그대로 잇고 있다. 놀랍게도 사도행전의 마지막 장 마지막 구절은 "하나님의 나라를 전파하며 주 예수 그리스도에 관한 모든 것을 담대하게 거침없이 가르치더라"(행 28:31)로 끝난다. 사실은 끝나는 것이 아니라 진행형으로 계속되고 있음을 의미한다. 하나님 나라의 확장이 세상 끝날까지 계속될 것을 암시하고 있는 것이다.

그러므로 사도행전은 예루살렘과 온 유대와 사마리아와 땅 끝까지 어떻게 그리고 어디로 하나님 나라가 확장되었는가? 누가 어떻게 하나님의 새로운 자식공동체로 들어오는가? 말씀이 어떻게 역사하는가? 성령이 하나님 나라의 역사를 어떻게 이끌고 가고 계신지를 한 눈에 보게 한다. 결국 아브라함에게 약속하셨던 땅의 모든 족속이 너로 인해 복을 얻으리라(창 12:3b)는 언약, 그리고 이스라엘은 하나님의 장자(출 4:22)이기에 그와 함께 열방이 기뻐하리라(신 32:43)는 언약이 사도행전을 통해 온전히 성취되고 있는 것이다. 작은 씨로 시작된 하나님 나라의 언약이 예수의 십자가와 부활을 거쳐 성령의 오심으로 세상 모든 족속들이 거할 수 있는 큰 나무로 자라고 있는 것이다. 예루살렘에서 시작되어 땅 끝까지, 세상 끝날까지 진행될 거대한 하나님 나라의 물결을 막을 자는 아무도 없다.

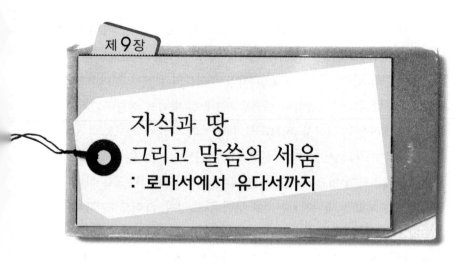

제 9 장

자식과 땅
그리고 말씀의 세움
: 로마서에서 유다서까지

서신서

　복음서와 사도행전은 신약의 역사서이다. 하나님 나라와 그 나라
에 들어갈 새로운 백성들에 대한 근원과 역사를 다루고 있다. 특별
히 사도행전은 예루살렘부터 땅 끝까지 뻗어나가는 하나님 나라의
역사를 다룬다. 서신서는 사도행전을 역사적 배경으로 삼고 있다.
마치 구약의 선지서가 역사서를 배경으로 갖고 있는 것과 같다. 사
실 사도행전 이후 신약성경 곧 로마서부터 요한계시록까지는 모두
편지의 형식을 가진 서신서다. 서신서를 이해하는 데 가장 중요한

것은 당시 수신자와 발신자의 형편을 아는 것이다. 수신자의 상황을 알면 발신자가 전하는 메시지의 의미를 더욱 깊이 알 수 있다. 각 서신서는 당시 하나님 나라에 속한 지역 교회들의 문제를 진단하고, 하나님의 메시지로 처방하며 비전을 제시하는 형식을 취한다.

따라서 바울의 서신서, 히브리서, 야고보의 서신서, 베드로의 서신서, 요한의 서신서, 유다의 서신서는 하나님의 새로운 자식공동체가 팔레스타인 땅을 뛰어넘는 땅 끝에서 말씀과 성령으로 하나님 나라가 어떻게 세워져가는가를 보여 주고 있다. 그러므로 '자식과 땅 그리고 말씀과 성령'의 '2+1+1'의 성경의 맥은 구약과 복음서에 이어 사도행전의 바탕에서 서신서에서도 도도히 흐르고 있다. 그 핵심적 맥을 살펴보자.

1. 바울을 통한 자식과 땅 그리고 말씀

> 롬, 고전·후, 갈, 엡, 빌, 골, 살전·후, 딤전·후, 딛, 몬
> → 사도행전 (예루살렘/온 유대/사마리아/땅 - - - - - - - - - - - - - - - - - - - 끝) →

바울은 성령의 감동으로 로마서부터 빌레몬서에 이르기까지 13권의 서신서를 기록했다. 그만큼 사도 바울이 성경에서 차지하는 비중이 크다. 그는 유대교의 가말리엘 문하에서 배우면서 구약에 통달했다(행 22:3). 그럼에도 불구하고 그는 하나님의 뜻을 알지 못했다고 고백했다(행 22:14). 성경에 통달했는데 하나님의 뜻을 알지 못했다는 것은 큰 충격이다. 예수 당시에도 바리새인과 서기관들

그리고 제사장들은 구약성경에 통달한 자들이다. 그럼에도 불구하고 그들은 진정한 구약의 메시지를 놓치고 있었다. 그 이유가 무엇인가? 유대교 안에서 전통과 율법의 안경을 쓰고 있었기 때문이다. 그러나 바울이 다메섹 도상에서 부활하신 예수를 만나 회심하면서 전혀 다른 하나님의 뜻을 깨닫게 된다(행 22:14b). 그것은 복음이다.

바울은 회심 당시 눈에 비늘 같은 것이 벗겨짐으로 비로소 율법의 안경을 벗고 은혜의 안경을 쓴다. 십자가라는 새로운 은혜의 시각 곧 하나님의 눈으로 구약을 다시 보고, 세상을 다시 보게 되었다. 따라서 하나님의 새로운 자식공동체인 교회를 허는 데 앞장섰던 그가 이제 반대로 땅 끝까지 생명을 걸고 새로운 자식공동체를 세우는 하나님의 충성된 동역자가 된 것이다. 그는 성령의 감동으로 각 교회에 하나님의 메시지를 전한다. 이것이 바울의 서신서다.

로마 자식공동체에 보낸 메시지

❶ 로마의 새로운 자식공동체

예루살렘에서 시작된 하나님 나라가 온 유대와 사마리아와 땅 끝까지 이르렀다. 그 대표적인 땅 끝이 로마다. 당시 로마는 세계를 정복한 나라로 헬라 문화와 잘 정리된 교통으로 복음의 전진기지 역할을 감당하기에 충분했다. 마치 하나님의 나라의 거점이 예루살렘에서 안디옥으로, 안디옥에서 로마로 옮겨가는 모습이다. 사실 로마에 세워진 새로운 자식공동체는 바울이나 다른 유명한 사도에 의해서 세워진 것이 아니다. 아마도 로마의 새로운 공동체는 사도행전 2장에 등장하는 예루살렘의 오순절 성령 역사를 통해 구원받은 자들로부터 시작되었을 것이다. 당시 세계 열다섯 지역에서 온 사람들 중에 '로마로부터 온 나그네 곧 유대인과 유대교에 들어온 사람들'이 속해 있었다(행 2:10). 예루살렘에서 말씀과 성령의 역사로 복음을 받은 자 가운데 로마에서 온 유대인과 유대교에 입교한 이방인이 함께 있었다는 것이다. 즉 로마의 새로운 하나님의 자식공동체인 교회는 유대인과 이방인 가운데 개종한 이들이 함께 출발했음을 의미한다. 그러나 로마 황제 글라우디오가 로마에서 유대인들을 추방함으로 로마 교회는 이방인 신자 중심의 교회가 된다(행 18:2 참조).

❷ 바울의 상황

바울이 로마의 새로운 하나님의 자식공동체에게 편지를 보낸 이유는 무엇일까? 사실 바울과 로마 교회는 어떤 특별한 관계 가운데 있지는 않았다. 그러나 바울은 로마서 15장 14절부터 33절까지 자신이 로마 교회에 편지를 쓴 이유를 매우 구체적으로 밝힌다. 이 기록을 통해 바울이 상황을 정확히 알 수 있다. 바울은 자신의 사명을 온전히 실행한 자이다. 그는 하나님 나라가 예루살렘으로부터 시작해서 땅 끝까지 전파되는 것을 예수께서 자신에게 주신 사명으로 삼았다. 따라서 그는 예루살렘으로부터 두루 행해 일루니곤까지 그리스도의 복음을 편만하게 증거했다. 또한 바울이 선교의 원칙으로 삼았던 것이 이미 그리스도의 이름을 부르는 곳에는 복음을 전하지 않기로 힘쓴 것이다. 남의 터 위에 건축하지 않고 새 터를 찾는 것이 바울의 선교 원칙이었다. 이제 더 이상 이 지방에서는 일할 곳이 없다고 했다. 따라서 바울은 로마를 거쳐 서바나 곧 스페인으로 가길 원했다. 바울은 스페인을 땅 끝으로 삼은 것이다.

그러면 바울이 스페인으로 가고자 하는 비전 중에 로마에 있는 새로운 하나님의 자식공동체에게 서신을 보낸 이유는 무엇인가? 그것도 일반적인 문안 차원의 서신이 아니라 자신의 신학적 입장을 매우 논리적으로 논증하는 형식을 취하고 있다. 그것은 바울이 스페인으로 가려는 중에 로마 교회에 들러 그들과 교제하고 그들의 파송을 받아 스페인 선교를 하고자 미리 자신의 신학적 입장을 논증적으로 써서 보낸 것이다. 바울은 로마 교회가 자신을 스페인으로 파송해 주기를 원했다(행 15:22~24).

❸ 하나님의 메시지

의(righteousness)의 문제

로마서의 핵심적 메시지는 새로운 자식공동체의 '의'(righteousness)의 문제다. '하나님의 새로운 백성들이 어떻게 하나님으로부터 의롭다 함을 얻는가'가 논점이다. 바울의 메시지는 분명하고 논리적이다. 바울은 먼저 이방인이나 유대인이나 모든 인간은 죄 아래 있음을 선언한다(롬 3:9~12). 인간이 근원적으로 죄로 말미암아 하나님 두기를 싫어했고 하나님은 상실한 마음대로 내어 버리셨다. 따라서 인간은 온갖 죄의 증상들을 삶 가운데 만든다. 그 결과는 사형에 해당된다(롬 1:18~32 참조). 이방인이나 유대인이나 모든 사람이 죄를 범하였기에 하나님께 이를 수 없게 된 것이다(롬 3:23).

이것이 성령의 감동을 받은 바울의 인간론이다. 인간은 모두 죄인이다. 죄 아래 있는 인간이 하나님과 함께 사는 구원 가운데 들어가기 위해서는 해결되어야 할 것이 있는데 그것이 바로 '의' 다. 인간이 죄 가운데서 벗어나 의를 회복해야만 하나님의 영광에 이를 수 있기 때문이다. 의롭지 못하면 하나님께로 나아갈 수 없다. 그러면 "죄 아래 있는 인간이 어떻게 의롭게 될 수 있는가?"라는 질문이 자연스럽게 나온다.

율법과 양심

유대인은 율법을 지킴으로 의롭게 될 수 있다고 생각했다. 쉽게 말하면 행위로 구원을 얻는다는 것이다. 그러나 율법을 온전히 지킬 수 있는 자는 아무도 없다. 하나님께서 율법을 주신 것은 물론 지키라고 주신 것이지만 인간이 율법을 지키려고 할수록 도저히 지킬 수 없는 죄인임을 깨닫게 된다. 바로 행위로는 구원받을 자가 하나도 없음을 알게 하는 것이 진정으로 율법을 주신 이유다. 율법은 죄를 죄 되게 한다. 그러나 율법의 역할이 정죄로만 끝나는 것은 아니다. 율법은 죄인에게 또 다른 의가 있어야 함을 역설적으로 가르치고 그 길로 인도하는 가정교사의 역할을 한다. 그것이 몽학선생이다. 그러면 이방인은 어떻게 의롭게 될 수 있는가? 어떤 사람들은 양심에 의해서 의롭게 된다고 생각하는 자들이 있다. 그러나 이미 타락한 인간의 양심은 죄 아래 있을 뿐이다. 따라서 양심은 이방인에게 오히려 율법의 역할을 할 뿐이다(롬 2:14~15). 그러므로 죄 아래 있는 이방인은 율법 없이 망하고, 유대인은 율법을 통해 망한다(롬 2:12). 이것이 죄 아래서 사형선고를 받은 인간의 형편이다.

할례와 무할례

바울은 유대인과 이방인의 의의 문제를 또 다른 측면에서 다루는데 그것이 할례와 무할례의 관점이다. 유대인들은 할례의식을 거행한 자들로서 자신들이 할례를 행함으로 언약의 자손이 되어 의롭게 된다고 생각했다. 그 관점에 의하면 무할례자인 이방인은 구원받지 못한 자들이 된다. 바울은 이러한 주장에 대해 절대 그렇지 않다고 주장한다. 바울은 오직 죄 아래 있는 인간은 율법과 할례를 통해 의롭게 될 수 없다고 주장한다. 누구도 율법을 지킬 수 없으며 할례는 언약의 조건이 아니고 언약 백성의 증표이기 때문이다.

믿음으로 말미암은 의

바울은 유대인과 이방인이 의롭게 되는 것은 인간의 행위와 의식이 아닌 오직 믿음에 의해서 가능하다고 주장한다. 그는 이 문제를 아브라함에게서 해결한다. 창세기 15장 6절은 "아브람이 여호와를 믿으니 여호와께서 이를 그의 의로 여기시고"라고 선언한다. 아브라함이 오직 믿음으로 의롭다 함을 받은 것이다. 바울은 아브라함이 믿음으로 의롭다 함을 받은 시점을 주목한다. 믿음으로 의롭다 함을 받은 그 시점(창 15장)은 율법이 있기 약 430년 전(갈 3:17 참조)이고, 적어도 할례 의식(창 17장)이 제정되기 14년 전이다(창 15:6, 16:16, 17:1 참조). 이처럼 하나님께서 아브라함에게 믿음으로 의롭다고 인정하신 시점은 율법을 주시기 이전, 할례의식을 제정하시기 이전이다. 그러므로 율법과 할례는 시기적으로도 믿음을 앞서지 못한다. 반면에 아브라함이 무율법시에 또한 무할례시에 믿음으로 의롭다 함을 받았기에 율법과 할례와 상관없이 어떤 이방인이라도 동일하게 믿음으로 의롭다 함을 받을 수 있다. 또한 아브라함이 할례를 받은 유대인의 조상이 되었기에 유대인들도 마찬가지로 믿음으로 의롭다 함을 얻을 수 있게 되는 것이다. 따라서 아브라함은 무할례자와 할례자 모두의 조상이 되므로 누구든지 믿음으로 의롭게 될 수 있음을 보여 주고 있다.

바울은 하나님께서 할례와 율법 이전에 믿음으로 의롭게 되는 진리를 주신 것은 아브라함만을 위한 것이 아니라 예수 우리 주를 죽은 자 가운데서 살리신 이를 믿는 모든 자를 위한 것이라고 선언한다(롬 4:23~24). 죄 아래 있는 인간이 의롭게 되어 하나님과 더불어 살 수 있는 길은 오직 예수 그리스도를 통한 믿음뿐임을 증거하는 것이다. 이것이 곧 율법 외에 하나님께로부터 오는 한 의다(롬 3:21).

의의 결과

믿음으로 얻은 의의 결과는 예수 그리스도 안에서 누리는 하나님과의 화평이다(롬 5:1). 마치 시내 산에서 하나님께서 언약을 체결하신 후 하나님의 백성 가운데 자신의 성막을 짓게 하심으로 함께 사셨던 것을 회상하게 한다. 하나님과 그의 백성의 화평의 삶에는 반드시 제물을 통한 제사가 필요했다. 의로우신 하나님의 임재 앞에 그의 백성들이 제물을 통해 죄를 처리함으로 하나님과 화평을 가질 수 있었기 때문이다. 이것은 그림자다. 실제로 예수께서 하나님과 우리 사이에 제물이 되사 우리를 의롭게 하심으로 비로소 하나님과 화평을 누릴 수 있게 된 것이다. 그러므로 의의 결과는 무엇보다도 화평이다. 이제 하나님의 백성들은 이 화평 가운데서 하나님의 영광을 바라고 즐거워할 수 있다. 비록 우리의 인생이 환난 가운데 있다 할지라도 인내와 연단을 통해 소망 가운데서 살아가는 것이다.

또 다른 의의 결과는 생명이다. 첫째 아담의 범죄를 인해서 사망이 왔고, 그 사망이 왕 노릇 했다. 그러나 하나님이 보내신 둘째 아담인 예수의 의의 한 행동을 통해 믿음으로 의롭다 하심을 얻는 길이 열렸고 그 결과는 곧 생명이다. 그러므로 예수 그리스도 안에서 믿음으로 의롭게 된 하나님의 백성들은 새로운 생명 안에서 하나님과 화평을 누리며 은혜가 왕 노릇 하는 삶을 사는 자들이다(롬 5:12~21 참조).

새로운 자식공동체의 성령 안에서의 새로운 삶

은혜 안에서 믿음으로 사는 하나님의 새 백성은 더 이상 죄 가운데 살아서는 안 된다. 우리는 죄에 대해 죽은 자들이기 때문이다. 우리 옛 사람이 예수와 함께 십자가에 못 박혔다는 것은 죄의 몸이 멸해 다시는 죄에게 종 노릇 하지 아니하려 함이다. 그러므로 죄가 우리 안에서 왕 노릇 하지 못하게 해야 한다. 그러나 인간은 여전히 죄성을 갖고 있기에 율법을 갖고 있어도 육신이 약해 넘어지는 자다. 마음으로는 하나님의 법을 섬기려 하나 육신으로는 죄의 법을 섬긴다. 바울은 인간 내면에서 일어나는 갈등을 적나라하게 드러낸다(롬 6, 7장 참조).

그러면 이 곤고함 가운데서 어떻게 자유할 수 있는가? 바울은 그리스도 예수 안에 있는 자 곧 하나님의 새로운 자식공동체에게는 결코 정죄함이 없다고 단언한다. 그 이유는 그리스도 예수 안에 있는 생명의 성령의 법이 죄와 사망의 법에서 해방시켰기 때문이다. 이제는 새로운 자식공동체 각 사람이 예수 그리스도 안에서 성령의 지배를 받음으로 그리스도의 사람으로 살아간다. 그들은 양자의 영을 받아 하나님을 아버지로 부르는 자들로서 진정한 하나님의 상속자들이다. 그리스도를 믿는 믿음으로 말미암아 의롭게 된 새로운 자식공동체가 성령 안에서 하나님 나라를 누리며 살아가는 것이다. 새로운 자식공동체의 삶은 고난 가운데서 승리해 결국 영광의 자유 가운데 이르게 된다(롬 8장 참조).

이스라엘과 이방인

의와 성령 안에서 세워지는 새로운 자식공동체는 이스라엘과 이방인 모두를 포함한다. 바울은 하나님께서 자기 백성인 이스라엘을 버리지 않으셨다고 단언한다. 마치 이스라엘이 하나님의 자식공동체에서 버림받은 것처럼 보일지라도 하나님께서는 시대마다 은혜로 택하심을 입은 남은 자들을 두고 계신다. 이 기간 동안 이방인의 충만한 숫자가 하나님의 새로운 자식공동체로 회복된다. 결국은 첫 열매요 장자인 온 이스라엘도 구원을 얻는다(롬 11:25~26). 그동안 하나님께서는 언약 가운데 아브라함과 이삭과 야곱을 통해 천하 만민이 복을 얻을 것이라고 약속하셨다. 이스라엘 민족과 이방인이 언약 공동체 안에 다 포함되어 있음을 말한다(롬 11:27 참조). 그러므로 이스라엘은 장자이기에 교만해서는 안 된다. 또한 이방의 새로운 자식공동체도 교만해서는 안 된다. 그것은 하나님의 새로운 성령의 공동체의 태도가 아니다. 오직 은혜 안에서 의롭게 된 성령의 새로운 공동체로서 하나님 나라의 가치로 살아가야 한다.

의의 실행

바울 서신은 전반부에서는 교리적 원리를 다루고, 후반부에서는 그에 따른 열매로서 실천적 삶을 다루는 특징을 갖고 있다. 로마서도 마찬가지다. 1장부터 11장까지는 믿음으로 의롭다 함을 받는 진리를 다루고 12장부터 16장까지는 의롭다 함을 받은 자식공동체의 새로운 삶을 다룬다. 그러면 새로운 자식공동체는 어떠한 삶을 살아야 하는가? 바울은 너희 몸을 하나님이 기뻐하시는 거룩한 산 제물로 드리라고 한다. 그것이 마땅히 새로운 자식공동체가 드려야 할 영적 예배다. 또한 그들은 이 세대를 본받지 말아야 한다. 오직 마음을 새롭게 함으로 변화를 받아 하나님의 선하시고 기뻐하시고 온전하신 뜻이 무엇인지 분별하는 삶을 살아야 한다.

이러한 삶은 믿음으로 의롭게 된 자식공동체가 그 의를 실천하는 삶으로 나타난다. 그 의의 실천은 겸손, 사랑, 우애, 존경, 부지런함, 소망, 인내, 기도, 공급, 대접, 축복, 동고동락, 낮아짐, 평화, 원수 사랑, 선으로 악을 이김의 열매를 맺는 것이다. 특별히 국가와 사회에 대한 건강한 책임과 사랑의 행함, 빛의 갑옷을 입음, 형제를 판단치 않음으로 하나님 나라 안에서 의와 평강과 희락을 누리는 것이다. 그러므로 그리스도를 주인으로 섬기는 새로운 자식공동체는 하나님께 기뻐하심을 받으며 사람에게도 칭찬을 받게 된다. 강한 자는 약한 자의 연약함을 담당해 서로를 기쁘게 해야 한다. 그리스도께서 우리 자신을 받아 하나님께 영광을 돌리심같이 자식공동체도 서로서로 받아줌으로써 하나님께 영광을 돌리는 삶을 살아야 한다. 이것이 성령 안에 있는 새로운 자식공동체의 진정한 삶이다.

고린도 자식공동체에 보낸 메시지

❶ 고린도의 새로운 자식공동체와 바울의 상황

고린도 지역에 하나님의 새로운 자식공동체가 세워진 것은 주후 50년 가을 바울의 제2차 선교여행 중이었다. 바울은 1년 6개월 동안 고린도에 머물며 교회를 세우고 하나님의 말씀을 가르쳤다(행 18:1~11). 고린도에 자식과 땅 그리고 말씀과 성령의 새로운 공동체가 세워진 것이다. 고린도는 특히 바울이 에베소 지역에 3년 동안 머물렀던 것을 제외하고 가장 오랫동안 머물렀던 곳이다. 그만큼 고린도에 세워진 새로운 자식공동체는 바울에게 있어 중요했을 것이다. 고린도는 당시 여러 민족이 함께 거했고, 교통의 중심지로서 아가야 지방을 통치하는 로마의 총독이 주재하는 전략적 요충지였다. 바울은 고린도 교회를 개척한 이후 수리아와 겐그레아를 거쳐 에베소와 가이사랴를 지나 안디옥으로 돌아감으로 2차 선교여행을 마쳤다(행 18:22).

바울은 제3차 선교여행을 출발해 에베소에 이르러 그곳에서 3년 동안 머물면서 사역했다. 에베소는 고린도와 에게 해를 두고 마주보는 위치에 있었으므로 바울은 고린도에 세워진 새로운 자식공동체의 소식을 접할 수 있었다. 바울에게 들려오는 고린도 교회의 소식들은 매우 심각했다. 새로운 자식공동체 내의 분쟁, 소송, 성도덕의 문란, 성령의 은사 오용, 성만찬의 오용, 우상 제물에 관한 문제, 부활에 대한 오해와 불신, 심지어 두 번째 서신을 보낼 때는 거짓 교사들이 바울의 사도직을 무너뜨리려는 도전이 일어났다. 새로운 자식공동체 안에 많은 문제들이 산적해 있었다. 바울은 고린도 공동체에 보내는 첫 번째 서신과 두 번째 서신을 통해 하나님의 새로운 자식공동체가 내외적으로 당면한 실질적인 문제들을 신학적, 목회적 관점에서 하나님의 메시지를 전함으로 그들을 세운다. 고린도의 자식공동체에 보낸 첫 번째 서신은 주후 55년경에 에베소에서, 두 번째 서신은 1년이 채 지나기 전 주후 56년경에 마게도니아 지역에서 쓰여졌다.

❷ 하나님의 메시지

공동체의 성숙

고린도의 새로운 자식공동체에게 전달된 하나님의 메시지는 그들의 상황에 대한 하나님의 뜻이다. 고린도의 하나님 백성들은 그리스도 안에서 모든 구변과 모든 지식에 풍족했다(고전 1:5). 그럼에도 불구하고 바울은 고린도 공동체를 영적으로 미성숙하다고 진단했다. 그 이유는 하나님의 자식공동체가 자신들이 영향을 받은 대로 바울, 아볼로, 게바 심지어 그리스도에게 속한 자라 해서 분열되었기 때문이다. 바울은 여기서 개인적 구변과 지식 심지어 은사가 아무리 뛰어나다 할지라도 공동체를 하나로 세우지 못하면 결국 그들은 미성숙한 자들이라고 선언한다(고전 3:1~4). 성숙과 미성숙의 기준이 개인의 경건과 능력에 있는 것이 아니라는 것이다. 성숙과 미성숙의 기준은 자신이 하나님께로부터 받은 은사를 통해 공동체를 세우느냐 허느냐에 따라 결정된다. 바울은 사분된 고린도의 하나님의 자식공동체가 오직 예수의 몸으로서 함께 세워지는 것이 하나님의 뜻임을 선포한다.

새로운 자식공동체의 정체성

새로운 자식공동체는 하나님의 성전이다. 하나님의 성령이 거하시기 때문이다(고전 3:16). 하나님을 모시고 사는 성도가 곧 하나님의 성전이다. 따라서 하나님의 성전인 새로운 공동체는 거룩한 삶을 살아가야 한다. 그러므로 사람을 자랑하고 따라가는 삶은 하나님을 모신 삶이 아니다. 그것은 성전을 더럽히는 것이다. 더욱이 음행의 죄는 더욱 심각하다. 고린도 공동체 안에서 일어난 음행은 이 관점에서 너무나 심각한 문제였다. 누군가 아비의 아내를 취하는 범죄가 발생했다. 바울은 이런 음행은 이방인 중에라도 없는 것이라고 했다(고전 5:1). 그는 음행 문제를 심각하게 다루면서 새로운 자식공동체의 몸은 하나님께로부터 받은 것이고, 성령의 전이므로 성결이 필연임을 선포한다. 바울은 성결과 주를 섬기는 관점에서 결혼과 독신 그리고 이혼의 문제를 다룬다(고전 6, 7, 8장 참조).

새 언약과 성찬

고린도의 자식공동체 안에는 성찬의 문제도 있었다. 성찬을 행하면서 하나됨이 깨어지고 편당을 지었기 때문이다. 부유한 자들이 빈궁한 자들과 별개로 애찬과 함께 성찬을 함으로 분열과 반목이 생겼다. 바울은 이 문제를 매우 강하게 질책한다. 왜냐하면 성찬의 본질적 의미를 훼손했기 때문이다. 성찬은 예수께서 십자가에 달리시기 전 제정하신 새 언약이다(고전 11:24~26). 자신의 몸과 피를 자기 백성을 대신해 화목제물로 드린 것이다. 따라서 언약 파기로 인해 심판에 직면한 자들을 대신해 죽으시면서 새 언약을 세우셨다. 그러므로 새 언약 안에서 새롭게 탄생한 하나님의 자식공동체는 하나님과 화목하게 되었다. 그리고 그리스도를 통해 새 언약 안에 들어온 자식공동체는 누구나 한 가족이다. 소유나 다른 그 무엇으로 편을 나누거나 할 수 없다. 세상의 가치나 기준으로 새 언약 가운데 있는 새로운 공동체를 분열해서는 안 된다. 그러나 고린도 공동체는 성찬식을 거행하면서 부요한 자들이 가난한 자들을 소외시킴으로 새 언약의 본질적 의미를 상실했던 것이다.

은사 사용의 질서

고린도 자식공동체의 문제 가운데 대표적인 것이 은사의 남용이었다. 고린도의 새로운 공동체는 성령으로부터 받은 영적 은사들을 남용했다. 바울은 은사 남용의 결과가 공동체의 무질서와 그에 따른 분열임을 지적한다. 사실 은사는 오직 성령 하나님께서 주권적으로 각 사람에게 주시는 영적 선물이다. 하나님의 새로운 공동체는 성령이 주시는 영적 은사로 충만해야 한다. 이처럼 영적 은사를 주시는 목적이 무엇인가? 그것은 몸 된 공동체를 건강하게 세우기 위함이다. 따라서 바울은 사랑을 따라 은사를 구하라고 한다(고전 14:1). 또한 은사를 사용하되 모든 것을 적당하게 하고 질서 있게 하라고 가르친다(고전 14:40).

부활

고린도의 자식공동체 가운데 부활을 부인하는 자들이 있었다(고전 15:12). 이것은 기독교의 근본을 흔드는 중대한 문제였다. 바울은 죽은 자의 부활을 부인하는 것은 곧 그리스도의 부활을 부인하는 것이라고 역설했다. 또한 부활이 없으면 그리스도도 다시 살지 못했고, 그리스도가 다시 살지 못했다면 우리가 전파하는 것도 헛것이고 믿음도 헛것이라고 했다. 바울은 부활의 사실과 진리를 강력히 선포한 후 그리스도의 부활이 오히려 죽은 자의 부활의 첫 열매가 되셨음을 논증한다. 그리스도께서 부활하심으로 그 안에서 죽은 자가 다 부활할 것이다. 곧 하나님의 새로운 공동체는 부활 공동체다.

두 번째 편지의 메시지

바울의 열세 편의 서신서 가운데 한 공동체에 두 개의 서신서를 보낸 곳은 고린도 지역과 데살로니가 지역이다. 그들에게는 두 번의 편지를 써야 할 상황이 있었다. 특히 고린도의 자식공동체는 바울의 사역지 중 문제가 많은 공동체였다. 바울이 첫 서신을 보낸 후에도 고린도 공동체에는 변화의 조짐이 없었다. 심지어 바울이 첫 서신을 보낸 후 마게도냐로 가는 길에 고린도 교회는 직접 방문했음에도(고전 2:1~5 참조) 별 변화가 없었다. 마게도냐에서 돌아오던 길에 다시 방문하려 했는데 사정이 있어 계획을 변경해 고린도를 방문하지 않았다. 그러자 바울의 대적자들은 바울을 신뢰할 수 없는 자라고 비난했다. 대적자들은 바울이 신의가 없는 자라고 주장하면서 바울의 사도직마저 부정하고 더 나아가 바울이 전한 복음마저도 믿을 수 없다고 했다. 또한 그들은 바울이 헌금을 개인적으로 착복했다고 주장했다(고후 12:16~17). 이미 고린도 교회 성도 중에는 이러한 거짓 교사들의 주장에 넘어가 바울에게 대적하는 자마저 생긴 상황이었다(고후 2:5~11, 11:4, 19).

이렇게 되면 어떻게 되는 것인가? 바울의 사도 직분이 무너지면 바울 한 사람만이 아니라 모든 것이 무너지게 된다. 그가 세운 교회가 무너지고, 그가 전한 복음이 무너지게 되는 상황이다. 더 나아가 하나님 나라 확장에 큰 어려움이 생기는 심각한 상황이었다. 고린도 교회가 무너지면 그동안 세 차례 전도여행을 통해 세웠던 수많은 교회들이 무너지게 된다. 이것이 전형적인 사탄의 궤계였다(고후 2:11). 바울은 이것을 알고 있었다. 그래서 바울은 고린도전서를 보낸 지 1년도 채 못 되어 긴급히 고린도후서를 보내야 했던 것이다. 이처럼 고린도후서 13장까지의 전체 내용은 바울의 사도직에 대한 변증의 맥락 가운데서 전개된다. 곧 고린도후서는 바울 자신이 진짜 사도임을 증명하는 한 편의 자기소개서와 같은 서신이다. 사실 바울은 거짓 교사들의 몇 가지 주장들을 반박하면서 자신의 사도 됨을 고린도후서 전체에서 입증한다.

바울의 추천서

고린도 교회에 들어온 거짓 교사들은 예루살렘 사도들의 추천서를 악용하면서 자신들의 정통성을 주장했다. 따라서 예루살렘 사도들의 추천서를 제시하지 않은 바울은 진정한 사도가 아니라고 힐난했다. 이에 대해 바울은 자신에게는 추천서가 필요없다고 주장한다. 왜냐하면 고린도 공동체 자체가 바울의 추천서이기 때문이다. 바울은 고린도 공동체가 곧 바울과 동역자들의 편지라고 선언했다(고후 3:2). 바울은 자신이 새 언약의 일꾼으로서 하나님의 성령으로 고린도 성도들의 심비에 편지를 썼기 때문에 사람의 추천서가 필요없다고 주장한다. 바울이 고린도 공동체에서 1년 6개월간 머물며 섬긴 사역의 진정성이 곧 자신의 추천서라고 선포하는 것이다. 이보다 더욱 확실한 추천서가 어디 있겠는가?

진정한 사도의 증표

바울이 무엇보다도 자신이 진정한 사도임을 주장하는 증표는 십자가의 삶을 통해서다. 바울은 자신이 날마다 죽음으로 자신의 몸에서 예수의 생명이 나타나는 삶을 살았다. 그는 십자가에는 죽음과 생명의 두 면이 있음을 간파했다. 죄성의 욕구를 십자가의 죽음의 면에 넘겨야 예수의 생명이 나타나는 것이다. 이것이 십자가의 현재성이다. 바울은 하나님의 새로운 자식공동체의 삶에 항상 이 원리가 있어야 함을 역설한다(고후 4:10~11). 구원도 십자가를 통해 받지만 구원 이후의 삶도 십자가의 원리로 살아야 함을 의미한다. 바울은 진정한 사도 또한 이러한 십자가의 삶을 살아야 함을 강력히 드러낸다. 그래서 그는 사망은 우리 안에서 역사하고 생명은 너희 안에서 역사한다고 했다(고후 4:12). 이것이 무슨 말인가? 바울과 그의 동역자들이 진정한 자기 부정과 십자가의 삶을 살아감으로 고린도 공동체가 살아나는 것이다. 거짓 교사들의 특징은 자기 배를 채우려는 자들이지만 진정으로 보내심을 받은 자는 자신이 죽고 교회 공동체를 살리는 십자가의 삶을 실천하는 자이다. 그 모범은 오직 예수 그리스도다.

갈라디아 자식공동체에 보낸 메시지

❶ 갈라디아의 새로운 자식공동체와 바울의 상황

바울은 갈라디아 지역에서 하나님의 새로운 자식공동체를 세웠다. 그러나 바울이 개척해 세운 후 거짓 교사들이 갈라디아의 공동체에 들어와 여전히 바울의 사도직과 그가 전한 복음에 대해 힐난했다. 그들은 유대교에서 기독교로 개종한 자들이었다. 그럼에도 불구하고 그들은 여전히 율법적 요소를 구원론에 덧붙였다. 그들은 하나님의 은혜와 예수 그리스도를 믿는 믿음으로 구원받는 것으로는 부족하다고 주장했다. 예수 그리스도를 믿음과 더불어 율법을 지키고 할례를 받아야만 구원에 이른다고 주장했다. 이러한 거짓 사상으로 바울의 사도직과 그가 전한 복음마저도 잘못되었다고 가르침으로 이제 막 새롭게 탄생한 갈라디아의 하나님의 새로운 자식공동체를 혼돈케 했다. 이처럼 새로운 공동체가 영적 위기에 놓여 있다는 소식을 들은 바울은 적극적으로 그들의 거짓 주장으로부터 하나님의 교회공동체를 보호하기 위해 서신을 쓰는데 그것이 바로 갈라디아서다. 그러므로 갈라디아서는 바울의 다른 서신들보다 더욱 논쟁적이고, 구원론의 진리를 설파하고 있다.

❷ 하나님의 메시지

다른 복음
갈라디아의 새로운 공동체 안에 들어온 거짓 교사들의 영향력은 지대했다. 그리스도의 은혜 안에서 부르심을 입은 자들이 그들에게 현혹되어 너무 빨리 진리에서 떠나 다른 복음을 따랐기 때문이다(갈 1:6). 바울은 인사말에서 자신이 사람에게서, 사람으로 말미암아 된 사도가 아니라 오직 예수 그리스도와 하나님 아버지로 말미암아 사도가 되었다고 했다. 그 사도직으로 그는 다른 복음은 없다고 선언한다. 단지 거짓 교사들이 복음을 변질시킴으로 하나님의 새로운 공동체를 무너뜨리려고 하는 것이다. 그러나 바울은 자신이나 하늘로부터 온 천사라도 더 나아가 누구라도 바울 일행이 처음 갈라디아 지역에 전한 복음 외에 다른 복음을 전하면 저주를 받을 것이라고 선언한다(갈 1:8~9). 사람과 상황에 따라 복음이 변하는 것이 아님을 분명히 선포하는 것이다.

절대 복음

갈라디아의 새로운 공동체가 처음에 받았던 복음은 소위 절대 복음이다. 이 복음은 변할 수 없다. 바울은 이 절대 복음의 기원이 사람의 뜻을 따라 된 것이 아니라고 선언한다. 그것은 사람에게서 받은 것이 아니고 오직 예수 그리스도의 계시로 말미암은 것이기 때문이다. 바울은 유대교에서 태어났고, 율법 가운데서 자라 변화받기 전에는 교회를 핍박하는 데 누구보다도 앞장선 사람이었다. 그후 그가 진정 하나님의 은혜 안에서 부름받아 그의 아들을 이방에 전하기 위한 계시를 받았을 때 그는 그 어떤 사람과도 의논하지 않았다. 먼저 사도 된 예루살렘의 제자들에게 가지 않았다. 그가 간 곳은 아라비아였다. 바울은 여기서 무엇을 말하려고 하는가? 복음의 기원이 사람이 아니라 오직 하나님의 은혜와 예수 그리스도의 계시에서 시작된 것임을 말한다(갈 1:11~24). 바울은 그후 3년만에 예루살렘에 올라가서 베드로와 보름을 지내면서도 야고보 외에 다른 사도들을 보지 못했다고 한다. 구체적으로 짧은 기간을 명시하고 베드로와 야고보만 만났다고 하는 것은 그들에게서 복음을 전수받지 않았음을 증거하는 것이다.

또한 바울은 그로부터 14년 후에 바나바와 디도를 데리고 다시 예루살렘에 올라갔던 사건에 대해 언급한다. 바울이 예루살렘에 올라간 이유는 계시 때문이었다. 곧 그동안 이방인들에게 전한 복음을 예루살렘의 사도들에게 제출해 예루살렘의 사도들의 복음과 자신의 복음이 동일한 것으로 입증되었음을 밝힌다. 곧 복음의 절대성을 말하는 것이다. 특히 당시 함께 올라간 디도는 할례를 받지 않은 헬라인이었기에 유대주의자들에게 할례를 강요받았을 것이다. 만약 바울이 예루살렘의 유대주의자들의 주장대로 그곳에서 디도에게 할례를 받게 했다면 유대주의자들의 거짓된 다른 복음을 인정해 주는 상황으로 악용되었을 것이다. 바울은 디도에게 할례를 받지 않게 했다. 가만히 들어온 거짓 교사들이 복음을 변질시키지 못하게 하고 절대 복음의 진리를 지키기 위해서였다(갈 2:3~5). 이처럼 바울은 자신이 갈라디아의 하나님의 새로운 자식공동체에 전한 복음은 절대적인 하나님의 복음이며, 오직 예수의 복음임을 증거한다.

절대 복음의 가치

절대 복음의 가치는 인간의 명성에 따라 좌우되지 않는다. 당시 베드로는 예루살렘 교회공동체의 최고 지도자였다. 그럼에도 불구하고 바울은 베드로가 안디옥에 이르러 크게 잘못한 사건을 구체적으로 묘사한다. 이것은 바울이 교만해서 베드로를 책잡으려는 것이 아니다. 바울은 아무리 베드로가 당시 기독교의 최고 지도자라 할지라도 진리의 측면에서 미혹되면 가차없이 비판을 받아야 함을 역설적으로 보여 주고 있다. 다시 말하면 인간의 상황과 형편에 따라 복음을 상대화시켜서는 안 된다는 것이다.

베드로는 안디옥에서 이방인들과 함께 식사하다가 야고보에게서 온 유대주의자들이 이르자 할례자들을 두려워해 그 자리를 물러갔다(갈 2:12). 바울은 이 사건으로 베드로를 크게 책망했다. 베드로의 외식이 결국 곁에 있던 다른 유대인들도 함께 물러가게 해 외식하게 했고, 심지어 바나바도 저희의 외식에 유혹되었기 때문이다. 당시 유대교의 음식법에 의하면 구원받지 못한 이방인과는 함께 식사할 수 없었다. 선택받은 백성이 선택받지 않은 이방인들과 함께 앉아 식사하는 것을 죄로 여겼던 것이다. 그러나 복음의 가치는 예수께서 죄인들과 함께 식사하신 밥상공동체를 구현한다. 따라서 바울이나 베드로나 바나바나 새로운 복음의 가치 안에서는 음식법에 얽매이지 않는다. 오히려 적극적으로 이방인들과 함께 식사함으로 그 현장을 하나님 나라로 만들어 가야 하는 것이다. 그러나 베드로는 유대주의자들을 두려워해 복음 안에 있던 자들을 외식하게 했다. 이 사건은 단순히 외식을 행한 차원이 아니라 유대주의자들의 구원론 주장에 빌미를 제공했다는 데 문제의 심각성이 있다. 바울은 절대 복음의 가치를 그 누구도 변질시켜서는 안 된다는 것을 선포한다.

복음의 본질

바울은 이제 적극적으로 절대 복음의 본질에 대해서 논증한다. 복음의 최대 논점은 '인간이 무엇으로 의롭게 되는가?'의 문제다. 인간이 의롭게 되는 것은 율법의 행위에서 난 것이 아니다. 율법의 행위로서는 아무도 의롭다 함을 얻을 자가 없기 때문이다. 사실 율법을 온전히 지키면 의롭게 된다. 그러나 문제는 죄 가운데 있는 인간은 그 누구도 율법을 지킬 수 없다는 데 있다. 그러면 하나님께서 시내 산에서 인간이 지킬 수도 없는 율법을 주신 이유는 무엇인가? 그것은 율법을 통해 처절히 자신이 죄인임을 깨닫게 하기 위함이다. 율법 아래서 인간은 자신이 철저히 타락한 존재임을 발견하게 된다. 절대 절망 아래 있는 자신의 본 모습을 보게 하는 것이다. 이것이 율법의 부정적 역할이다. 그러나 율법의 역할은 단지 죄를 깨닫게 하는 것으로 끝나는 것이 아니다. 율법은 죄 아래 있는 인간에게 외부에서 오는 또 다른 의를 기대하게 한다. 자기 의를 부정하고 다른 의를 기대하게 하고 그리로 인도한다. 이것이 소위 몽학선생이다.

그러면 또 다른 의는 무엇인가? 그것은 예수 그리스도로 말미암는 믿음의 의다. 인간이 의롭게 되려면 죄를 처리해야 하는데 스스로는 절대로 처리할 수 없으므로 외부에서 누군가가 대신 그 죄를 처리해 주어야 한다. 그것이 하나님의 은혜 안에서 이루어진 예수 그리스도의 대속의 십자가다. 예수께서는 십자가에서 율법 아래 있는 죄인들을 위해 대속제물이 되셨고, 이 십자가에서 죽으신 하나님의 아들을 믿는 믿음을 가진 자는 누구든지 하나님으로부터 의롭다 함을 받게 되는 것이다. 그는 이제 그리스도와 함께 십자가에 못 박혔으므로 더 이상 죄 가운데 사는 것이 아니다. 이제는 그리스도께서 그 안에 사시므로 하나님의 아들을 믿는 믿음 안에서 사는 존재가 된 것이다. 그러므로 그리스도 안에 있는 자들은 유대인이나 헬라인이나 종이나 자유인이나 남자나 여자 없이 다 하나다(갈 2:16~3:29 참조).

저주받은 예수

바울은 갈라디아의 새로운 자식공동체가 율법주의자들에 의해 복음의 근본 진리에서 흔들리는 것을 보면서 율법과 복음의 관계를 선포한다. 바울은 회심하기 전에 철저하게 율법의 세계관을 갖고 있던 사람이다. 이 세계관에 의하면 십자가에서 죽임 당한 예수는 하나님께 저주를 받아 죽은 자다. 왜냐하면 신명기 21장 23절에 "나무에 달린 자는 하나님께 저주를 받았음이니라"고 했기 때문이다. 이 구절에 의해 바울은 예수가 자신을 하나님의 아들이라고 하고, 안식일을 범하고, 성전을 헐면 삼 일 만에 다시 세운다고 하고, 하나님을 아바 아버지라 부르는 등의 신성모독죄로 인해 마땅히 나무에 달려 저주받아 죽었다고 여겼던 것이다.

그러나 그가 다메섹 도상에서 부활하신 예수를 만난 다음에 완전히 달라졌다. 신명기의 말씀을 다시 해석하게 된 것이다. 그는 예수를 만난 다음에 삼 일 동안 기도하면서 눈에 비늘같은 것이 벗겨졌다. 율법적 세계관이 은혜의 세계관으로 변화된 것이다. 은혜의 세계관을 통해 십자가를 바라본 바울은 너무나도 놀라운 사실을 깨닫게 된다. 예수께서 자신의 죄를 대신해 십자가에 못 박혀 저주를 받아 죽은 모습을 보게 된 것이다. 바울은 자신이 받아야 할 율법의 저주를 예수가 받은 것을 보고 복음이 무엇인지 비로소 깨닫게 된다. 따라서 오직 예수 그리스도 안에서만 하나님께서 아브라함에게 약속하신 은혜의 복이 모든 이방인들에게 흐르게 됨을 알게 된 것이다(갈 3:13~14). 그러므로 율법의 저주 아래 있던 자들이 오직 예수 안에서만 자유와 구원을 얻을 수 있다. 곧 복음이 율법의 요구를 완성하고 온전히 성취한다.

새 백성의 삶

율법 아래 있는 자는 저주받은 자이지만 예수 그리스도 안에 있는 자는 자유인이다(갈 5:1). 따라서 이제는 복음 안에 굳게 서서 다시는 종의 멍에를 지지 말아야 한다. 자유는 방종이 아니기에 주신 자유로 육체의 기회를 삼지 말고 오직 사랑으로 서로 종 노릇 해야 한다. 사랑의 종 노릇으로 "네 이웃 사랑하기를 네 몸같이 하라"는 율법을 이루는 것이다. 그러나 서로 물고 먹으면 피차 멸망할까 조심해야 한다(갈 5:13~15). 바울이 예수 안에 있는 자들에게 사랑으로 종 노릇 하라는 권면과 서로 물고 먹지 말라고 권하는 까닭은 무엇인가? 예수 안에 있는 자유인이라 할지라도 그 마음속에 두 가지 욕구가 있는 것을 의미한다. 바울은 복음을 통해 구원받은 자의 내면에 육체 곧 죄성의 욕구와 성령이 함께 거한다고 가르치고 있다. 하나님의 새 백성이 천국에 이르기 전까지는 여전히 그 심령 안에 성령의 내주하심과 더불어 죄성의 욕구가 있다(갈 5:16).

그러면 그리스도 안에 있는 새로운 자식공동체는 어떻게 살아야 하는가? 예전 곧 율법의 저주 아래 있을 때는 오직 죄성의 욕구대로 살아 그 열매를 맺으면서 살았다. 그 열매는 음행과 더러운 것과 호색과 우상 숭배와 술수와 원수 맺는 것과 분쟁과 시기와 분냄과 당 짓는 것과 분리함과 이단과 투기와 술 취함과 방탕함이다. 이 열매의 최종결과로 하나님의 나라를 유업으로 얻지 못한다. 그러나 이제 그리스도 안에 있는 새로운 백성들에게는 성령이 내주하시므로 성령을 좇아 살아야 한다. 이것이 죄성을 이기는 유일한 길이다. 성령 안에서 말씀에 순종하는 삶을 통해 죄성을 이기고 성령의 열매를 맺는 것이다. 그러므로 하나님의 새 백성은 그리스도 안에서 성령을 좇아 사랑과 희락과 화평과 오래 참음과 자비와 양선과 충성과 온유와 절제의 열매를 맺는 삶이다. 그리스도 예수의 사람들은 육체와 함께 그 정과 욕심을 십자가에 못 박은 자들로 이제 성령 안에서 살고 영생을 거두는 전혀 새로운 차원의 삶을 사는 자들이다(갈 5, 6장 참조).

에베소 자식공동체에 보낸 메시지

❶ 에베소의 새로운 자식공동체와 바울의 상황

에베소 지역의 하나님의 새로운 자식공동체는 바울 사도의 3차 선교 사역을 통해 세워졌다(행 19:8~10). 바울은 에베소의 새로운 자식공동체에게 3개월 동안 하나님 나라를 강론하고, 2년간 두란노 서원에서 날마다 하나님의 말씀을 가르쳤다. 바울은 3차 선교여행 중 가장 오랜 기간인 3년을 에베소에서 머물면서 말씀을 가르쳤다(행 20:31). 따라서 에베소 자식공동체는 바울에게 있어 매우 특별했다. 3차 선교사역 끝 무렵에 바울은 밀레도에서 에베소의 장로들을 초청해 마지막 작별 인사를 한다. 이제 예루살렘에 올라가면 다시는 보지 못할 것을 알고 있었기 때문이다. 바울은 에베소 장로들에게 하나님의 자식공동체에 대한 간절한 당부를 한다. 그리고 함께 울며 기도하고 작별한다(행 20:36~38). 3차 선교를 마친 바울은 예루살렘에 올라가 체포되었고, 가이사랴에서 2년간 구류되어 있다가 마침내 로마에 도착한다. 바울은 로마에서 2년간 셋집에 감금된 채 하나님의 나라를 증거하고 모세의 율법과 선지자의 말을 가지고 예수의 일로 권했다(행 28:23). 바로 이 기간 동안에 에베소의 자식공동체에게 서신을 보낸 것이다.

❷ 하나님의 메시지

삼위일체 하나님의 주권 아래 세워진 자식공동체

바울은 하나님의 계시를 통해 예수 그리스도 안에서 새로운 자식공동체가 어떻게 세워지는가를 증거한다. 이것이 에베소의 새로운 자식공동체에게 주신 핵심 메시지다. 먼저 하나님의 새로운 자식공동체는 전적으로 삼위일체 하나님의 절대 주권 아래에서 계획되고 추진된다. 성부 하나님은 그리스도 안에서 새로운 자식공동체를 세우기 위해 창세 전에 예정하셨다. 이것은 전적으로 성부 하나님의 기쁘신 뜻대로 된 것이며 무조건적인 은혜 안에서 거룩하고 흠이 없는 하나님의 자식공동체를 세워 은혜의 영광을 찬양하기 위함이다(엡 1:3~6). 이 놀라운 계획은 성자이신 예수 그리스도의 피로 말미암아 구속 곧 죄 사함을 받음으로 실현되었다. 예수 그리스도 안에서 새롭게 거룩하고 흠이 없는 공동체로 세워지는 것은 하나님께서 온 우주에 자신의 기업을 세우시는 비밀이다.

예수 그리스도 안에 세워진 새로운 자식공동체는 오직 하나님의 영광을 찬양하는 존재가 된다(엡 1:7~12). 성령께서는 그리스도 안에서 진리와 구원의 말씀을 듣고 믿음을 가진 자들을 인치심으로 그들이 오직 하나님의 새로운 자식공동체 곧 하나님의 유일한 기업임을 보증한다. 따라서 성령은 하나님이 예수 그리스도 안에서 새롭게 얻은 자식공동체를 온전히 구속하고, 그들은 그의 영광을 찬미하는 존재가 된다(엡 1:13~14). 하나님의 영원하신 계획과 예수 그리스도의 죄 사함의 피와 성령의 인치심을 통해 하나님의 새로운 자식공동체가 예정과 택함과 부르심과 세워짐을 통해 완성되어 가는 것이다. 바울은 하나님의 비밀의 경륜 가운데서 세워져 가는 새로운 자식공동체를 '우리' 라고 에베소서 1장에서만 무려 15회나 선언한다. '우리' 곧 새로운 자식공동체가 바로 교회다. 이 교회는 우주적인 교회요, 이방인과 유대인이 그리스도 안에서 한 몸 되는 '우리' 다. 이처럼 하나님의 새로운 자식공동체인 한 몸 된 교회는 머리 되신 예수 그리스도를 통해 만물 안에 충만케 된다(엡 1:22~23).

하나님의 선물

바울은 그리스도 안에 있는 새로운 자식공동체가 예전에 어떠한 존재였는지를 설명한다. 그들 또한 전에는 허물과 죄로 죽었던 자들이었다. 이 세상 풍속을 좇았던 자들이다. 그들도 동일하게 지금 불순종의 자식들 가운데서 역사하는 영 곧 공중 권세 잡은 자를 따랐었다. 따라서 다 육체의 욕심을 따라 지냈기에 본질상 진노의 자녀였다. 그러나 긍휼하심이 풍성하신 하나님의 큰 사랑을 인해 죄와 허물로 죽었던 자들을 그리스도와 함께 살리시고, 함께 일으키시고, 함께 하늘에 앉히심으로 전혀 새로운 자식공동체로 창조하신 것이다. 이것은 전적인 하나님의 은혜다. 우리의 행위로 된 것이 아니다. 그저 이 놀라운 은혜를 인해 믿음으로 구원을 얻어 새로운 공동체가 되었기에 인간이 자랑할 것은 없다. 오직 영광의 찬송만을 돌리는 존재가 된 것이다. 따라서 우리 곧 교회가 그리스도 안에서 새로운 자식공동체가 된 것은 전적인 하나님의 선물이다(엡 2:1~10).

새로운 자식공동체의 본질

바울은 하나님께서 그 기쁘신 뜻대로 새로운 자식공동체를 그리스도의 피와 성령의 인침으로 재창조하셨음을 선포한다(엡 2:10 참조). 따라서 하나님이 그리스도 안에서 만드신 자식공동체는 세상의 존재들과 전혀 다른 하나님의 새로운 자식공동체다. 이것이 아브라함으로부터 시작되었던 언약의 성취다. 바울은 이제 비로소 에베소 공동체에게 "그러므로 생각하라"고 말한다(엡 2:11). 에베소의 새로운 자식공동체는 예전에는 이방인이요, 무할례당이라 칭함을 받은 자들이었다. 그때는 영적으로는 그리스도 밖에 있었고, 육적으로는 이스라엘 나라 밖에 있던 자들이다. 곧 언약 밖에 있던 자들이었다. 그러나 이제는 다르다. 지금은 그리스도 예수 안에서 그의 피로 인해 새롭게 창조된 자식공동체 안에 들어온 자들이다. 예수 안에서 우주적 교회의 한 몸이 된 것이다. 따라서 에베소의 자식공동체는 더 이상 외인도 아니고 손님도 아니다. 오직 성도들과 동일한 천국의 시민이요, 하나님의 권속이다. 바울은 하나님의 새로운 자식공동체는 십자가로 인해 모든 원수 된 것들을 소멸해 화평케 된 전혀 다른 공동체임을 선언한다. 더 이상 하나님의 새로운 공동체 안에서는 유대인과 이방인의 구별이 없을 뿐 아니라 예수 그리스도 안에서 한 몸, 한 성전으로 함께 지어져 간다(엡 2:11~22).

비밀의 경륜

바울은 이방인이 그리스도 안에서 하나님의 새로운 자식공동체가 되는 것을 하나님의 비밀이라고 말한다. 이방인이 그리스도 안에서 한 몸이 되어 함께 하나님의 후사가 되고, 지체가 되고, 약속에 참예한 자가 되는 것은 비밀이다. 이 비밀은 영원부터 만물을 창조하신 하나님 속에 감취어진 것이었다. 그러나 이제는 하나님의 비밀의 경륜을 밝히 드러내는 때가 되었다. 이방인에게 그리스도 안에서 성취된 이 풍성한 은혜의 비밀을 알리는 것이 바울의 사명이다. 바울은 이방이 그리스도의 자식공동체로 돌아오기 위해 기꺼이 갇힌 바 되었다. 이방인을 포함한 하나님의 새로운 자식공동체 곧 교회로 말미암아 하늘에서 정사와 권세들에게 하나님의 각종 지혜를 알게 하신다. 이것이 영원부터 우리 주 예수 그리스도 안에서 예정하신 하나님의 뜻이다. 그러므로 하나님의 새로운 자식공동체는 전 우주적인 공동체로 하나님의 영원한 영광을 드러내고 찬미하는 존재로 나아간다. 따라서 새로운 자식공동체는 그리스도 안에서 믿음으로 담대함으로 하나님께 나아가야 한다(엡 3:1~13).

새로운 자식공동체의 목표

그리스도 안에서 새롭게 창조된 하나님의 자식공동체는 그 부르심에 합당한 삶을 살아야 한다. 그것은 모든 겸손과 온유함 그리고 오래 참음과 사랑 가운데서 서로 용납하고 평안의 매는 줄로 성령의 하나 되게 하신 것을 힘써 지키는 삶이다. 각 지체는 그리스도 안에서 받은 선물대로 서로 섬겨야 한다. 새로운 자식공동체에 주신 선물 가운데는 영적 지도자들이 있다. 사도와 선지자와 복음 전하는 자와 목사와 교사다. 이들의 역할은 성도를 온전케 하여 봉사의 일을 하게 하며 그리스도의 몸을 세우는 것이다(엡 4:11~12). 이 몸 된 교회는 창세 전부터 계획되고 구약시대와 신약시대를 지나면서 예수를 머릿돌로 하여 선지자들과 사도들의 터 위에 세워졌다. 그러나 성령이 선지자와 사도에게 나타내신 것처럼 다른 세대에는 사람의 아들들에게 알게 하지 않으셨다. 이제는 복음의 시대이기 때문이다. 이제는 하나님의 새로운 자식공동체의 복음 전파로 말미암아 이방인들이 예수 그리스도 안에서 함께 후사가 되고 함께 지체가 되고 함께 약속에 참예하는 자가 되는 것이다(엡 2:20, 3:5~6). 이것이 새로운 자식공동체의 목표다. 따라서 하나님의 새로운 자식공동체는 하나님의 아들을 믿는 것과 아는 일에 하나가 되어 온전한 사람을 이루어 그리스도의 장성한 분량이 충만한 데까지 이르게 된다. 서로 돕고, 연락하고, 상합해 그리스도에게까지 자라가야 한다(엡 4:1~16).

새로운 자식공동체의 삶

하나님의 새로운 자식공동체는 더 이상 이방인이 그 마음의 허망한 것으로 행함같이 살아서는 안 된다. 그들은 총명이 어둡고, 무지함과 굳어진 마음으로 인해 하나님의 생명에서 떠나 있다. 그들은 감각 없는 자가 되어 자신을 방탕에 방임하며 모든 더러운 것을 욕심으로 행하는 자들이다. 그러나 이제 새로운 자식공동체는 다르다. 그리스도 안에 있는 진리를 배운 대로 살아야 한다. 어떻게 이러한 새로운 삶이 가능한가? 그것은 옛 사람을 벗어 버리고 심령으로 새롭게 되는 것으로부터 시작된다. 새로운 자식공동체는 하나님을 따라 의와 진리의 거룩함으로 지으심을 받은 새 사람을 입어야 한다. 새로운 자식공동체는 거짓을 버려야 한다. 이웃으로 더불어 참된 것을 말해야 한다. 분을 내어도 죄를 짓지 말아야 하며 해가 지도록 분을 품지 않음으로 마귀가 틈을 타지 못하게 해야 한다. 도적질하는 자는 다시 도적질하지 말고 빈궁한 자에게 구제할 것이 있게 하기 위해 제 손으로 부지런히 수고해 선한 일을 해야 한다. 더러운 말은 입 밖에도 내지 말고 오직 덕을 세우는 데 소용되는 대로 선한 말을 해서 듣는 자들에게 은혜를 끼쳐야 한다. 모든 악독과 노함과 분냄과 떠드는 것과 훼방하는 것을 모든 악의와 함께 버려야 한다. 서로 인자하게 하고 불쌍히 여기며 서로 용서하기를 하나님이 그리스도 안에서 우리를 용서하심같이 해야 한다. 하나님의 새로운 자식공동체는 이러한 새로운 삶을 살아 성령을 근심치 말게 해야 한다. 이것이 성령 안에서 구속의 날까지 인침을 받은 새로운 자식공동체의 삶이다(엡 4:17~32).

새로운 자식공동체를 향한 하나님의 뜻
하나님의 새로운 자식공동체는 그리스도 안에서 빛이다. 그러므로 이제는 빛의 자녀들처럼 살아야 한다. 빛의 열매는 모든 착함과 의로움과 진실함이다. 바울은 빛 된 에베소의 새로운 자식공동체에게 때가 악하므로 세월을 아끼고 주의 뜻이 무엇인지 이해하라고 권한다. 그러면 진정으로 새로운 자식공동체에게 원하시는 하나님의 뜻은 무엇인가? 그것은 "술 취하지 말라 이는 방탕한 것이니 오직 성령으로 충만함을 받으라"(엡 5:18)는 것이다.

하나님의 새로운 자식공동체에게 주시는 첫 번째 뜻은 술 취하지 말라는 것이다. 술은 타락한 세상의 대표적인 현상을 나타낸다. 술은 사람을 취하게 하고 혼미함 가운데 하나님의 뜻을 떠나 방탕에 거하게 한다. 따라서 술에 취하지 않는 것이 하나님의 뜻이다. 두 번째는 오직 성령의 충만을 받는 것이 하나님의 뜻이다. 성령의 충만을 받을 때에만 새로운 자식공동체가 진정한 하나님의 자녀다운 삶을 살 수 있다. 이것이 하나님의 자식공동체의 삶의 열쇠이다. 새로운 자식공동체의 삶은 성령 안에서만 온전함을 갖기 때문이다. 성령 안에서 그리스도를 경외하며 피차 복종하는 삶이 진정한 자식공동체의 삶의 모든 영역에 적용된다. 성령 안에서 남편과 아내가 세상의 부부와 전혀 다른 삶을 살게 된다. 성령 안에서 부모와 자식 간의 진정한 사랑과 공경의 삶을 살게 된다. 성령 안에서 상전과 종들의 진정한 섬김의 새로운 세상이 창조된다. 성령 안에서 누구를 대하든 주께 하듯 함으로 전혀 새로운 삶을 살게 되는 것이다. 그러므로 하나님의 새로운 자식공동체는 오직 성령의 충만을 받아야 한다.

하나님의 전신갑주

바울은 마지막으로 하나님의 새로운 자식공동체에게 마귀의 궤계를 능히 대적하기 위해 하나님의 전신갑주를 입으라고 명한다. 새로운 자식공동체의 싸움은 혈과 육에 대한 것이 아니라 정사와 권세와 어두움의 세상 주관자들과 하늘에 있는 악한 영들과의 싸움이기 때문이다. 그러므로 새로운 자식공동체는 하나님의 전신갑주를 취해야만 한다. 그래야만 악한 날에 능히 대적하고 모든 일을 행한 후에 온전히 설 수 있기 때문이다. 그러면 하나님의 전신갑주는 무엇인가? 그것은 진리의 허리 띠, 의의 흉배, 평안의 복음이 예비한 신, 믿음의 방패, 구원의 투구와 성령의 검 곧 하나님의 말씀이다. 이것에 무시로 성령 안에서 기도를 더하는 것이다. 진리, 의, 복음, 믿음, 구원, 말씀, 기도로 안팎이 무장된 하나님의 새로운 자식공동체를 상상해 보라. 그들은 그리스도 안에서 그 힘의 능력으로 강건해져서 넉넉히 마귀의 궤계를 물리치고 세상 끝 날까지 복음 전파의 사명을 온전히 감당할 것이다(엡 6:10~18).

빌립보 자식공동체에 보낸 메시지

❶ 빌립보의 새로운 자식공동체와 바울의 상황

빌립보에 세워진 새로운 자식공동체는 하나님 나라 확장의 새로운 이정표다. 빌립보 교회는 예루살렘에서 시작된 하나님 나라가 온 유대와 사마리아를 거쳐 땅 끝으로 나아갈 때 유럽으로 방향을 잡은 후 세워진 첫 교회였다. 바울은 2차 선교 사역을 아시아 쪽으로 생각하고 있었다. 그러나 성령께서 아시아에서 말씀을 전하지 못하게 하시고, 드로아에서 마게도냐 사람의 "건너와서 우리를 도우라"는 환상을 보이심으로 유럽으로 방향을 바꾸게 하신다(행 16:6~10). 땅 끝까지 하나님의 새로운 자식공동체를 부르는 데 하나님의 계획이 극적으로 나타나면서 선교의 주체가 하나님이심을 보여 준다. 바울은 성령의 뜻에 순종해 유럽으로 건너갔고 그곳에 처음으로 하나님의 새로운 자식공동체가 세워진다. 빌립보 자식공동체의 첫 성도는 자주 장사 루디아와 간수의 가족들이다. 이들을 씨앗으로 해서 유럽의 자식공동체가 세워진다. 그후 3차 선교 사역 후 로마 감옥에 갇혔을 때 빌립보 공동체는 바울을 수종들 형제로 에바브로디도를 보냈다. 바울은 에바브로디도 편에 빌립보 공동체의 사랑을 받았다(빌 4:18). 또한 여러 소식에 대해 듣게 되었다. 따라서 감사와 공동체가 당면한 문제에 대해 성경적 해법을 제시하고자 서신을 쓴 것이다.

❷ 하나님의 메시지

첫날부터 이제까지

빌립보에 자식공동체가 세워진 기간인 2차 선교는 대략 주후 52년경이다. 바울이 로마의 옥중에서 서신을 보냈다면 주후 61년경이다. 그러므로 '첫날부터 이제까지'는 개척부터 서신을 받는 때이므로 약 9년의 기간을 의미한다. 그동안 빌립보의 자식공동체는 주의 복음 안에서 잘 세워져 갔다. 바울은 옥중에서 빌립보 공동체를 생각할 때마다 하나님께 기쁨으로 간구했다(빌 1:3~5). 바울은 빌립보의 새로운 자식공동체 속에서 착한 일을 시작하신 하나님께서 그리스도 예수의 날까지 이루어 가실 것을 확신한다.

기쁨이 식어가는 자식공동체

빌립보의 자식공동체가 바울의 서신을 받을 때는 '감독들과 집사들과 모든 성도들'의 규모 있는 공동체로 세워졌다(빌 1:1). 특히 빌립보 공동체는 옥중에 갇혀 있는 바울을 돕기 위해 에바브로디도를 보내 섬기도록 했다. 바울은 에바브로디도 편에 빌립보 공동체의 소식을 듣게 되었다. 9년여 동안에 빌립보 공동체가 성장하면서 내부에서 분열이 생겼다. 분열의 원인은 유오디아와 순두게였다. 그들은 빌립보 자식공동체의 영향력 있는 부녀들이었다. 그들은 전에 바울과 함께 복음에 힘쓰던 자들이었다(빌 4:2~3). 그러나 현재는 공동체를 분열시키는 상황이었다. 분열의 영이 역사하면 공동체 안에 기쁨이 사라진다.

기쁨을 회복하는 원리

바울은 빌립보 자식공동체에게 보내는 그의 서신에서 '기쁨'이란 명사와 '기뻐하라'는 동사를 18회나 사용한다. 바울은 유럽의 첫 자식공동체인 빌립보 교회가 진정으로 그리스도 안에서 기쁨을 다시 회복하길 원했다. 따라서 바울은 자식공동체에게 "마음을 같이하여 같은 사랑을 가지고 뜻을 합하며 한마음을 품어"라고 권한다(빌 2:2). 이것이 공동체가 기쁨을 회복하는 원리다. 그러면 어떻게 서로 한마음을 회복할 수 있는가? 바울은 오직 그리스도 예수의 마음을 품으라고 한다. 예수의 마음은 하나님의 새로운 자식공동체가 품어야 하는 유일한 마음이다. 그 마음은 어떤 마음인가? 그리스도 예수의 마음은 근본 하나님의 본체시나 하나님과 동등됨을 취할 것으로 여기지 아니하신 마음이다. 오히려 자기를 비워 종의 형체를 가져 사람들과 같이 되신 마음이다. 사람이 되어서 자기를 낮추시고 죽기까지 복종하신 마음이다. 곧 십자가에 죽기까지 하신 마음이다(빌 2:5~8). 바로 이 예수의 자기 버림의 마음이 하나님의 새로운 자식공동체의 모든 지체들이 품어야 하는 마음이다. 그래야만 진정한 자식공동체의 기쁨이 회복될 수 있다.

자식공동체의 모델들

바울은 분열의 아픔 가운데 있는 빌립보 공동체에게 진정한 종의 마음을 가진 모델들을 소개한다. 종의 마음을 가진 모델의 원조는 예수 그리스도다. 그리스도의 비하는 자신의 능동적 의지로 진행된다. 그러나 비하(卑下) 이후에 그리스도가 다시 모든 이름 위에 가장 뛰어난 이름으로 하늘에 있는 자들이나 땅에 있는 자들과 땅 아래 있는 자들이나 예수의 이름에 무릎을 꿇는 승귀(昇貴)는 전적으로 수동적이다. 하나님께서 그리스도를 지극히 높여 모든 입으로 예수를 주라 시인하게 하신다(빌 2:5~11). 바울은 새로운 하나님의 자식공동체가 이제는 능동적으로 높아지려고 했던 첫 아담의 마음을 다 버리고 둘째 아담이신 예수의 능동적으로 낮아지고 버리는 마음을 품어야 함을 선언한다. 이것이 예수의 제자공동체의 도이다.

바울이 소개하는 두 번째 모델은 바울 자신이다. 바울은 복음의 진보를 위해 갇힌 자 되었음에도 불구하고 예수 그리스도의 심장으로 빌립보 공동체를 진정으로 사랑하는 모습을 보인다(빌 1:8, 12).

세 번째 모델은 디모데다. 바울은 "그리스도 예수의 종 바울과 디모데"(빌 1:1)라고 디모데를 소개한다. 그리고 디모데를 속히 빌립보 공동체에게 보내 그들의 사정을 자세히 알아 위로받기를 원한다. 바울은 디모데를 보내겠다고 하면서 디모데 외에는 뜻을 같이 해 빌립보 자식공동체의 사정을 진실히 생각할 자가 없다고 했다. 다른 이들은 모두 자기 일을 구하고 그리스도의 일을 구하지 않기 때문이다. 그러나 디모데는 끝까지 변치 않고 바울 곁에서 자식이 아비에게 함같이 종의 마음으로 복음을 위해 섬겼다(빌 2:19~22).

마지막으로 바울은 종의 마음을 품은 모델로 에바브로디도를 소개한다. 에바브로디도는 빌립보 공동체가 바울을 돕기 위해 파송한 빌립보 공동체의 일꾼이었다. 에바브로디도가 바울을 섬기는 중에 깊은 병에 들었다. 바울을 섬기러 왔던 그가 오히려 바울의 짐이 되었다. 그러나 에바브로디도는 죽을 병에 걸렸어도 자기 목숨을 돌아보지 않고 그리스도와 바울을 섬겼다. 하나님은 이처럼 충성된 에바브로디도를 고쳐 주셨고 바울은 그를 속히 빌립보 공동체에게 보낸다. 그의 편에 빌립보 서신이 들려졌을 것이다. 바울은 에바브로디도를 '나의 형제, 함께 수고하고 함께 군사 된 자, 너희 사자로 나의 쓸 것을 돕는 자' 라고 소개한다(빌 2:25).

손할례당에 대한 경고

바울은 빌립보 공동체에게 "주 안에서 기뻐하라"(빌 3:1)고 격려하면서 "개들을 삼가고 행악하는 자를 삼가고 몸을 상해하는 일을 삼가라"(빌 3:1~2)고 한다. 이들은 누구인가? 그들은 바울이 전도한 지역마다 다니면서 구원론을 변질시키는 소위 율법주의자들이다. 그들은 은혜 안에서 예수 그리스도를 믿음으로만 구원 얻는 것을 부인하고 율법과 할례를 주장하던 자들이었다. 그러나 바울은 하나님의 성령으로 봉사하고 그리스도 예수로 자랑하고 육체를 신뢰하지 아니하는 자신들이 곧 할례당이라고 했다. 그러면서 자신의 유대인으로서의 정체성과 전력을 소개한다. 그러나 그는 자신의 전통적 가치관과 전력을 다 해로 여긴다고 고백했다. 심지어 배설물처럼 여긴다고 했다. 왜냐하면 예수 그리스도의 십자가 안에서 발견된 진리는 그 어떤 것과도 비교할 수 없는 것이었기 때문이다. 그 안에서 바울은 자신이 가진 의가 율법의 행위 때문이 아니라 오직 그리스도를 믿는 믿음으로 말미암아 갖게 된 하나님께로서 난 의임을 안 것이다. 그러므로 바울은 그리스도 안에서 믿음으로 얻는 의 외에 율법과 할례를 통한 의를 주장하는 자들을 삼가라고 강력히 선포한다.

자식공동체의 시민권

바울은 하나님의 자식공동체는 이제 하나님이 위에서 부르신 부름의 상을 위해 좇아가야 함을 천명한다. 부름의 상을 따라가는 것이 이 땅의 자식공동체의 푯대다. 바울은 빌립보 공동체 안에 이러한 삶을 살지 아니하고 십자가의 원수로 사는 자들에 대해 경고한다. 그들은 하나님의 자식공동체의 자유를 육체의 기회로 삼는 자들이다. 그들의 신은 자신들의 배다. 그 영광은 부끄러움에 있고 땅의 일을 생각하는 자들이다. 그들의 결국은 멸망이다. 바울이 이들에 대해 여러 번 말했으나 회개하지 않았다. 지금도 다시 눈물을 흘리며 말한다. 왜 이런 자들이 나타났는가? 하나님의 새로운 자식공동체의 정체성을 상실했기 때문이다. 자식공동체는 더 이상 땅의 사람들이 아니다. 그리스도 안에 있는 새로운 자식공동체의 시민권은 하늘에 있다. 그들은 하늘로서 구원하는 자 곧 예수 그리스도를 기다리는 자들이다.

그러면 예수 그리스도께서 다시 오시면 어떤 일이 일어나는가? 그는 만물을 자기에게 복종하게 하실 수 있는 자의 역사로 우리 낮은 몸을 자기 영광의 몸의 형체와 같이 변하게 하실 것이다(빌 3:10~21). 이것이 하나님의 새로운 자식공동체의 완성된 모습이다. 그러므로 더 이상 세상의 것들을 추구해서는 안 된다. 구원을 통해 얻은 자유를 방종의 기회로 삼지 말고 천국시민답게 살아야 한다.

자식공동체의 삶의 비결

바울은 하늘의 시민권을 가진 빌립보의 자식공동체를 자신의 기쁨이요 면류관이라고 선포하며 오직 주 안에 서라고 권한다. 주 안에서 같은 마음을 품으라고 권한다. 주 안에서 항상 기뻐하라고 권한다. 이것이 하나님의 새로운 자식공동체의 삶의 비결이다. 주 안에서 살아가는 것이다. 주 안에서 관용을 모든 사람들에게 알게 해야 한다. 아무것도 염려하지 말고 오직 모든 일에 기도와 간구로 구할 것을 감사함으로 하나님께 구해야 한다. 그러면 하나님의 평강이 그리스도 예수 안에서 그들의 마음과 생각을 지키실 것이다. 하나님의 자식공동체는 무엇에든지 참되어야 한다. 무엇에든지 경건해야 한다. 무엇에든지 옳아야 한다. 무엇에든지 정결해야 한다. 무엇에든지 사랑할 만해야 한다. 무엇에든지 칭찬할 만해야 한다. 배우고 받고 듣고 본 바를 행해야 한다. 그리하면 평강의 하나님이 그들과 함께하실 것이다(빌 4:1~9).

골로새 자식공동체에 보낸 메시지

❶ 골로새의 새로운 자식공동체와 바울의 상황

골로새 지역에 세워진 하나님의 새로운 자식공동체는 바울이 직접 세운 교회는 아니었다. 골로새 공동체는 바울의 얼굴을 직접 보지 못했다(골 2:1). 그러면 골로새 지역에 어떻게 하나님의 새로운 자식공동체가 세워졌을까? 바울은 그리스도의 신실한 일꾼인 에바브라를 통해 골로새 공동체가 세워졌다고 한다(골 1:7). 에바브라는 바울과 함께 종 된 자요, 바울의 사랑을 입은 자다. 에바브라는 골로새와 라오디게아와 히에라볼리 지역 자식공동체를 세우고 많은 수고로 섬긴 자이다(골 4:13). 바울은 에바브라를 통해 골로새에 하나님의 새로운 공동체가 세워졌다는 소식을 들은 날부터 기도를 그치지 않았다고 했다(골 1:9). 바울은 골로새 공동체를 자신이 직접 세우진 않았지만 동역자인 에바브라를 통해 세워진 공동체를 자신이 개척한 것과 다름없이 대하고 있다. 바울의 마음속에는 모든 하나님의 자식공동체가 동일한 하나님의 가족이었기 때문이다 (골 2 :1~2 참조).

3차 선교 사역 후에 바울은 로마의 셋집에 연금된 상황이었고 에바브라가 그를 방문해 더욱 자세하게 골로새 공동체의 상황을 듣게 되었다(골 4:12). 골로새 공동체는 복음 안에서 아름다운 열매를 맺으며 자라가고 있었다(골 1:6). 반면에 골로새 공동체에 몇 이단들이 들어와 공동체를 위협하는 일들이 벌어지고 있었다. 따라서 바울은 골로새에 서신을 보냄으로 새롭게 자라가는 공동체를 격려하고 이단으로부터 그들을 보호하고자 했다. 바울은 이 서신을 두기고와 오네시모 편에 골로새 공동체에게 보낸다(골4:7~9). 그리고 골로새 공동체가 이 서신을 읽은 후에 라오디게아의 공동체에게도 보내 읽도록 했다(골 4:16).

❷ 하나님의 메시지

아들과 그의 나라

바울은 골로새 지역에 세워진 하나님의 새로운 자식공동체의 정체성을 명백하게 보여 준다. 그들은 그 아들 안에서 구속 곧 죄 사함을 받은 자들이다. 바울은 이것을 흑암의 권세에서 그의 사랑의 아들의 나라로 옮겨진 것이라고 했다(골 1:13~14). 그러면 그 아들은 누구인가? 그는 보이지 아니하시는 하나님의 형상이다. 모든 피조물보다 먼저 나신 자다. 만물이 그에게서 창조되었다. 하늘과 땅에서 보이는 것들과 보이지 않는 것들과 혹은 왕권들이나 주권들이나 통치자들이나 권세들이나 만물이 다 그로 말미암고 그를 위해 창조되었다. 그가 만물보다 먼저 계시고 만물이 그 안에서 함께 서는 것이다. 또한 그는 몸인 교회의 머리다. 그는 근본이시며 죽은 자들 가운데 먼저 나심으로 만물의 으뜸이 되셨다. 아버지 하나님은 모든 충만으로 예수 안에 거하게 하셨다. 그의 십자가의 피로 화평을 이루사 만물 곧 땅에 있는 것들이나 하늘에 있는 것들이 그로 말미암아 자기와 화목하게 되기를 기뻐하셨다. 따라서 아들 안에서 그의 피로 새롭게 태어난 자식공동체는 거룩하고 흠 없고 책망할 것이 없는 자로 세워진다(골 1:15~22).

하나님의 비밀

바울은 그리스도의 남은 고난을 그의 몸 된 교회를 위해 자신의 육체에 채운다고 했다. 복음 전파로 인해 갇혀 있음을 말하는 것이다. 그는 교회의 일꾼 곧 복음의 일꾼 된 것을 기뻐했다. 바울은 왜 고난 가운데도 기뻐할 수 있는가? 그것은 새로운 자식공동체 안에 계신 그리스도가 만세와 만대로부터 감춰졌던 비밀인데 이제는 그의 성도들에게 나타났기 때문이다. 하나님이 이제는 비밀 되신 그리스도의 영광을 이방인 가운데 풍성하게 알리신다. 그는 곧 영광의 소망이다. 그러므로 이제 교회의 사명은 하나님의 비밀인 아들을 전파하는 것이다. 그를 전파해 각 사람을 권하고 모든 지혜로 각 사람을 가르쳐야 한다. 각 사람을 그리스도 안에서 완전한 자로 세우기 위함이다. 바울은 이것을 위해 갇혔고 자기 속에서 능력으로 역사하시는 자를 따라 힘을 다해 수고하는 것이다(골 1:23~29). 따라서 바울이 직접 만나지 못한 골로새 공동체와 라오디게아 공동체를 위해 힘껏 기도하고 섬기는 것은 오직 그들이 마음에 위안을 받고 사랑 안에서 연합해 원만한 이해의 모든 부요에 이르러 하나님의 비밀인 그리스도를 깨닫게 하려는 것이다. 하나님의 비밀이신 그리스도 안에는 지혜와 지식의 모든 보화가 감춰져 있다(골 2:1~3).

거짓 가르침들

바울은 골로새의 새로운 자식공동체에게 그리스도 예수를 주로 받았으니 그 안에서 행하라고 권한다. 곧 그 안에 뿌리를 박고, 세움을 입어 교훈을 받은 대로 믿음에 굳게 서서 감사함을 넘치는 삶을 살라고 한다. 그래야만 어떤 철학과 헛된 속임수로 공동체를 노략하는 것을 막을 수 있기 때문이다. 바울은 당시 골로새 공동체에 침입한 거짓 가르침들에 대해 경고한다.

그러면 골로새 공동체에 침입한 거짓 가르침들은 무엇인가? 첫째는 철학과 헛된 속임수의 거짓 가르침이다. 그들은 사람의 유전과 세상의 초등학문을 좇았다(골 2:8). 이것은 소위 초기 영지주의로 어떤 영적 '지식'을 깨달음으로 구원에 이를 수 있다고 주장했다. 그러나 바울은 오직 예수 그리스도만이 하나님의 보이지 않는 형상이시고, 창조주시며 구원자이심을 선포함으로 거짓 철학의 가르침을 반박한다. 둘째는 유대주의자들이다. 그들은 할례와 음식법과 절기를 지켜야 구원을 받는다고 주장한 자들이다(골 2:8, 11, 16 참조). 그러나 바울은 새로운 자식공동체는 오직 예수 그리스도 안에서 손으로 하지 아니한 할례를 받는 것이라고 반박한다(골 2:11). 또한 구약의 절기는 그림자에 불과해 그리스도 안에서 다 이루어졌음을 가르친다(골 2:17). 또한 유대주의자들은 천사 숭배와 금욕주의를 통해 골로새 공동체를 미혹했다(골 2:18, 23). 천사 숭배는 예수께서 하나님과 자식공동체 사이의 중보자가 되심을 거부하고 천사를 통해 하나님께 나아갈 수 있다는 것이다. 금욕주의는 육체의 지나친 절제를 통해 인간의 의로 하나님께 나아갈 수 있음을 의미한다. 그러나 바울은 이러한 거짓 미혹에 대해 오직 하나님의 아들 예수 그리스도만이 유일한 중보자며 그의 십자가의 고난으로 우리가 온전히 흑암의 권세에서 아들의 나라로 옮겨졌음을 선언하여 하나님의 자식공동체를 거짓 가르침으로부터 보호한다.

새로운 자식공동체의 삶

바울은 골로새 공동체에 침투한 이단에 대해 오직 하나님의 아들이신 예수 그리스도를 통해서 모든 거짓 가르침을 반박한다. 오직 예수 안에서 모든 비진리들의 근거와 주장을 무너뜨린다. 이러한 교리적 논쟁 후에 바울은 그리스도와 함께 다시 살리심을 받은 새로운 자식공동체의 삶에 대해 가르친다. 그리스도 안에 있는 새로운 공동체의 삶은 한마디로 위의 것을 찾는 삶이다(골 3:1). 이 땅에 사는 하나님의 새로운 자식공동체는 이제 그리스도가 하나님 우편에 앉아 계신 위의 세상을 바라보며 사는 자들이다. 이제 땅의 것은 생각지 말아야 한다. 이제는 땅의 것에 대해 죽은 자들이고 위의 것에 대해 산 자들이기 때문이다.

그러면 땅에 있는 무엇을 죽여야 하는가? 그것은 음란과 부정과 사욕과 악한 정욕과 탐심 곧 우상 숭배다. 이것들을 인해 하나님의 진노가 임한다. 예전에는 다 이 가운데서 살았지만 이제는 새로운 하나님의 자식공동체 안에 속했기에 모든 것을 벗어버려야만 한다. 분과 악의와 훼방과 입의 부끄러운 말이다. 이처럼 하나님의 새로운 자식공동체는 땅의 것을 벗어 버리고 새 사람을 입은 자들이다. 새 사람은 자기를 창조하신 자의 형상을 따라 지식에까지 새롭게 함을 받은 자들이다. 이것은 무슨 말인가? 새로운 자식공동체 안에는 헬라인과 유대인과 할례파와 무할례파와 야만인이나 스구디아인이나 종이나 자유인이나 분별이 있을 수 없다. 오직 그들이 만유이신 그리스도 안에서 한 가족이 되었기 때문이다(골 3:2~11). 그러므로 이제는 하나님이 택하신 거룩하고 사랑받는 자로서 살아야 한다. 그것은 서로 긍휼히 여기는 삶이다. 자비와 겸손의 삶이다. 온

유와 오래 참음으로 옷 입는 삶이다. 주께 받은 그대로 서로 용납하며 용서하는 삶이다. 이 모든 것 위에 사랑을 더해야 한다. 또한 그리스도의 평강이 마음을 주장하고 그리스도의 말씀이 풍성히 거하는 삶을 살아야 한다. 이러한 그리스도 안의 새로운 삶은 부부와 부자간의 가정에서부터 이루어져야 한다. 그리고 사회의 모든 영역에서 이루어져 세상을 변화시켜야 한다(골 3:12~4:1 참조). 바울은 끝으로 하나님께서 자신과 동역자들에게 전도의 문을 여시사 그리스도의 비밀을 말하게 하도록 기도해 달라고 당부한다(골 4:2~3).

데살로니가 자식공동체에 보낸 메시지

❶ 데살로니가의 새로운 자식공동체와 바울의 상황

바울은 2차 선교 사역 중에 데살로니가 공동체를 세운다. 데살로니가에는 유대인의 회당이 있었다. 바울은 세 번의 안식일에 회당에서 성경을 강론했다. 그는 성경을 풀어 그리스도의 고난과 십자가의 죽으심과 부활을 증언했다. 그리고 예수가 곧 그리스도라고 선포했다. 이 복음을 듣고 경건한 헬라인의 큰 무리와 많은 귀부인이 바울과 실라를 따랐다. 그러나 유대인들은 불량배를 동원해 성을 소란하게 했고 야손의 집을 침입했으나 바울과 실라를 찾지 못했다. 유대인들은 야손이 천하를 어지럽게 하는 자들을 받아들였다며 읍장들에게 처벌을 요구했다. 야손과 일행은 보석금을 내고 풀려난다. 이 사건 때문에 바울과 실라는 더 이상 데살로니가에서 복음을 전하지 못하고 베뢰아로 떠난다(행 17:1~9). 이처럼 데살로니가

공동체는 3주간의 전도를 통해 세워진 하나님의 새로운 자식공동
체였다.

바울은 데살로니가 전도 후에 베뢰아와 아덴을 거쳐 고린도에
이른다. 바울은 고린도에서 약 1년 6개월 동안 머물며 하나님의 새
로운 자식공동체를 세운다. 바울은 이 기간 동안 다시 데살로니가
공동체를 한두 번 방문하려 했다. 그러나 사탄의 방해로 무산되었
다(살전 2:17~18). 데살로니가 공동체를 향한 바울의 마음은 간절했
다. 아덴에 있던 바울은 자신이 재방문을 하지 못하게 되자 베뢰아
에서 미처 함께 피하지 못한 디모데를 대신 보냈다(살전 3:2; 행 17:14
참조). 그리고 고린도에 머물 때에 디모데가 도착해 데살로니가 공
동체의 소식을 가져온다(살전 3:6; 행 18:5). 디모데를 통해 들은 데살
로니가 공동체의 소식은 매우 고무적이었다. 이 소식은 외롭고 힘
든 바울의 선교사역에 큰 기쁨과 위로가 되었다(살전 3:6~7). 그러나
디모데는 기쁜 소식과 더불어 데살로니가 공동체의 문제도 가져왔
다. 그것은 데살로니가 공동체가 당한 환난과 공동체 안에 있는 음
란과 성도의 죽음에 대한 비탄의 태도 그리고 종말에 대한 오해의
문제였다. 바울은 이러한 형편 가운데 있는 데살로니가 공동체에게
두 편의 서신을 보내 그들을 위로하고 격려한다.

❷ 하나님의 메시지

칭찬받는 공동체

바울은 데살로니가 공동체를 통해 하나님께 감사한다. 3주라는
짧은 기간의 전도를 통해 하나님의 새로운 공동체가 세워졌는데

모범이 되는 공동체로 소문이 났기 때문이다. 데살로니가의 자식 공동체는 이미 마게도냐와 아가야의 모든 믿는 자의 본이 되었다. 그들을 통해 하나님의 말씀이 마게도냐와 아가야에 들렸고, 하나님을 향한 그들의 믿음의 소문이 각처에 퍼졌다. 마게도냐와 아가야의 성도들 간에는 바울 일행이 어떻게 데살로니가에 가서 전도한 것과 그들이 우상을 버리고 하나님께로 돌아와서 살아계시고 참되신 하나님을 섬기는 것에 대한 이야기들이 퍼졌다. 또한 그들은 데살로니가 공동체가 부활하신 예수 그리스도의 재림을 기다리는 자들이라고 했다(살전 1:2, 7~10). 사실 데살로니가 공동체는 믿음의 역사와 사랑의 수고와 소망의 인내가 균형잡힌 공동체였다(살전 1:3). 그들은 많은 환난 가운데서 성령의 기쁨으로 도를 받아 바울 일행과 주를 본받는 자가 되었다(살전 1:6).

어미와 아비의 마음으로 섬긴 공동체

바울은 데살로니가 공동체를 섬긴 것이 결코 헛되지 않았다고 확신한다. 데살로니가에 하나님의 새로운 자식공동체를 세우는 것은 치열한 싸움을 통한 결과였다. 바울은 자신이 데살로니가 공동체를 아첨의 말이나 탐심의 탈을 쓰고 섬기지 않고 오직 하나님 앞에서 하나님을 힘입어 섬긴 것임을 증거한다. 바울은 사람을 기쁘게 하고, 사람의 영광을 위해 섬긴 것이 아니다. 바울은 진정으로 데살로니가의 새로운 하나님의 공동체를 사랑했다. 마치 유순한 어미의 마음으로 섬겼다. 바울은 복음으로만이 아니라 자신의 목숨까지도 데살로니가 공동체를 위해 주기를 즐겨했다. 따라서 바울은 데살로니가 공동체의 개인 누구에게도 누를 끼치지 않기 위해 밤낮으로 일하면서 복음을 전했다. 또한 바울은 아비가 자기 자녀에게 권면하고 위로하고 경계하듯이 데살로니가 공동체에게 그들을 부르사 자기 나라와 영광에 이르게 하시는 하나님께 합당히 행하라고 권했다(살전 2:1~12).

고난받는 공동체

데살로니가의 새로운 자식공동체는 바울을 통해 전해진 말씀을 사람의 말로 받지 않고 하나님의 말씀으로 받았다. 따라서 하나님의 말씀이 믿는 자들 속에서 역사했다. 말씀의 역사는 고난을 이기게 한다. 데살로니가 공동체는 고난에 있어서도 그리스도 예수 안에서 유대에 있는 하나님의 교회를 본받았다. 유대에 있는 하나님의 자식공동체가 유대인들로부터 핍박을 받은 것같이 데살로니가 공동체는 자기 나라 사람들에 의해서 동일한 고난을 받았다. 사실 하나님의 새로운 자식공동체의 정체성과 가치는 이 세상의 것들과 상반된다. 따라서 세상으로부터 하나님의 새로운 자식공동체가 고난을 당하는 것은 어떤 면에서 당연하다. 새로운 자식공동체는 아래 세상의 것이 아니라 위의 세상의 것을 찾아 사는 자들이기 때문이다. 바울은 이처럼 핍박 중에도 잘 견디고 승리하는 데살로니가 공동체를 다시 방문하려 애썼다. 그러나 사탄의 방해로 실패하고 만다. 바울은 베뢰아에 머물고 있던 디모데를 대신 보내 데살로니가 공동체를 위로한다(살전 2:13~3:10 참조).

거룩한 공동체로서의 삶

바울이 아덴을 지나 고린도에 도착해 복음을 전파한 후 디모데가 데살로니가로부터 도착한다(살전 3:6a; 행 18:5). 디모데는 데살로니가의 좋은 소식(살전 1:2~10, 2:13, 3:6~10)과 더불어 나쁜 소식도 갖고 왔다. 후자는 데살로니가 공동체 안에 있는 문제였다. 그중의 하나가 음란 문제다. 데살로니가 자식공동체의 일원 가운데는 예수를 믿으면서도 하나님을 모르는 이방인들처럼 색욕을 좇는 자들이 있었다. 따라서 바울은 새로운 자식공동체를 향한 하나님의 뜻을 가르치고 경계한다. 하나님은 뜻은 새로운 자식공동체의 거룩함이다. 그들은 더 이상 음란을 따라 살면 안 된다. 각각 거룩함과 존귀함으로 자기의 아내를 취해야 한다. 분수를 넘어 다른 형제를 해하지 말아야 한다. 하나님께서 새로운 공동체를 부르신 것은 부정하게 하심이 아니라 거룩하게 하심이기 때문이다. 그러므로 음란을 행하는 것은 사람을 저버리는 것이 아니라 새로운 자식공동체에 성령을 주신 하나님을 저버리는 것이다(살전 4:1~8).

재림을 준비하는 삶

데살로니가의 새로운 자식공동체는 예수 그리스도께서 다시 오심을 기다리는 재림 신앙을 갖고 있었다. 그러나 재림에 대한 올바른 지식을 갖지 못했기에 잘못된 현상들이 나타났다. 죽은 자들에 대한 지나친 비탄의 마음들이 있었다. 따라서 바울은 자는 자들에 관해 그들이 알기를 원했다. 그래야 소망 없는 다른 사람들처럼 슬퍼하지 않기 때문이다. 예수 안에서 자는 자 곧 죽은 자들은 예수께서 재림하실 때 함께 데리고 오실 것이다. 주께서 강림하실 때에 살아 있는 자들이 결단코 먼저 예수 안에서 자는 자들보다 앞설 수 없다. 예수께서 호령과 천사장의 소리와 하나님의 나팔로 하늘로부터 재림하실 때 그리스도 안에서 죽은 자들이 먼저 일어날 것이다. 그 후에 살아남은 자도 먼저 일어난 자들과 함께 구름 속으로 끌어올려 공중에서 주를 영접할 것이다. 그리하여 새로운 자식공동체 모두가 항상 주와 함께 있을 것이다. 그러므로 이 진리 안에서 자식공동체는 서로 위로해야 한다.

또한 재림의 때와 시기는 아무도 알 수 없다. 주의 재림은 밤에 도적이 이름같이 예고 없이 갑자기 이를 것이다. 사람들이 '평안하다, 안전하다'고 할 그때에 잉태된 여자에게 해산의 고통이 이름과 같이 멸망이 갑자기 이를 것이다. 이 날은 아무도 피할 자가 없다. 그러나 하나님의 새로운 자식공동체는 빛의 자녀들이기에 어두움 가운데 있는 자들처럼 그날이 도적같이 오지 않는다. 그러므로 하나님의 자식공동체는 세상 사람들처럼 자지 말고 오직 깨어 근신하며 믿음과 사랑의 흉배를 붙이고 구원의 소망의 투구를 쓰고 그날을 준비해야 한다(살전 4:13~5:9).

예수와 함께 사는 삶

바울은 그리스도 예수 안에 있는 하나님의 새로운 자식공동체가 어떤 존재인지 명백히 밝힌다. 그것은 예수께서 새로운 자식공동체를 위해 죽으신 이유다. 왜 예수는 새로운 공동체를 위해 죽으셨는가? 그것은 새로운 자식공동체로 하여금 깨든지 자든지 자기와 함께 살게 하려 하심이다(살전 5:10). 여기서 '깨든지, 자든지'의 문맥상의 의미는 '살아 있든지 죽었든지'의 뜻이다. 다시 말하면 예수께서 십자가에 죽으신 이유는 새로운 자식공동체가 이미 죽어 천국에 있든지 아직 살아 있어 지상에 있든지 예수 그리스도와 함께 살게 하심이라는 것이다. 사실 이미 지상의 삶을 마친 아브라함을 비롯한 수많은 신앙의 선배들은 천국에서 예수와 함께 살고 있다. 아직 이 땅에 있는 자들도 예수와 함께 사는 것이다.

그러므로 이제 그리스도 안에서 예수와 함께 사는 하나님의 새로운 자식공동체는 서로 권면하고, 서로 덕을 세우며, 서로 화목해야 한다. 또한 규모 있는 삶을 살아야 한다. 약한 자들을 안위하고 힘이 없는 자들을 붙들어 주며 모든 사람에 대해 오래 참아야 한다. 누구에게든 악으로 악을 갚지 말고 모든 사람을 대할 때 항상 선을 좇아야 한다. 항상 기뻐하고, 쉬지 말고 기도하고, 범사에 감사하는 것이 그리스도 예수 안에 있는 새로운 자식공동체를 향한 하나님의 뜻이다. 성령을 소멸치 말며, 예언을 멸시치 말고, 범사에 헤아려 좋은 것을 취하고, 악은 모양이라도 버려야 한다. 예수 그리스도께서 강림하실 때까지 온 영과 혼과 몸이 흠없이 보전되어야 한다. 미쁘신 하나님께서 이것을 이루어가실 것이다(살전 5:10~24).

두 번째 편지의 메시지

바울은 데살로니가 공동체에 첫 번째 서신을 보낸 지 얼마 되지 않아 다시 두 번째 서신을 보낸다. 바울이 서두에서 실루아노와 디모데를 소개하는 것을 볼 때, 두 번째 서신 또한 2차 선교기간 동안에 보냈을 것이다. 고린도에서 1년 6개월 동안 선교하는 동안 보냈을 것이다. 두 번째 서신의 내용은 데살로니가 공동체의 모습이 어떠했는지 잘 보여 준다. 그들의 믿음은 더욱 자랐고 공동체의 사랑은 더욱 풍성해졌다(살후 1:3). 반면에 핍박과 환난은 여전했다. 그럼에도 불구하고 데살로니가 공동체는 잘 인내해 여러 교회의 본이 되었다(살후 1:3~4). 하나님은 예수께서 재림하실 때에 환난받게 하는 자들에게는 환난으로 갚으시고 환난받는 자들은 안식으로 갚으심으로 공의를 나타내실 것이다. 그때에는 하나님을 모르는 자들과 예수의 복음에 복종하지 않는 자들에게 영원한 형벌이 임한다. 그러나 그날에 하나님의 자식공동체는 재림하시는 예수께 영광을 돌릴 것이다(살후 1:6~10).

재림에 대한 가르침

바울은 첫 번째 서신에서 어떤 재림신앙을 가져야 하는지 가르쳤다. 그러나 두 번째 서신의 내용을 볼 때 데살로니가 공동체 안에서 처음보다 더욱 심각한 상황이 벌어진 것을 알 수 있다. 세상으로부터 오는 핍박과 환난이 더욱 거세지면서 데살로니가 공동체 내에 어떤 사람들은 재림에 대해 잘못된 생각들을 가졌다. 그들 중에는 영으로나 말로나 심지어 바울에게 받았다는 편지를 통해 주의 재림이 매우 임박했다고 생각해 규모 없이 무위도식하거나 두려워하는 자들이 생겼다. 그러나 바울은 이러한 주장들에 대해 미혹되지 말라고 경계한다.

바울은 자연스럽게 재림 전에 있을 징조들에 대해 가르친다. 먼저 배도하는 일들이 벌어진다. 그리고 불법의 사람 곧 멸망의 아들이 나타나기 전에는 재림이 이르지 않는다. 불법의 사람은 대적하는 자다. 그는 신이라고 불리는 모든 것과 숭배함을 받는 자 뒤에 대항하고 하나님 성전에 앉아 자기를 보여 하나님이라 할 것이다. 그는 그의 때에 나타나게 하기 위해 지금은 막고 있다. 불법의 비밀이 이미 활동했으나 지금은 막는 자가 있다. 그때는 불법한 자가 나타날 것이다. 그러나 주 예수께서 그 입의 기운으로 저를 죽이시고 강림해 나타나사 그를 폐하실 것이다. 악한 자는 사탄의 역사를 따라 모든 능력과 표적과 거짓 기적과 불의의 모든 속임으로 멸망하는 자들에게 임할 것이다. 그때에 진리를 믿지 않고 불의를 좋아하는 모든 자들은 심판을 받게 된다. 그러므로 하나님의 새로운 자식공동체는 잘못된 재림사상에 미혹되지 말고 굳게 서서 재림에 대한 바른 가르침을 받은 대로 행해야 한다(살후 2:1~15).

또한 이제는 규모 없이 행해서는 안 된다. 바울은 자신과 일행이 데살로니가 공동체에게 누를 끼치지 않으려고 일한 것을 본받아 규모 있게 일하라고 권한다. 각 성도는 조용히 일해 자기 양식을 먹어야 한다(살후 3:6~12). 하나님의 새로운 자식공동체는 그리스도 안에서 일상의 규모 있는 삶을 살면서 재림을 맞이하는 자들이기 때문이다.

디모데에게 보낸 메시지

❶ 디모데에게 보낸 첫 번째 메시지

바울은 로마의 셋집에 2년간 연금된 후 풀려난다. 그리고 소위 4차 선교 사역을 시작한다. 사도행전은 바울의 사역에 대해 그의 회심으로부터 시작해서 3차 선교 사역 후 로마 감옥에 연금되어 하나님 나라를 전파하는 것으로 끝난다(행 9, 28장). 그러나 자신의 영적 아들인 디모데에게 보낸 첫 번째 서신을 보면 바울이 그 이후에 4차 선교 사역을 한 것을 알 수 있다. 바울은 마게도냐로 갈 때에 디모데를 에베소에 머물게 한다(딤전 1:3). 3차 여행시 개척했던 에베소의 자식공동체에 심각한 위기가 닥쳤기 때문이다. 따라서 디모데에게 보낸 서신은 에베소의 자식공동체에게 보낸 서신과 같다. 바울은 디모데의 에베소 공동체 목회를 통해 하나님의 교회를 건강하게 세우려 서신을 써 보낸 것이다(딤전 3:14~15).

에베소 자식공동체의 문제점

바울의 에베소의 자식공동체에 대한 관심은 지대했다. 바울이 세운 공동체 중에서 에베소 공동체처럼 오랜 기간 사역하며 섬긴 공동체가 없었다. 바울은 밀레도에서 에베소의 장로들과 눈물로 작별할 때 자기가 떠난 후에 흉악한 이리가 들어와서 양 떼를 아끼지 아니할 것을 예견했었다. 그리고 에베소 공동체 중 일부가 그들을 따라 어그러진 말을 하는 자들이 일어날 것을 조심하라고 경고했었다(행 20:29~31). 그런데 그 경고가 현실이 됐다. 에베소 공동체 안에 신화와 끝없는 족보에 착념하는 자들이 있었다(딤전 1:4). 그들은 율법의 선생이 되어 변론을 일삼지만 자기의 말하는 것이나 자기의 확증하는 것조차 깨닫지 못하는 자들이다(딤전 1:7). 그들은 양심을 버렸고 믿음에 대해서는 파선한 자들이다. 그 가운데 대표적인 자가 후메내오와 알렉산더였다. 그들은 에베소 공동체에서 출교당한 자들이다(딤전 1:19~20).

바울은 '후에' 곧 에베소 공동체의 미래뿐 아니라 재림의 시기에 배교하는 것에 대해 경고한다(딤전 4:1). 어떤 자들은 믿음에서 떠나 미혹케 하는 영과 귀신의 가르침을 좇을 것이다. 그들은 양심이 화인 맞아서 외식함으로 거짓말을 하는 자들이다. 혼인을 금하고 식물을 폐하며 금욕주의를 주장할 자들이다(딤전 4:1~5). 바울은 디모데에게 이러한 상황에서 거짓 교사들의 가르침을 금하게 하고 에베소 공동체를 잘 섬겨 주의 교회를 온전히 세우라고 당부한다.

자식공동체를 위한 선한 싸움

바울은 디모데에게 에베소 공동체에 들어온 이단들을 경계한 후 선한 싸움을 싸우라고 격려한다. 바울은 디모데에게 "전에 너를 지도한 예언을 따라 그것으로 선한 싸움을 싸우며"(딤전 1:18)라고 한다. 사실 디모데는 루스드라 출신으로 아버지는 헬라인이었고 어머니는 유대인이었다. 디모데는 모태신앙으로 외조모 로이스와 어머니 유니게로부터 믿음을 전수받았다(딤후 1:5). 이렇게 믿음 안에서 자라던 디모데는 바울의 2차 선교 사역 중에 만나 그의 믿음의 아들로 훈련받고 동역자가 된다. 이때부터 바울은 하나님의 말씀으로 디모데를 가르치고 디모데와 동역한다. 바울은 디모데에게 이제 그동안 지도받은 말씀을 따라 에베소 공동체를 섬기도록 한다. 바울은 디모데의 목회를 선한 싸움이라고 표현했다. 바울 또한 자신의 평생의 사역을 선한 싸움이라고 했다(딤후 4:7). 하나님의 새로운 자식공동체를 위해 말씀을 통해 선한 싸움을 싸우라는 것이다. 따라서 영적 지도자는 믿음과 착한 양심을 갖고 모든 사람을 위해 간구와 기도와 도고와 감사를 해야 한다.

자식공동체의 지도자들

바울은 에베소 자식공동체의 지도자들 가운데 미혹되어 사탄에게 내어 준 자들이 나타났던 것을 염려하며 자식공동체 지도자의 자격을 제시한다. 먼저 감독은 책망할 것이 없어야 한다. 한 아내의 남편이 되며, 절제하며, 신중하며, 단정하며, 나그네를 대접하며, 가르치기를 잘하며, 술을 즐기지 아니하며, 구타하지 아니하며, 오직 관용하며, 다투지 아니하며, 돈을 사랑하지 아니하며, 자기 집을 잘 다스려 자녀들로 모든 단정함으로 복종하게 하는 자라야 한다. 새로 입교한 자를 세워서는 안 된다. 교만해져서 마귀를 정죄하는 정죄에 빠지기 쉽기 때문이다. 또한 감독은 외인에게도 선한 증거를 얻은 자라야 한다. 그렇지 않으면 비방과 마귀의 올무에 빠지게 되기 때문이다. 집사들 또한 단정하고 일구이언을 하지 말아야 한다. 술에 인 박히지 말아야 한다. 그리고 더러운 이를 탐하지 말아야 한다. 깨끗한 양심에 믿음의 비밀을 가진 자라야 한다. 집사들은 한 아내의 남편이 되고 자녀와 자기 집을 잘 다스리는 자가 되어야 한다. 바울은 이 직분을 시험해 보고 자격이 되면 세우라고 권한다(딤전 3:1~13).

자식공동체를 섬기는 지도자의 진보

바울은 디모데에게 그리스도 예수의 선한 일꾼이 되어 믿음의 말씀과 선한 교훈으로 양육받으라고 한다. 바울은 디모데에게 영적 지도자는 망령되고 허탄한 신화를 버리고 오직 경건에 이르기를 연습해야 한다고 권한다. 육체의 연습은 약간의 유익이 있으나 경건은 범사에 유익해 금생과 내생에 약속이 있기 때문이다. 바울은 영적 지도자들이 이것을 위해 수고하고 진력해야 한다고 가르친다. 그들은 소망을 하나님께 둔 자들이기 때문이다. 또한 영적 지도자는 연령에 관계없이 오직 말과 행실과 사랑과 믿음과 정절에 대해 믿는 자의 본이 되어야 한다. 바울은 디모데에게 자기가 도착할 때까지 읽는 것과 권하는 것과 가르치는 것에 착념하라고 한다. 바울은 디모데 속에 있는 은사를 조심스럽게 사용하고 모든 일에 전심전력하여 너의 성숙함을 모든 사람에게 나타나게 하라고 권한다. 지도자의 경건과 은사의 사용과 전심전력하는 성숙함이 지도자 자신과 공동체를 세우기 때문이다(딤전 4:6~16).

자식공동체를 섬기는 원리

바울은 연소한 디모데에게 하나님의 자식공동체를 어떻게 구체적으로 섬겨야 하는지 가르친다. 그것은 하나님의 자식공동체 안에 있는 다양한 구성원들에 대한 섬김이다.

"늙은 노인들을 꾸짖지 말고 권하되 아비에게 하듯 하라. 젊은 이들을 형제같이 대하라. 여자 노인들에게는 어머니에게 하듯 하라. 젊은 여자에게는 온전히 깨끗함으로 자매에게 하듯 하라. 참 과부를 경대하라. 과부에게 자녀나 손자들이 있다면 먼저 자기 집에서 효를 행하여 부모에게 보답하기를 배우게 하라. 이것이 하나님 앞에 받으실 만한 것이다. 참 과부로서 외로운 자는 하나님께 소망을 두고 주야로 항상 간구와 기도를 하게 하라. 하나님의 자식공동체는 누구든지 자기 친족 특히 자기 가족을 돌아보아야 한다. 그렇지 않으면 불신자보다 더 악한 자다. 잘 다스리는 장로들에 대해서는 배나 존경할 자로 알라. 특히 말씀과 가르침에 수고하는 이들을 더욱 존경하라. 장로에 대한 송사는 두세 증인이 없으면 받지 말라. 영적 지도자는 공동체를 편견 없이 대해야 한다. 아무에게나 경솔히 안수하지 말고 다른 사람의 죄에 간섭하지 말고 자신을 지켜 정결하게 해야 한다. 또한 공동체 안에 속한 종들은 상전들을 형제라 하여 가볍게 여겨서는 안 된다. 오히려 그리스도 안에서 더 잘 섬겨야 한다"(딤전 5:1~6:2).

"공동체 안에 부한 자들은 마음을 높은 데 두어서는 안 된다. 또한 정함이 없는 재물에 소망을 두지 말고 오직 모든 것을 후히 주사 누리게 하시는 하나님께 소망을 두어 선한 일을 행하고 선한 사업에 부하고 나눠 주기를 좋아하며 동정하는 자가 되어야 한다"(딤전 6:17~19).

자식공동체가 피할 것과 따를 것

바울은 마지막으로 디모데에게 하나님의 사람이 무엇을 피하고 무엇을 따라야 하는지 말한다. '먼저 공동체 안에서라도 누구든지 다른 교훈을 말하고 예수 그리스도의 말씀과 경건에 관한 교훈에 착념치 아니하면 그들을 좇아서는 안 된다. 그들은 교만해서 아무것도 알지 못하면서 변론과 언쟁을 좋아하는 자이다. 그로 말미암아 투기와 분쟁과 훼방과 악한 생각이 난다. 그들은 마음이 부패해지고 진리를 잃어버려 경건을 단지 이익의 재료로 생각하는 자들이다'(딤전 6:3~5). 에베소 공동체에는 이미 이것을 좇아 믿음에서 벗어난 자들이 있었다. 바울은 디모데에게 거짓된 지식의 망령되고 헛된 말과 변론을 피하라고 권한다(딤전 6:20~21). 또한 돈을 사랑하지 말라고 한다. 돈을 사랑함이 일만 악의 뿌리이기 때문이다. 돈을 사랑하는 자들은 미혹을 받아 믿음에서 떠나 많은 근심으로써 자기를 찌른다(딤전 6:10). 하나님의 사람은 이것들을 피하고 의와 경건과 믿음과 사랑과 인내와 온유를 좇아야 한다. 오직 믿음의 선한 싸움을 싸워야 한다. 영생을 취해야 한다. 왜냐하면 이것을 위해 부르심을 입었기 때문이다. 하나님의 사람은 우리 주 예수 그리스도가 나타나실 때까지 점도 없고 책망 받을 것도 없이 이 명령을 지켜야 한다. 오직 하나님만이 만왕의 왕이시며 만주의 주이시기 때문이다. 하나님의 사람과 그의 공동체는 오직 하나님께만 존귀와 영원한 능력을 돌려야 한다(딤전 6:11~21).

❷ 디모데에게 보낸 두 번째 메시지

바울이 디모데에게 보낸 두 번째 서신은 로마 감옥에 갇혔을 때 쓴 것이다(딤후 1:8, 12, 16, 17, 2:9, 4:6). 바울이 첫 번째 로마 감옥에 갇혔을 때는 셋집에 연금되어 있었기 때문에 비교적 자유가 있어 하나님의 말씀을 강론하며 전도할 수 있었다(행 28장). 그러나 두 번째 로마 감옥에 갇혔을 때는 상황이 매우 심각했다. 당시 로마 황제였던 네로(주후 54~68년)가 하나님의 새로운 자식공동체를 크게 핍박했기 때문이다. 바울은 자신이 어떻게 순교할 것을 이미 알고 있었다(딤후 4:6). 그러나 바울의 마지막 투옥 때에 늘 함께했던 디모데는 없었다. 그는 여전히 에베소에서 바울의 당부대로 목회를 하고 있었다. 바울은 이제 디모데에게 마지막 서신을 보내면서 속히 자기에게 돌아오기를 당부한다(딤후 4:9). 마치 부모가 임종 직전에 자식을 찾는 것과 같다. 바울은 디모데에게 이 서신을 통해 유언적 메시지를 전한다. 그러나 바울의 이 마지막 서신은 단지 디모데 개인에게만 보낸 것이 아니다. 여전히 에베소에 있는 하나님의 새로운 자식공동체와 이 땅의 모든 성도들에게 보낸 것이다. 바울은 신약성경 가운데 13권의 서신을 썼는데 디모데후서가 바울의 마지막 서신서다. 그러므로 디모데에게 보낸 두 번째 서신에서 바울의 마지막 심정과 사명 그리고 바울을 통한 마지막 하나님의 메시지가 선포된다.

고난보다 큰 사명

바울은 디모데후서에서 자신이 로마 감옥에 갇혀 있음을 암시하는 표현을 무려 여섯 번에 걸쳐 기록한다(딤후 1:8, 12, 16, 17; 2:9, 4:6). 그는 자신이 복음을 위해 갇혀 있는 것에 대해 디모데가 두려워하거나 부끄러워하지 말 것을 당부한다(딤후 1:7~8). 왜냐하면 복음을 위해 고난당하는 것이 마땅하기 때문이다. 사실 바울은 회심한 이후로 고난의 삶을 살았다. 그가 회심하기 전에는 유대교의 유력한 자로 장래가 촉망되었지만 예수 그리스도를 만난 다음에 오히려 그의 삶은 고난의 연속이었다. 인생의 마지막 순간까지, 선교 사역의 결과는 투옥과 순교였다. 그러나 바울은 고난을 두려워하거나 부끄러워하지 않았다.

바울이 이처럼 고난 가운데서도 승리한 근본적 원인은 무엇인가? 그는 자신이 복음을 위해 선포자와 사도와 교사로 세움을 입은 자임을 알았기 때문이다(딤후 1:11). 바울은 이를 인해 고난을 받는 것을 부끄러워하지 않는 이유를 명백히 말한다. 그것은 자신이 의뢰하는 하나님을 자신이 알고, 자신이 하나님께 의탁한 것을 마지막 날까지 하나님이 능히 지키실 것을 확신했기 때문이다(딤후 1:12). 하나님에 대한 전적인 신뢰와 사명감이 세상이 감당할 수 없는 바울이 되도록 이끈 것이다. 따라서 바울은 오히려 복음을 위해 고난을 받아야 한다고 생각했고, 디모데에게도 오직 하나님의 능력을 좇아 복음과 함께 고난을 받으라고 권한다(딤후 1:8). 하나님의 새로운 자식공동체는 세상을 거슬러 살아가는 자들이기에 필연적으로 세상의 물결에 부딪힐 수밖에 없다. 그것이 때로는 고난의 형태로 나타난다. 그러나 충만한 사명감은 고난의 파고를 넉넉히 넘고도 남는다. 바울은 인생의 마지막까지 사명으로 고난을 이기고 있는 것이다.

전수되는 사명

바울은 자신이 사랑하는 아들이며 밤낮 기도하는 가운데 쉬지 않고 생각하는 디모데에게 "그리스도 예수 안에 있는 은혜 가운데서 강하라"고 당부한다(딤후 2:1). 바울은 자신의 영적 아들인 디모데에게 놀라운 사역의 원리를 가르친다. 그것은 "네가 많은 증인 앞에서 내게 들은 바를 충성된 사람들에게 부탁하라 그들이 또 다른 사람들을 가르칠 수 있으리라"(딤후 2:2)는 것이었다. 여기에 하나님 나라 사명의 전수 원리가 있다. 그 사명 전수의 원리는 예수 그리스도로부터 시작된다. 그리고 바울이 부활하신 예수를 만나 사명자로 변화된다. 모태신앙이었던 디모데는 2차 선교 여행 중 바울을 만나 사명자로 세워진다. 이제 디모데는 충성된 사람들에게 사명을 전수할 차례다. 그들은 또 다른 사람들을 가르쳐 그들을 사명자로 세울 것이다. 여기에 '예수, 바울, 디모데, 충성된 사람들, 또 다른 사람들'로 이어지는 사명 전수의 원리가 5대에 걸쳐 나타나고 있다. 그들은 그리스도 예수의 좋은 군사들로서, 경기하는 자처럼, 농부처럼 하나님의 일을 마땅히 감당할 자들이다(딤후 2:3~6).

자식공동체를 지키는 사명

바울은 선교를 통해 세워진 자식공동체를 계속해서 섬기는 방법으로 본인이 직접 공동체를 방문하거나 자신이 갈 수 없는 경우에는 동역자들을 보냈다. 그리고 서신을 통해 하나님의 메시지를 전했다. 에베소의 자식공동체에게는 디모데를 보내 섬기게 했는데 특히 디모데의 사명 중 하나는 이단으로부터 공동체를 지키는 것이었다. 바울이 디모데에게 보낸 첫 번째 편지에서도 등장했던 거짓 교사들은 두 번째 편지에서도 여전히 등장한다. 그 대표적인 사람이 후메내오(딤전 1:20; 딤후 2:17)와 빌레도다. 그들은 부활이 이미 지나갔다고 하며 진리를 왜곡하여 어떤 사람들의 믿음을 무너뜨렸다. 이 거짓 교사들은 말다툼에 능한 자들이었다. 망령되고 헛된 말로 불경건함으로 점점 나아간 자들이다. 그들의 말은 독한 창질의 썩어져 감과 같았다. 따라서 바울은 디모데에게 오직 진리의 말씀을 옳게 분변해 공동체를 지킬 것을 당부한다. 디모데의 사명은 이런 자들이 변론이 일으킬 때 다툼으로 하지 않고 온유함으로 참으며 가르치는 것이다. 그럼에도 불구하고 그들이 거역하면 온유함으로 징계해 하나님께로 돌아올 수 있도록 하는 것이다(딤후 2:8~26 참조).

말세의 사명

바울은 그의 서신의 대단원을 마치면서 디모데와 에베소 공동체에게 말세의 사명에 대해 유언적 메시지를 전한다. 말세를 알아야만 대처할 수 있기 때문이다. 바울은 자신을 통해 세워진 세계 곳곳의 하나님의 새로운 공동체들이 마지막 세상에 대해 바르게 알고 그리스도 안에서 대처하기를 원했음에 틀림없다. 말세는 한 마디로 고통당하는 때이다. 바울은 말세에 고통하는 때가 이를 것이라고 했다(딤후 3:1). 그는 말세의 고통하는 때의 특징을 19가지로 말한다. 그것은 '자기 사랑, 돈 사랑, 자긍함, 교만함, 훼방함, 부모를 거역함, 감사하지 않음, 거룩하지 않음, 무정함, 원통함을 풀지 않음, 참소함, 절제하지 못함, 사나움, 선한 것을 좋아하지 않음, 배반함, 조급함, 자고함, 쾌락을 하나님보다 더 사랑함, 경건의 모양은 있으나 경건의 능력은 부인함'이다. 바울은 이러한 마지막 세상으로부터 디모데를 비롯한 하나님의 새로운 자식공동체는 돌아서야 한다고 역설한다. 돌아선다는 것은 그리스도 예수 안에서 경건하게 사는 것을 의미한다. 세상을 거스르며 사는 것이다. 그러므로 진정한 하나님의 자식공동체는 세상으로부터 핍박을 받게 된다(딤후 3:2~12).

그러면 하나님의 자식공동체는 세상으로부터 어디로 돌아서야 하는가? 말세가 되면 될수록 사람들은 더욱 악해지고, 더욱 속일 것이다. 그러나 하나님의 사람들은 배우고 확신한 일에 거해야만 한다. 곧 성경을 배우고 성경말씀에 순종할 때 하나님을 경험한 그 살아 있는 신앙 안에 거하게 되는 것이다. 곧 말씀으로 돌아서는 것이다. 그 말씀은 돌아선 자들을 구원에 이르게 하고, 교훈하고, 책망하고, 바르게 하고, 의로 교육하여 비로소 하나님의 사람으로 온전하게 세우기 때문이다. 곧 하나님의 새로운 자식공동체가 세상으로부터 하나님 나라로 돌아서서 말씀으로 무장되어 모든 선한 일을 행할 준비가 되어야 하는 것이다. 바로 이것이 디모데와 말세의 자식공동체가 받은 사명이다.

유언적 사명

바울은 세상으로부터 돌아서서 말씀 안에서 온전한 하나님의 사람으로 무장된 자 곧 디모데와 말세를 사는 하나님의 새로운 자식 공동체에게 마지막 사명을 명한다. 이것은 바울 개인에게서 오는 것이 아니다. 그것은 하나님 앞과 산 자와 죽은 자를 심판하실 그리스도 예수 앞에서 그의 나타나실 것과 그의 나라를 두고 엄히 명하는 지상 최대의 명령이다. 마치 예수의 마지막 명령과 같다. 그것은 무엇인가? "너는 말씀을 전파하라!"는 명령이다. "때를 얻든지 못 얻든지 항상 힘쓰라 범사에 오래 참음과 가르침으로 경책하며 경계하며 권하라"(딤후 4:1~2)는 것이다. 마지막 때가 이르면 사람들이 바른 교훈을 받지 않고 오히려 자기 사욕을 좇을 스승을 많이 둘 것이다. 또한 귀를 진리에서 돌이켜 허탄한 이야기를 좇을 것이다. 그러나 디모데를 비롯한 모든 하나님의 자식공동체는 모든 일에 근신해 고난을 받으며 전도인의 일을 하며 하나님이 맡기신 직무를 최선을 다해 감당해야 한다(딤후 4:3~5). 바울은 이 마지막 사명을 당부한 후 자신의 순교를 암시한다. 그리고 자신은 선한 싸움을 싸우고 자신의 달려갈 길을 마치고 믿음을 지켰으니 이제 후로는 의로우신 재판장인 예수께서 주실 의의 면류관을 바라본다고 고백한다. 의의 면류관은 바울뿐 아니라 주의 나타나심을 사모하는 모든 하나님의 새로운 자식공동체에게 예비된 것이다.

디도에게 보낸 메시지

❶ 디도와 바울의 상황

디도서는 바울이 같은 믿음을 따라 된 참 아들 디도에게 보낸 서신이다(딛 1:4). 디도는 디모데와 같은 바울의 동역자였다. 디도는 헬라인으로 바울과 바나바와 예루살렘 총회에 함께 갔었다. 바울은 예루살렘에서 유대 기독교인들이 있었음에도 불구하고 디도에게 할례를 행하지 않았다(갈 2:1, 3). 복음의 본질을 지키기 위해서였다. 디도는 바울의 선교사역에 오랫동안 함께한 동역자 가운데 하나였다. 바울이 디모데를 에베소 공동체로 보내 섬기게 했듯이 디도는 고린도 공동체에게 보냈다(고후 8:6, 16~17). 사실 바울이 섬긴 공동체 중 고린도 공동체는 많은 문제가 산적해 있었다. 그만큼 고린도 공동체는 바울의 많은 근심이 되었는데 바울은 디도를 보내 그 문제를 해결하도록 한 것이다.

바울이 디도를 고린도에 보냈다는 것만 보아도 바울이 디도를 얼마나 신뢰했는지 알 수 있다. 디도는 바울과 동일한 마음을 갖고 고린도 공동체에게 가서 그들을 섬겼다. 바울은 디도가 자원해 갔다고 말한다(고후 8:17). 바울에게 디도는 동무요, 동역자였다(고후 8:23). 디도는 바울의 기대처럼 고린도 공동체를 잘 섬겨 기쁜 소식을 가져왔다(고후 7:6~9, 13). 이처럼 디도는 바울의 동역자로서 하나님의 새로운 자식공동체를 섬겼다. 바울은 로마의 셋집에서 연금기간이 지나 풀려난 후 그레데를 방문했다. 그리고 동행했던 디도를 그곳에 남겨두고 왔다(딛 1:5). 그 후에 바울이 그에게 서신을 보낸 것이 디도서다.

❷ 하나님의 메시지

바로 세워야 할 자식공동체

바울은 자신이 디도를 그레데에 남겨 둔 이유를 밝힌다. 그것은 그레데의 자식공동체의 부족한 일을 바로잡고 바울의 명대로 각 성에 장로들을 세워 자식공동체를 온전히 세우기 위함이었다. 그레데 공동체 안에도 복종하지 않고 헛된 말을 하며 속이는 자가 많았는데 특히 할례당 가운데 심했다. 바울은 디도에게 저희의 입을 막으라고 했다. 그들은 더러운 이를 취하려고 마땅치 않은 것들을 가르쳐 집들을 온통 무너뜨리기 때문이다. 그레데인들은 부정적 특징이 있었는데 거짓말을 잘하며 악하며 배만 위하는 게으른 자들이었다. 바울은 디도에게 이들을 엄히 꾸짖어 온전한 믿음을 갖게 하라고 했다. 그래야 그들이 유대인의 허탄한 이야기와 진리를 배반하는 사람들의 명령을 좇지 않을 것이기 때문이다. 그들은 하나님은 시인하나 행위로는 부인하는 가증한 자요, 복종하지 않는 자요, 모든 선한 일을 버리는 자들이었다. 따라서 바울은 디도를 통해 이러한 자들로부터 그레데 공동체를 지키도록 한 것이다.

바울은 또한 공동체를 더욱 강건하게 세우기 위해 디도를 통해 감독을 세우도록 했다. 감독은 하나님의 청지기로서 책망할 것이 없고 자기 고집대로 하지 않으며 급히 분내지 않으며 술을 즐기지 않으며 구타하지 않으며 더러운 이를 탐하지 말아야 한다. 오직 나그네를 대접하며 선을 좋아하며 근신하며 의로우며 거룩하며 절제하며 미쁜 말씀의 가르침을 그대로 지켜야 한다. 그래야만 능히 바른 교훈으로 권면하고 거스려 말하는 자들을 책망해 공동체를 세워갈 수 있기 때문이다(딛 1:5~16).

바른 교훈 안에서 세워지는 공동체

바울은 디도에게 바른 교훈에 합당한 것을 말하라고 권한다(딛 2:1). 바른 교훈 안에서 공동체의 각 지체들이 세워지길 바라는 것이다. 공동체 안에 있는 늙은 남자들은 절제하며 경건하며 근심하며 믿음과 사랑과 인내함으로 온전케 되어야 한다. 늙은 여자들은 행실이 거룩하며 참소치 말며 술의 종이 되지 말며 선한 것을 가르치는 자들이 되고 젊은 여자들을 교훈해 공동체를 세우라고 했다. 젊은 여자들을 교훈하되 그 남편과 자녀를 사랑하며 근신하며 순전하며 집안일을 하며 선하며 자기 남편에게 복종하게 하라고 했다. 이는 하나님의 말씀이 훼방을 받지 않게 하려 함이다. 젊은 남자들 또한 근신하며 세워져야 한다. 바울은 디도가 이처럼 공동체의 지체들을 섬기기 위해 범사에 선한 일의 본을 보이라고 한다. 그래야만 대적하는 자가 부끄러워 공동체를 악하다고 못할 것이기 때문이다. 하나님은 새로운 자식공동체를 구원하시고 양육하시되 그리스도의 영광이 나타나는 소망을 기다리게 하셨다. 하나님께서 자식공동체를 자신의 친백성으로 삼으신 것이다(딛 2:1~14).

성령의 새로운 자식공동체

하나님의 새로운 자식공동체에 속한 자들도 전에는 어리석은 자요, 순종하지 아니한 자요, 속은 자요, 여러 가지 정욕과 행락에 종노릇 한 자요, 악독과 투기로 지낸 자요, 가증스러운 자요, 피차 미워한 자였다. 그러나 이제는 우리 구주 하나님의 자비와 사람 사랑하심을 나타내실 때에 우리의 행위가 아니라 오직 그의 긍휼하심을 좇아 중생의 씻음과 성령의 새롭게 하심을 입은 전혀 새로운 공동체가 된 것이다. 따라서 하나님은 자신의 자식공동체에게 성령을 그리스도 안에서 풍성히 부어 주사 은혜 안에서 의롭다 함을 얻게 하시고 영생의 소망을 따라 상속자가 되게 하신다. 그러므로 바울은 하나님의 자식공동체의 정체성에 대해 디도에게 굳세게 말하라고 권한다. 하나님의 자식공동체가 이처럼 자기 정체성을 분명히 가질 때 선한 일에 힘쓸 수 있다. 그러므로 성령의 새로운 자식공동체는 어리석은 변론과 족보 이야기와 분쟁과 율법에 대한 다툼을 피해야 한다. 이런 것들은 무익하고 헛된 것이기 때문이다. 이단에 속한 사람은 한두 번 훈계한 후에 멀리해야 한다. 그들은 부패해 스스로 정죄한 자로서 죄를 짓기 때문이다(딛 3:10~11).

빌레몬에게 보낸 메시지

❶ 빌레몬과 바울의 상황

빌레몬은 골로새에 있는 하나님의 자식공동체 안에서 유력한 지도자였다. 빌레몬이 골로새 공동체의 지도자였다는 것은 바울이 오네시모를 두기고와 함께 골로새 공동체로 보낸 정황을 통해 알 수 있다. 바울은 오네시모를 골로새로 보내면서 그가 너희에게서 온 사람이라고 했다(골 4:7, 9). 빌레몬서에서는 바울이 오네시모를 빌레몬에게 다시 돌려보낸다고 한다(몬 1:12). 따라서 빌레몬이 골로새 공동체의 지도자임이 명백해진다. 사실 골로새의 자식공동체는 빌레몬의 집에 있는 교회로 불렸다(몬 1:2). 바울은 빌레몬이 사랑을 받는 자요, 동역자라고 했다(몬 1:1). 바울은 하나님께 기도할 때마다 빌레몬을 위해 간구했다. 사실 빌레몬은 바울을 통해 회심한 것으로 보인다(몬 1:19). 바울은 이미 빌레몬의 예수와 성도들에 대한 사랑과 믿음에 대해 듣고 있었다. 바울은 빌레몬의 믿음의 교제가 하나님의 공동체 안에 있는 선을 알게 하고 그리스도께 미치도록 역사한다고 격려한다. 골로새 공동체의 마음이 빌레몬을 통해 평안을 얻었고 바울 또한 빌레몬의 사랑으로 많은 기쁨과 위로를 받았다(몬 1:4~7). 바울은 로마 감옥 셋집에 감금되어 있는 상태에서 빌레몬에게 서신을 보낸다(몬 1:23).

❷ 하나님의 메시지

바울이 빌레몬에게 보낸 오네시모는 사실 빌레몬의 노예였다. 그러나 오네시모는 주인인 빌레몬으로부터 도망쳐 로마까지 간 것으로 보인다. 그곳에서 오네시모는 바울을 만났고 그리스도 안에서 회심한다. 바울은 빌레몬에게 오네시모를 "갇힌 중에서 낳은 아들"이라고 함으로 자신이 로마 감옥의 셋집에 연금되어 있을 때 그가 복음을 듣고 변화되었음을 강력하게 시사한다(몬 1:10). 전에는 오네시모가 빌레몬에게 무익했고 해를 끼쳤으나 이제는 바울과 빌레몬에게 유익한 자가 되었다. 바울은 심지어 자신의 심복이 되었다고 말한다(몬 1:11~12).

이제 바울은 빌레몬에게 오네시모를 돌려보낸다. 오네시모의 주인이었던 빌레몬과의 그리스도 안에서의 관계 회복 없이는 오네시모가 바울과 빌레몬과 같이 하나님의 사역을 감당할 수 없기 때문이다. 그러나 바울은 빌레몬에게 이 문제를 강요하지 않는다. 바울은 마땅히 그리스도 안에서 많은 담력으로 오네시모를 용납하라고 빌레몬에게 명할 수 있으나 그렇게 하지 않는다. 사실 빌레몬 또한 바울을 통해 변화되었다(몬 1:19). 따라서 바울은 영적 권위로 명할 수 있으나 그렇게 하지 않았다. 바울은 사랑을 인해 오히려 빌레몬에게 간청한다. 나이가 많고 그리스도를 위해 갇힌 자가 된 바울이 약한 자이지만 그리스도 안에서 변화된 한 형제를 위해 그의 주인에게 간청하는 것이다(몬 1:8~10).

바울은 오네시모를 계속 곁에 두고 빌레몬을 대신해 복음을 위해 옥에 갇힌 자신을 섬기게 하길 원했다. 그러나 바울은 빌레몬의 승낙을 원했다. 아무리 복음을 위한 선한 일이라도 억지로 되지 아니하고 자의로 이루어지길 원했기 때문이다. 바울은 이 일을 해결하기 위해 오네시모를 빌레몬에게 보낸 것이다. 바울은 더 이상 오네시모를 종처럼 대하지 않고 사랑받는 형제로 대하길 원했다. 바울은 진정으로 주 안에서 관계된 빌레몬도 그렇게 대해 주기를 원했다. 바울은 빌레몬에게 오네시모를 영접할 때 자기를 영접하듯 해달라고 했다. 특히 바울은 만일 오네시모 때문에 빌레몬이 물질적인 손해를 보았다면 그것마저도 자신에게 회계하라고 한다. 바울은 진정으로 빌레몬이 새로운 하나님의 자식공동체 안의 형제로서 오네시모를 온전히 용납해 그리스도 안에서 진정한 화해와 기쁨과 평안을 얻기를 원했다(몬 1:13~21).

2. 히브리서를 통한 자식과 땅 그리고 말씀

❶ 독자와 저자의 상황

```
                                           히브리서
 → 사도행전 (예루살렘/온 유대/사마리아/땅 - - - - - - - - - - - - - - - - -  끝)→
```

히브리서는 저자와 수신자가 분명히 드러나 있지 않다. 학자들마다 바울, 아볼로, 바나바가 저자라고 주장하지만 결론은 누가 정확한 저자인지 알 수 없다. 그러나 인간 저자를 아는 것보다 더욱 중요한 것은 히브리서를 성령이 계시하신 정경으로 교회가 역사 속에서 받아들이도록 하나님께서 섭리하셨다는 것이다. 사실 히브리서는 구약에 대한 해석을 기독론적으로 온전히 해 놓은 하나님의 말씀이기에 저자와 상관없이 성경 정경으로 손색이 없다. 그러면 수신자는 누구인가? 히브리서를 처음 대하는 1차 독자 또한 분명히 누구인지 알 수 없다. 히브리서 자체가 수신자에 대해 명확한 언급을 하지 않기 때문이다. 그러나 히브리서를 연구한 많은 학자들은 히브리서의 수신자들이 디아스포라 유대인들로서 기독교로 개종한 자들로 본다. 정확히 알 수는 없지만 한 가지 확실한 것은 로마 제국 안에서 유대교에서 기독교로 개종한 하나님의 새로운 자식공동체라는 사실이다. 그런데 이들이 유대교에서 기독교로 개종한 다음에 당면한 문제가 있었는데 그들의 지도자였던 저자가 멀리서 이 공동체의 소식을 듣고 그 해결책으로 서신을 써 보낸 것이다.

자식공동체가 당면한 두 문제

히브리서 독자들 곧 하나님의 새로운 자식공동체가 당면한 문제는 사회적 문제와 종교적 문제였다. 그들은 유대교에서 기독교로 개종한 자들이었는데 로마 제국의 극심한 핍박과 사회적 제약에 시달렸다. 당시 로마 제국은 신흥종교인 기독교는 핍박했으나 기존의 유대교는 핍박하지 않았다. 따라서 사회적 핍박 가운데 놓인 히브리서 독자 공동체가 다시 유대교로 돌아가려 했던 것이다. 또한 그들은 수십 년 전의 예수 그리스도의 십자가가 현재 자신들이 날마다 겪는 죄와 죄책감의 문제를 해결하지 못한다고 오해했다. 그러나 유대교는 여전히 제사를 드리면서 현재의 죄를 해결받는 것처럼 보였다. 따라서 그들은 기독교에서 유대교로 돌아가려고 한다. 히브리서 독자 공동체는 당면한 사회적인 핍박과 종교적인 문제를 함께 해결하기 위해 유대교로 되돌아가는 길을 선택하고 있다.

히브리서 저자는 하나님의 자식공동체가 예수 그리스도의 복음을 버리고 유대교로 돌아가려 한다는 소식을 듣고 그것은 바른 방법이 아님을 역설한다. 그는 그들이 당면한 문제를 해결하는 방법은 어제나 오늘이나 영원토록 동일하신 예수 그리스도이심을 선포한다. 결국 그들의 문제는 기독론의 문제다. 곧 예수께서 누구인지 제대로 알지 못했기 때문에 일어난 문제다. 따라서 히브리서 저자는 구원과 삶의 문제가 오직 예수 그리스도를 통해 온전히 해결될 수 있음을 명쾌하게 밝히고 있다.

❷ 하나님의 메시지

오직 예수

히브리서 저자는 하나님의 새로운 자식공동체가 예수 그리스도를 떠나 유대교로 돌아가려는 것에 대해 예수 그리스도가 누구신지를 가르침으로 해결책을 제시한다. 예수 그리스도는 한마디로 그 누구와도 비교할 수 없는 분이다. 저자는 공동체가 유대교로 돌아가려고 하기 때문에 먼저 유대교에서 가장 존귀하게 여기는 대상들과 예수 그리스도를 대비시킨다. 그러나 근본 메시지는 사실상 예수 그리스도와 그 누구도 비교할 수 없다는 의미다. 히브리서 저자는 서두를 예수 그리스도로 시작한다. 옛적에는 하나님께서 선지자들을 통해 말씀하셨지만 마지막 날에는 아들 예수로 하여금 직접 말씀하게 하셨다(히 1:1). 아들 예수는 누구신가? 만유의 후사일 뿐 아니라 모든 세계를 지으신 창조주다. 그는 영광의 광채시며 그 본체의 형상이시다. 그의 능력의 말씀으로 만물을 붙들고 계시며 죄를 정결하게 하는 일을 하시고 지극히 높은 하나님의 우편에 앉으셔서 통치하는 분이다(히 1:2~3). 이 서론은 창조주, 통치자, 구원자, 중보자 곧 왕이신 예수 안에서 우주와 인생의 모든 문제가 온전히 해결될 수 있음을 전제하며 시작한다.

비교할 수 없는 예수

히브리서 독자 공동체가 기독교에서 유대교로 돌아가려는 것은 예수 그리스도에 대한 몰이해에서 비롯되었다. 그들은 자기들을 구원한 예수가 누구인지, 십자가의 의미가 무엇인지, 옛 언약과 새 언약의 차이가 무엇인지 전혀 알지 못했다. 따라서 저자는 그들이 돌아가려고 하는 유대교가 존귀하게 여기는 대상과 예수를 비교한다.

첫 번째 비교 대상은 천사다. 하나님의 아들 예수 그리스도는 천사와 비교할 수 없는 분이다. 사실 유대교에는 천사가 시내 산에서 모세에게 십계명을 전달한 것을 통해 천사를 숭배하는 사상이 있었다. 그러나 히브리서 저자는 그의 사랑하는 공동체에게 천사는 단지 바람으로, 불꽃으로 삼으시고, 부리는 영으로서 구원받을 후사들을 섬기는 존재일 뿐이라고 가르친다(히 1:7, 14). 그러나 하나님의 아들이신 예수는 모든 천사로부터 경배를 받으시는 분이다(히 1:6). 또한 그의 보좌는 영영하며 그의 왕권을 상징하는 홀은 영원할 것이다(히 1:8). 그는 창조자시며 영원하시고 하나님의 원수로 발등상이 되기까지 하나님 우편에 앉아 세상을 통치하실 왕이다(히 1:10, 13). 그러므로 창조주시며 왕이신 아들 예수와 부리는 종인 천사를 비교할 수 없다. 따라서 왕이신 예수를 떠나 천사를 숭배하는 유대교로 돌아가서는 안 된다.

두 번째 비교 대상은 모세다. 유대교는 영적 존재 가운데서는 천사를, 인간 가운데서는 시내 산에서 율법을 받아 전한 모세를 가장 존경했다. 그러나 히브리서 저자는 하나님의 새로운 자식공동체에게 믿는 도리의 사도이며 대제사장이신 예수를 깊이 생각하라고 권한다(히 3:1). 모세는 하나님께 충성한 자이지만 그는 단지 하나님의 온 집에서 종으로 충성했다(히 3:5). 그러나 하나님은 그 집을 지은 자요 예수 그리스도는 그 집을 맡은 아들로서 충성한 것이다 (히 3:4, 6). 그러므로 하나님 집의 종인 모세와 그 집의 주인인 아들과 비교할 수 없다. 따라서 하나님의 아들에 대한 성령의 음성을 들을 때 마음을 강퍅하게 해서는 안 된다. 마음이 강퍅해져서 하나님의 아들을 떠나 모세를 숭배하는 유대교로 돌아가면 안 되기 때문이다. 그러므로 하나님의 새로운 공동체는 매일 피차 권면해 죄의 유혹으로 강퍅하게 되는 것을 면해야 한다(히 3:7~19 참조).

세 번째 비교 대상은 여호수아다. 여호수아는 하나님의 공동체를 약속의 땅인 가나안으로 인도했지만 그때 주어진 안식은 영원한 안식이 아니다. 만약 그것이 진정한 안식이었다면 그후에 다른 날을 말씀하시지 않았을 것이다(히 4:8). 그런데 출애굽한 이스라엘 공동체가 가나안에 들어가지 못한 이유는 말씀에 불순종했기 때문이다(히 4:6). 따라서 더 크고 진정한 안식에 들어갈 자들은 오직 하나님의 말씀에 순종하는 자들이다. 그러므로 이 땅의 하나님의 새로운 자식공동체는 안식에 들어가기를 힘써야 한다. 이는 누구든지 순종하지 아니하는 본에 빠지지 않게 하기 위함이다(히 4:11). 하나님의 말씀은 살았고 운동력이 있어 좌우의 날선 어떤 검보다도 예리해 혼과 영과 및 관절과 골수를 찔러 쪼개기까지 하며 또 마음의 생각과 뜻을 감찰하신다(히 4:12). 그러므로 오직 예수를 통해서만 진정한 안식에 들어갈 수 있다는 성령의 음성 곧 하나님의 말씀이 들릴 때에 마음이 강퍅하게 되어 불순종하면 안 된다. 오직 하나님의 말씀에 순종할 때에만 예수 그리스도 안에서 진정한 안식을 얻을 수 있기 때문이다. 그러므로 근본적인 안식을 주시는 예수를 떠나 구약의 그림자인 여호수아에게로 돌아가면 안 된다.

자식공동체에게 있는 대제사장

히브리서 저자는 본격적으로 예수 그리스도가 하나님의 새로운 자식공동체의 대제사장이심을 선언한다. 그는 하나님의 자식공동체에게 큰 대제사장이 있다고 말한다. 그는 승천하신 자 곧 하나님의 아들 예수다. 저자는 이 대제사장 되신 예수를 믿는 도리를 굳게 잡으라고 한다. 그는 대제사장으로서 하나님의 자식공동체의 연약함을 깊이 동정하는 분이시다. 그는 모든 일에 한결같이 시험을 받으셨지만 죄가 없으신 분이다. 그러므로 하나님의 자식공동체는 긍휼하심을 받고 때를 따라서 돕는 은혜를 얻기 위해 은혜의 보좌 앞에 담대히 나아갈 수 있게 되었다(히 4:14~16).

사실 구약의 대제사장은 사람 가운데서 취한 자로서 백성의 대표로 그들을 위해 하나님께 나아가 예물과 속죄하는 제사를 드리는 자다(히 5:1). 곧 하나님과 자식공동체 사이의 중보자다. 이 직분은 아무나 스스로 취하지 못하고 오직 하나님의 부르심을 받은 자라야 한다(히 5:4). 구약에서는 아론이 이 직분을 받았다. 예수 그리스도 또한 스스로 대제사장이 되신 것이 아니다. 오직 하나님께서 아들을 이미 예언하신 대로 영원히 멜기세덱의 반차를 좇는 대제사장으로 세우신 것이다. 그러므로 이제는 오직 멜기세덱의 반차를 좇은 대제사장인 예수 그리스도를 통해 하나님의 은혜의 보좌 앞으로 나아간다. 더 이상 사람 가운데서 세워진 아론을 통해 나아가지 않아도 된다.

아론의 대제사장직과 예수 그리스도의 대제사장직의 근본적 차이는 예수께서 레위의 후손으로 대제사장이 된 것이 아니라 아론보다 선재한 멜기세덱 제사장의 반열을 따라 하나님께서 세우셨기에 예수 그리스도의 대제사장직이 아론의 대제사장직과 비교할 수 없다고 하는 것이다(히 7:1~10). 사실 아론은 대제사장 되신 예수 그리스도의 그림자요 모형이다(히 8:5). 그림자와 모형은 실체와 원형이 나타나면 사라진다. 따라서 이제 모든 하나님의 새로운 자식공동체는 그들의 대제사장 되신 예수 그리스도를 통해서 하나님께 나아갈 수 있게 된 것이다.

새 언약의 중보자이신 예수 그리스도

대제사장이신 예수 그리스도께서 하나님 우편에 앉아서 하시는 사역은 무엇인가? 무엇보다도 중요한 것은 새 언약의 중보자가 되신 것이다(히 8:1, 6). 그는 하나님의 새로운 자식공동체의 대제사장으로서 하나님과 새로운 자식공동체의 새 언약의 중보자다. 하나님께서 아브라함을 택하셔서 언약을 체결하신 이유는 단 한 가지다. 그것은 "나는 그들에게 하나님이 되고 그들은 내게 백성이 되리라"(히 8:10)는 것이다. 하나님의 새로운 자식공동체를 만들어 함께 사는 하나님의 나라를 세우시는 것이 언약의 핵심 내용이다. 그런데 히브리서 저자는 첫 언약이 흠이 있었기 때문에 둘째 언약이 필요하게 되었다고 선언한다(히 8:7). 하나님께서 새 언약을 세우시겠다는 것은 이미 예레미야 선지자를 통해 예언되었다(히 8:8; 렘 31:31~34 인용). 바로 그 새 언약이 예수 그리스도를 통해 성취되었다(눅 22:20).

첫 언약은 실패하고 새 언약이 성취되었다는 것이 구체적으로 어떤 의미인가? 그것은 첫 언약을 바르게 이해함으로 가능하다. 첫 언약은 다른 말로 옛 언약이다. 곧 구약의 언약이다. 하나님께서 구약에서 맺으신 언약은 무슨 언약인가? 하나님은 구약시대에 아브라함, 이삭, 야곱과 언약을 체결하셨고, 출애굽 시대에는 모세를 대표한 이스라엘 백성과 시내 산 언약을 체결하셨다. 그리고 모압 평지에서 언약을 체결하시고 여호수아가 세겜에서 가나안 신세대와 언약을 체결한다. 그리고 하나님은 다윗과 언약을 체결하신다. 이 언약들이 바로 첫 언약이다. 하나님은 구약 각 시대의 대표들과 언약을 체결하심으로 그들이 모두 동일한 첫 언약에 속한 자들임을 증거하신다. 그러나 인간 편에서 첫 언약을 어기어 언약이 깨지고 만다(히 8:9). 언약의 원리는 피의 언약이다. 언약에는 반드시 피가 있다(히 9:18). 곧 언약을 지키는 것은 생명의 축복을 얻는 것이고 언약을 어기는 것은 죽음의 저주에 처하는 것이다. 그러나 인간이 첫 언약을 어겼기에 첫 언약 아래 있는 인간은 모두 죽음의 저주 아래 놓이게 된 것이다. 그러므로 첫 언약의 대상자인 인간에게는 소망이 없다. 모두 언약의 저주의 면이 형벌 아래 놓여 있기 때문이다.

그러나 하나님께서 그리스도 안에서 은혜의 새 언약을 다시 체결하셨기에 인간은 다시 소망을 갖는다. 새 언약은 하나님이신 예수께서 인간이 되셔서 인간이 범한 첫 언약의 형벌을 대신 당하심으로 첫 언약을 범한 죄를 속하시는 것이다(히 9:15). 따라서 예수 그리스도 안에 있는 인간은 다시 새 언약을 통해 하나님의 새로운 자식공동체에 속하게 된다. 예수 그리스도의 새 언약 안에서 하나님은 진정으로 그들의 하나님이 되시고 그들은 하나님의 온전한 백성으로 새롭게 창조되는 것이다. 사실 아담 이후부터 재림까지 모든 인간은 첫 언약에서 실패해 형벌 가운데 있는 자들이다. 구약시대의 사람들만 첫 언약 가운데 있던 자들이 아니다. 신약시대의 모든 인간들도 사실은 첫 언약을 범한 자들에 속한 자들이다. 여기서 벗어날 수 있는 자는 아무도 없다. 이것이 죄 가운데 있는 인간의 모습이기 때문이다. 역설적으로 예수께서 십자가에서 죄를 속하심으로 첫 언약의 죄를 사하시는 것 역시 그 대상이 아담부터 재림까지 모든 인간의 죄를 속하시는 것이다. 이 관점에서 볼 때 구약의 사람들도 그들이 아직 예수를 모르고 하나님만 믿었다 할지라고 결국은 예수 그리스도의 십자가 피의 효력을 통해 죄 사함을 받게 되는 것이다. 그러므로 오직 예수만이 하나님과 그의 새로운 자식공동체의 언약 관계를 회복하는 유일한 새 언약의 중보자다. 따라서 예수 그리스도 안에서 맺어진 새 언약은 첫 언약과 비교할 수 없는 완전하고 영원한 언약이다(히 10:14, 18).

새로운 자식공동체에게 열린 새 길

히브리서 저자는 그의 독자공동체가 바로 예수 그리스도의 십자가의 새 언약을 통해 하나님과 언약관계가 회복된 새로운 자식공동체임을 증거하고 있다. 새로운 자식공동체는 예수의 피를 힘입어 하나님이 계신 하늘의 지성소에 들어갈 담력을 얻은 자들이다. 그 길은 바로 하나님의 새로운 자식공동체를 위해서 열어 놓으신 새롭고 산 길이다(히 10:19~20). 하나님의 새로운 자식공동체는 마음에 뿌림을 받아 양심의 악을 깨닫고 몸을 맑은 물로 씻은 자들이다. 그러므로 참 마음과 온전한 믿음으로 하나님께 나아가야 한다. 약속하신 이는 미쁘시기에 새로운 자식공동체는 믿는 도리의 소망을 움직이지 말고 굳게 잡아야 한다. 공동체 안에서 서로 돌아보아 사랑과 선행을 격려하며 모이기를 폐하는 어떤 사람들의 습관과 같이 하지 말고 오직 권하여 재림의 날이 가까움을 볼수록 더욱 힘써야 한다(히 10:22~25). 따라서 이제 하나님의 새로운 자식공동체는 진리를 아는 지식을 받은 후 예수를 떠나 죄 가운데로 돌아가서는 안 된다. 다시는 속죄하는 제사가 없기 때문이다.

모세의 법을 폐한 자도 두세 증인을 인해 불쌍히 여김을 받지 못하고 죽었는데 하물며 하나님의 아들을 밟고 자기를 거룩하게 한 언약의 피를 부정한 것으로 여기고 은혜의 성령을 욕되게 하는 자의 당연히 받을 형벌이 얼마나 더 무거울지 생각하고 절대로 예수를 떠나 유대교로 가서는 안 된다. 하나님의 새로운 자식공동체는 예수 그리스도 안에서 전혀 새로운 삶으로 들어왔기 때문이다(히 10:26~29 참조). 하나님의 새로운 자식공동체는 인내함으로 하나님의 뜻을 행해야 한다. 오직 의인은 믿음으로 살아야 한다. 뒤로 물러가면 하나님께서 저를 기뻐하지 않으신다. 왜냐하면 예수 그리스도 안에 있는 새로운 자식공동체는 더 이상 뒤로 물러가 침륜에 빠질 자가 아니라 오직 영혼을 구원함에 이르는 믿음을 가진 자이기 때문이다(히 10:36~39).

새로운 자식공동체의 모범들

히브리서 저자는 믿음이 흔들리는 그의 독자공동체에게 신앙의 선진들을 소개한다. 신앙의 선진들 가운데도 동일한 환난과 역경이 있었지만 그들은 오직 믿음으로 승리했다. 그 믿음을 동일하게 받았으니 그 믿음으로 승리하는 삶을 본받으라는 것이다. 이것은 전형적인 자식 모티프이다. 저자는 믿음으로 모든 세계가 하나님의 말씀으로 지어진 것을 알게 된다는 선포로 시작한다. 아벨, 에녹, 노아, 아브라함, 사라, 이삭, 야곱, 모세, 여호수아, 라합, 기드온, 바락, 삼손, 입다, 다윗, 사무엘, 선지자들 그리고 무명의 하나님의 새로운 자식공동체들이 모두 믿음으로 세상을 이겼다. 이들은 세상이 감당할 수 없는 자들이다.

그러면 그들이 당면한 문제가 무엇인가? 그것은 죽음, 심판의 경고, 갈 바를 알지 못함, 나이 늙어 단산함, 자식을 제물로 드리라는 시험, 아들을 죽이라는 왕의 명, 고난과 능욕, 홍해, 여리고, 나라들, 사자들의 입, 불의 세력, 칼날, 악형, 희롱, 채찍질, 결박, 옥에 갇히는 시험, 돌로 치는 것, 톱으로 켜는 것, 시험, 칼에 죽임을 당함, 유리함, 궁핍, 환난, 학대, 광야, 산중, 암혈, 토굴에서 유리함이다. 이것이 세상을 거슬러 살아가는 하나님의 새로운 자식공동체가 이 땅에서 겪는 문제다. 그러나 신앙의 선진들은 오직 하나님과 예수 그리스도를 믿는 믿음으로 이 모든 것을 이겼다. 믿음으로 세상을 이긴 것이다. 더 나아가 그들은 더 이상 세상이 감당할 수 없는 자들이 되었다. 이것이 하나님의 자식공동체가 하나님께 드리는 가장 큰 기쁨이다. 따라서 히브리서 저자는 믿음의 뒷걸음질 가운데 있는 독자공동체에게 선진들을 본받아 현재의 문제에서 뒤로 물러가 침륜에 빠지지 말고 오직 믿음으로 승리하라고 격려하고 있는 것이다. 그들 또한 동일한 문제에 직면해 있지만 동일한 산 믿음을 가진 자들이기에 넉넉히 이길 것을 확신했기 때문이다 (히 11장 참조).

새로운 자식공동체의 경주

히브리서 저자의 격려는 계속된다. 하나님의 새로운 자식공동체에게는 구름같이 둘러싼 허다한 증인들이 있다. 그리고 그 천상의 증인들 한가운데 믿음의 주요 온전케 하시는 이인 예수가 계신다. 따라서 이 땅의 하나님의 자식공동체는 모든 무거운 것과 얽매이기 쉬운 죄를 벗어 버리고 인내로써 그들 앞에 당한 경주를 경주해야 한다. 그 경주의 목표는 오직 예수다. 예수 또한 그 앞에 있는 즐거움을 위해 십자가를 참으사 부끄러움을 개의치 아니하셨다. 그리고 결국 하나님의 보좌 우편에 앉으셨다. 그러므로 하나님의 새로운 자식공동체는 예수와 앞서간 수많은 선진들의 응원 속에 믿음의 경주 가운데 있는 자들이다. 그 경주를 온전히 마쳐야 한다. 그것은 오직 예수 그리스도를 바라볼 때 가능하다. 피곤한 손과 연약한 무릎을 일으켜 세우고 곧은 길을 만들어 앞으로 나아가야 한다(히 12장 참조).

새로운 자식공동체의 새 언약의 삶

하나님의 새로운 자식공동체는 진동하는 세상 가운데 살지만 진동치 못할 나라를 받은 자들이다. 그들은 두 발을 요동하는 세상 가운데 딛고 있지만 두 눈은 변함없는 하나님의 나라를 바라보며 나아가는 자들이다. 따라서 저자는 마지막으로 그의 사랑하는 공동체에게 권한다. 무엇이라고 권하는가? 이 땅에 사는 동안 하나님의 새로운 자식공동체는 그리스도 안에서 이제 새로운 가치관 가운데 살아가야 한다. 형제 사랑하기를 계속해야 한다. 손님 대접하기를 잊지 말아야 한다. 갇힌 자들을 자신이 갇힌 것처럼 생각해야 한다. 학대받는 자들을 생각해야 한다. 모든 사람은 혼인을 귀히 여겨 침소를 더럽히지 말아야 한다. 하나님의 심판을 두려워해야 한다. 돈을 사랑하지 말고 있는 바를 족한 줄로 알고 하나님께서 함께하심을 믿어야 한다. 하나님의 말씀을 전하고 인도하던 자들을 생각해 저희 행실의 결과를 보고 저희 믿음을 본받아야 한다. 여러 가지 교훈에 미혹되지 말고 마음을 은혜로써 굳게 해야 한다. 오직 하나님의 새로운 자식공동체는 자기 피로써 백성을 거룩하게 하시려고 성문 밖에서 고난 받으신 예수를 바라보면서 장차 올 것을 찾아야 한다. 오직 우리 주 예수 그리스도만이 어제나 오늘이나 영원토록 동일하시기 때문이다. 그러므로 하나님의 새로운 자식공동체는 예수 그리스도로 말미암아 항상 찬미의 제사를 하나님께 드리며 승리의 길로 나아가야 한다(히 13장 참조).

3. 야고보를 통한 자식과 땅 그리고 말씀

❶ 흩어져 있는 새로운 자식공동체와 야고보의 상황

야고보서
→ 사도행전 (예루살렘/온 유대/사마리아/땅 - 끝) →

야고보서를 쓴 저자는 자신을 하나님과 주 예수 그리스도의 종 야고보로 소개하고 있다. 성경에 등장하는 야고보는 대표적으로 예수의 열두 제자 가운데 요한의 형제였던 야고보와 예수의 친동생이었던 야고보가 있다. 요한의 형제 야고보는 열두 제자 가운데 가장 먼저 순교한다. 헤롯이 칼로 야고보를 죽였다(행 12:1~2). 이처럼 요한의 형제 야고보는 일찍 순교했기 때문에 야고보서의 저자이기 어렵다. 반면에 예수의 친동생인 야고보는 처음에는 자신의 친형 예수가 메시아라는 것을 인정하지 못했다(요 7:3~5). 그러나 예수께서 부활하셔서 그에게 친히 나타나셨을 때 그는 비로소 변화되었다(고전 15:7). 그후 그는 제자들과 더불어 마가의 다락방에서

성령 충만을 체험한다(행 2:14). 그리고 예루살렘 초대교회의 지도자로 세워져 베드로와 더불어 결정적 역할을 한다(행 15:13; 갈 1:19, 2:9) 따라서 예수의 친동생인 야고보가 "흩어져 있는 열두 지파"에게 편지를 보낸 것이다(약 1:1). 그러면 '흩어져 있는 열두 지파'는 누구인가? 예루살렘 교회에 핍박이 일어나서 사도 외에는 다 유대와 예루살렘과 땅 끝까지 흩어지게 된다(행 8:1). 그 후에도 계속해서 예수 믿는 유대인들이 로마제국의 전 영역에 흩어진다. 흩어진 자들은 또 새로운 자들을 전도해 새로운 자식공동체 속에 들어온다. 야고보는 바로 이들에게 편지를 써 보낸 것이다.

❷ 하나님의 메시지

새로운 자식공동체와 시험

야고보는 흩어져 있는 열두 지파 곧 로마 제국 전 영역에 흩어져 있는 하나님의 새로운 자식공동체를 '내 형제'라고 부름으로 믿음 안에서 한 가족임을 선언한다(약 1:2). 그들의 상황은 여러 가지 시험을 만나는 상황이다. 그러나 하나님의 새로운 자식공동체는 이러한 시험을 만날 때 온전히 기쁘게 여겨야 한다. 왜냐하면 하나님의 새로운 자식공동체의 믿음의 시련은 인내를 만들어 내기 때문이다. 결국 시험을 만나도 인내를 온전히 이루는 새로운 자식공동체는 온전하고 구비하여 조금도 부족함이 없는 자들이 된다(약 1:2~4). 시험을 참는 자는 복이 있다. 사실 시험은 하나님께로부터 오는 것이 아니다. 여기서의 시험은 '유혹해 죄에 빠지게 하는 것'을 의미한다. 하나님은 절대로 그런 시험을 하지 않으신다. 단지 각 사람이 그런 시험을 받는 것은 자기 욕심에 미혹되는 것이다. 그러므로 각 사람은 자기 자신에게 속지 말아야 한다. 그러나 하나님의 새로운 자식공동체는 이 시험을 이긴 후에 하나님으로부터 생명의 면류관을 받을 자들이다(약 1:12~14). 하나님은 새로운 자식공동체에게 각양 좋은 은사와 온전한 선물을 위로부터 내리시는 빛의 아버지시다. 그는 변함이 없고 회전하는 그림자도 없으시다. 그가 바로 하나님의 새로운 자식공동체를 첫 열매가 되게 하시려고 자기의 뜻을 좇아 진리의 말씀으로 새로운 자식공동체를 낳으셨다(약 1:17~18).

새로운 자식공동체의 경건

하나님 안에서 진리의 말씀으로 새롭게 태어난 자식공동체는 듣기는 속히 하고 말하기는 더디 하며 성내기도 더디 해야 한다. 성내는 것은 하나님의 의를 이루지 못한다. 그러므로 하나님의 새로운 자식공동체는 모든 더러운 것과 넘치는 악을 내어 버리고 능히 영혼을 구원할 마음에 심긴 도를 온유함으로 받아야 한다. 그리고 그 도를 듣기만 해서는 안 되고 행하는 자가 되어 자신을 속이지 말아야 한다. 누구든지 도를 듣고 행하지 않으면 거울로 자신의 모습을 보고 곧 잊어버리는 자와 같다. 그러나 자유하게 하는 온전한 율법을 들여다보고 있는 자는 듣고 잊어버리는 자가 아니라 실행하는 자다. 이 사람은 그 행하는 일에 복을 받을 것이다. 그러므로 누구든지 스스로 경건하다 생각하며 자기 혀를 재갈 먹이지 아니하고 자기 마음을 속이는 자의 그 경건은 헛것이다. 따라서 하나님 아버지 앞에서 새로운 자식공동체는 정결하고 더러움이 없는 경건의 삶을 살아야 한다. 진정한 경건은 고아와 과부를 그 환난 중에 돌아보고 또 자기를 지켜 세속에 물들지 아니하는 것이다(약 1:19~27).

새로운 자식공동체의 최고의 법

하나님의 새로운 자식공동체는 영광의 주 곧 예수 그리스도를 믿는 믿음을 받은 자들이기에 사람을 외모로 취해서는 안 된다. 당시 흩어진 자식공동체 안에는 외모로 사람을 취하는 죄들이 있었다. 금가락지를 끼고 아름다운 옷을 입은 사람과 더러운 옷을 입은 가난한 사람들이 공동체에 들어올 때, 부자는 좋은 자리로 안내하고 가난한 자는 거기 섰든지 자신의 발등상 아래 앉으라고 했다. 이것은 하나님의 새로운 공동체 안에서 있어서는 안 되는 일이다. 공동체 안에서 서로 구별해 악한 생각으로 판단하는 자가 되기 때문이다. 하나님은 오히려 세상에 대해 가난한 자를 택하사 믿음에 부요하게 하시고 약속하신 나라를 유업으로 주신다. 그러므로 하나님의 자식공동체 안에서는 가난한 자를 괄시해서는 안 된다. 오히려 하나님의 자식공동체 안에서는 성경대로 내 이웃을 내 몸처럼 사랑하는 최고의 법을 지켜야 한다. 그것이 잘하는 것이다. 만일 외모로 사람을 취하면 죄를 짓는 것이다. 그러므로 예수 안에 있는 믿음은 부요한 자나 가난한 자를 외모로 취해서는 안 되고 오직 사랑으로 행해야 한다(약 2:1~13).

새로운 자식공동체의 믿음과 행함

하나님의 새로운 자식공동체는 그 믿음에 합당한 행함이 있어야 한다. 믿음에 합당한 행함이 없다면 그 믿음이 능히 자신을 구원할 수 없다. 행함이 없는 믿음은 그 자체가 죽은 것이기 때문이다. 만일 형제나 자매가 헐벗고 일용할 양식이 없는데 단지 "평안히 가라, 덥게 하라, 배부르게 하라" 말하면서 그에게 쓸 것을 주지않으면 아무 이익이 없다. 귀신들도 하나님을 믿고 떤다. 그러나귀신이 구원을 받을 수 없다. 왜냐하면 귀신들의 하나님에 대한 믿음은 하나님과 아무런 관계가 없고, 그 관계 가운데서 나오는 온전한 순종도 없기 때문이다. 단지 지식적인 앎뿐이다. 그러나 하나님의 자식공동체의 조상인 아브라함은 이삭을 제단에 드리는 순종의행함으로 의롭다 하심을 얻었다. 온전한 믿음은 온전한 행함과 함께 일한다. 따라서 성경에 이른바 아브라함이 하나님을 믿으니 이것을 의로 여기셨다는 말씀이 응하게 된 것이다. 행함 곧 순종으로그의 믿음이 온전하게 되는 것이다. 기생 라합 또한 정탐꾼을 접대해 살리는 행함으로 자신의 믿음을 나타내 의롭다 하심을 얻었다.그러므로 영혼 없는 몸이 죽은 것같이 행함이 없는 믿음은 죽은 것이다(약 2:14~26).

새로운 자식공동체의 언어

야고보는 하나님의 새로운 자식공동체의 언어생활에 대해 가르친다. 이것은 말과 행함에 대한 경고다. 특히 선생 된 자들은 수많은 말로 가르치지만 그 가르친 말대로 자신이 살지 못할 바에는 선생이 되지 않는 것이 합당하다. 왜냐하면 선생 된 자들에게는 더큰 심판이 있기 때문이다. 말에는 누구나 실수가 많다. 만일 말에실수가 없는 자라면 그는 온전한 사람이다. 마치 혀는 배의 작은키와 같고 작은 불과 같다. 이것은 혀의 영향력이 얼마나 큰지 말해준다. 부정적일 경우에는 더하다. 온갖 다른 피조물들은 사람들이 길들이지만 타락한 혀는 능히 길들일 사람이 없다. 타락한 상태에 있는 혀는 쉬지 아니하는 악과 죽이는 독이 가득 차 있다. 그러므로 하나님의 자식공동체는 혀로 하나님 아버지를 찬송하며 동시에 하나님의 형상대로 지음받은 사람을 저주해서는 안 된다. 한 입에서 찬송과 저주가 나와서는 안 된다(약 3:1~12).

새로운 자식공동체의 지혜

새로운 자식공동체 가운데 지혜와 총명이 있는 자들은 그것을 또한 행함으로 나타내야 한다. 그들은 선행을 통해서 지혜의 온유함으로 행함을 보여야 한다. 그러나 공동체의 마음속에 독한 시기와 다툼이 있으면 자랑하지 말아야 한다. 진리를 거슬러 거짓말하지 말아야 한다. 이러한 지혜는 위로부터 내려온 것이 아니라 세상적이며 정욕적이고 마귀적이다. 시기와 다툼이 있는 곳에는 요란과 모든 악한 일이 있을 뿐이다. 그러므로 하나님의 새로운 자식공동체는 이러한 세상적 지혜와 그 열매를 버리고 오직 위로부터 난 지혜를 받아야 한다. 오직 위로부터 난 지혜는 먼저 성결하다. 그 다음에는 화평하고 관용하며 양순해 긍휼과 선한 열매가 가득하고 편견과 거짓이 없다. 하나님의 새로운 자식공동체는 이처럼 위로부터 난 지혜를 갖고 화평케 하는 자들이다. 그들은 화평으로 심어 결국 의의 열매를 거두는 자들이다(약 3:13~18). 위로부터 오는 지혜를 통해 말하고 살아가는 것이 혀를 온전히 다스리는 것이다.

새로운 자식공동체의 순복

야고보는 흩어진 하나님의 새로운 자식공동체 안에 다툼이 있는 것을 책망한다. 싸움과 다툼은 싸우는 정욕으로부터 좇아 난 것이다. 그들은 말로 살인하는 일도 쉽게 행했다. 다투고 싸우며 자신들의 정욕의 요구를 얻고자 했다. 그러나 아무것도 얻지 못했다. 심지어 그 공동체 내에 간음하는 여인들이 있었다. 그들은 세상과 벗이 되고자 했다. 그러나 그것은 하나님과 원수 되는 짓일 뿐이다. 그들은 하나님이 자기 백성 속에 거하게 하신 성령이 시기하기까지 사모하신다는 것을 헛된 줄로 생각했다. 따라서 공동체 안에서 다툼과 싸움으로 자신의 정욕을 추구하고자 하는 자들은 회개해야만 한다. 또한 간음을 행하는 자들도 회개해야 한다. 그들은 온전히 하나님께 순복해야 한다. 마귀를 대적해야 한다. 그리하면 마귀가 피할 것이다. 하나님을 가까이 해야 한다. 그러면 하나님께서 가까이 하실 것이다. 죄인들은 손을 깨끗이 해야 한다. 두 마음을 품은 자들은 마음을 성결케 해야 한다. 슬퍼하며 애통하며 울어야 한다. 웃음을 애통으로, 즐거움을 근심으로 바꾸어야 한다. 오직 주 앞에서 진정으로 회개하며 자신을 낮추어야 한다. 그러면 주께서 그들을 높이실 것이다(약 4:1~10).

하나님의 새로운 자식공동체는 피차에 서로 비방하지 말아야 한다. 형제를 판단하는 자는 율법의 재판자 자리에 앉는 것이기 때문이다. 입법자와 재판자는 오직 한 분 하나님뿐이다(약 4:11~12). 그러므로 하나님의 새로운 자식공동체는 하나님의 자리에 앉아서는 안 된다. 오직 서로 용납하고 받아 주어야 한다.

새로운 자식공동체의 인내

야고보는 하나님의 새로운 자식공동체가 세상의 부를 추구하는 자들 때문에 시험에 들지 않기를 권한다. 야고보는 '들으라' 는 말로 이 땅에 사는 하나님의 새로운 자식공동체들의 마음을 환기시킨다(약 4:13, 5:1). 그는 먼저 부를 통해 이익을 내는 것을 삶의 최우선 순위로 두는 자들에 대해 경고한다. 그들이 내일 일을 알지 못하기 때문이다. 부보다 더욱 중요한 것이 생명이다. 그러나 그들은 부를 좇느라고 자신의 생명이 잠깐 보이다 사라지는 안개와 같은 것임을 잊어버린다. 생명의 가치를 잊고 부를 추구하는 자랑은 허탄한 자랑일 뿐이다. 이러한 자랑은 악하다. 생명의 중요성을 잊어버리고 부만 추구한 자들의 결국은 울며 통곡하는 것이다. 그들의 재물은 썩었고 옷은 좀먹었고 금과 은도 녹이 슬었다. 그 녹이 그들에게 증거가 되고 불같이 그들의 살을 먹을 것이다. 그들이 말세에 재물을 쌓았기 때문이다. 또한 그들의 품꾼에게 주지 않은 삯의 소리와 추수한 자의 우는 소리가 하나님의 귀에 들렸다. 그들은 부로 인한 사치와 연락 가운데 있지만 살육의 날에 마음을 살찌게 했을 뿐이다(약 4:13~5:6).

하나님의 새로운 자식공동체는 이 땅에 사는 동안 이렇게 부를 추구하는 자들과 함께 사는 자들이다. 부를 추구하는 자들은 실제로 부와 사치 가운데 살아간다. 그러나 하나님의 새로운 자식공동체는 그들을 부러워해서는 안 된다. 그들을 좇아가서도 안 된다. 오직 주의 재림하실 때까지 오래 참아야 한다. 마치 농부가 땅에서 나는 귀한 열매를 바라고 길이 참아 이른 비와 늦은 비를 기다리듯이 길이 참고 마음을 굳게 해야 한다. 주의 강림이 가까우시기 때문이다. 서로 원망하지 말고 주의 이름으로 말한 선지자들의 고난과 오래 참음의 본을 따라야 한다. 또한 욥이 인내함으로 주께서 주신 결말을 보았듯이 하나님의 새로운 자식공동체는 오직 하나님만 바라보며 재림의 결과를 기대해야 한다. 주는 가장 자비하시고 긍휼히 여기는 자이시기 때문이다. 그러므로 말세를 사는 하나님의 새로운 자식공동체는 심판자가 문 밖에 서 계신 것을 직시하며 임박한 종말론적 삶의 자세로 인내하며 승리해야 한다(약 5:7~11).

새로운 자식공동체의 기도

야고보는 마지막으로 하나님의 새로운 자식공동체의 기도가 얼마나 중요한지 강조한다. 공동체 내의 고난당하는 자는 기도하라고 권하고, 즐거워하는 자는 찬송하라고 권한다. 병든 자는 교회의 지도자들을 청해 함께 기도하라고 권한다. 공동체가 함께 하는 믿음의 기도는 병든 자를 구원하고 주께서 일으키시는 역사가 있다. 죄를 해결받는 역사도 일어난다. 그러므로 공동체에서 죄를 서로 고하며 병 낫기를 위해 서로 기도하라고 권한다. 의인의 간구는 역사하는 힘이 많기 때문이다. 특히 야고보는 엘리야가 우리와 성정이 같은 사람임에도 불구하고 간절히 기도함으로 삼 년 반이나 비를 오지 않게 하고, 다시 간절히 기도한즉 비가 오게 한 것을 상기시킨다. 기도의 능력이 하나님의 자식공동체에 속한 자에게 누구나 임할 수 있음을 강조하는 것이다(약 5:13~18). 그러므로 이 땅에 사는 하나님의 새로운 자식공동체는 기도의 공동체이다. 기도를 통해 살아계신 하나님의 위대한 역사를 불러오는 세상이 감당할 수 없는 자들이다. 기도는 하나님이 주신 혀를 가장 지혜롭게 다스리고 사용하는 복의 통로다.

4. 베드로를 통한 자식과 땅 그리고 말씀

❶ 흩어진 새로운 자식공동체와 베드로의 상황

베드로전 · 후서

→ 사도행전 (예루살렘/온 유대/사마리아/땅 - - - - - - - - - - - - - - - 끝) →

예수 그리스도의 사도인 베드로는 본도, 갈라디아, 갑바도기아, 아시아와 비두기아에 흩어진 나그네 곧 하나님의 새로운 자식공동체에게 서신을 썼다. 베드로는 이 새로운 자식공동체를 하나님 아버지의 미리 아심을 따라 성령의 거룩하게 하심으로 순종함과 예수 그리스도의 피 뿌림을 얻기 위해 택하심을 입은 자들이라고 했다(벧전 1:1~2). 소아시아 전역에 흩어진 하나님의 새로운 자식공동체는 전형적인 땅과 자식 모티프다. 베드로의 사역은 초기의 예루살렘을 뛰어넘어 후기에는 땅 끝까지 전개되고 있다. 바울에 의하면 베드로는 그의 아내와 함께 전도여행을 다닌 것이 틀림없다(고전 9:5).

베드로는 첫 번째 서신 마지막에 "택하심을 함께 받은 바벨론에 있는 교회가 문안한다"라고 자신이 머물고 있는 곳을 명시한다(벧전 5:13). 대부분의 학자들은 '바벨론'을 로마를 상징하는 표현으로 받아들인다. 베드로는 바울이 순교한 얼마 후에 네로 황제에 의해 순교한다. 베드로가 로마에서 순교한 것으로 보아 말년에 로마에 머물렀다고 보는 것이 가장 타당하다. 베드로는 첫 번째 편지를 '신실한 형제인 실루아노를 통해' 썼다고 밝힌다(벧전 5:12). 그리고

'내 아들 마가'도 함께 있다고 한다(벧전 5:13). 바울의 동역자였던 실루아노와 마가가 베드로와 함께 로마에 있는 것으로 보아 바울의 순교 후 그들은 베드로와 함께 있었을 것이다. 당시 로마 황제의 기독교에 대한 핍박은 로마 제국 전 지역으로 확산되어 있었다. 따라서 베드로는 로마에서 소아시아 전역에 흩어진 하나님의 새로운 자식공동체들이 극심한 박해 가운데 있는 것을 알고 그들을 위로하고 그리스도 안에서 온전히 승리하게 하기 위해 하나님의 메시지를 서신으로 전한 것이다.

❷ 하나님의 첫 번째 메시지

새로운 자식공동체의 산 소망

베드로는 먼저 하나님을 찬송한다. 예수 그리스도의 아버지 하나님께서 그 크신 긍휼하심으로 예수의 십자가와 부활을 통해 새로운 자식공동체를 거듭나게 하사 산 소망을 갖게 하셨기 때문이다. 하나님의 새로운 자식공동체가 예수 그리스도 안에서 받은 산 소망은 무엇인가? 그것은 썩지 않고 더럽지 않고 쇠하지 아니하는 기업을 잇는 것이다. 그 기업은 하나님께서 새로운 자식공동체를 위해 하늘에 간직한 것이다(벧전 1:3~4). 그러므로 새로운 자식공동체는 이 땅에 사는 동안 하늘에 간직한 산 소망 가운데 사는 것이다. 이들은 또한 말세에 나타내기로 예비하신 구원을 얻기 위해 믿음으로 말미암아 하나님의 능력으로 보호하심을 입은 자들이다. 그러므로 현재의 여러 시험을 인해 잠시 근심할 수는 있지만 오히려 크게 기뻐하는 자들이다. 하나님의 새로운 자식공동체가 이 땅에서 받는 믿음의 시련은 금보다 더 귀한 것이다. 그것은 예수 그리스도께서 재림하실 때에 칭찬과 영광과 존귀를 얻게 되기 때문이다(벧전 1:5~6).

사실 베드로의 편지를 받는 새로운 자식공동체는 예수를 보지 못한 자들이다. 이들 가운데는 이방인 성도가 더욱 많았다. 그러나 그들은 예수를 사랑했다. 보지 못하나 믿고 말할 수 없는 영광스러운 즐거움으로 기뻐하는 자들이다. 믿음의 결과인 영혼의 구원을 받았기 때문이다(벧전 1:8~9). 이 구원은 이미 선지자들이 연구하고 부지런히 살펴서 계시로 나타난 것이다. 또한 이 구원은 천사들도 살펴보기를 원하는 것이었다. 이 놀라운 복음이 하늘로부터 오신 성령을 힘입은 복음 전하는 자들로 인해 소아시아의 흩어진 하나님의 새로운 자식공동체에까지 이른 것이다(벧전 1:10~12). 그러므로 믿음의 시련 가운데도 넉넉히 승리할 수 있다.

산 소망에 합당한 거룩한 행실

하늘에 간직한 산 소망과 영혼의 구원을 받은 새로운 자식공동체는 이제 근신해 예수의 재림 때까지 그들에게 임할 은혜를 온전히 기대해야 한다. 더 이상 예전에 알지 못할 때에 좇던 사욕을 본받지 말아야 한다. 오직 그들을 부르신 거룩한 자처럼 그들도 모든 행실에 거룩한 자가 되어야 한다(벧전 1:13~15). 성경에 "내가 거룩하니 너희도 거룩하라"고 하셨기 때문이다(레 19:2; 벧전 1:16). 베드로는 시내 산에서 언약을 체결한 자식공동체에게 하나님께서 명했던 거룩한 삶을 소아시아에 흩어진 나그네 곧 신약시대의 하나님의 새로운 자식공동체에게 똑같이 명하고 있다.

이제 새로운 자식공동체는 아버지께서 거룩하신 것같이 거룩한 삶을 살아야 한다. 그 이유는 새로운 자식공동체의 아버지께서는 외모로 보시지 않기 때문이다. 그분은 각 사람의 행위대로 판단하신다. 그러므로 그의 자녀 된 공동체는 이 땅의 나그네 삶을 두려움 가운데 지내야 한다(벧전 1:17). 또한 새로운 자식공동체는 예수 그리스도의 보배로운 피로 인해 구원받은 존재이기 때문이다. 예수 그리스도는 창세 전부터 미리 알리신 바 된 자인데 마지막 때에 새로운 자식공동체를 위해 나타나신 자다. 따라서 하나님의 새로운 자식공동체는 오직 예수 안에서 믿음과 소망을 갖고 거룩한 삶을 살아가야 한다(벧전 1:18~21). 진리를 순종함으로 영혼을 깨끗하게 하여 거짓 없이 형제를 뜨겁게 서로 사랑해야 한다(벧전 1:22).

말씀으로 거듭난 자식공동체

하나님의 새로운 자식공동체가 거듭난 것은 썩어질 씨로 된 것이 아니라 썩지 아니할 씨로 된 것이다. 썩지 아니할 씨는 곧 하나님의 살아 있고 항상 있는 말씀이다. 모든 육체는 풀과 꽃같이 마르고 떨어지나 하나님의 말씀은 영원토록 있다. 바로 이 말씀을 통해 새로운 자식공동체가 거듭난 것이다. 그러므로 하나님의 새로운 자식공동체는 모든 악독과 모든 궤휼과 외식과 시기와 모든 비방하는 말을 버리고 갓난아이처럼 순전하고 신령한 젖을 사모해야 한다. 그것이 곧 말씀이다. 하나님의 새로운 자식공동체는 곧 말씀으로 거듭나고 말씀을 먹고 자라는 말씀의 공동체이다(벧전 1:23~2:3 참조).

산 돌같이 신령한 집으로 세워지는 자식공동체

베드로는 예수 그리스도를 '산 돌', '모퉁잇돌', '머릿돌', '부딪치는 돌', '거치는 반석'(개역한글판, 걸려 넘어지게 하는 바위 -개역개정판)으로 표현했다. 돌은 건축에 있어서 매우 중요한 재료이다. 예수를 돌로 표현하여 하나님의 자식공동체가 신령한 집으로 세워져가는 데 있어서 예수가 그 기초석이며 근본임을 밝히는 것이다. 그것은 이미 구약에서 예언된 것이다(시 118:22; 사 8:14).

예수는 건축자의 버린 돌이었지만 집 모퉁이의 머릿돌이 된다. 예수께서 버림받아 십자가의 죽임을 당하지만 결국 예수의 십자가는 하나님의 새로운 자식공동체가 거듭나고 신령한 집으로 세워지는 생명을 주는 살아 있는 돌이 된다. 버림받은 돌이 역설적으로 산 돌이 되어 새로운 신령한 집의 머릿돌이 된다. 따라서 이 산 돌에 대한 태도에 따라 두 가지 결과로 나타난다. 첫째는 산 돌 되신 예수를 진정으로 받아들이고 순종하는 자는 신령한 집으로 함께 세워져 간다. 그러나 산 돌이신 예수를 여전히 버린 돌이라고 생각하는 자들 곧 그를 생명의 근원으로 받지 아니하고 그의 말씀에 순종하지 않는 자들은 넘어지게 된다. 그들에게는 산 돌이신 예수가 부딪치는 돌이요 거치는 돌이 되는 것이다. 그러나 썩지 아니할 하나님의 말씀으로 거듭난 새로운 자식공동체는 산 돌 되시고 머릿돌 되신 예수 위에서 든든한 신령한 집으로 세워져간다(벧전 2:4~8).

자식공동체의 새 이름들

산 돌 되신 예수 그리스도 위에 세워지는 새로운 자식공동체는 신령한 집 외에 여러 이름을 받는다. 이것은 그들의 정체성을 면밀히 밝혀 준다. 그들은 이제 하나님이 기쁘게 받으실 신령한 제사를 드릴 '거룩한 제사장'이다(벧전 2:5). 또한 그들은 하나님이 '택하신 족속'이다. 하나님께서 마지막 시대에 세워가는 하나님의 새로운 자식공동체를 말한다. 이 '택하신 족속'은 기존의 민족과 종족 그리고 방언 곧 열방의 개념을 뛰어넘는다. 육체적 구분이 아닌 영적 구분으로 모든 민족과 열방이 산 돌이신 예수 그리스도 안에서 전혀 새로운 족속으로 세워져 가는 것이다.

당시 세상에서는 로마가 대제국을 이루어가지만 하나님은 전혀 다른 차원의 새로운 족속을 만드신다. 그것은 다름아닌 하나님의 왕국의 새 백성들이다. 그 새로운 나라 안에서 새로운 자식공동체는 '왕 같은 제사장들'이다. 그들은 진정한 왕의 자식들이며 제사장으로 하나님께 나아갈 수 있는 자들이다. 로마 황제가 아닌 우주 만물의 왕이신 하나님의 제사장들이다. 이미 그들 안에는 유대 그리스도인보다 이방 그리스도인들이 많았다. 그러나 이제 그들은 왕 같은 제사장이다. 그들은 당당히 하나님 앞에 나아갈 수 있는 자격을 갖는다. 또한 그들은 '거룩한 나라'다. 세상의 타락한 나라에서 그리스도의 보배로운 피로 거룩해진 새로운 나라다. 그 나라의 통치권은 오직 하나님께 있다. 그리고 그들은 '그의 소유 된 백성'이다. 전적으로 그들의 주권과 소유권은 하나님께 있다. 하나님은 그리스도 안에서 새 언약을 세웠고 그 안에 들어온 자들을 자기 백성으로 삼으신다. 이제 그 누구도 이러한 새로운 정체성을 가진 하나님의 새로운 자식공동체를 폐할 자가 없다. 누구도 하나님의 손에서 이들과 새로 세우시는 그의 나라를 빼앗지 못할 것이기 때문이다(벧전 2:9~10 참조).

자식공동체의 새로운 순복의 삶

하나님의 새로운 자식공동체는 전에는 하나님의 백성이 아니었다. 그러나 이제는 하나님의 백성이다. 전에는 긍휼을 얻지 못했던 자들이었다. 그러나 이제는 긍휼을 얻은 자이다. 그러므로 이제는 어두운 데서 불러내어 그의 기이한 빛에 들어가게 하신 자의 아름다운 덕을 선전하는 삶을 살아야 한다(벧전 2:9~10).

또한 이 땅의 나그네와 행인 같은 삶을 사는 자식공동체로서 영혼을 거슬러 싸우는 육체의 정욕을 제어해야 한다. 인간이 세운 모든 제도를 주를 위해 순종해야 한다. 위에 있는 왕이나 악행자를 징벌하고 선행자를 포상하는 왕이 보낸 방백에게 순종해야 한다(벧전 2:13~14). 이것은 베드로가 인간 제도에 대해 무조건적으로 순종을 강요하는 근거로 주는 그런 차원의 말씀이 아니다. 오히려 왕과 그의 방백들이 선악간에 바른 판단을 해야 함을 전제하고 있음을 간과해서는 안 된다. 그럼에도 불구하고 하나님의 백성은 이 땅에서 하나님 나라를 맛보며 선전하는 자들임을 잊어서는 안 된다. 그는 로마의 제도 가운데서도 새로운 하나님의 자식공동체가 세상에 속하지 않은 나라의 백성으로 살기 원한다. 로마를 비롯한 이 땅의 인간이 세운 제도는 결국 하나님의 권한 하에 있기 때문이다. 또한 하나님의 새로운 자식공동체는 자유하나 자유를 악을 가리는 데 사용해서는 안 된다. 오직 하나님의 종과 같이 살아야 한다. 뭇사람을 공경하며 형제를 사랑하며 하나님을 두려워하며 왕을 공경해야 한다. 사환들은 주인들의 성품 여부에 관계없이 그들에게 순종해야 한다. 그리스도 또한 우리를 위해 고난을 받으사 모든 삶에 그 자취를 따르도록 본을 보이셨기 때문이다. 그것이 하나님께 오히려 아름다운 것이다(벧전 2:11~25).

또한 아내는 말이 아닌 행위로 외모가 아닌 속사람을 단장함으로 남편에게 순복해야 한다. 남편 또한 아내에 대한 지식을 따라 그와 함께 살아야 한다. 아내를 더 연약한 그릇이요, 생명의 유업을 함께 받을 자로 알아야 한다. 아내를 귀히 여겨야 한다. 그래야만 하나님과의 영적 교제도 막히지 않는다(벧전 3:1~7). 그러므로 하나님의 새로운 자식공동체는 나라와 제도들, 사회생활, 가정생활에서 이 세상과 다른 하나님 나라를 누리며 사는 존재들이다.

그리스도의 고난에 참예

베드로는 의를 위해 고난을 받는 것이 복이 있는 자라고 말한다. 선을 행함으로 고난 받는 것이 하나님의 뜻이다. 예수께서 당하신 고난이 바로 그것이다. 그러므로 예수 안에 있는 하나님의 새로운 자식공동체도 복음으로 말미암아 고난당하는 것이 복임을 잊지 말아야 한다. 이것을 갑옷처럼 삼아야 한다. 고난은 다시는 세상의 정욕을 좇지 않도록 하는 특효약이다. 예전에는 음란과 정욕과 술 취함과 방탕과 향락과 무법한 우상 숭배를 하여 이방인의 뜻을 좇아 행했지만 이제는 그래서는 안 된다. 하나님 밖에 있는 자들은 이제 하나님의 새로운 자식공동체가 그렇게 행하지 않는 것에 대해 이상히 여겨 비방하나 결국 저희는 산 자와 죽은 자를 심판하실 자 앞에서 직고하게 될 것이다. 그러므로 하나님의 새로운 자식공동체는 만물의 마지막이 가까웠음을 알고 정신을 차리고 근신하여 기도해야 한다. 무엇보다도 서로 사랑해야 한다. 사랑은 허다한 죄를 덮기 때문이다. 서로 대접하기를 원망 없이 하고 각각 은사를 받은 대로 하나님의 각양 은혜를 맡은 선한 청지기같이 서로 봉사해야 한다. 말할 때는 하나님의 말씀을 하는 것같이 하고 봉사하려면 하나님의 공급하시는 힘으로 해야 한다. 이것이 범사에 예수 그리스도로 말미암아 하나님께 영광을 돌리는 비결이다(벧전 3:14~4:11).

또한 하나님의 새로운 자식공동체는 불시험을 이상한 일 당하는 것처럼 여기지 말고 오직 그리스도의 고난에 참예하는 것으로 즐거워해야 한다. 왜냐하면 그의 영광이 나타날 때 즐거워하고 기뻐할 것이기 때문이다. 하나님의 새로운 자식공동체가 그리스도의 이름으로 욕을 받으면 복 있는 자다. 영광의 영 곧 하나님의 영이 그들 위에 계시기 때문이다. 따라서 하나님의 새로운 자식공동체는 살인이나 도적질이나 악행이나 남의 일에 간섭하는 것으로 고난을 받지 말고 그리스도인이기에 고난을 받으면 부끄러워하지 말아야 한다. 도리어 그 이름으로 하나님께 영광을 돌리기 때문에 복이 있다. 하나님의 집의 심판이 시작할 때가 되었으니 이 땅의 하나님의 새로운 자식공동체는 하나님의 뜻대로 고난을 받는다 할지라도 끝까지 선을 행하는 가운데 그 영혼을 미쁘신 조물주께 부탁해야 한다(벧전 4:12~19).

종말을 사는 자식공동체에 대한 권면

베드로는 장로들에게 자신을 함께 장로 된 자요, 그리스도의 고난의 증인이요, 나타날 영광에 참여할 자로 소개한다. 하나님의 새로운 자식공동체의 지도자인 장로들은 양 무리를 칠 때 억지로 하지 말고 오직 하나님의 뜻을 좇아 자원함으로 하며 더러운 이득을 위해 하지 말고 오직 즐거운 뜻으로 하라고 권한다. 지도자는 맡기운 자들에게 주장하는 자세로 하지 말고 오직 양 무리의 본이 되어야 한다. 그리하면 목자장인 예수께서 나타나실 때에 시들지 아니하는 생명의 면류관을 주실 것이다. 반면에 젊은 자들은 장로들에게 순복하고 서로 겸손으로 허리를 동여매야 한다. 하나님은 교만한 자를 대적하시고 겸손한 자들에게 은혜를 베푸시기 때문이다. 그러므로 하나님의 자식공동체는 하나님의 능하신 손 아래서 겸손해야 한다. 때가 되면 하나님께서 높이실 것이다. 염려 또한 하나님께 다 맡겨버려야 한다. 하나님께서 권고하시기 때문이다. 종말을 사는 하나님의 자식공동체는 근신하며 깨어 있어야 한다.

대적 마귀는 우는 사자같이 두루 다니며 삼킬 자를 찾는다. 따라서 하나님의 자식공동체는 믿음을 굳게 하여 마귀를 대적해야 한다. 이는 세상에 있는 형제들이 동일한 고난을 당하기 때문이다. 이 땅에 있는 하나님의 새로운 자식공동체에게 고난은 필연적으로 닥쳐오며 동시에 역설적으로 복이다. 모든 은혜의 하나님 곧 그리스도 안에서 새로운 자식공동체를 부르사 자기의 영원한 영광에 들어가게 하신 이가 잠깐 고난을 받은 자신의 자식공동체를 친히 온전하게 하시며 굳건하게 하시며 강하게 하시며 터를 견고하게 하실 것이다(벧전 5:1~11 참조).

❸ 하나님의 두 번째 메시지

베드로가 둘째 편지를 쓴 것으로 보아 동일한 수신자에게 보냈을 것이다(벧후 3:1). 베드로의 둘째 편지인 베드로후서는 그의 순교가 임박한 시점에 쓰여졌다(벧후 1:14). 첫 번째 편지는 주로 로마 세국의 핍박 속에서 하나님의 새로운 자식공동체의 고난의 문제를 다루었다. 반면에 두 번째 편지는 자식공동체 안에 들어온 거짓 교사들에 대한 경고를 통해 하나님의 교회를 보호하려는 의도였다. 당시 거짓 교사들은 주로 초기 영지주의자들이었다. 이들이 새로운 자식공동체에 침입해 그릇된 주장을 하여 베드로의 두 번째 편지가 절실히 요청되는 상황이었다. 따라서 베드로는 하나님의 새로운 자식공동체가 예수 그리스도를 더욱 알아서 진리 안에서 넉넉히 승리하도록 서신을 써 보낸 것이다.

예수 그리스도를 부지런히 알라

베드로의 유언적 서신인 두 번째 편지의 주제는 새로운 자식공동체에 들어온 거짓 교사들로부터 그들을 보호하는 것이다. 베드로는 이 문제를 해결하고 거짓 교사들을 물리치며 승리하는 길을 제시하는데, 그 해법은 바로 오직 예수 그리스도를 부지런히 아는 것이다(벧후 1:8 참조). 베드로는 두 번째 편지에서 '앎', '알다' 라는 단어를 무려 열다섯 번이나 사용한다(벧후 1:2, 3, 8, 12, 14, 16, 20, 2:12, 20, 21a, 21b, 3:3, 16, 17, 18). 그 중에서 예수를 '알라' 는 말은 '에피기노스코' 라는 단어를 썼는데, 그 뜻은 "정확히 알다", "완전히 알다"라는 의미이다. 베드로는 오직 예수를 온전히 아는 것만이 새로운 자식공동체의 정체성과 거짓 교사들의 가르침을 극복하는 근본적인 길임을 명백히 밝히는 것이다. 따라서 베드로는 하나님과 예수를 앎으로 은혜와 평강이 너희에게 더욱 많을 것이라는 첫 인사로 시작한다(벧후 1:2). 그리고 그를 아는 지식에서 자라 가라고 마지막 결론을 내린다(벧후 3:18). 곧 예수를 아는 것에서 시작하여 예수를 아는 지식에서 자라가라는 당부로 결론을 맺는다.

진리 안에 항상 서라

하나님의 새로운 자식공동체는 하나님과 예수 그리스도의 의를 힘입어 보배로운 믿음을 받은 자들이다(벧후 1:1). 그리고 예수의 신기한 능력으로 생명과 경건에 속한 모든 것을 받은 자들이다(벧후 1:3). 또한 예수는 보배롭고 지극히 큰 약속을 주셨다. 이 약속은 새로운 자식공동체가 정욕으로 인해 세상에서 썩어질 것을 피해 결국 신의 성품에 참여하는 자가 되게 하려 하심이다(벧후 1:4). 이제 하나님의 새로운 자식공동체는 더욱 힘써 믿음에 덕을, 덕에 지식을, 지식에 절제를, 절제에 인내를, 인내에 경건을, 경건에 형제 우애를, 형제 우애에 사랑을 공급해야 한다(벧후 1:5~7). 그리고 더욱 힘써 새로운 자식공동체의 부르심과 택하심을 굳게 해야 한다. 이러한 것들은 그리스도를 알기에 게으르지 않을 때 가능하다(벧전 1:8).

그러므로 하나님의 새로운 자식공동체는 이미 알고 있는 진리에 섰으나 그 안에서 항상 생각해야 한다. 베드로는 세 번이나 자신의 임박한 죽음을 암시하며 유언적으로 권한다. 베드로는 자신이 떠나도 하나님의 자식공동체가 진리 안에 서서 언제든지 일깨워 진리가 생각나게 하려는 것이다. 하나님의 새로운 자식공동체가 항상 생각해야 할 진리의 두 기둥은 예수와 성경이다. 베드로는 자신이 직접 목격했던 변화 산상의 예수에 대한 하나님의 선언을 통해 예수에 대한 진리가 교묘히 지어낸 것이 아님을 천명한다. 또한 하나님의 자식공동체는 더욱 확실한 예언을 갖고 있는데 그것은 성령의 감동으로 하나님께 받아 쓰여진 성경이다. 이 성경은 어두운 데 비취는 등불과 같으며 날이 새어 샛별이 떠오르는 것과 같다. 그러나 성경의 예언을 사사로이 풀어서는 안 된다(벧후 1:12~21). 베드로는 하나님의 새로운 자식공동체가 예수와 성경의 두 진리 안에 서서 항상 일깨워 생각함으로 어떠한 거짓 선생들의 미혹에도 흔들림 없이 승리하길 권하는 것이다.

거짓 선생들

베드로는 민간에 거짓 선지자들이 일어난 것처럼 새로운 자식공동체에도 거짓 선생들이 침입하는 것을 경계한다. 거짓 선생들은 멸망케 할 이단을 가만히 끌어들여 자기들의 사신 주를 부인하는 자들이다. 곧 십자가와 예수를 부인하는 것이다. 그들은 임박한 멸망을 스스로 취하는 자들이다. 이러한 거짓 선생들의 호색하는 주장을 좇는 자들이 나타나 진리의 도가 훼방을 받게 될 것이다. 그들은 또한 탐심을 인해 지은 말을 가지고 하나님의 자식공동체로 이익을 삼는 자들이다. 그들은 이미 심판에 처한 자들이다. 그들의 운명은 마치 노아시대의 경건하지 못한 자들과 같고, 소돔과 고모라의 불의한 자들과 같다. 그들은 육체를 따라 더러운 정욕 가운데서 행하는 자요, 주관하는 이 곧 하나님을 멸시하는 자들이다. 그들에게는 특별한 형벌이 있다. 그러나 그들은 오히려 담대하고 고집이 있고 떨지 않으며 영광 있는 자를 훼방하는 자들이다. 그러나 그들보다 더 큰 힘과 능력을 가진 천사들도 주 앞에서 영광 있는 자를 거슬러 훼방하는 송사를 하지 않는다.

이들은 본래 잡혀 죽기 위해 난 이성 없는 짐승 같아서 그 알지 못한 것을 훼방하는 자들이요 멸망당할 자들이다. 그들은 또한 불의의 값으로 불의를 당하며, 간사한 가운데 연락하며, 음심이 가득한 눈을 가지고 범죄하기를 쉬지 아니하며, 굳세지 않은 영혼들을 유혹하며, 탐욕에 연단된 마음을 가진 자들이다. 곧 저주의 자식이다. 결국 그들은 바른 길을 떠나 미혹되어 브올의 아들 발람의 길을 따르는 자들이다. 곧 개가 토했던 것에 돌아가고 돼지가 씻었다가 더러운 구덩이에 도로 누운 것과 같은 자들이다(벧후 2:1~22).

자식공동체의 소망

베드로가 두 번째 편지를 쓴 이유 가운데 하나는 새로운 자식공동체로 하여금 거룩한 선지자의 예언과 주 예수께서 사도들을 통해 명하신 것을 기억하게 하려는 것이었다(벧후 3:1~2). 그것은 새로운 자식공동체의 소망에 관한 것이다. 다시 말하면 새로운 하나님의 자식공동체가 말세를 어떻게 살아가야 하는가의 문제이다. 베드로는 첫 번째로 말세에 조롱하는 자들이 나타난다는 것을 알아야 한다고 권한다. 그들은 자기의 정욕대로 행하며 비웃는 자들이다. 그들은 주의 재림하신다는 약속이 어디 있느냐고 조롱할 것이다. 조상들이 잔 후로부터 만물이 처음 창조될 때와 같이 그냥 있다고 함으로 재림을 부인하는 자들이다. 그러나 이것은 하나님의 말씀대로 세상이 창조되고, 땅과 물이 나눠지며, 세상이 물로 인해 멸망되었음을 일부러 잊으려는 것이다. 그러나 현재의 하늘과 땅은 하나님의 동일한 말씀대로 불사르기 위해 보존되고 있는 것이다. 그 시한은 경건하지 아니한 사람들의 심판과 멸망의 날까지다(벧후 3:3~7).

그러므로 말세를 사는 하나님의 새로운 자식공동체는 이들의 주장에 속지 말고 주께는 하루가 천 년 같고, 천 년이 하루 같음을 잊지 말아야 한다. 주의 약속은 더딘 것이 아니기 때문이다. 단지 하나님은 오래 참으사 다 회개하기를 원하시는 것이다. 그러나 주의 날은 도적같이 올 것이다. 그날에는 하늘이 큰 소리로 떠나가고 체질이 뜨거운 불에 풀어지고 땅과 그 중에 있는 모든 일이 드러날 것이다. 그러므로 하나님의 새로운 자식공동체는 거룩한 행실과 경건함으로 하나님의 날이 임하기를 바라보고 간절히 사모해야 한다. 왜냐하면 하나님의 새로운 자식공동체에게는 그날이 바로 약속대로 새 하늘과 새 땅을 바라보는 날이기 때문이다. 이것이 하나님의 새로운 자식공동체가 그토록 사모하는 하나님 나라의 완성의 때다. 이것이 이 땅에 사는 새로운 자식공동체가 바라보아야 할 소망이다. 이 소망 가운데 주의 백성은 점도 없이, 흠도 없이 평강 가운데서 주 앞에 나타나기를 힘써야 한다. 그날까지 하나님의 새로운 자식공동체는 오직 예수 그리스도의 은혜와 그를 아는 지식에서 자라가야 한다(벧후 3:8~18 참조).

5. 요한을 통한 자식과 땅 그리고 말씀

요일, 요이, 요삼
→ 사도행전 (예루살렘/온 유대/사마리아/땅 - - - - - - - - - - - - - - - - 끝) →

❶ 독자와 요한의 상황

요한이 쓴 첫 번째 서신은 구체적으로 누가 누구에게 편지를 쓰는 것인지 밝히지 않고 있다. 그러나 요한복음과 일치하는 내용과 전통적인 견해로 인해 대부분 요한을 저자로 인정하고 있다. 일반적으로 독자들은 요한이 말년(주후 70~100년경)에 사역했던 지역의 공동체로 본다. 요한은 이들에게 두 가지 이유로 이 서신을 썼다고 밝힌다. 첫째로는 자신이 섬기던 공동체를 미혹하는 자들에 대해 경계하기 위해 서신을 썼다고 밝힌다(요일 2:26). 그러면 하나님의 새로운 자식공동체를 미혹하는 자들의 정체는 무엇인가? 그들은 하나님의 자식공동체에 속해 있다가 나간 자들이다(요일 2:19). 그들은 단지 지역공동체를 나간 것이 아니라 하나님의 새로운 자식공동체에서 나간 자들이다. 그들은 거짓말하는 자들이다. 그들의 거짓말은 예수가 그리스도이심을 부인하는 것이다. 그것은 곧 예수에 대한 기독론의 문제이다. 둘째로는 하나님의 새로운 자식공동체 곧 하나님의 아들의 이름을 믿는 자들에게 영생이 있음을 알게 하기 위해서 썼다고 밝힌다(요일 5:13). 요한은 이러한 거짓 사상에 대해 예수 그리스도가 누구인지 진리를 밝힘으로 하나님의 자식공동체를 보호하는 동시에 바로 그들에게 영생의 소망이 있음을 알려 소망과 충만한 기쁨 가운데 승리할 것을 권한다(요일 1:4 참조).

❷ 요한을 통한 하나님의 메시지

생명의 성육신
요한은 그의 복음서와 같이 '태초부터 있는 생명의 말씀'으로 그의 서신의 서론을 시작한다. '생명의 말씀'을 하나님의 새로운 자식공동체가 듣고, 보고, 만진 바 되었다. 영원한 생명의 말씀이 아버지와 함께 계시다가 우리에게 나타나신 것이다. 이것이 소위 성육신이다. 말씀이 육신이 되어 우리 안에 거하신 것이다(요 1:14). 생명의 말씀이 성육신한 예수로부터 그의 공동체가 받는 하나님에 대한 소식은 "하나님은 빛이시라"(요일 1:5)는 계시다. 하나님께는 어두움이 조금도 없다. 그러므로 성육신하신 예수를 통해 하나님과 사귐 가운데 들어온 새로운 자식공동체는 더 이상 어두움 가운데 거해서는 안 된다. 그것은 거짓된 삶이다. 주께서 빛 가운데 계신 것같이 그의 새로운 자식공동체도 빛 가운데서 행해야 한다. 하나님과의 사귐은 새로운 자식공동체가 빛 되신 주 앞에 자기 죄를 자백하는 것으로부터 시작한다(요일 1:1~10).

생명의 성육신 안에서 교제

하나님의 새로운 자식공동체에게는 대언자가 있다. 그는 의로우신 예수 그리스도시다. 그는 우리 죄를 위한 화목제물이다. 하나님과 그의 새로운 자식공동체의 관계를 화목케 하신 제물이다. 그것은 단지 우리만을 위함이 아니고 온 세상의 죄를 위함이다. 그러므로 예수 그리스도의 화목제물로 하나님과의 관계가 회복된 그의 새로운 자식공동체는 그의 계명을 지키는 자들이다. 그를 안다고 하면서 그의 계명을 지키지 않는 자는 거짓말하는 자요, 진리가 그 속에 있지 아니한 자다. 누구든지 그의 말씀을 지키는 자는 하나님의 사랑이 참으로 그 속에서 온전하게 된 자다. 그러므로 그 안에 거한다고 하는 자는 그의 행하시는 대로 자기도 행해야 한다. 사실 이것은 새 계명이 아니라 이미 하나님의 자식공동체가 처음부터 가진 옛 계명 곧 말씀이다. 이제 빛 가운데서 이 계명을 지킬 수 있다. 그것은 진정한 사랑으로 나타난다. 형제를 사랑하는 자가 진정으로 어두움에서 벗어나 빛 가운데 거하는 자이다(요일 2:1~11 참조). 빛 가운데 하나님과 사귐이 있는 자식공동체는 이제 세상과 세상에 있는 것들을 사랑하지 말아야 한다. 세상에 있는 모든 것이 육신의 정욕과 안목의 정욕과 이생의 자랑이기 때문이다. 이러한 것들은 다 아버지께로부터 온 것이 아니라 세상으로부터 좇아 온 것이다. 이 세상도 정욕도 지나가지만 오직 하나님의 뜻을 행하는 자는 영원히 거하게 된다(요일 2:15~17).

적그리스도에 대한 경계

하나님의 새로운 자식공동체는 적그리스도의 많은 출현을 목도할 것이다. 아니 이미 많이 출현했다. 심지어 공동체 안에서 그들에게 미혹된 자들이 있었고 그들은 공동체에서 나갔다. 그러나 그들의 미혹은 여전히 공동체를 향하고 있다. 그러나 하나님의 진정한 자식공동체는 성령의 기름 부음을 통해 무엇이 진리이고 무엇이 비진리인지를 안다. 그들은 성령으로 말미암아 무엇이 거짓말인지 안다. 적그리스도는 거짓말하는 자인데, 예수께서 그리스도이심을 부인하는 자이다. 아버지와 아들을 부인하는 자가 적그리스도다. 아들을 부인하는 자에게는 아버지가 없다. 반면에 아들을 시인하는 자에게는 아버지도 있다. 이것이 요한의 새로운 자식공동체가 처음부터 들은 복음이다. 처음부터 들은 복음이 이들 안에 거할 때 자식공동체는 아들과 아버지 안에 거하게 된다. 예수께서 새로운 자식공동체에게 약속하신 것은 영원한 생명이다. 이것을 성령이 하나님의 자식공동체 안에서 가르치신다. 그러므로 하나님의 자식공동체는 적그리스도의 거짓에 속는 자가 아니라 오히려 거짓을 분별하며 가르침을 받은 대로 주 안에 거하는 자들이다. 또한 그의 의로우심처럼 의를 행하는 자는 그에게서 난 자들이다. 그 안에 거하는 자들만이 주께서 재림하실 때 부끄러움을 당하지 않을 것이다(요일 2:18~29).

새로운 자식공동체의 소망

하나님의 새로운 자식공동체가 '하나님의 자녀'로 일컬음을 받게 된 것은 상상할 수 없는 아버지의 사랑 때문이다. '하나님의 자녀'라는 놀라운 정체성의 회복은 세상이 도저히 알 수 없다. 왜냐하면 세상은 예수를 알지 못하기 때문이다. 그러나 하나님의 자녀가 장래에 어떻게 될 것은 아직 나타나지 않았으나 예수께서 재림하시면 하나님의 자녀들은 그와 같이 될 것이다. 이 땅에 사는 동안 전혀 다르지 않게 보였던 하나님의 자녀들이 예수께서 재림하실 때에 그의 모습과 같이 변화되는 것이다. 이것이 이 땅의 하나님의 자식공동체가 주를 향해 가진 궁극적인 소망이다. 그러므로 이 소망을 가진 자마다 그의 깨끗하심과 같이 자신을 깨끗하게 한다. 그리고 더 이상 죄의 노예가 되어 지속적으로 죄를 짓지 않는다. 이는 하나님의 씨가 그의 속에 거하기 때문이다(요일 3:1~9 참조).

새로운 자식공동체의 사랑

'하나님의 자녀'로 정체성이 회복된 것이 자기 아들을 아낌없이 주신 하나님의 크신 사랑으로 된 것이기에 그의 새로운 자식공동체는 필연적으로 사랑의 공동체다. 그러므로 가인처럼 형제를 미워해서는 안 된다. 형제를 미워하는 자는 살인하는 자다. 예수께서 새로운 자식공동체를 위해 목숨을 버리셨기에 그들이 사랑을 알고 형제를 위해 목숨을 버리는 것이 마땅하다. 말과 혀로만 사랑하지 말고 행함과 진실함으로 사랑해야 한다. 이것이 곧 진리에 속한 증거다. 주의 계명은 서로 사랑하라는 말씀으로 다 이루어진다. 그의 계명을 지키는 자가 주 안에 거하는 자고, 주는 그의 안에 거하신다. 성령으로 예수께서 자식공동체 안에 거하시는 줄을 알게 된다(요일 3:11~24 참조).

또한 사랑은 진리로부터 출발한다. 적그리스도의 영은 예수 그리스도께서 육체로 오신 것을 시인하지 않는 영이다. 적그리스도의 영은 이미 세상에 있다. 그들은 예수 그리스도의 성육신을 부정하므로 진정한 하나님의 사랑을 알 수 없다. 거짓에 속아 거짓 사랑으로 미혹할 뿐이다. 그러나 하나님의 자녀들은 하나님께 속했고, 성육신의 진리를 알므로 서로 사랑한다. 하나님은 바로 그 사랑 안에 거하신다. 그러므로 사랑은 사람에게서 시작된 것이 아니라 하나님에게서 시작된 것이다. 성령이 하나님과 예수 그리스도 그리고 그의 새로운 자식공동체 간의 사랑을 알게 하신다. 이것이 온전한 사랑이다. 이 온전하고 놀라운 사랑은 새로운 자식공동체로 하여금 심판 날에 담대함을 갖게 한다. 두려움을 쫓아낸다. 그리고 그 사랑은 거짓 없는 형제 사랑으로 나타난다(요일 4:1~21 참조).

새로운 자식공동체의 믿음

하나님의 새로운 자식공동체의 믿음은 곧 예수 그리스도에 대한 믿음이다. 예수께서 그리스도이심을 믿는 자마다 하나님께로서 난 자다. 하나님께로서 난 자들은 하나님의 아들 예수를 사랑한다. 그리고 그의 계명을 따른다. 또한 하나님께로서 난 자들은 세상을 이긴다. 과연 죄악된 세상을 이길 자가 누구인가? 오직 예수께서 하나님의 아들이심을 믿는 자만이 세상을 이기는 자다. 곧 믿음이 세상을 이긴다. 하나님의 아들을 믿는 자들은 자기 안에 증거가 있다. 그것은 곧 성령과 물과 피의 증거이다. 이것이 믿음의 증거다. 성령은 하나님의 자녀 안에서 내적으로 아들에 대해 확증한다. 물은 예수의 세례와 죄씻음을 가리킨다. 피는 예수의 십자가와 죄사함을 말한다. 이 세 증거는 곧 예수가 하나님의 아들이며 그리스도이고 우리의 구원자 되심을 증거한다. 그러나 하나님을 믿지 않는 자들은 그의 아들에 관한 하나님의 증거를 믿지 않기 때문에 하나님을 거짓말하는 자로 만든다. 그들은 하나님을 거짓말하는 자로 만든 죄의 대가를 치를 것이다(요일 5:1~10).

하나님의 자녀에게는 또 하나의 증거가 있는데 그것은 하나님이 그의 자녀에게 영생을 주신 것과 그 생명이 그의 아들 안에 있는 것이다. 따라서 아들이 있는 자에게는 생명이 있고, 아들이 없는 자에게는 생명이 없다. 요한은 이것을 증거하기 위해 서신을 썼다. 이 믿음 안에서 하나님의 새로운 자식공동체는 담대함으로 하나님의 뜻대로 기도할 수 있다. 또한 하나님께로서 난 자는 악한 자가 만지지도 못한다. 그들은 하나님께로서 난 자요, 하나님께 속한 자요, 하나님의 아들로 인해 참된 자를 알게 된 자들이다. 그리고 그들은 참된 자 곧 그의 아들 예수 그리스도 안에 있다. 예수는 참 하나님이시며 영생이시다. 그러므로 하나님의 자식공동체는 자신을 지켜 우상을 멀리해야 한다(요일 5:11~21).

❸ 요한을 통한 두 번째 메시지

요한이 쓴 두 번째 서신은 부녀와 그의 자녀가 수신자로 되어 있다. 수신자는 어느 특정한 새로운 자식공동체의 부녀와 그의 자녀일 수도 있고, 더 나아가서는 교회공동체와 성도일 수도 있다. 그들은 진리 안에 거하는 자들이다. 요한은 그의 자녀 중에 아버지의 계명대로 진리에 행하는 자를 보면서 심히 기뻐했다. 요한은 부녀에게 서로 사랑하자고 권한다. 이것은 새 계명이 아니라 처음부터 하나님의 자식공동체가 받은 계명이다. 따라서 하나님의 자식공동체는 처음부터 들은 바와 같이 이 계명 가운데 거해야 한다. 또한 하나님의 자식공동체는 미혹하는 자들을 주의해야 한다. 미혹하는 많은 자가 세상에 왔다. 그들은 예수 그리스도께서 육체로 임하심을 부인하는 자며 곧 적그리스도다. 그러므로 하나님의 새로운 자식공동체는 자신을 지켜 그들에게 복음을 전한 자들이 일한 것을 잃지 말고 오직 온전한 상을 받아야 한다(요이 1:1~8).

오직 그리스도의 교훈 안에 거하는 자라야 아버지와 아들을 모신 자들이다. 그러나 그리스도의 교훈 안에 거하지 않는 자들은 하나님을 모시지 못한 자다. 요한은 누구든지 이 그리스도의 교훈을 가지지 않고 너희에게 나아가는 자들은 집에 들이지도 말고 인사도 하지 말라고 했다. 그에게 인사하는 자는 그 악한 일에 참여하는 것이 된다(요이 1:9~11). 요한은 당시 순회전도자들처럼 이단자들 특히 예수 그리스도께서 육체를 입어 인간이 되신 것을 부인하는 초기 영지주의자들이 거짓 진리로 자식공동체의 집을 방문했을 때 단호히 그들을 거부할 것을 가르치며 하나님의 교회 공동체를 보호한다.

❹ 요한을 통한 세 번째 메시지

요한은 그의 세 번째 서신을 자신이 섬기던 하나님의 새로운 자식공동체에게 보내면서 세 사람에 대해 이야기한다.

첫 번째 인물은 가이오다. 가이오는 새로운 자식공동체 안에서 사랑받는 형제다. 공동체 가운데 있던 형제들이 가이오가 진리 안에서 행한다는 소식을 요한에게 전했을 때 요한은 심히 기뻐했다. 요한의 가장 큰 즐거움은 하나님의 자식공동체가 진리 안에서 행한다는 소식을 듣는 것이다. 요한은 가이오가 여러 교회를 순회하며 복음을 전한 나그네들을 대접한 것을 칭찬한다. 그들은 주의 이름을 위해 이방인들에게 나가서 아무것도 받지 않는 자들이다. 그러므로 하나님의 자식공동체는 마땅히 이 같은 자들을 영접함으로 진리를 위해 함께 수고하는 자들이 되어야 한다.

두 번째 인물은 디오드레베다. 그는 새로운 자식공동체 안에서 으뜸되기를 좋아하는 자이다. 그는 사역자들을 접대하지 않으며 오히려 악한 말로 망령되이 폄론하고 더 나아가 형제들을 접대하지 아니하고 접대하는 자들을 금하고 교회공동체에서 내어 쫓은 자이다. 그러므로 하나님의 자식공동체는 악한 것을 본받지 말아야 한다. 선한 것을 본받아야 한다. 선을 행하는 자는 하나님께 속했고 악을 행하는 자는 하나님을 보지 못하기 때문이다.

세 번째는 데메드리오다. 그는 뭇사람에게도 진리에게서도 증거를 받은 자이다. 요한은 자신과 사역자들도 데메드리오에 대해 참되게 증거한다고 했다(요삼 1장 참조).

요한은 세 편의 서신서를 통해 마지막 시대의 하나님의 자식공동체가 성육신의 신앙을 굳건히 붙잡고 진리와 사랑 안에서 승리하는 영생의 삶을 살 것을 권고한다.

6. 유다를 통한 자식과 땅 그리고 말씀

유다서
→ 사도행전 (예루살렘/온 유대/사마리아/땅 ----------------- 끝)→

❶ 독자와 유다의 상황

유다서는 저자가 유다임을 서신에서 밝히고 있다. 유다는 그리스도의 종이요 야고보의 형제로 자신을 소개한다. 저자 유다는 예수의 열두 제자 가운데 하나였던 유다가 아니라 예수의 친동생 유다다(막 6:3). 사실 예수의 친형제 넷은 초기에 예수께서 메시아라는 사실을 믿지 못했다(요 7:5). 그러나 예수께서 십자가에서 죽으시고 부활하신 후에 예수의 친형제들은 온전한 믿음을 갖게 되었다(행 1:4). 그후 야고보는 예루살렘 교회의 기둥 같은 일꾼이 되었고, 또 다른 주의 형제들은 사도들과 베드로처럼 하나님의 말씀을 전하는 자들이 되었다(고전 9:5). 유다는 이처럼 불신자에서 신자로, 신자에서 사역자의 길을 갔다. 유다가 섬기던 하나님의 새로운 자식공동체가 있었다. 그들이 누구인지 정확히 알려지지는 않았으나 유다는 그들이 부르심을 받은 자라고 말한다. 그들은 하나님 아버지 안에서 사랑을 얻고 예수 그리스도를 위해 지키심을 입은 자들이다. 유다는 그들에게 서신을 써야 할 간절한 이유가 생겼다. 구원 문제와 믿음의 도에 대한 이단들의 위협이 심각한 상황이었기 때문이다(유 1:1~3).

❷ 자식공동체에 가만히 들어온 거짓 교사들

유다가 섬기던 하나님의 자식공동체에 가만히 들어온 몇 사람이 있었다. 그들은 경건치 않은 자로 하나님의 은혜를 도리어 색욕 거리로 바꾼 자들이다. 또한 홀로 하나이신 주재 곧 우리 주 예수 그리스도를 부인하는 자다. 그들은 출애굽을 통해 구원받은 후에 하나님을 믿지 않아 심판당한 자들과 같다. 또한 자기 지위를 지키지 아니하고 자기 처소를 떠난 천사들이 큰 날의 심판까지 영원한 결박으로 흑암에 가두신 것과 같다. 또한 소돔과 고모라와 그 이웃 도시들이 저희와 같은 모양으로 간음을 행하며 다른 육체를 따라가다가 영원한 불의 형벌을 받은 것과 같다. 이 세 심판의 모습은 거울이다. 그럼에도 불구하고 꿈꾸는 자들 곧 하나님의 새로운 자식공동체에 가만히 들어온 자들도 똑같이 육체를 더럽히며 권위를 업신여기며 영광을 비방했다. 천사장 미가엘도 모세의 시체에 대해 마귀와 다투어 변론할 때에 감히 비방하는 판결을 쓰지 못하고 다만 주께서 너를 꾸짖으시기를 원한다고 말했는데 이들은 무엇이든지 알지 못하는 것들을 비방하는 자들이다. 그들은 이성 없는 짐승같이 본능으로 아는 그것으로 멸망할 것이다(유 1:4~10).

그들은 가인의 길에 행한 자들이며, 불의의 삯을 위해 발람의 어그러진 길로 몰려 간 자들이며, 고라의 패역을 따라 멸망을 받은 자들이다. 그들은 거리낌 없이 자식공동체와 함께 먹는 자들인데 그 애찬의 암초며 자기 몸만 기르는 목자다. 그들은 바람에 불려가는 물 없는 구름이요, 죽고 또 죽어 뿌리까지 뽑힌 열매 없는 가을 나무다. 자기 수치의 거품을 뿜는 바다의 거친 물결이며, 영원히 예비된 캄캄한 흑암에 돌아갈 유리하는 별들이다. 그들의 결국은 어떻게 될 것인가? 아담의 칠대 손 에녹은 이들에 대해 예언했다. 그들은 예수께서 수만의 거룩한 자와 함께 임하실 때에 심판을 받을 것이다. 그들의 경건치 않은 일과 경건치 않은 죄인들이 주를 거슬러 한 모든 강퍅한 말을 인해 정죄를 받을 것이다. 원망과 불만과 정욕대로 행한 자들이 그 입으로 자랑하고 아첨했지만 그들에게는 심판만 있을 것이다(유 1:11~16).

❸ 자식공동체의 승리를 위한 권면

하나님의 새로운 자식공동체는 예수 그리스도의 사도들이 한 말들을 기억해야 한다. 사도들은 이미 마지막 때에는 자기의 경건치 않은 정욕대로 행하며 조롱하는 자들이 있을 것이라고 예언했다.

그들은 당을 짓는 자들이다. 육에 속한 자이고 성령이 없는 자이다. 마지막 때에 이러한 거짓 교사들이 새로운 자식공동체를 무너뜨리려고 하는 것이다. 그러므로 하나님의 새로운 자식공동체는 이 싸움에서 승리해야 한다. 그것은 지극히 거룩한 믿음 위에 자기를 건축하며 성령으로 기도하며 하나님의 사랑 안에서 자기를 지키며 영생에 이르도록 우리 주 예수 그리스도의 긍휼을 기다리는 것으로 가능하다. 의심하는 자들을 긍휼히 여겨야 한다. 또 어떤 자들은 불에서 끌어내어 구원해야 한다. 또 어떤 자들은 그 육체의 더럽힌 옷이라도 싫어해 두려움으로 긍휼히 여겨야 한다. 이렇게 승리하는 자식공동체를 예수 그리스도께서 보호하실 것이다. 예수 그리스도는 새로운 자식공동체를 이처럼 보호하실 뿐만 아니라 거침이 없게 하시고, 자식공동체로 하여금 하나님의 영광 앞에 흠이 없이 즐거움으로 서게 하실 것이다. 오직 예수 그리스도로 말미암아 자식공동체를 향한 사탄의 궤계는 실패하고 영광과 위엄과 권력과 권세가 영원 전부터 현재와 영원토록 하나님께만 있을 것이다(유 1:17~25).

1. 자식, 땅, 말씀 그리고 성령을 통한 하나님 나라의 완성

```
                                          서신서 →계시록
→사도행전 (예루살렘/ 온 유대/ 사마리아/ 땅 -------------------- 끝)
```

하나님의 비전은 궁극적으로 하나님 나라의 완성에 있다. 하나님의 영원한 계획 가운데 시작한 하나님 나라는 창세기부터 역사 속에서 시작된다. 역사 속에서 하나님 나라를 추진하는 주체는 삼위일체 하나님이시다. 그것은 곧 하나님 나라의 주권이 하나님께 있음을 의미한다. 하나님은 자신이 창조한 땅에 자기의 왕국 백성을 세우심으로 하나님 나라를 세우기 원하셨다. 그러나 그 땅에서 자기 백성이 사탄의 유혹에 넘어가 범죄함으로 타락했다. 사탄은 첫째 아담에게 부여한 이 땅을 다스리는 권세를 넘겨받아 공중 권세를 잡고 하나님이 창조한 세상과 백성을 사탄의 나라로 전락시켰다(창 3장; 눅 4:6; 엡 2:1 참조). 하나님은 잃어버린 땅과 자식을 되찾아 하나님의 나라를 회복하고 건설하고 완성하시기 위해 여자의 후손을 보내신다(창 3:15). 여자의 후손은 궁극적으로 하나님의 나라를 완성하는 메시아다. 그가 오면 뱀의 후손과 싸워 하나님의 나라를 회복할 것이다. 하나님은 메시아를 통해 하나님의 백성을 모으고 자신의 땅을 회복시키는데 역사 속에서 그것을 이루는 방법으로 언약을 사용하신다. 따라서 하나님은 자기 백성과 언약을 맺으신다.

그 출발이 창세기 역사 속에 등장하는 아브라함이다. 아브라함은 하나님 백성의 대표며 조상이다. 하나님이 맺으신 언약의 내용은 "나는 너희 하나님이 되고, 너희는 나의 백성이 된다"는 것이다. 따라서 이 언약을 이루기 위해 하나님은 언약 대상자에게 자식과 땅을 주겠다고 약속하신다. 후에 자식은 하나님의 백성으로 발전하고 땅은 나라로 발전한다. 곧 하나님의 왕국을 이루는 것이다. 그 나라의 주권은 오직 하나님께 있다. 그리고 그 나라의 통치 원리와 삶의 원리는 오직 하나님의 말씀이다. 이것이 완성되는 때가 하나님 나라가 완성되는 때이다.

이와 같은 언약의 내용을 담는 언약의 형식은 생명을 담보하는 피로 맺어진다. 이것은 언약 대상자 쌍방간의 피의 언약이다. 하나님은 쪼갠 고기 사이로 지나셨고, 아브라함과 그의 자손들은 할례를 받음으로 언약이 체결되었다(창 15, 17장). 만약 하나님 편에서 언약을 파기하면 하나님 자신이 쪼개진 고기처럼 피를 내어 죽겠다는 자기 저주의 맹세다. 만약 인간 편에서 언약을 파기하면 인간이 할례를 받으며 피를 낸 것처럼 자신이 베어질 것임을 계약한 것이다. 그러므로 하나님과 그의 백성 간의 언약은 세상 그 어떤 언약보다도 강력한 효력을 갖는 피의 언약이다. 이것이 하나님과 아브라함이 맺은 언약의 내용과 형식이다.

이처럼 아브라함으로부터 시작된 언약은 성경 역사 속에서 시대별로 언약의 대표자들이 등장하는 점진성을 보인다. 시대별로 언약의 대상은 족장 시대의 이삭, 야곱, 출애굽 시대의 모세와 이스라엘 백성의 시내 산 언약, 가나안 시대의 모압 언약, 세겜 언약, 왕조 시대의 다윗 언약, 솔로몬 언약으로 이어진다. 그러나 하나님은 철저하고 신실하게 언약을 지켜가시는 데 반해 인간은 철저히 언약을 파기한다. 이것이 성경 역사의 흐름이다. 하나님은 언약을 지키시고 인간은 언약을 파기한다(왕하 17:5~23). 하나님께서는 선지자들을 보내셔서 언약을 상기시키고 마음을 돌이켜 회개하고 돌아올 것을 계속 촉구하지만 언약 백성들은 끝까지 돌아오지 않는다. 그 결과는 무엇인가? 그 결과는 피의 언약을 맺은 대로 생명을 내놓는 것이다. 이것이 역사 속에서 이스라엘과 유다의 멸망으로 이루어진다.

그러면 하나님의 나라는 역사 속에서 실패한 것인가? 그렇다. 인간이 언약을 어긴 측면에서 보면 그것은 실패였다. 그러나 하나님 편이 아직 남아 있다. 하나님은 인간 편에서는 실패했지만 그것을 하나님 편에서 성취로 바꾸길 원하셨다. 다시 말하면 첫 언약 곧 옛 언약은 실패했지만 하나님은 새 언약을 통해 본래의 계획을 이루기를 원하셨다. 새 언약은 무엇인가? 그것은 약속하신 메시아가 인간으로 오셔서 인간 편에서 지은 첫 언약의 피의 대가를 지불하심으로 언약의 효력을 영구히 회복시키는 것이다. 새 언약의 효력은 모든 첫 언약의 대상자들 곧 아담으로부터 재림 때까지의 하나님의 백성에게 나타난다. 다시 말하면 그들은 모두 첫 언약을 파기한 결과로 죽어야 하는 대상인데 메시아 예수께서 십자가에서 대신 죽으심으로 그들의 첫 언약의 대가를 지불하신 것이다. 그러므로 그들 모두 오직 예수의 피로 생명을 얻게 된 것이다(히 9:15 참조). 이것이 메시아 예수를 통해 이루시는 하나님의 새 언약의 역사다.

그러므로 예수 그리스도 안에서 첫 언약의 죄를 속함 받은 자들은 새로운 하나님의 자식공동체가 된다. 이 새 언약의 백성은 오직 성령의 역사를 통해 이제 모든 열방과 방언 가운데서 일어나 자기의 아버지께로 돌아온다. 예루살렘과 온 유대와 사마리아와 땅 끝에서 하나님의 새로운 자식공동체가 예수의 십자가의 새 언약을 통해 하나님의 언약 백성으로 돌아오는 것이다. 이것이 성령의 사역이다. 창세기에서 시작한 하나님 나라의 씨가 구약과 신약의 역사를 거쳐 유다서까지 진행된 것이다. 이제 성경의 마지막 계시인 요한의 계시록을 통해 새 언약의 궁극적 비전인 하나님 나라가 완성된다. 하나님은 메시아 예수의 재림을 통해 점도 없고 흠도 없이 온전히 자기 형상을 회복한 자기 백성을 완성하실 것이다. 그리고 그들은 처음 하늘과 땅과 전혀 다른 새 하늘과 새 땅을 선물로 받을 것이다. 그곳에서 하나님의 백성은 오직 하나님의 말씀과 성령 안에서 하나님과 일치된 삶을 살며 영원토록 왕 노릇 할 것이다.

그토록 원하셨던 하나님의 왕국이 온전히 완성되는 것이다.

2. 새로운 자식공동체에 보낸 요한의 계시록

❶ 새로운 자식공동체와 요한

　요한의 계시록은 성경의 대단원을 내리는 결론의 책이며, 완성의 책이다. 다른 말로 하면 성경 계시의 완성이다. 요한은 계시록을 기록할 당시 '에게 해'의 밧모 섬에 유배되어 있었다. 요한이 밧모 섬에 유배된 직접적인 이유는 '하나님의 말씀'과 '예수'를 증거한 것 때문이다(계 1:9). 로마 황제 도미티안의 통치 말기 곧 주후 95년경, 요한은 유배되어 있던 어느 주의 날에 성령에 감동되어 예수 그리스도의 계시를 받는다. 그것은 "네가 보는 것을 두루마리에 써서 에베소, 서머나, 버가모, 두아디라, 사데, 빌라델비아, 라오디게아 등 일곱 교회에 보내라"(계 1:11)는 메시지였다. 사실 요한계시록은 예수 그리스도의 명령에 의해 요한이 소아시아의 일곱 교회에 보낸 서신이다. 곧 서신의 형식을 취한 예수 그리스도의 계시다. 계시란 '감추인 것이 드러나는 것'을 의미한다. 창세기부터 유다서까지 기록된 모든 것의 결론과 완성으로서의 계시다. 곧 예수 그리스도를 통한 하나님 나라 완성의 계시다.

　이 계시의 근원은 하나님으로부터 시작됐다. 하나님께서 예수 그리스도에게 전하셨고, 예수는 천사에게, 천사는 요한에게, 요한은 일곱 교회의 하나님의 종들에게 보냈다. 계시의 목적은 반드시 속히 일어날 일들을 그 종들에게 보이시기 위함이다(계 1:1). 당시 소아시아의 일곱 교회 곧 하나님의 새로운 자식공동체는 로마 황제의 폭정으로 인해 외적인 핍박 가운데 있었다. 그리고 하나님의 새로운 자식공동체를 대표하는 일곱 교회는 당시의 상황 속에서 칭찬과 책망의 두 가지 평가 가운데 있었다. 예수께서는 교회가 당면한 외적 핍박과 내부적 상황 가운데서 온전히 승리하도록 격려와 경계를 하신다. 그러나 그것으로만 끝나는 것이 아니다. 궁극적으로 일어날 장차 될 일 곧 하나님의 새로운 자식공동체에게 임하는 환난과 그를 대적하는 자들의 실체 그리고 대적자들의 패배와 예수의 재림을 통한 그의 자식공동체의 궁극적인 승리를 계시한다. 요한은 자신 또한 밧모 섬에 갇힌 상황이지만 예수의 계시를 일곱 교회에 보냄으로 하나님의 새로운 자식공동체에게 소망과 승리의 메시지를 전한다.

❷ 요한계시록의 구조와 하나님의 메시지

요한계시록의 구조는 1장 19절을 통해 전체적으로 볼 수 있다. 요한계시록 1장 19절의 예수의 말씀은 요한계시록 전체 구조를 들여다보는 창과 같다. 예수께서 요한에게 "네가 본 것과 지금 있는 일과 장차 될 일을 기록하라"고 하셨다. 요한계시록의 구조가 '네가 본 것'과 '지금 있는 일'과 '장차 될 일'로 구성되었음을 밝히고 있다.

첫 번째 구조와 하나님의 메시지
첫 번째로 '네가 본 것'은 무엇을 의미하는가? '네가 본 것'은 1

장 20절에서 잘 설명하는데, "네가 본 것은 내 오른손의 일곱 별의 비밀과 또 일곱 금 촛대라 일곱 별은 일곱 교회의 사자요 일곱 촛대는 일곱 교회"이다. 이것은 밧모 섬에 갇힌 요한에게 나타나신 예수의 모습이다. 곧 1장 전체를 말한다. 요한은 자신의 뒤에서 들리는 나팔소리 같은 큰 음성을 들었다(계 1:10). 요한이 몸을 돌이켰을 때 일곱 금 촛대를 보았고, 그 촛대 사이에 인자 같은 이가 계셨다. 그는 발에 끌리는 옷을 입고, 가슴에 금띠를 띠고, 그 머리와 털의 희기가 흰 양털 같고 눈 같으며, 그의 눈은 불꽃 같고, 그의 발은 풀무불에 단련된 빛난 주석 같고, 그의 음성은 많은 물 소리와 같으며, 그 오른손에 일곱 별이 있고, 그 입에서 좌우에 날선 검이 나오고, 그 얼굴은 해가 힘있게 비치는 것 같았다. 요한이 본 것은 부활하시고, 승리하신 예수였다.

요한이 예수를 보았을 때 그 발 앞에 엎드러져 죽은 자같이 되었다. 그때 예수께서 그의 오른손을 요한에게 얹고 "두려워하지 말라 나는 처음이요 마지막이니 곧 살아 있는 자라 내가 전에 죽었었노라 볼지어다 이제 세세토록 살아 있어 사망과 음부의 열쇠를 가졌노니"(계 1:17~18)라고 하신다. 이것이 요한이 본 것, 곧 부활하셔서 살아 계신 예수다. 그는 '처음과 나중'이니 창조주와 재림주가 되신다. 곧 '산 자'시니 부활의 주가 되셨다. "전에 죽었었노라"고 하셨으니 구속의 주다. '이제 세세토록 살아 계시니' 영생하시는 주다. '사망과 음부의 열쇠를 가졌으니' 심판주요, 승리의 주다. 요한은 자신에게 나타나신 주권자 예수를 본 그대로 기록했다. 이것이 요한계시록의 첫 번째 구조인 '네가 본 것' 곧 서론이다. 완성된 기독론으로 계시록의 서론이 구성되어 있다. 요한의 계시록이 예수 그리스도의 계시임을 천명하는 것으로 계시록이 열리고 있는 것이다(계 1:1).

두 번째 구조와 하나님의 메시지

'지금 있는 일'은 2장, 3장이다. '지금 있는 일'은 주권자 예수 그리스도의 지상 일곱 교회 곧 하나님의 새로운 자식공동체에 대한 진단과 처방이다. 에베소, 서머나, 버가모, 두아디라, 사데, 빌라델비아, 라오디게아 곧 지상의 일곱 교회는 재림 전까지 지상에 존재하는 모든 교회를 상징한다. 일곱 교회는 특히 에게 해의 밧모섬 맞은편 소아시아 지역의 교회들인데 에베소부터 라오디게아 교회까지 시계 방향의 순서대로 위치했다. 이것을 통해 일곱 교회를 각 교회 시대로 보는 해석도 있다.

지상의 일곱 교회에 대한 메시지는 먼저 교회의 주인이신 예수의 모습을 계시하는 것으로 시작한다. 예수의 모습은 각 교회를 진단하고 처방하는 가장 합당한 모습으로 등장한다(계 2:1, 8, 12, 18, 3:1, 7, 14). 예수께서는 각 교회의 모든 것을 아신다(계 2:2~3, 9, 13, 19, 3:1b, 8b, 15). 그 아심으로 진단하시고, 그 결과 칭찬과 책망이 따른다. 그리고 처방과 경고를 주신다. 이기는 자에게 약속을 주시고 결론으로 교회가 성령의 음성을 들어야 할 것을 선포하신다(계 2, 3장 참조). 그러므로 지상의 하나님의 자식공동체인 교회는 주인 되신 예수 그리스도와 성령의 음성을 듣고 그의 입에서 나오는 좌우의 날선 검 곧 말씀으로 날마다 돌아가 교회의 건강성을 확보해 종말의 궁극적 승리를 바라보며 사명을 감당해야 한다.

<화 일곱 교회에 주는 메시지>

교회	예수의 모습	예수의 아심, 칭찬, 위로	예수의 책망	예수의 처방 및 권면	예수의 경고	예수의 인정	교회들이 들어야 할 성령의 말씀	이기는 자에게 주시는 것
에베소	오른손에 일곱 별을 붙잡고 일곱 금촛대 사이에 다니는 분 -교회의 주인	행위,수고, 인내,악한 자 용납지 않은 것, 자칭 사도라 하는 자를 시험해 드러낸 것,인내한 것	처음 사랑을 버림	어디서 떨어졌는지 생각하라, 회개해 처음 행위를 가지라	회개하지 않으면 네 촛대를 그 자리에서 옮길 것이다	니골라당의 행위를 미워한 것	진리 수호와 더불어 처음 사랑을 가지라	하나님 낙원에 있는 생명나무의 과실을 주어 먹게 하심
서머나	처음이요 나중이요 죽었다가 살아나신 이 -생명의 주인	환난,궁핍, 부요한 자, 자칭 유대인이라 하는 자의 훼방, 그들은 사탄의 회당이다	장차 받을 고난을 두려워 말라, 마귀가 몇을 옥에 던질 것이다, 10일간 환난받을 것이다	죽도록 충성하라 그리하면 네가 생명의 면류관을 받으리라			박해는 짧다, 그 가운데서 충성한 자에게 생명의 면류관이 예비되어 있다	둘째 사망의 해를 받지 않음
버가모	좌우에 날선 검을 가지신 이 -말씀의 전사	사탄의 위가 있는 곳에 살지만 예수 이름을 굳게 잡음, 안디바의 순교에도 믿음 지킴	발람의 교훈을 지키는 자들이 있다, 니골라당의 교훈을 지키는 자들이다	회개하라	회개하지 않으면 내가 속히 가서 내 입의 검으로 그들과 싸우리라		순교의 정신으로 교회의 순결을 말씀의 칼로 잘라내라	감추었던 만나를 주심, 새 이름이 기록된 흰 돌을 주심

두아디라	그 눈이 불꽃 같고, 그 발이 빛난 주석 같은 하나님의 아들 – 통찰과 심판의 주인	네 사업, 사랑, 믿음, 섬김, 인내, 나중 행위가 처음 행위보다 많음	자칭 선지자라 하는 이세벨을 용납함, 그가 내 종들을 꾀어 행음하게 하고 우상의 제물을 먹게 했다	회개 하라	그를 침상에 던질 것이다, 그로 더불어 간음한 자도 회개치 않으면 큰 환난에 던지고 자녀들이 죽으리라	이세벨파에 미혹되지 않은 성도들을 인정하심	모든 교회가 내가 사람의 뜻과 마음을 살피는 자인 줄 알아야 한다	만국을 다스리는 권세를 주심
사데	하나님의 일곱 영과 일곱 별을 가진 이 – 성령과 지도자의 주인	네 행위		네가 살았다 하는 이름을 가졌으나 죽은 자다	일깨워 그 남은 바 죽게 된 것을 굳게 하라 어떻게 받았는지 어떻게 들었는지 생각하고 지키어 회개하라	만일 일깨지 않으면 내가 도적같이 이를 것이다	사데에 그 옷을 더럽히지 않은 자 몇 명이 있다, 흰 옷을 입은 합당한 자들이다	명목상, 겉으로는 살아 있으나 실상은 죽어 있는 교회를 살리는 길은 오직 성령 안에서 지도자들이 회복되는 것이다	흰 옷을 입을 것이다, 그 이름을 생명책에서 결코 지우지 아니함, 그 이름을 아버지 앞과 천사들 앞에서 시인함
빌라델비아	거룩하고 진실하신 분, 다윗의 열쇠를 가지신 분, 곧 열면 닫을 자가 없고 닫으면 열	네 행위 '적은 능력을 가지고도 내 말을 지키며,	사탄의 회, 자칭 유대인들 중 몇을 네게 준다. "나의 인내의 말씀을 지켰은	내가 속히 임하리니 '네가 가진 것을 굳게 잡아'			적은 능력을 가지고도 말씀을 지키고, 예수의 이름을 배반하지 않으면	하늘에서 내려오는 새 예루살렘의 이름과 나의 새 이름

	사람이 없는 이, 열린 문을 두신 이 – 회심의 주인	내 이름을 배반치 않은 것"	즉 내가 너를 지켜 시험의 때를 면하게 하리라"	아무도 네 면류관을 빼앗지 못하게 하라		열린 문을 주시고, 하나님 성전의 기둥이 되게 하심.	을 그 위에 기록할 것이다
라오디게아	아멘이요, 충성되고 참된 증인이요, 하나님의 창조의 근본이신 이 – 치유의 원천	네 행위를 안다	차지도 덥지도 아니함, 스스로 부자라 하나 네 곤고한 것과 가련함, 가난한 것, 눈먼 것, 벌거벗은 것을 알지 못함	내게서 불로 연단한 금을 사고, 흰 옷을 사서 입어 수치를 가리고, 안약을 사서 눈에 발라 보게 하라, 열심을 내어 회개하라	미지근해 더웁지도 차지도 아니하니 내 입에서 너를 토해 내치리라	진실하고 충성된 증인 되신 창조주 예수와의 교제가 회복되어야 사는 길이다, 물질적 부요가 아닌 예수만이 진정한 치유의 원천이시다	내 보좌에 함께 앉게 해 주겠다

세 번째 구조와 하나님의 메시지

'장차 될 일'이다. '장차 될 일'은 4장부터 22장까지를 망라한다. 일곱 교회에 대한 계시 후에 요한은 성령의 감동으로 하늘에 열린 문을 통해 천상으로 이끌려 간다. 그것은 '이 후에 마땅히 일어날 일'을 보이기 위해서다(계 4:1). 좀더 구체적으로 보면 4장과 5장은 천상의 교회 곧 천국을 계시한다. 창세기부터 감추어진 천국의 하나님의 보좌와 예배의 모습이 드디어 공개된다. 2장과 3장이 지상 교회의 모습이라면 4장과 5장은 천상의 하나님의 교회의 모습이다. 하나님의 나라 곧 천국의 모습이다. 지상의 하나님의 자식 공동체는 아직 완전하지 않지만 천상의 하나님 나라는 완전하다. 예수께서 지상의 교회와 천상의 교회를 동시에 보이심으로 지상의 하나님의 자식공동체가 어디에 소망을 두고 살아야 하는지 극적으로 계시한다. 특히 4장은 보좌에 앉으신 하나님과 이십사 장로, 네 생물과 그들의 경배를 계시한다.

5장에 가서 계시의 초점은 보좌에 앉으신 하나님의 오른손에 들린 인봉한 책에 맞춰진다. 그 책을 감히 하나님께로부터 받아 인을 뗄 자가 없다. 하늘 위나 땅 위에나 땅 아래서 능히 그 책을 받아 펼 자가 없다. 그래서 요한은 크게 울었다. 그러나 이십사 장로 중 하나가 요한에게 울지 말라며 유일하게 하나님으로부터 그 책을 받아 인을 뗄 자를 소개한다. 그는 유다 지파의 사자 곧 다윗의 뿌리인 승리하신 예수다(창 49:8~10 참조). 그분만이 하나님으로부터 그 책을 받아 일곱 인을 떼실 자다. 드디어 천상의 예수께서 나타나신다. 보좌와 네 생물과 장로들 사이에 어린 양이 섰는데 일찍 죽임을 당한 것 같았다. 하나님의 오른손에서 인봉할 책을 뗄 자는 우주에서 유일하게 유다의 사자이며 일찍 죽임을 당하셨던 어린 양 예수시다. 그가 나아와서 보좌에 앉으신 하나님의 오른손에서 책을 취하자 네 생물과 이십사 장로들이 어린 양 앞에 엎드려 새 노래를 부르며 경배한다.

> "두루마리를 가지시고 그 인봉을 떼기에 합당하시도다 일찍이 죽임
> 을 당하사 각 족속과 방언과 백성과 나라 가운데에서 사람들을 피로

사서 하나님께 드리시고 그들로 우리 하나님 앞에서 나라와 제사장을 삼으셨으니 그들이 땅에서 왕 노릇 하리로다"(계 5:9~10).

새 노래는 메시아 예수를 통해 하나님의 자식공동체가 새 땅에서 영원토록 왕 노릇 할 것을 선포함으로 예수 안에서 언약이 온전히 성취될 것을 찬양하는 것이다. 새 노래 후에 보좌를 둘러선 만만 천천의 천사들이 사자며 어린 양이신 예수께 큰 음성으로 경배한다. 그리고 하늘 위에와 땅 위에와 땅 아래와 바다 위에와 또 그 가운데 모든 만물 곧 모든 피조물이 예수께 "찬송과 존귀와 영광과 권능을 세세토록 돌릴지어다"라고 경배한다(계 4,5장 참조).

주권자 예수 그리스도

1장부터 5장까지의 메시지는 모두 예수 그리스도께서 주권자이심을 계시한다. 이것이 요한계시록을 이해하는 데 핵심적 열쇠다. 오직 예수만이 역사의 주관자시고 심판의 주시다. 오직 하나님의 오른손에 있는 인봉한 책을 받아서 그 인을 떼실 유일한 자다. 특히 예수를 창세기의 야곱의 예언대로 유다 지파의 사자와 어린 양으로 묘사함으로 예수께서 진정한 왕이면서 동시에 십자가에서 죽임 당하셔서 메시아로서 사명을 완수하셨음을 계시한다. 그러므로 오직 예수 그리스도 앞에 요한과 지상의 일곱 교회인 하나님의 자식공동체와 천상의 이십사 장로와 네 생물 그리고 모든 천군 천사와 우주 만물이 경배와 찬양과 영광을 돌리는 것이 합당하다. 드디어 6장에서 어린 양 예수께서 첫째 인을 떼심으로 본격적인 '장차될 일'의 계시가 시작된다. 어린 양이 인을 떼는 주체다. 이 말은 역사의 주관자가 예수 그리스도이심을 온전히 증거한다.

일곱 인을 떼심

요한계시록의 세 번째 구조 곧 '장차 될 일'은 6장에서 사자이며 어린 양이신 예수 그리스도께서 하나님의 오른손으로부터 받은 책의 첫 번째 인을 떼는 것부터 시작된다. 일곱 인을 떼시는 것으로 장차 될 일을 상징적으로 보이신다. 첫째 인부터 다섯째 인까지는 환난의 시작 과정을 보여 준다. 특히 여섯째 인은 재림을 묘사한다(계 6:12~17). 특히 7장에서 살아 계신 하나님의 인을 하나님의 종들의 이마에 치신다. 그리고 각 나라와 족속과 백성과 방언에서 아무라도 헤아릴 수 없는 큰 무리가 흰 옷을 입고 손에 종려가지를 들고 보좌 앞과 어린 양 앞에 서서 큰 소리로 "구원하심이 보좌에 앉으신 우리 하나님과 어린 양에게 있도다"(계 7:10)라고 외친다. 이 큰 무리는 큰 환난에서 나오는 자들인데 어린 양의 피에 그 옷을 씻어 희게 된 자들이다. 이것은 전형적인 자식모티프로 아브라함에게 언약하셨던 하늘의 별과 같이 많은 하나님의 새로운 자식공동체가 어린 양 예수 그리스도 안에서 완성된 모습이다. 그들은 다시 주리지도 아니하며 목마르지도 아니하고 해나 아무 뜨거운 기운에 상하지 아니할 것이니 이는 보좌 가운데 계신 어린 양이 그들의 목자가 되사 생명수 샘으로 인도하시고 하나님께서 그들의 눈에서 모든 눈물을 씻어 주실 것이기 때문이다. 그후 일곱째 인을 떼시는데 일곱째 인은 마치 곧 있을 다음 환상을 열어 주는 역할을 한다.

일곱 나팔을 불게 하심

일곱째 인을 떼면 하나님 앞에 일곱 천사가 도열하고 일곱 나팔을 받는다. 첫째 나팔부터 넷째 나팔까지는 환난의 시작을 묘사한다. 다섯째 나팔과 여섯째 나팔은 창세 전후로 없었던 큰 환난으로 첫째 화, 둘째 화로 묘사한다. 그러나 오직 하나님의 인을 맞은 자들은 보호된다. 그러나 큰 환난 가운데 살아남은 자들은 여전히 그 손으로 행하는 일을 회개하지 않는다. 오히려 여러 귀신과 보거나 듣거나 다니거나 하지 못하는 금, 은, 동과 목석의 우상에게 절하고, 살인과 복술과 음행과 도적질을 회개하지 않는다.

10장과 11장은 여섯 번째 나팔과 일곱 번째 나팔 사이에 등장하는 메시지다. 10장에서는 힘센 다른 천사가 구름을 입고 하늘에서 내려오는데 그 머리에는 무지개가 있고 그 얼굴은 해 같고 그 발은 불기둥 같다. 그는 일곱째 천사가 나팔을 불게 될 때에 하나님의 비밀이 그 종 선지자들에게 전하신 복음과 같이 이루리라고 선포한다. 그리고 그 천사가 요한에게 작은 책을 먹게 한다. 그 작은 책을 먹은 요한은 많은 백성과 나라와 방언과 임금에게 다시 예언해야 한다는 명을 받는다. 그후 두 증인에 대한 예언을 한다. 두 증인은 하나님께로부터 엘리야와 모세와 같은 권세를 받는다. 그리고 굵은 베옷을 입고 예언한다. 두 증인이 증거를 마칠 때에 무저갱으로부터 올라오는 짐승이 저희를 죽임으로 순교한다. 땅에 거하는 자들이 저희의 죽음을 보고 즐거워한다. 그러나 삼 일 반 후에 하나님께로부터 생기가 불어 저희가 살고 구름을 타고 하늘로 올라간다. 그후 큰 지진이 일어나서 그 성의 십분의 일이 무너지고 칠천 명이 죽는다. 둘째 화는 지나갔으나 셋째 화가 속히 이를 것이다(계 10:1~11:14).

일곱째 천사가 나팔을 불자 하늘에 큰 음성들이 나서 "세상 나라가 우리 주와 그의 그리스도의 나라가 되어 그가 세세토록 왕 노릇 하시리로다"(계 11:15)라고 경배한다. 이십사 장로들은 엎드려 얼굴을 땅에 대고 "감사하옵나니 옛적에도 계셨고 지금도 계신 주 하나님 곧 전능하신 이여 친히 큰 권능을 잡으시고 왕 노릇 하시도다 이방들이 분노하매 주의 진노가 내려 죽은 자를 심판하시며 종 선지자들과 성도들과 또 작은 자든지 큰 자든지 주의 이름을 경외하는 자들에게 상 주시며 또 땅을 망하게 하는 자들을 멸망시키실 때로소이다"(계 11:17~18)라고 노래한다. 이에 하늘에 있는 하나님의 성전이 열리는데 성전 안에 하나님의 언약궤가 보이며 또 번개와 음성들과 뇌성과 지진과 큰 우박이 있었다(계 11:19). 예루살렘 성전이 바벨론에 의해 멸망한 후 사라진 언약궤가 어디 있는가? 요한은 환상을 통해 언약궤의 원형이 천상의 하나님의 성전에 있는 것을 보았다. 이것은 무엇을 의미하는가? 하나님께서 모세를 통해서 언약했던 시내 산의 언약을 신실하게 이루어가심을 의미한다. 그것은 하나님과 그의 자식공동체가 성육신하셔서 십자가에서 죽음으로 화목 제물 되신 예수 그리스도를 통해 임마누엘로 함께 사는 것을 말한다. 이제 일곱째 나팔을 분 후 재림을 통해 그 언약이 성취될 것을 예고하는 것이다.

드러나는 용의 정체

하늘에 있는 성전이 열리고 언약궤가 보인 후에 하늘에 큰 이적이 보인다. 그것은 해를 입은 여자다. 해를 입은 여자의 발 아래에는 달이 있다. 그 머리에는 열두 별의 면류관을 썼다. 이 여자가 아이를 배어 해산하게 되매 아파서 애써 부르짖는다. 그때 하늘에 또 하나의 이적이 보이는데 큰 붉은 용이 등장한다. 머리가 일곱이고 뿔이 열이다. 그 여러 머리에 일곱 면류관이 있는데 그 꼬리로 하늘 별 삼분의 일을 끌어다가 땅에 던졌다. 이 큰 붉은 용이 해산하려는 해 입은 여자 앞에서 그가 해산하면 그 아이를 삼키고자 한다. 여자가 아들을 낳았는데 그 아들은 장차 철장으로 만국을 다스릴 남자다. 그 아이는 하나님 앞과 그 보좌 앞으로 올라간다. 그리고 여자는 광야로 도망해 일천이백육십 일 동안 하나님의 예비하신 곳에서 양육을 받는다. 큰 붉은 용은 하늘에서 전쟁을 일으킨다. 그러나 미가엘과 그의 사자들이 용과 그의 사자들과 더불어 싸우므로 이기지 못해 하늘에 있을 곳을 얻지 못하고 큰 용과 그의 사자들이 땅으로 쫓겨난다.

이 크고 붉은 용은 옛뱀 곧 사탄이다(계 12:1~9). 창세기의 아담과 하와를 미혹해 인간을 타락하게 했던 뱀의 정체가 드러난 것이다. 그는 온 천하를 꾀는 자다. 용이 자기가 땅으로 내어쫓긴 것을 보고 남자를 낳은 여자를 핍박한다. 그러나 여자는 큰 독수리의 두 날개를 받아 광야 자기 곳으로 날아가 거기서 뱀의 낯을 피해 한 때와 두 때와 반 때를 양육받는다. 여자의 뒤에서 뱀이 그 입으로 물을 강같이 토해 여자를 물에 떠내려가게 하려 한다. 그러나 땅이 여자를 도와 그 입을 벌려 용의 입에서 토한 강물을 삼킨다. 여자를 치는 일에 실패한 용은 분노해 돌아가서 그 여자의 남은 자손 곧 하나님의 계명을 지키고 예수의 증거를 가진 자들로 더불어 싸우려고 바다 위에 선다(계 12:13~17). 해 입은 여자와 그 여자의 남은 자손은 하나님의 새로운 자식공동체 곧 교회다. 구약의 아브라함 언약의 후손들이다. 그 가운데서 예수께서 오셨고 사탄은 전격적으로 예수를 공격한다. 그러나 예수는 승천을 통해 승리하고 사탄은 땅으로 쫓겨나 그의 남은 교회를 핍박하는 것이다. 곧 창세기 3장의 여자의 후손과 뱀의 후손의 싸움이 치열하게 전개되고 있다. 마귀는 자기의 때가 얼마 남지 않은 줄 알기 때문에 최후의 싸움은 더욱 심해질 것이다.

드러나는 짐승1의 정체

사탄이 하나님의 새로운 자식공동체 곧 하나님의 계명을 지키고 예수의 증거를 가진 자들로 더불어 싸우려고 바다 모래 위에 섰을 때 바다에서 한 짐승이 나온다. 그 짐승은 뿔이 열이고 머리가 일곱이 있다. 그 뿔에는 열 면류관이 있고 그 머리들에는 참람된 이름들이 있다. 큰 붉은 용이 자기의 능력과 보좌와 큰 권세를 그 짐승에게 준다. 그의 머리 하나가 상해 죽게 된 것 같다가 그 죽게 되었던 상처가 낫자 온 땅이 이상히 여겨 짐승을 따랐다. 용이 짐승에게 권세를 주므로 온 땅이 용에게 경배하고 짐승에게 경배해 "누가 이 짐승과 같으냐 누가 능히 이와 더불어 싸우리요"(계 13:4)라고 찬양한다. 짐승이 큰 말과 참람된 말하는 입을 받고 마흔두 달 동안 일할 권세를 받는다. 짐승이 그 입을 벌려 하나님을 향해 비방하되 그의 이름과 그의 장막 곧 하늘에 거하는 자들을 비방한다. 짐승은 또 권세를 받아 성도들과 싸워 이기게 되고 각 족속과 백성과 방언과 나라를 다스리는 권세를 받는데, 죽임을 당한 어린 양의 생명책에 창세 이후로 녹명되지 못하고 이 땅에 사는 자들은 다 짐승에게 경배할 것이다. 성도들은 인내와 믿음으로 이길 것이다. 이것이 용으로부터 권세를 받은 첫 번째 짐승 곧 적그리스도다(계 13:1~10).

드러나는 짐승2의 정체

또 다른 짐승은 땅에서 올라온다. 그는 어린 양같이 두 뿔이 있고 용처럼 말한다. 그는 먼저 나온 첫 번째 짐승의 모든 권세를 그 앞에서 행하고, 땅과 땅에 거하는 자들로 처음 짐승 곧 죽게 되었던 상처가 나은 자에게 경배하게 하는 역할을 한다. 두 번째 짐승 또한 큰 이적을 행하는데 심지어 사람들 앞에서 불이 하늘로부터 땅에 내려오게 한다. 마치 모세와 엘리야의 모습이 연상된다(레 9:24; 왕상 18:38). 그는 첫 번째 짐승으로부터 받은 바 이적을 행함으로 땅에 거하는 자들을 미혹하며 이르기를 칼에 상하였다가 살아난 짐승을 위해 우상을 만들라고 한다. 또한 그가 권세를 받아 그 짐승의 우상에게 생기를 주어 그 짐승의 우상으로 말하게 하고 또 짐승의 우상에게 경배하지 아니하는 자는 다 죽인다. 또한 그가 모든 자 곧 작은 자나 큰 자나 부자나 빈궁한 자나 자유한 자나 종들로 그 오른손에나 이마에 표를 받게 하고 누구든지 이 표를 가진 자 외에는 매매를 못하게 하니 이 표는 곧 짐승의 이름이나 그 이름의 수다. 총명한 자는 그 짐승의 수를 세어 볼 수 있는데 그 수는 사람의 수 곧 육백육십육이다(계 13:11~18). 두 번째 짐승의 정체는 거짓 선지자다. 그는 거짓 진리와 이적을 통해 세상에 거하는 자를 미혹해 첫 번째 짐승 곧 적그리스도를 경배하게 한다.

드러나는 영적 싸움의 실체

일곱째 천사가 일곱째 나팔을 분 환상에 이어 영적 싸움의 실체가 계시된다. 성경은 창세기부터 유다서까지 현실적 역사 속에서 자식과 땅 그리고 하나님의 말씀과 성령의 역사를 기록해 왔지만 요한계시록에 와서 그 이면의 영적 실체들이 적나라하게 드러난다. 그것은 진리의 삼위일체 편에 있는 그의 사자들과 그의 자식공동체와 거짓의 삼위일체 편에 있는 그의 사자들과 그의 자식공동체이다. 성경은 일관되게 성부 하나님과 성자 예수 그리스도 그리고 성령 하나님 그리고 천사들과 그의 새로운 자식공동체가 하나님 나라를 세워가는 역사다. 그러나 그의 반대편에 있는 거짓의 세력도 똑같은 영적 구조를 갖고 미혹한다. 비슷하게 흉내를 내지만 완전히 다른 거짓이다. 큰 붉은 용 사탄과 첫 번째 짐승과 두 번째 짐승 그리고 사탄의 사자들과 그를 따르는 자들이다. 요한계시록은 성경의 결론으로 창세기에서 시작된 여자의 후손과 뱀의 후손의 영적 전쟁의 실체를 온전히 드러낸다. 마지막 때에 하나님의 새로운 백성들로 하여금 영적 실체를 온전히 분별해 사탄의 미혹에 넘어가지 않도록 하고 오직 예수 그리스도의 진리 안에서 소망을 갖게 한다.

새로운 자식공동체를 추수하심

요한은 어린 양이 시온 산에 섰고 그와 함께 십사만 사천 명이 선 것을 보았다. 그들은 누구인가? 그들은 이마에 어린 양의 이름과 그 아버지의 이름을 쓴 것이 있는 자들이다. 그들만이 하늘에서 울리는 새 노래를 배울 자다. 이 사람들은 여자로 더불어 더럽히지

아니하고 정절이 있는 자다. 어린 양이 어디로 인도하든지 따라가
는 자며 사람 가운데서 구속을 받아 처음 익은 열매로 하나님과 어
린 양에게 속한 자들이다. 그 입에는 거짓말이 없고 흠이 없는 자
들이다(계 14:1~5).

또 다른 천사가 공중에 날아가며 땅에 거하는 자들 곧 여러 나
라와 족속과 방언과 백성에게 전할 영원한 복음을 가졌다. 그 천사
의 선포는 창조주요 심판주 하나님을 두려워하고 그에게 영광을
돌리고 경배하라는 것이다. 심판하실 시간이 다 되었기 때문이다.
또 다른 둘째 천사는 그 뒤를 따라가며 큰 성 바벨론이 무너졌다고
선포한다. 큰 성 바벨론은 모든 나라를 그 음행으로 인해 진노의
포도주로 먹이던 자이다. 또 다른 셋째 천사가 그 뒤를 따르며 큰
음성으로 짐승과 그의 우상에게 경배하고 짐승으로부터 표를 받지
말라고 경고한다. 짐승의 표를 받는 자는 하나님의 진노의 포도주
를 마시게 될 것이다. 이러한 때에 하나님의 자식공동체 곧 성도는
인내 가운데 살아야 하는데 그것은 오직 하나님의 계명과 예수 믿
음을 지키는 것이다(계 14:6~12).

주 안에서 죽은 자들은 복이 있다. 계속해서 요한은 흰 구름 위
에 있는 사람의 아들과 같은 이를 보았는데 그 머리에는 금 면류관
이 있고 그 손에는 예리한 낫을 가졌다. 낫을 휘둘러 거두는 것은
곡식이 다 익었음을 의미한다. 또 다른 천사도 예리한 낫을 가졌는
데 그는 땅의 포도를 거둔다. 땅의 포도가 다 익었기 때문이다. 여
기서 곡식은 하나님의 새로운 자식공동체이고, 포도는 불신자들의
심판을 의미한다. 예수 그리스도의 구원과 심판의 때가 이른 것이
다(계 14:14~20).

일곱 대접을 쏟으심

요한은 하늘에 크고 이상한 다른 이적을 본다. 일곱 천사가 일곱 재앙을 가졌는데 곧 마지막 재앙이다. 하나님의 진노는 이것으로 끝난다. 요한이 또 보았는데 불이 섞인 유리 바다 같은 것이 있고 짐승과 그의 우상과 그의 이름의 수를 이기고 벗어난 자들이 유리 바닷가에 서서 하나님의 거문고를 가지고 하나님의 종 모세의 노래, 어린 양의 노래를 불렀다. 그들의 노래는 "주 하나님 곧 전능하신 이시여 하시는 일이 크고 놀라우시도다 만국의 왕이시여 주의 길이 의롭고 참되시도다 주여 누가 주의 이름을 두려워하지 아니하며 영화롭게 하지 아니하오리이까 오직 주만 거룩하시니이다 주의 의로우신 일이 나타났으매 만국이 와서 주께 경배하리이다"(계 15:3~4)라는 고백이다. 어린 양에 의해 짐승과 우상 그리고 그의 표로부터 구원받은 자의 노래다. 이것은 마치 모세와 하나님의 백성들이 출애굽해 홍해를 건넌 후에 올린 노래와 유사하다(출 15:1~18). 이 일 후에 하늘에 증거 장막의 성전이 열리며 일곱 재앙을 가진 일곱 천사가 성전으로부터 나와 하나님의 진노를 가득히 담은 금 대접 일곱을 네 생물로부터 받는다. 하나님의 영광과 능력으로 인해 성전에 연기가 차매 일곱 천사의 일곱 재앙이 마치기까지 성전에 능히 들어갈 자가 없었다. 이것은 하나님의 마지막 일곱 재앙을 멈출 자가 없음을 의미한다(계 15:5~8).

성전에서 큰 음성이 일곱 천사에게 하나님의 진노의 대접을 땅에 쏟으라고 명한다. 첫째 천사가 그 대접을 땅에 쏟자 악하고 독한 종기가 짐승의 표를 받은 사람들과 그 우상에게 경배하는 자들에게 났다. 둘째 천사는 그 대접을 바다에 쏟았다. 바다가 곧 죽은 자의 피같이 되어 바다 가운데 모든 생물이 죽었다. 셋째 천사가 그 대접을 강과 물의 근원에 쏟자 피가 됐다. 물을 차지한 천사는 "전에도 계셨고 지금도 계신 거룩하신 하나님께서 심판하시는 것이 의롭다"며 경배한다. 그들이 '성도들과 선지자들의 피를 흘렸으므로 그들에게 피를 마시게 하신 것이 합당하다'라고 고백한다. 제단도 "그러하다 주 하나님 곧 전능하신 이시여 심판하시는 것이 참되시고 의로우시다"고 화답한다. 넷째 천사가 그 대접을 해에 쏟았다. 해가 권세를 받아 불로 사람들을 크게 태웠다. 그러나 사람들은 이 재앙들을 행하는 권세를 가지신 하나님의 이름을 비방하고 회개하지 아니한다. 다섯째 천사가 그 대접을 짐승의 보좌에 쏟았다. 그러자 그 나라가 어두워지며 사람들은 아파서 자기 혀를 깨물고, 아픈 것과 종기로 말미암아 하늘의 하나님을 비방하고 그들의 행위를 회개하지 않는다(계 16:1~11).

여섯째 천사가 그 대접을 큰 강 유브라데에 쏟았다. 강물이 말라서 동방에서 오는 왕들의 길들이 예비되었다. 개구리 같은 세 더러운 영이 용의 입과 짐승의 입과 거짓 선지자의 입에서 나왔다. 이 더러운 영은 귀신의 영이다. 그들은 이적을 행하여 하나님의 큰 날에 있을 전쟁을 위해 온 천하 왕들을 모은다. 세 영이 히브리어로 아마겟돈이라 하는 곳으로 왕들을 모은다. 일곱째 천사가 그 대접을 공기 가운데 쏟는다. 큰 음성이 성전에서 보좌로부터 나서 "되었다"고 하니 번개와 음성들과 뇌성 그리고 큰 지진이 있는데 사람이 땅에 거한 때부터 이제까지 이런 큰 지진이 없었다. 큰 성이 세 갈래로 갈라지고 만국의 성들도 무너졌다. 큰 성 바벨론이 하나님의 맹렬한 진노의 포도주 잔을 받은 것이다. 각 섬도 없어지고 산

악도 없어졌다. 그리고 한 달란트나 되는 큰 우박이 쏟아져 사람들에게 내렸는데 그들은 끝까지 하나님을 비방한다(계 16:12~21).

큰 음녀 곧 바벨론의 심판 예고

일곱 대접을 가진 일곱 천사 중 하나가 요한에게 많은 물 위에 앉은 큰 음녀의 받을 심판을 보인다. 천사는 땅의 임금들이 그녀와 더불어 음행했고 땅에 거하는 자들도 그 음행의 포도주에 취했다고 하면서 성령으로 요한을 광야로 데려갔다. 요한이 보니 여자가 붉은 빛 짐승을 탔는데 그 짐승의 몸에 참란된 이름들이 가득했다. 그 짐승은 일곱 머리와 열 뿔이 있었다. 그 여자는 자줏빛과 붉은 빛 옷을 입고 금과 보석과 진주로 꾸미고 손에 금잔을 가졌는데 가증한 물건과 그의 음행의 더러운 것들이 가득했다. 그 이마에 이름이 있는데 "비밀이라, 큰 바벨론이라, 땅의 음녀들과 가증한 것들의 어미"라고 기록되어 있다. 또 이 여자는 성도들의 피와 예수의 증인들의 피에 취했다(계 17:1~6).

천사가 그 비밀에 대해 밝힌다. 짐승은 전에 있었다가 지금은 없으나 장차 무저갱에서 올라와 멸망으로 들어갈 자다. 땅에 거하면서 창세 이후로 생명책에 기록되지 못한 자들이 이 짐승을 보고 기이히 여길 것이다. 그 짐승의 일곱 머리는 여자가 앉은 일곱 산이요, 일곱 왕이다. 다섯은 망했고 하나는 있고 다른 하나는 아직 이르지 않았다. 그러나 이르면 반드시 잠시 동안 계속할 것이다. 전에 있다가 지금 없어진 짐승이 여덟째 왕인데 일곱 중에 속한 자다. 저가 멸망으로 들어갈 것이다. 또한 그 짐승의 열 뿔은 열 왕이다. 그들은 짐승으로 더불어 임금처럼 권세를 일시 동안 받을 것이다.

저희가 한 뜻을 가지고 자기의 능력과 권세를 짐승에게 준다. 저희가 어린 양 예수와 더불어 싸우지만 어린 양은 만주의 주시며 만왕의 왕이시므로 저희를 이기실 것이다. 또한 어린 양과 함께 있는 자들 곧 부르심을 입고 빼어냄을 얻고 진실한 자들은 이길 것이다. 여기서 음녀의 앉은 물은 백성과 무리와 열국과 방언들이다. 그러나 이 열 뿔과 짐승이 음녀를 미워해 망하게 하고 벌거벗게 하고 그 살을 먹고 불로 사를 것이다. 여자는 땅의 임금들을 다스리는 큰 성이다. 하나님이 자기 뜻대로 할 마음을 그들에게 주어 한 뜻을 이루게 하시고 저희 나라를 그 짐승에게 주게 하신다. 그것은 하나님의 말씀이 응하기까지 하심이다(계 17:7~18).

바벨론의 멸망

본격적으로 큰 성 바벨론의 멸망이 진행된다. 큰 권세를 가진 천사가 하늘로부터 내려와 큰 성 바벨론이 무너졌다고 외친다. 큰 성 바벨론은 귀신의 처소와 각종 더러운 영이 모이는 곳, 각종 더럽고 가증한 새의 모이는 곳이 되었다고 외친다. 그 음행의 진노의 포도주를 인해 만국이 무너졌으며 또 땅의 왕들이 그로 더불어 음행했고 땅의 상고들도 그 사치의 세력을 인해 치부했다고 외친다. 이 천사의 외침 외에 다른 음성이 하늘로서 들리는데 "내 백성아, 거기서 나와 그의 죄에 참여하지 말고 그가 받을 재앙들을 받지 말라"(계 18:4b)고 한다. 큰 성 바벨론의 죄는 이미 하늘에 사무쳤고 하나님의 기억하신 바가 됐다. 그가 준 그대로 그에게 주실 것이다. 그의 행위대로 갑절을 주실 것이다. 그의 섞은 잔에도 갑절이나 섞어서 줄 것이다. 그가 어떻게 자기를 영화롭게 했으며 사치했는지 그만큼 고난과 애통으로 갚아줄 것이다. 그는 마음에 '나는 여왕으로 앉은 자요, 과부가 아니기에 결코 애통을 당하지 아니하리라' 하지만 하루 동안에 그 재앙들이 이를 것이다. 곧 사망과 애통과 흉년이다. 또한 불에 살라질 것이다. 주 하나님 강하신 자가 그를 심판하실 것이다(계 18:1~8).

큰 성 바벨론만 심판을 받는 것이 아니다. 그와 함께 음행하고 사치하던 땅의 왕들이 그 불붙는 연기를 보고 울며 가슴을 치고 그 고난을 무서워하며 "화 있도다, 화 있도다, 큰 성, 견고한 성 바벨론이여 일시간에 네 심판이 이르렀다" 할 것이다. 땅의 상고들도 그를 위해 울며 애통할 것이다. 다시 그 상품을 사는 자들이 없기 때문이다. 큰 성 바벨론의 상품은 금, 은, 보석, 진주, 세마포, 자주 옷감, 비단, 붉은 옷감, 각종 향목, 각종 상아 그릇, 값진 나무, 구리, 철, 대리석으로 만든 그릇, 계피, 향료, 향, 향유, 유향, 포도주, 감람유, 고운 밀가루, 밀, 소, 양, 말, 수레, 종들, 사람들의 영혼들이다. 이제 다시는 사람들이 결코 큰 성 바벨론의 상품들을 다시 보지 못할 것이다. 상고들과 사람들의 애통과 탄식은 생각지도 못했던 견고하고 큰 성 바벨론이 순식간에 멸망한 것에 대한 놀라움으로 나타난다(계 18:8, 10, 17, 19). 큰 성 바벨론의 심판은 하나님께서 성도들과 사도들과 선지자들 곧 하나님의 새로운 자식공동체를 신원하시는 심판을 그에게 하신 것이다. 그러므로 하나님의 새로운 자식공동체는 큰 성 바벨론 곧 음녀의 멸망을 즐거워한다. 한 힘센 천사가 큰 맷돌 같은 돌을 들어 바다에 던진 후 큰 성 바벨론이 이같이 몹시 떨어져 결코 다시 보이지 않을 것이라고 외친다. 큰 성의 문화와 문명 전체도 다 사라질 것이다. 그러나 선지자들과 성도들과 순교한 자들의 모든 피가 이 성 중에서 보였다(계 18:9~24). 세상을 상징하는 큰 성 바벨론은 멸망하지만 하나님의 새로운 자식공동체는 결국 승리할 것을 대조한다.

어린 양의 혼인잔치 예고

큰 성 바벨론과 그 안의 것들이 다 멸망한 후에 하늘에서 허다한 무리의 큰 음성 같은 것이 들렸다. 그것은 "할렐루야 구원과 영광과 능력이 우리 하나님께 있도다"(계 19:1)라는 고백이다. "그의 심판은 참되고 의로운지라 음행으로 땅을 더럽게 한 큰 음녀를 심판하사 자기 종들의 피를 그의 손에 갚으셨도다"(계 19:2)라고 노래한다. 두 번째도 "할렐루야" 하더니 그 연기가 세세토록 올라간다. 또 이십사 장로와 네 생물이 엎드려 보좌에 앉으신 하나님께 "아멘 할렐루야" 하며 경배한다. 그때에 "보좌에서 음성이 나서 이르시되 하나님의 종들 곧 그를 경외하는 너희들아 작은 자나 큰 자나 다 우리 하나님께 찬송하라"(계 19:5) 하신다. 또 허다한 무리의 음성도 같고 많은 물소리와도 같고 큰 뇌성과 같은 소리가 들렸다. 그 소리는 "할렐루야 주 우리 하나님 곧 전능하신 이가 통치하시도다 우리가 즐거워하고 크게 기뻐하며 그에게 영광을 돌리세 어린 양의 혼인 기약이 이르렀고 그의 아내가 자신을 준비하였으므로 그에게 빛나고 깨끗한 세마포 옷을 입도록 허락하셨으니 이 세마포 옷은 성도들의 옳은 행실이로다"(계 19:6~8)라는 노래다. 이어서 천사가 요한에게 기록하라고 한다.

"천사가 내게 말하기를 기록하라 어린 양의 혼인 잔치에 청함을 받

은 자들은 복이 있도다 하고 또 내게 말하되 이것은 하나님의 참되신
말씀이라 하기로"(계 19:9).

요한이 이 말을 들은 후 그 발 앞에 엎드려 경배하려고 할 때 천
사는 "나는 너와 및 예수의 증언을 받은 네 형제들과 같이 된 종이
니 삼가 그리하지 말고 오직 하나님께 경배하라 예수의 증언은 예
언의 영이라"(계 19:9~10)고 권한다. 이것은 시내 산에서 하나님과
그의 백성이 혼인 언약을 통해 그의 백성의 장막 가운데 성막을 세
우고 함께 거하신 언약이 드디어 완성이 임박했음을 예고한다.

만왕의 왕 예수 그리스도의 재림

요한은 하늘이 열린 것을 보았다. 백마 탄 자가 있는데 그 이름
은 '충신과 진실'이다. 그가 공의로 심판하며 싸웠다. 백마 탄 자의
눈이 불꽃 같고 그 머리에 많은 면류관이 있다. 또 이름 쓴 것이 하
나가 있는데 자기밖에 아는 자가 없다. 또 그가 피 뿌린 옷을 입었
는데 그 이름은 하나님의 말씀이라 칭했다. 희고 깨끗한 세마포를
입은 하늘에 있는 군대들이 백마를 타고 그를 따랐다. 백마 탄 자
의 입에서 예리한 검이 나와 그것으로 만국을 치고 친히 저희를 철
장으로 다스린다. 또 친히 하나님 곧 전능하신 이의 맹렬한 진노의
포도주 틀을 밟을 것이다. 그 옷과 그 다리에 이름 쓴 것이 있는데
그 이름은 '만왕의 왕, 만주의 주'시다(계 19:11~16).

백마 탄 자는 재림하시는 예수다. 그는 심판의 주로 진정한 왕으
로 이 땅에 다시 오신다. 한 천사가 해에 서서 공중에 나는 모든 새
에게 큰 음성으로 외친다. "와서 하나님의 큰 잔치에 모여 왕들의

살과 장군들의 살과 장사들의 살과 말들과 그것을 탄 자들의 살과 자유인들이나 종들이나 작은 자나 큰 자나 모든 자의 살을 먹으라"는 외침이다(계 19:17~18). 이는 심판을 의미한다. 그때 그 짐승과 땅의 임금들과 그 군대들이 모여 백마 탄 자와 그의 군대로 더불어 전쟁한다. 여기서 첫 번째 짐승이 잡힌다. 그리고 그 앞에서 이적을 행하던 두 번째 짐승인 거짓 선지자도 잡힌다. 그는 짐승의 표를 받고 그의 우상에게 경배하던 자들을 표적으로 미혹하던 자다. 이 짐승과 거짓 선지자가 산 채로 유황불 붙는 못에 던져질 것이다. 그 나머지는 백마 탄 자의 입에서 나오는 예리한 검으로 죽을 것인데 모든 새가 그 살을 배불리 먹을 것이다(계 19:17~21).

용의 패배와 천년 왕국

백마를 타고 하늘의 군대와 다시 오신 예수를 통해 두 짐승이 잡혔다. 그리고 이제 남은 자는 옛뱀 곧 큰 붉은 용인 사탄이다. 창세기에서 하나님 나라를 파괴한 자가 그이기에 그는 최후의 심판을 면할 수 없다. 무저갱의 열쇠와 큰 쇠사슬을 손에 가진 천사가 하늘로서 내려와서 드디어 용을 잡는다. 그 용은 옛뱀이요 마귀요 사탄이다. 천사가 그를 잡아 무저갱에 던져 잠그고 그 위에 인봉해 일천 년이 차도록 다시는 만국을 미혹하지 못하도록 했다. 그러나 그 후에는 반드시 잠깐 놓일 것이다. 요한이 보좌들을 보니 심판하는 권세를 받은 자들이 거기 앉아 있었다. 또 예수의 증거와 하나님의 말씀을 인해 목 베임을 받은 자의 영혼들과 또 짐승과 그의 우상에게 경배하지 않고 이마와 손에 그의 표를 받지 아니한 자들이 살아서 그리스도로 더불어 천 년 동안 왕 노릇 할 것이다. 이것이 첫째 부활이다. 이 첫째 부활에 참여하는 자들은 복이 있고 거룩하다. 둘째 사망이 그들을 다스리는 권세가 없고 도리어 그들이 하나님과 그리스도의 제사장이 되어 천 년 동안 그리스도로 더불어 왕 노릇 할 것이다. 이 천 년이 차면 사탄이 옥에서 놓인다. 그가 나와 땅의 사방 백성 곧 곡과 마곡을 미혹하고 모아 바다 모래 같이 많을 것이다. 저희가 지면에 널리 퍼져 성도들의 진과 사랑하시는 성을 포위한다. 그러나 하늘에서 불이 내려 저희를 소멸하고 저희를 미혹하는 마귀가 불과 유황 못에 던져진다. 거기는 이미 잡혀서 던져진 그 짐승과 거짓 선지자도 있어 용과 함께 영원토록 날마다 괴로움을 받을 것이다(계 20:1~10).

최후의 심판대

요한은 크고 흰 보좌와 그 위에 앉으신 자를 보았다. 죽은 자들이 무론대소하고 그 보좌 앞에 섰다. 그 보좌 앞에는 책들이 펴져 있고 또 다른 책이 펴져 있었다. 그것은 생명책이다. 죽은 자들이 자기의 행위에 따라 책들에 기록된 대로 심판을 받았다. 바다가 그 가운데서 죽은 자들을 내어 주었고 또 사망과 음부도 그 가운데서 죽은 자들을 내어 주어 각 사람이 자기의 행위대로 심판을 받는다. 사망과 음부도 불못에 던져지는데 이것이 둘째 사망이다. 누구든지 생명책에 기록되지 못한 자는 불못에 던져졌는데 곧 둘째 사망이다 (계 20:11~15). 백마를 타고 온 예수 그리스도께서 용과 짐승과 거짓 선지자들을 폐하고 죽은 자들을 최후 심판하신다. 죽은 자들 가운데서 생명책에 기록되지 못한 자는 자기 행위가 기록된 책의 증거에 따라 선고를 받는다. 그 선고는 불못에 던져지는 둘째 사망이다.

새 하늘과 새 땅 그리고 새 백성

이제 모든 것이 정리된 후 요한은 새 하늘과 새 땅을 본다. 처음 것은 없어졌고 다시 있지 않다. 하나님께서 선지자들을 통해서 예언하셨던 새 하늘과 새 땅이 완성된 것이다. 그리고 거룩한 성 새 예루살렘이 하나님께로부터 하늘에서 새 땅으로 내려오는데 그 예비한 것이 신부가 남편을 위해 단장한 것 같았다. 보좌에서 큰 음성이 들렸다. 그것은 하나님 나라의 완성에 대한 선언이다.

> "내가 들으니 보좌에서 큰 음성이 나서 이르되 보라 하나님의 장막
> 이 사람들과 함께 있으매 하나님이 그들과 함께 계시리니 그들은 하
> 나님의 백성이 되고 하나님은 친히 그들과 함께 계셔서 모든 눈물을
> 그 눈에서 닦아 주시니 다시는 사망이 없고 애통하는 것이나 곡하는
> 것이나 아픈 것이 다시 있지 아니하리니 처음 것들이 다 지나갔음이
> 러라"(계 21:3~4).

보좌에 앉으신 이가 만물을 새롭게 한다고 선포하신다. 이 말은 신실하고 참되기에 기록되어야 한다(계 21:5). 이것은 무엇인가? 하나님께서 아브라함부터 다윗에게까지 언약했던 언약이 온전히 이루어졌음을 선언하는 것이다. 언약의 핵심 내용은 하나님이 그들의 하나님이 되시고 그들은 하나님의 백성이 되는 것이다. 그리고 그들이 거할 영원한 땅을 주시는 것이다. 그곳에서 그들은 오직 하나님의 말씀대로 왕 노릇 하며 살 것이다. 사실 인간 편에서는 이 언약을 파기했으나 하나님 편에서는 이 언약을 신실하게 지키셨다. 그것이 백마 타고 오신 예수를 통해 온전히 이루어진 것이다. 이제

새 하늘과 새 땅에서 거룩한 하나님의 새로운 자식공동체가 영원히 왕 노릇 하며 하나님과 더불어 살 것이다. 따라서 예수께서 "이루었도다"라고 선언하신다(계 21:6a).

예수 그리스도는 알파와 오메가요 처음과 나중이시다. 그는 생명수 샘물로 목마른 자에게 값없이 주시는 자이다. 이기는 자는 이것을 유업으로 얻을 것이다. 그분은 진정 저의 하나님이 되고 저는 그의 아들이 될 것이다. 그러나 두려워하는 자들과 믿지 않는 자들과 흉악한 자들과 살인자들과 행음자들과 술객들과 우상 숭배자들과 모든 거짓말하는 자들은 불과 유황으로 타는 못에 던져질 것이다. 이것이 둘째 사망이다(계 21:6~8). 이처럼 하나님의 언약 가운데 있는 새로운 자식공동체는 새 하늘과 새 땅에서 하나님과 더불어 영원토록 산다. 그러나 하나님과 주 예수를 거역한 자들은 큰 붉은 용과 그 짐승과 거짓 선지자들과 함께 불못에 던져져 영원토록 고통 가운데서 둘째 사망에 처하게 되는 것이다. 궁극적으로 하나님 나라가 사탄의 나라를 완전히 이긴다.

어린 양과 신부와 함께 사는 영원한 하나님 나라

일곱 대접을 가졌던 일곱 천사 중 하나가 요한에게 어린 양의 아내 곧 신부를 보여 준다. 성령이 요한을 데리고 크고 높은 산으로 올라가 하나님께로부터 하늘에서 내려오는 거룩한 성 예루살렘을 보인다. 그 성에 하나님의 영광이 있어 그 성의 빛이 지극히 귀한 보석 같고 벽옥과 수정같이 맑았다. 그 성의 모양은 크고 높은 성곽이 있고 열두 문이 있다. 문에는 열두 천사가 있고 그 열두 문 위에 이름이 쓰여 있는데 이스라엘 자손의 열두 지파의 이름들이다.

동서남북으로 세 문씩 있다. 그 성의 성곽은 열두 기초석으로 되어 있다. 열두 기초석 위에 어린 양의 십이 사도의 열두 이름이 있다. 천사가 그 성과 그 문들과 성곽을 척량하려고 금 갈대를 가졌다. 그 성은 네모반듯하고 그 성곽은 벽옥, 그 성은 정금으로 되어 있다. 그 성의 기초석은 각색 보석으로 되어 있고, 그 열두 문은 진주로 되어 있다. 성의 길은 맑은 유리같은 정금이다(계 21:9~21).

이 새 예루살렘 성은 결국 무엇을 말하는가? 그것은 하나님의 구원받은 새로운 자식공동체의 모습이다. 그들은 이제 어린 양의 신부로서 거룩하고 흠이 없는 진정한 신부의 아름다움으로 변화된 것이다. 이것은 시내 산에서 하나님께서 모세를 통해 이스라엘과 혼인 언약을 체결하시고 성막을 짓게 하사 동서남북으로 세 지파씩 하나님의 성막을 중심으로 유진하게 하심으로 그들 가운데 함께 사신 언약에 대한 완전한 성취를 보여 준다(출 19~25장 참조). 그러나 새 예루살렘 성에는 성전이 없다. 그것은 주 하나님 곧 전능하신 이와 및 어린 양 예수께서 성전이 되시기 때문이다(계 21:22). 이것이 완성된 하나님 나라의 모습이다.

또한 그 성은 해나 달의 비침이 필요하지 않다. 하나님의 영광이 비치고 어린 양이 그 등불이 되시기 때문이다. 이제 만국이 그 빛 가운데로 다니고 땅의 왕들이 자기 영광을 가지고 그리로 들어갈 것이다. 세상의 나라가 하나님의 나라로 변화됨을 의미한다. 하나님만이 진정한 왕이심을 말한다. 성문들은 낮에도 열려 있을 것이다. 거기에는 밤이 없기 때문이다. 사람들이 만국의 영광과 존귀를 가지고 그리로 들어갈 것이다. 그러나 무엇이든지 속되거나 가증한 일 또는 거짓말하는 자는 결코 그리로 들어오지 못할 것이다.

오직 어린 양의 생명책에 기록된 자들만 들어올 것이다(계 21:23~27)

계속해서 천사가 수정같이 맑은 생명수의 강을 보여 주는데 하나님과 어린 양의 보좌로부터 나와서 길 가운데로 흘렀다. 강 좌우에 생명나무가 있었다. 그 생명나무는 열두 가지 실과를 맺는데 달마다 그 실과를 맺는다. 그 나무 잎사귀들은 만국을 소성하기 위해 있다. 거기에는 다시는 저주가 없다. 저주의 세상은 이제 사라졌기 때문이다. 거기에는 오직 하나님과 그 어린 양의 보좌가 그 가운데 있다. 그의 종들이 그를 섬기며 그의 얼굴을 보며 그의 이름도 저희 이마에 있을 것이다. 다시는 밤이 없다. 등불과 햇빛도 쓸데없다. 주 하나님이 저희에게 비치시기 때문이다. 저희 곧 어린 양 예수가 핏값으로 사신 새로운 신부가 영원토록 왕 노릇 할 것이다(계 22:1~5).

요한계시록의 결론

천사는 요한에게 완성된 하나님의 나라를 다 보인 후에 마지막 말을 한다. 이것은 하나님께서 요한을 통해 마지막으로 계시하시는 신실하고 참된 말이다. 곧 요한계시록의 결론이며 성경 전체의 계시를 마감하는 결론이다. 그것은 하나님께서 속히 되어질 일을 그의 종들에게 보이시려고 천사를 보내셨다는 것이다. 예수께서는 "보라 내가 속히 오리니 이 책의 예언의 말씀을 지키는 자가 복이 있으리라"(계 22:7)고 하셨다. 이 모든 것을 보고 들은 요한이 천사에게 엎드려 경배하고자 하지만 천사는 요한과 선지자들과 또 이 책의 말을 지키는 자들과 함께 된 종이라며 오직 하나님께 경배하라고 권한다. 그러면서 이 책을 인봉하지 말라고 한다. 때가 가깝기 때문이다. 그러므로 불의를 행하는 자는 그대로 불의를 행하고, 더러운 자는 그대로 더럽고, 의로운 자는 그대로 의를 행하고, 거룩한 자는 그대로 거룩하게 하라고 하신다.

마지막으로 예수께서 말씀하신다.

"보라 내가 속히 오리니 내가 줄 상이 내게 있어 각 사람에게 그의 행한 대로 갚아 주리라 나는 알파와 오메가요 처음과 마지막이요 시작과 마침이라 자기 두루마기를 빠는 자들은 복이 있으니 이는 그들이 생명나무에 나아가며 문들을 통하여 성에 들어갈 권세를 받으려 함이로다 개들과 점술가들과 음행하는 자들과 살인자들과 우상 숭배자들과 및 거짓말을 좋아하며 지어내는 자는 다 성 밖에 있으리라 나 예수는 교회들을 위하여 내 사자를 보내어 이것들을 너희에게 증언하게 하였노라 나는 다윗의 뿌리요 자손이니 곧 광명한 새벽 별이라"(계 22:12~16).

이에 대해 성령과 신부는 듣는 자, 목마른 자, 원하는 자를 오라고 초청한다. 초청에 오는 자는 값없이 생명수를 받을 것이다. 이 모든 것을 증거하신 예수께서 "내가 진실로 속히 오리라"(계 22:20a)하니 요한은 "아멘 주 예수여 오시옵소서"(계 22:20b)라고 고백하며 주 예수의 은혜가 모든 자에게 있기를 구하며 성경의 대단원을 마친다(계 22:21).

요한계시록은 곧 예수의 계시록이다. 예수 그리스도의 계시라는 선언으로 시작해 모든 역사의 주관자가 어린 양 예수임을 증거하고 그 예수께서 속히 다시 오시겠다는 결론으로 끝나기 때문이다

(계 1:1, 22:20). 그러나 사실은 성경 전체가 예수의 성경이다. 이것이 성경이 말하는 일관된 메시지다. 요한계시록에서도 하나님의 자식공동체의 표지는 항상 하나님의 말씀과 예수를 믿는 증거를 통해 나타난다. 요한도 이것 때문에 밧모 섬에 유배되었고, 성도의 순교도 이것 때문이며, 사탄이 공격하는 것도 하나님의 말씀과 예수다(계 1:2, 9, 3:8, 6:9, 12:17, 19:13, 20:4).

하나님은 창세기에서부터 예수를 통해 하나님의 나라를 회복시키시고 완성할 것을 계시하셨다. 그것을 역사 가운데서 이루시는 방법으로 인간과 언약을 맺으심으로 실행하신 것이다. 인간의 언약 파기를 아시고 메시아 예수를 새 언약의 중보자로 세우심으로 하나님의 언약을 신실하게 지키셨다. 사탄은 이것을 온갖 수단을 동원해서 훼방하지만 결국 메시아 예수께서 십자가와 부활로 승리하심으로 자기 백성을 하나님께 드려 하나님의 나라가 완성된다. 하나님의 놀라운 은혜요 사랑이다. 성경은 창세기부터 요한계시록까지 예수 그리스도 안에서 참으로 신실하신 하나님을 일관되게 계시하고 있다.

지도 및 도표
참고서적

1. 언약 지도 : 자식과 땅에 대한 언약

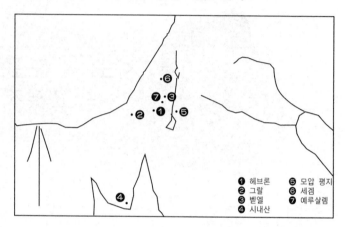

❶ 헤브론	❺ 모압 평지
❷ 그랄	❻ 세겜
❸ 벧엘	❼ 예루살렘
❹ 시내산	

A. 첫 언약(옛 언약)

❶ 아브라함 언약

　　본문 : 창 15, 17장

　　장소 : 헤브론의 마므레 상수리 수풀(창 13:18, 18:1)

　　대상 : 하나님과 아브라함

❷ 이삭 언약

　　본문 : 창 26:2~4

　　장소 : 그랄(창 26:1)

　　대상 : 하나님과 이삭

❸ 야곱 언약

　　본문 : 창 28:13~14

　　장소 : 벧엘(창 28:19)

　　대상 : 하나님과 야곱

❹ 시내산 언약

　　본문 : 출 24:1~18

　　장소 : 시내 산(출 19:1, 24:16)

　　대상 : 하나님과 이스라엘 출애굽 세대

❺ 모압 언약

　　본문 : 신 29:1~29

　　장소 : 모압 평지(신 29:1)

　　대상 : 하나님과 이스라엘 가나안 정복 세대

❻ 세겜 언약

　　본문 : 수 8:30~35

　　장소 : 세겜/에발 산과 그리심 산 사이(수 8:33)

　　대상 : 하나님과 이스라엘 가나안 정복 세대

❼ 다윗 언약

　　본문 : 삼하 7:12~16

　　장소 : 예루살렘 다윗 성(삼하 7:2)

　　대상 : 하나님과 다윗, 그 후손들

B. 새 언약

❽ 예수 그리스도의 새 언약
   본문 : 막 14:24; 눅 22:16~20
   장소 : 예루살렘 마가의 다락방(눅 22:12)
   대상 : 예수 그리스도와 새로운 자식공동체

2. 2+1+1 성경의 금맥 : 김밥원리로 보기

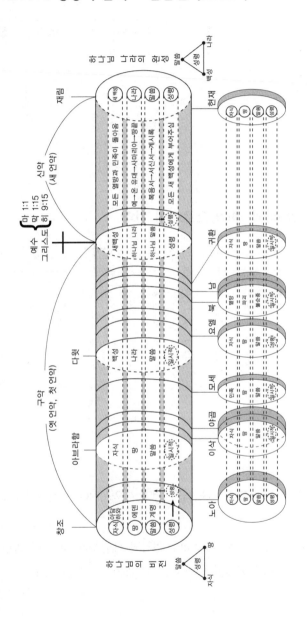

3. 메시아 자식 모티프의 맥

창				출	수	삿	삼	열왕기	포로기	신약
여자의 후손	아브라함	이삭	야곱	유다	라합	룻	다윗		예수 그리스도	재림

4. 점(點)과 선(線)으로서의 언약

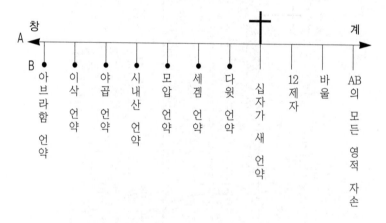

1 A는 선(線)으로, 하나님의 언약은 역사력에서 하나의 비전으로 나아간다.

2 B는 점(點)으로, 시대마다 언약의 대상자가 각각 다르다. 그러나 그들은 1의 동일한 언약으로 연결되어 있다.(p. 32참조)

■ 참고도서

IVP성경주석, 구약/신약(한국기독학생회 출판부, 2005).

IVP성경배경주석, 구약/신약(한국기독학생회 출판부, 2001) .

F. F. Bruce 외, 《NBD 새성경사전》(C.L.C., 1996).

예수복음서 사전(요단출판사, 2003).

Bernhard W. Anderson, 강성열, 노항규 역, 《구약성서이해》(크리스챤다
　　이제스트, 1994).

Dornald Guthrie, 정광욱 역, 《사도들》(아가페출판사, 1991).

E. A. Martens, 김지찬 역, 《구약에 나타난 하나님의 계획과 목적》(생명의
　　말씀사, 1990).

F. F. Bruce, 나용화 역, 《신약사》(C.L.C., 1999).

F. F. Bruce, 박문재 역, 《바울》(크리스챤다이제스트, 1992).

G. F. Hasel, 김정우 역, 《구약신학》(도서출판 엠마오, 1993).

Joachim Jeremias, 한국신학연구소 역, 《예수시대의 예루살렘》(한국신학
　　연구소, 1988).

　　　　　　　　. 정광욱 역, 《신약신학》(도서출판 엠마오, 1992).

John Goldingay, 김의원 · 정용성 역, 《구약해석의 접근방법》(크리스챤다
　　이제스트, 1992).

John. H. Sailhamer, 《The Pentateuch as Narrative》(Grand Rapids.
　　Michigan, 1992).

John H. Sailhamer, 김동진 역, 《서술로서의 모세오경》(새순출판사, 1994).

John. H. Walton, 《Chronological & Background Charts of The OLD

TESTAMENT》, (Zondervan Publishing House, 1978).

Leonhard Goppelt, 최종태 역, 《모형론》(새순출판사, 1987).

Leon J. Wood, 김동진 역, 《이스라엘의 선지자》(C.L.C., 1990).

Meredith G. Kline, 김의원 역, 《성경의 권위의 구조》(크리스챤서적, 1994).

O. Palmer Robertson, 김의원 역, 《계약신학과 그리스도》(C.L.C., 1983).

Vern S. Poythress, 유상섭 역, 《요한계시록 맥잡기》(크리스챤출판사, 2002).

W. J. Dumbrell, 최우성 역, 《언약과 창조》(도서출판 크리스챤서적, 1990).

Walther Zimmerli, 김정준 역, 《구약신학》(한국신학연구소, 1976).

Willem A. VanGemeren, 김의원 · 이명철 역, 《예언서연구》(도서출판 엠마오, 1993).

Willem A. VanGemeren, 안병호 · 김의원 역, 《구원계시의 발전사 I 》(성경읽기사, 1993).

William Dyrness, 김지찬 역, 《주제별로 본 구약신학》(생명의 말씀사, 1984).

Zacques Ellul, 최홍숙 역, 《도시의 의미》(한국로고스연구원, 1992).

김의원, 《하늘과 땅 그리고 족장들의 톨레돗》(총신대학교출판부, 2004).

김세윤, 《예수와 바울》(도서출판 제자, 1995).

——, 《복음이란 무엇인가?》(두란노서원, 2003).

김희보, 《구약 스가랴 주해》(총신대학출판부, 1986).

송제근, 《오경과 구약의 언약신학》(두란노서원, 2003).

판 권
소 유

2+1+1로 관통하는 성경금맥

2009년 6월 20일 인쇄
2009년 6월 25일 발행

지은이 | 권기창
발행인 | 이형규
발행처 | 쿰란출판사

주소 | 서울 종로구 이화동 184-3
TEL | 02-745-1007, 745-1301, 747-1212, 743-1300
영업부 | 02-747-1004, FAX / 02-745-8490
본사평생전화번호 | 0502-756-1004
홈페이지 | http://www.qumran.co.kr
E-mail | qumran@hitel.net
        qumran@paran.com
한글인터넷주소 | 쿰란, 쿰란출판사

등록 | 제1-670호(1988.2.27)

책임교열 | 송은주

값 16,000 원

ISBN 978-89-5922-754-9 93230